A-Z MANCHESTER

CONTENTS

REFERENCE

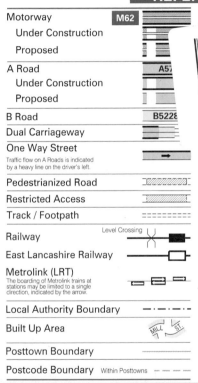

Motorway	**M62**
Under Construction	
Proposed	
A Road	A5?
Under Construction	
Proposed	
B Road	B5228
Dual Carriageway	
One Way Street	→
Traffic flow on A Roads is indicated by a heavy line on the driver's left.	
Pedestrianized Road	
Restricted Access	
Track / Footpath	
Railway	Level Crossing
East Lancashire Railway	
Metrolink (LRT)	
The boarding of Metrolink trains at stations may be limited to a single direction, indicated by the arrow.	
Local Authority Boundary	
Built Up Area	MILL ST.
Posttown Boundary	
Postcode Boundary	Within Posttowns

...B Roads only	
Information Centre	🛈
National Grid Reference	³85
Police Station (Open 24 Hours)	▲
Post Office	★
Toilet	▽

Large Scale City Centre only

Educational Establishments	
Hospitals & Health Centres	
Leisure & Recreation Facilities	
Places of Interest	
Public Buildings	
Shopping Centres & Markets	
Other Selected Buildings	

SCALE

Map Pages 12-167	Map Pages 4-11
1:18103 (3½ inches to 1 mile)	1:9051 (7 inches to 1 mile)

0	¼	½ Mile
0	250	500	750 Metres

0	⅛	¼ Mile
0	100	200	300 Metres

Copyright of Geographers' A-Z Map Company Ltd.

Head Office:
Fairfield Road, Borough Green, Sevenoaks, Kent, TN15 8PP
Telephone 01732 781000

Showrooms:
44 Gray's Inn Road, London, WC1X 8HX
Telephone 0171 242 9246

© 1997 Edition 9
© 1998 Edition 9A (part revision)

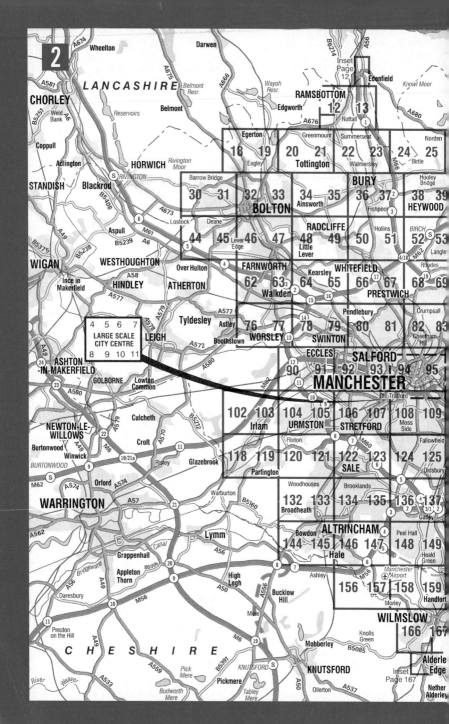

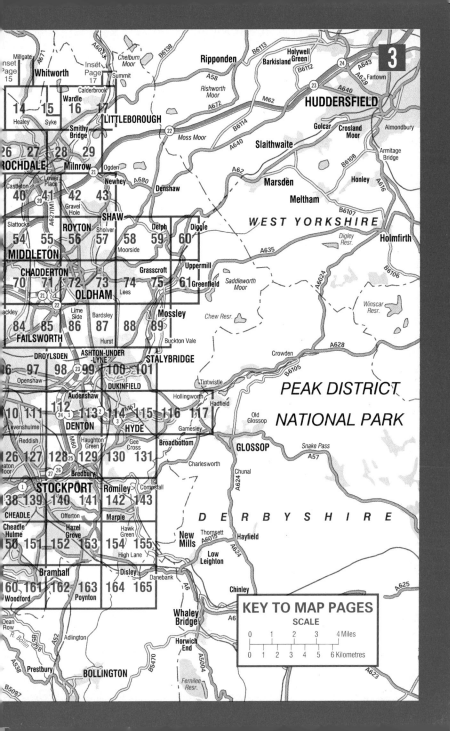

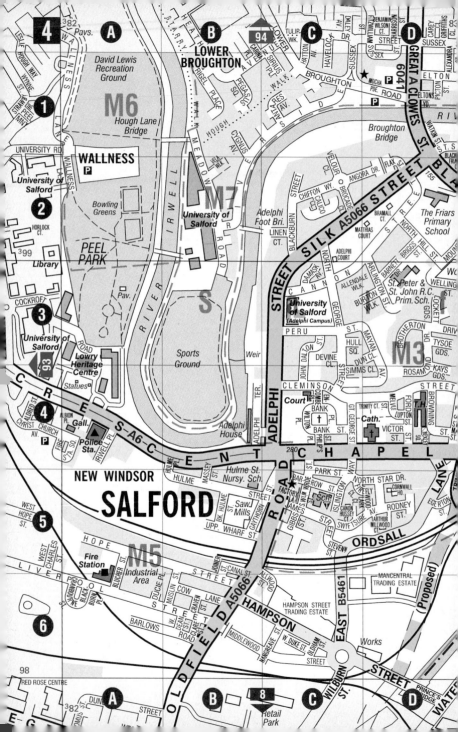

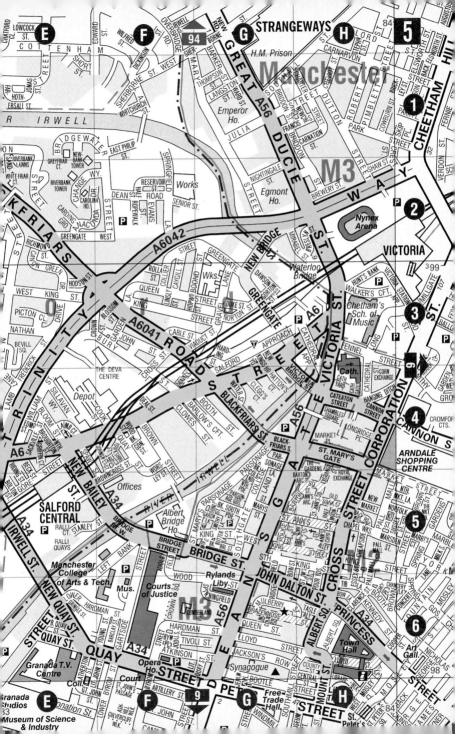

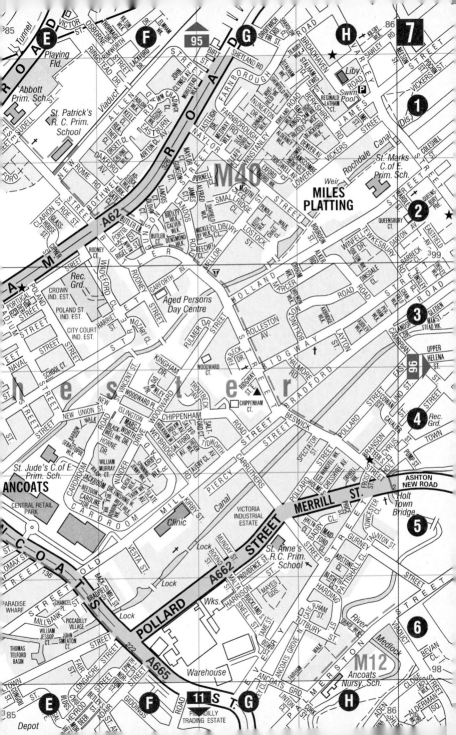

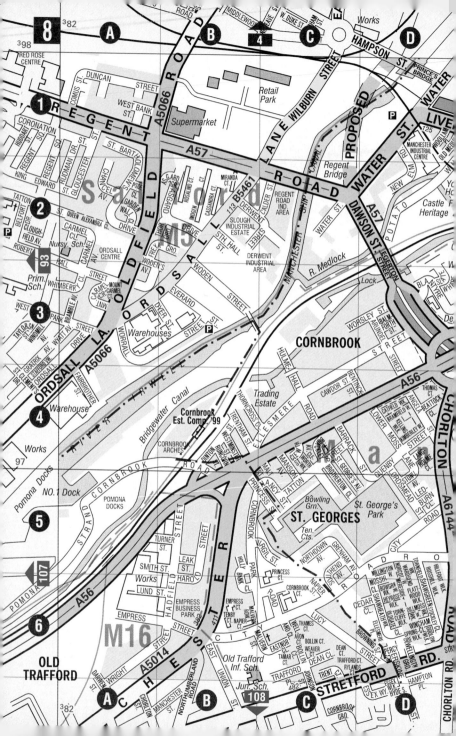

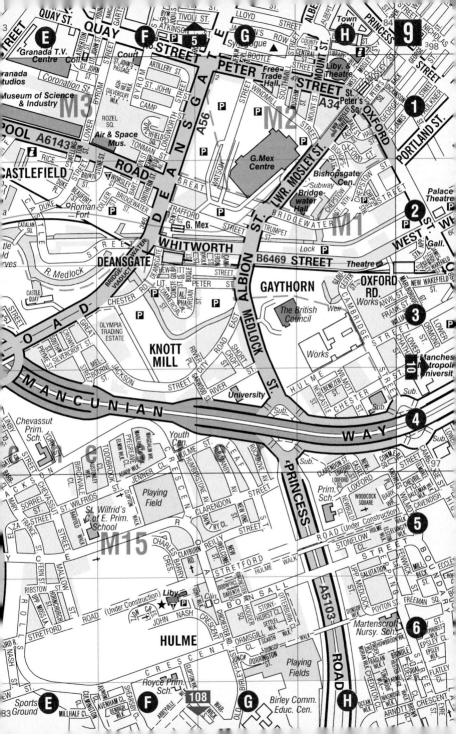

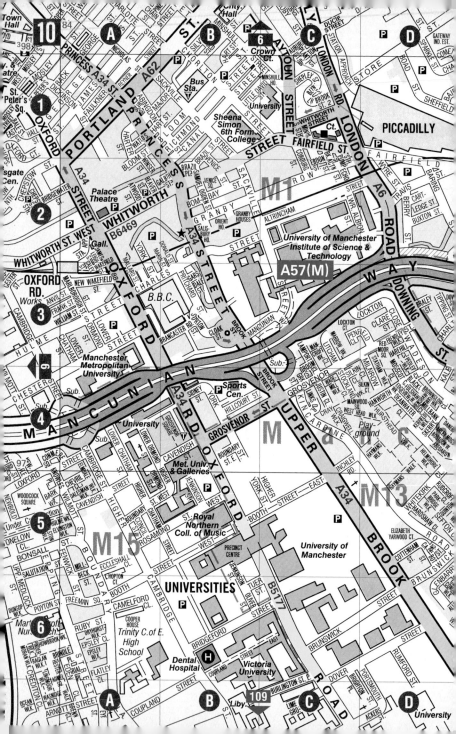

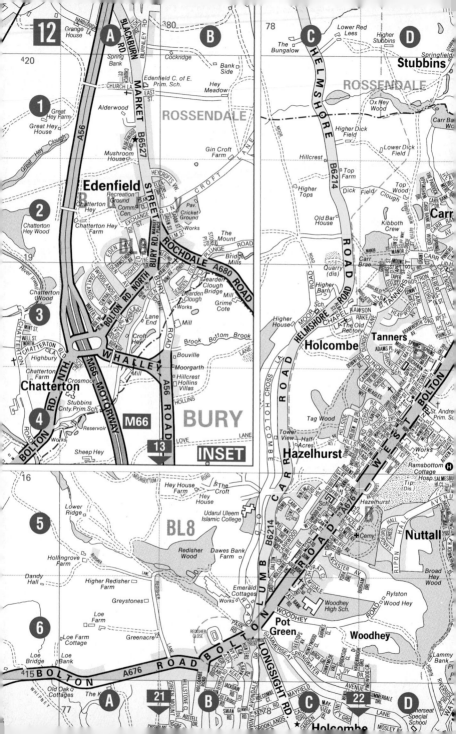

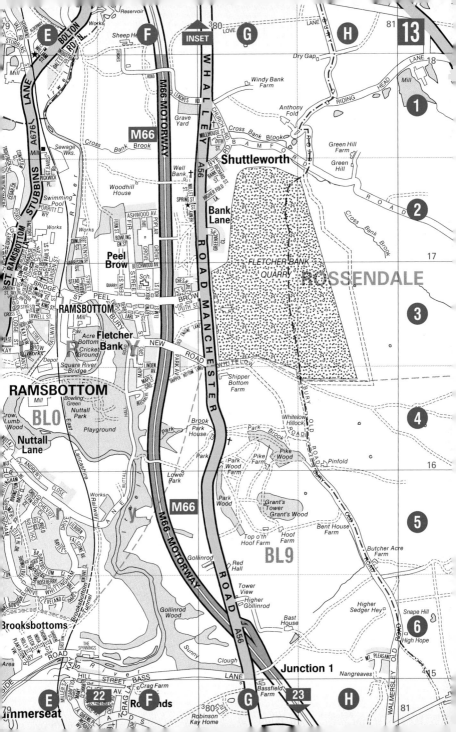

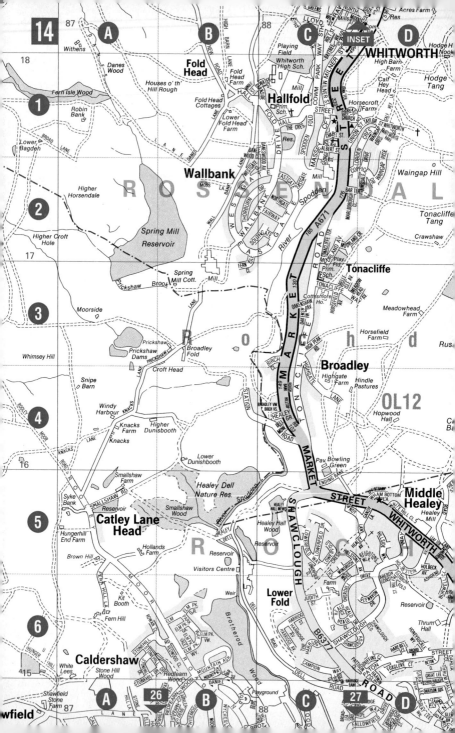

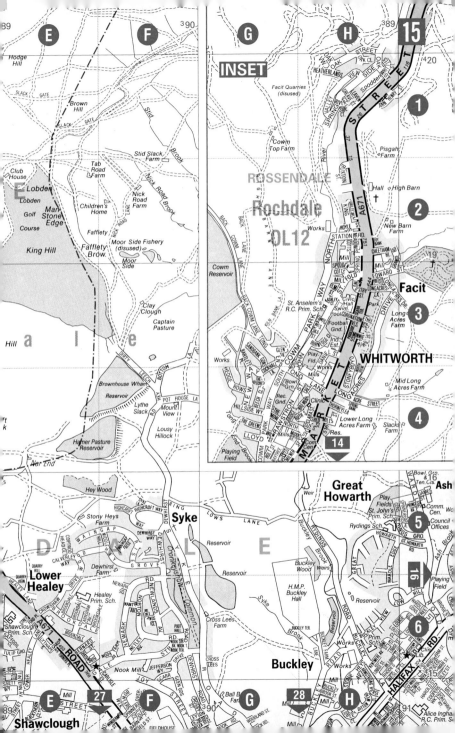

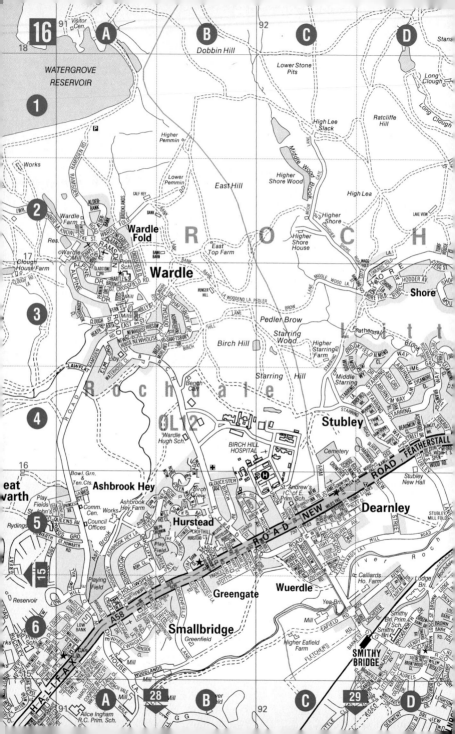

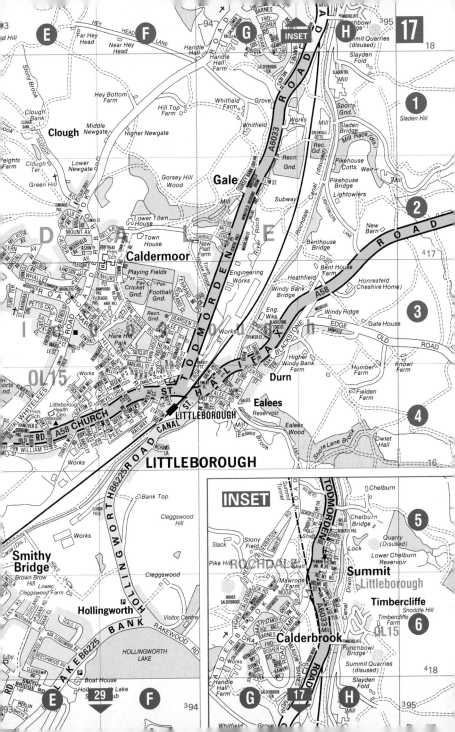

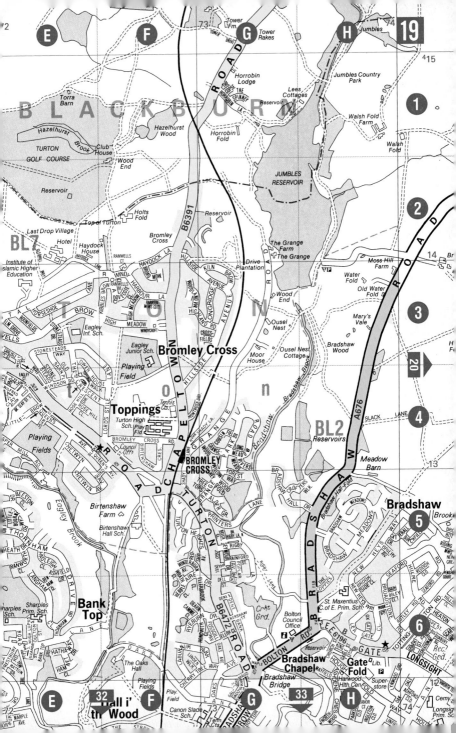

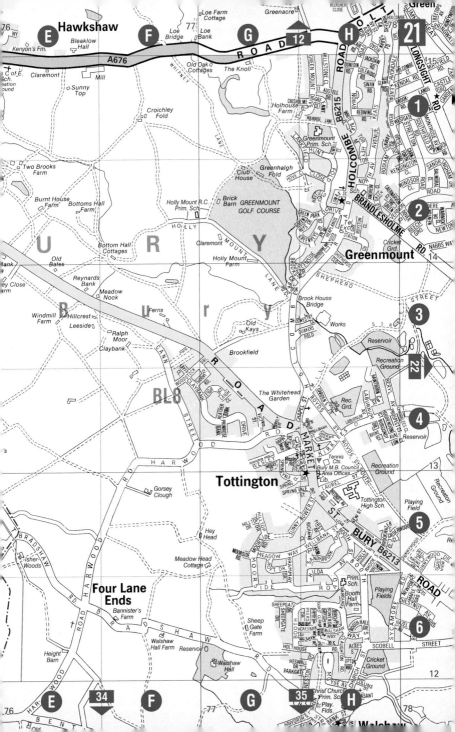

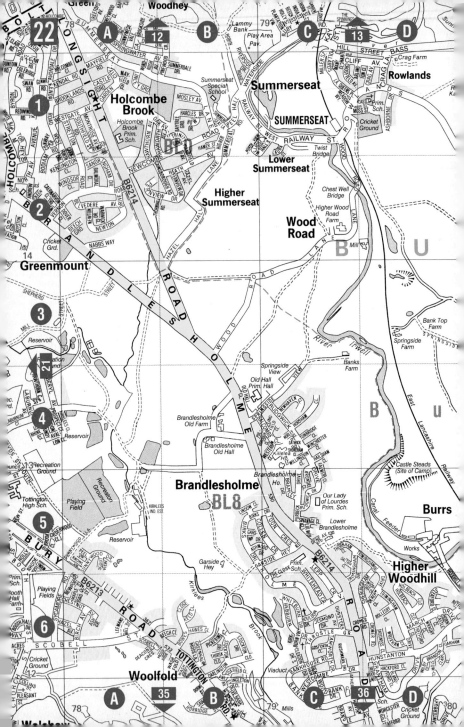

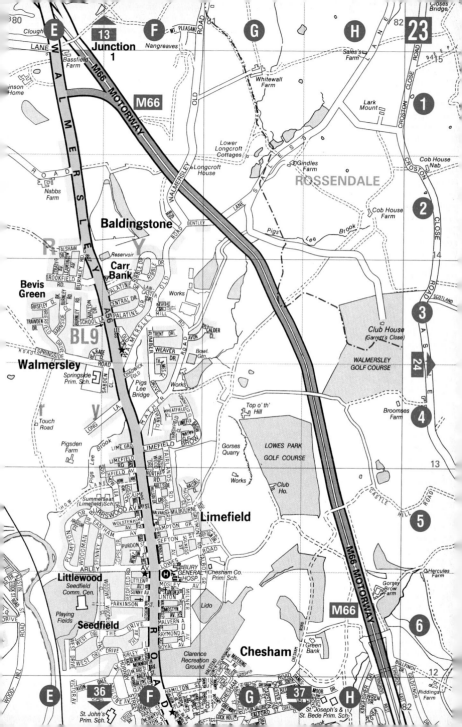

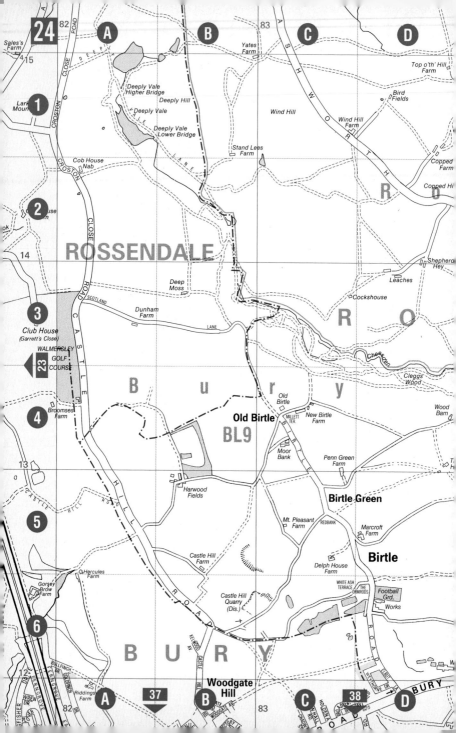

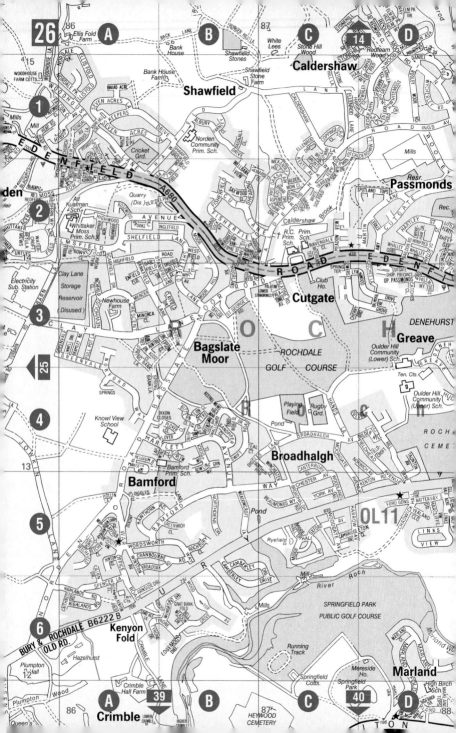

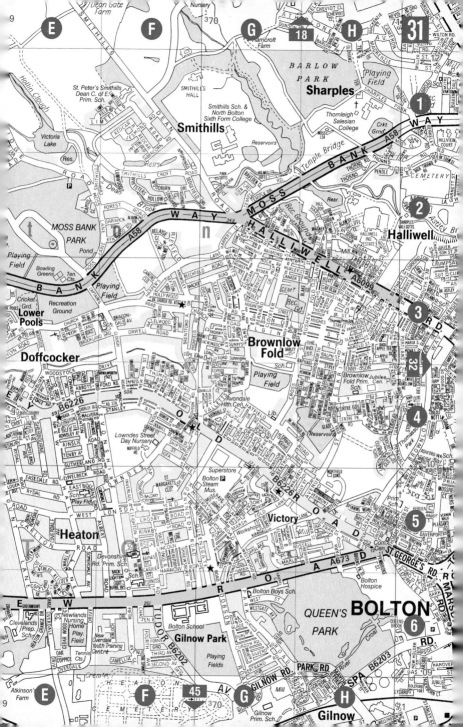

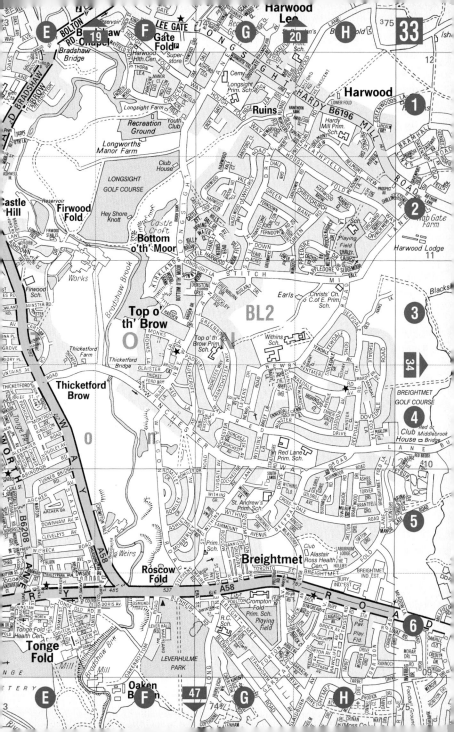

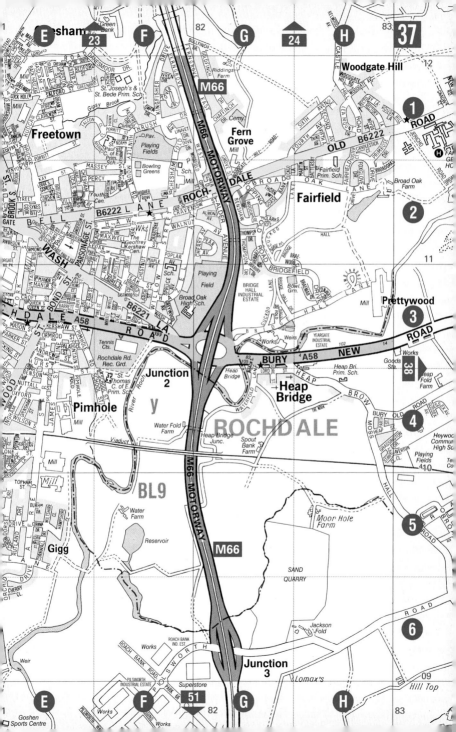

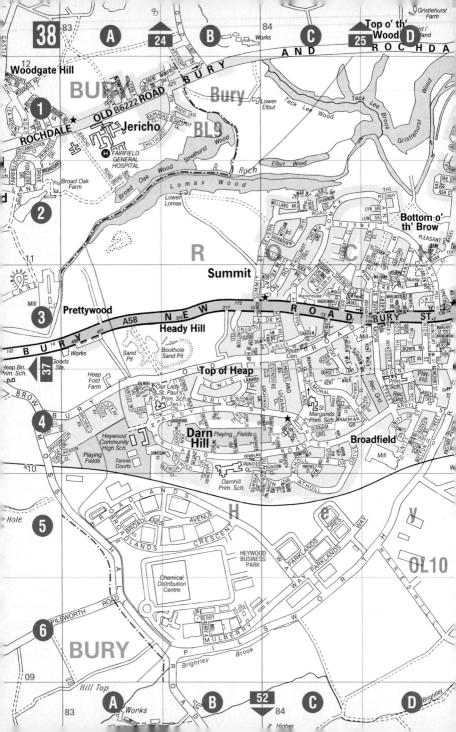

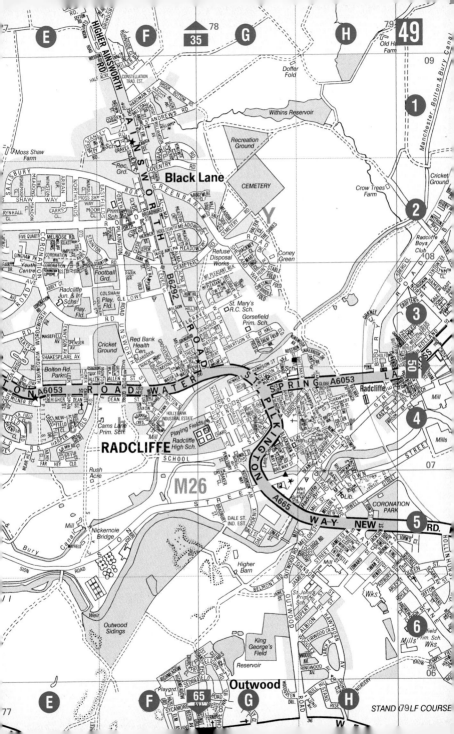

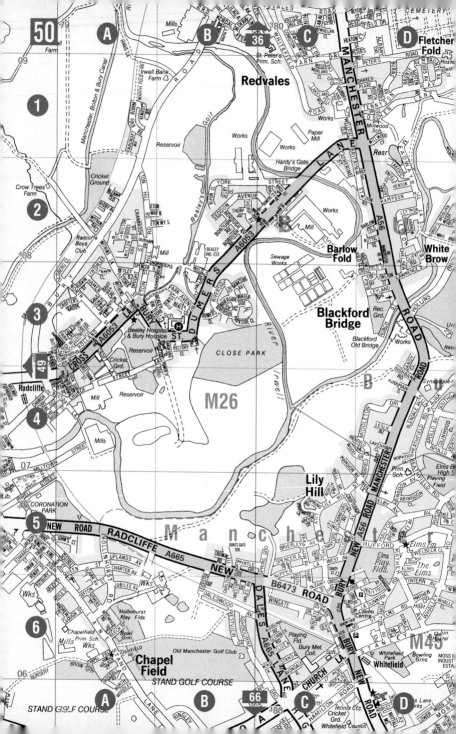

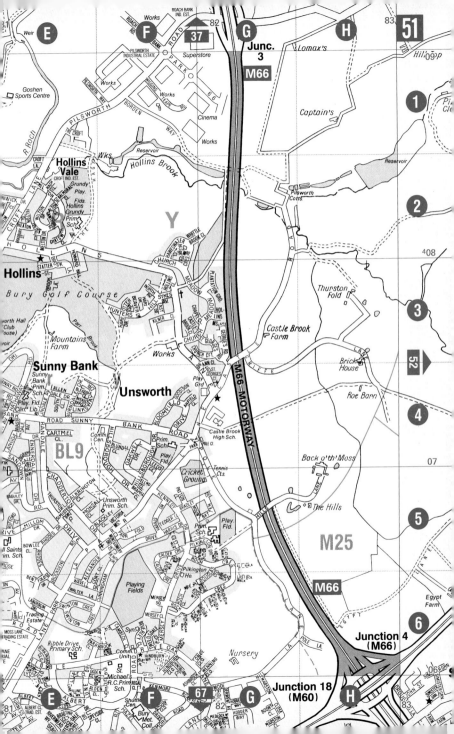

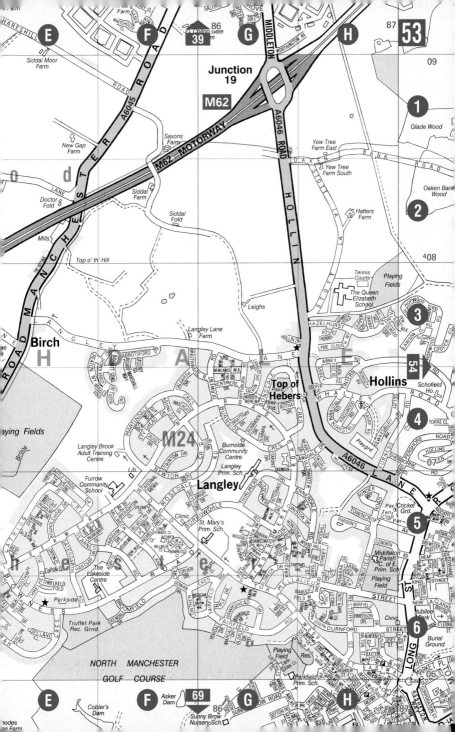

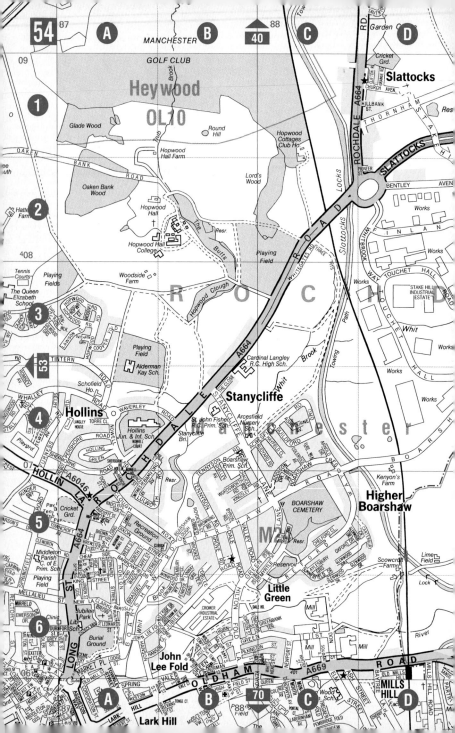

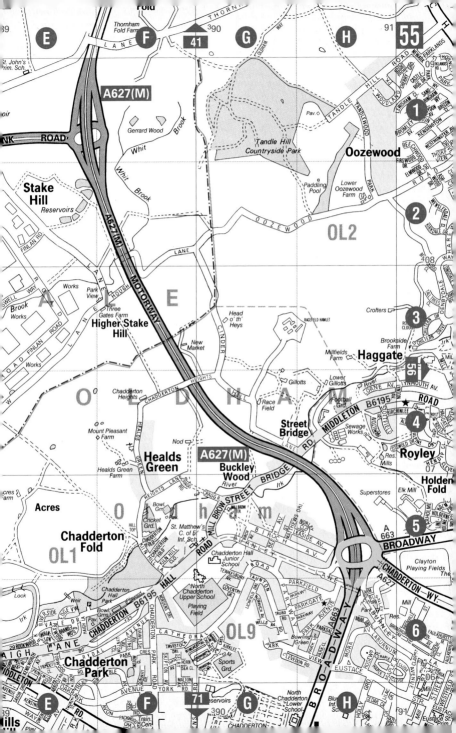

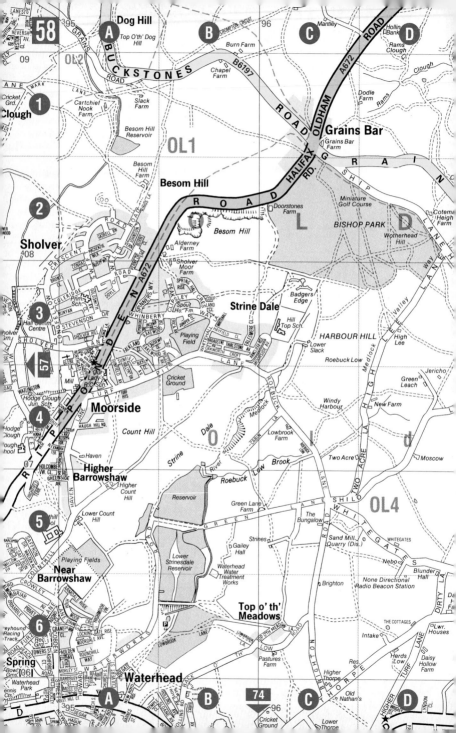

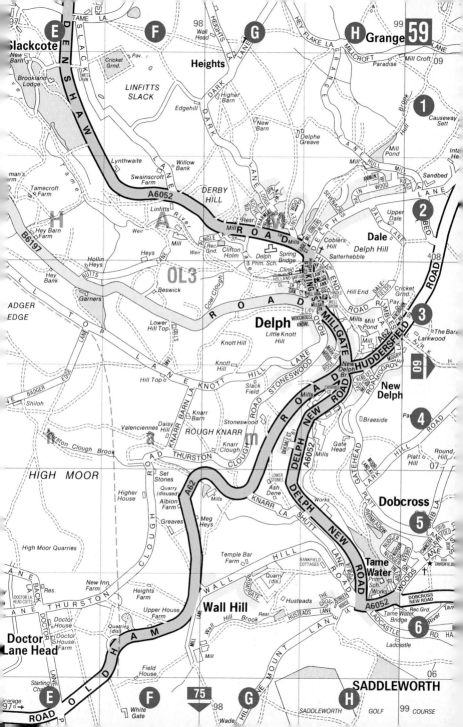

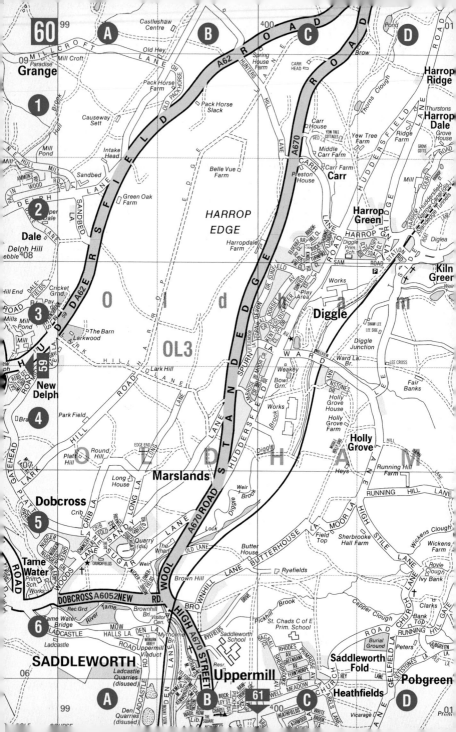

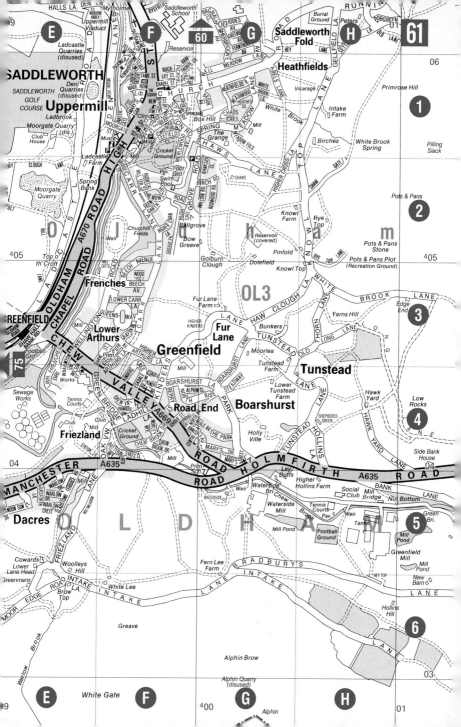

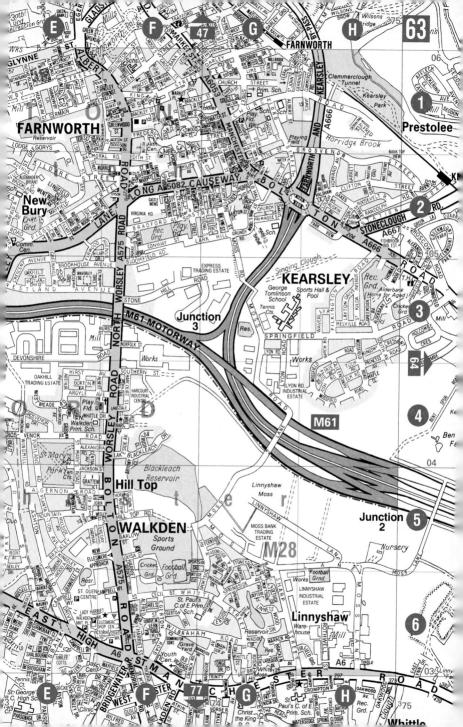

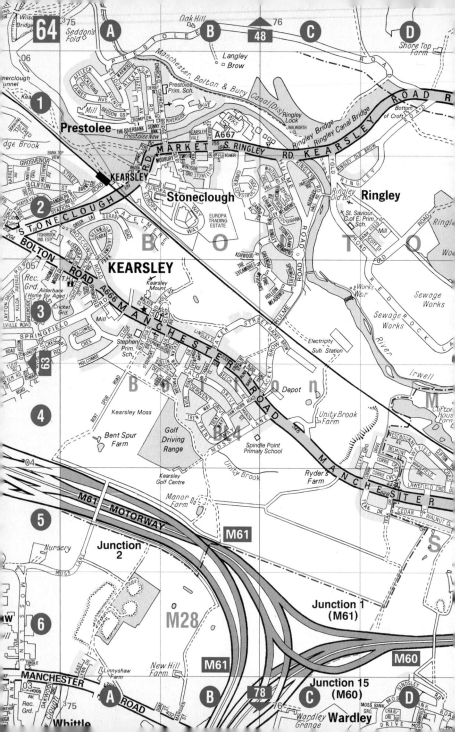

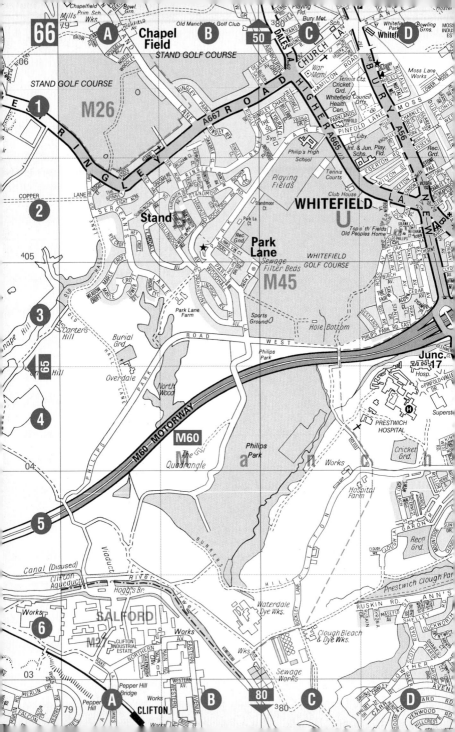

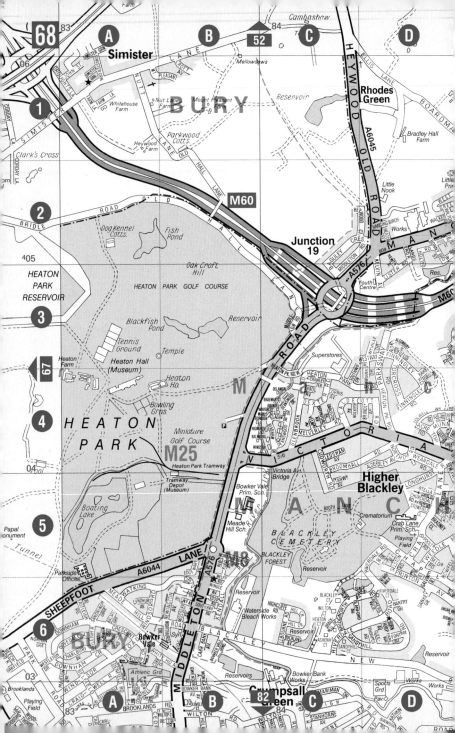

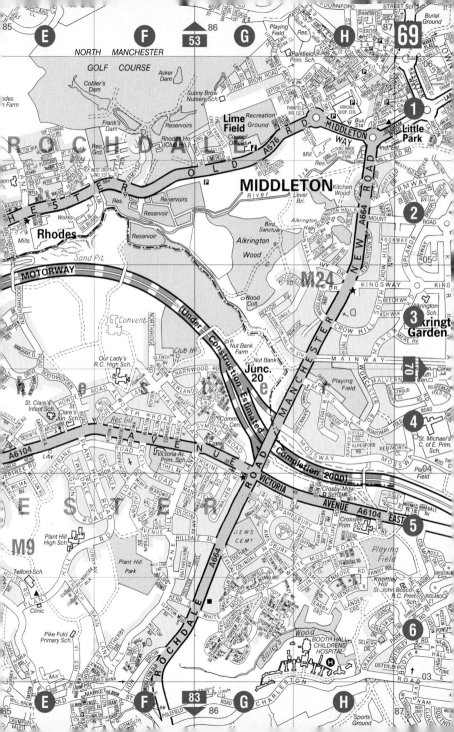

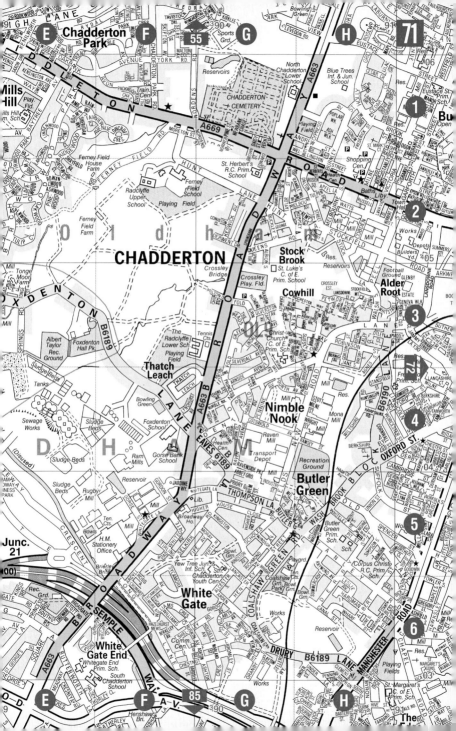

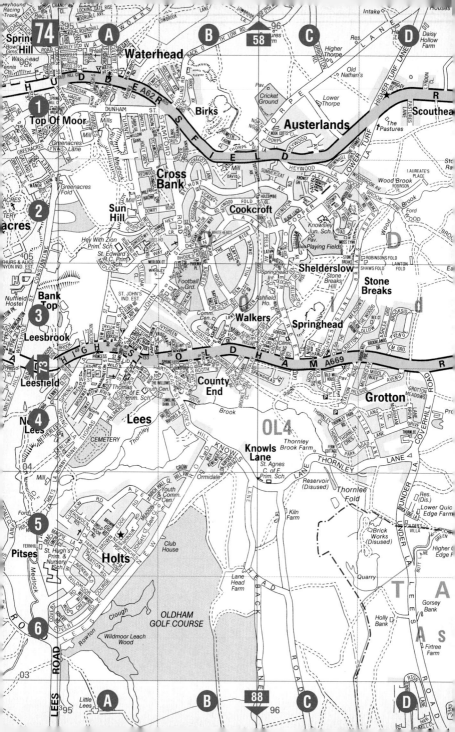

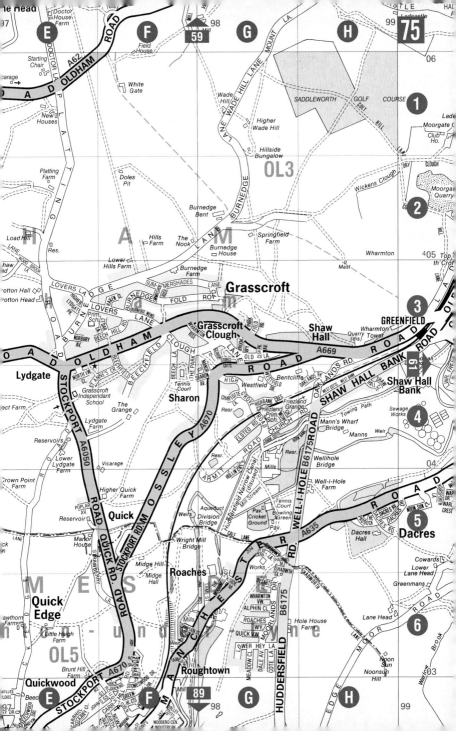

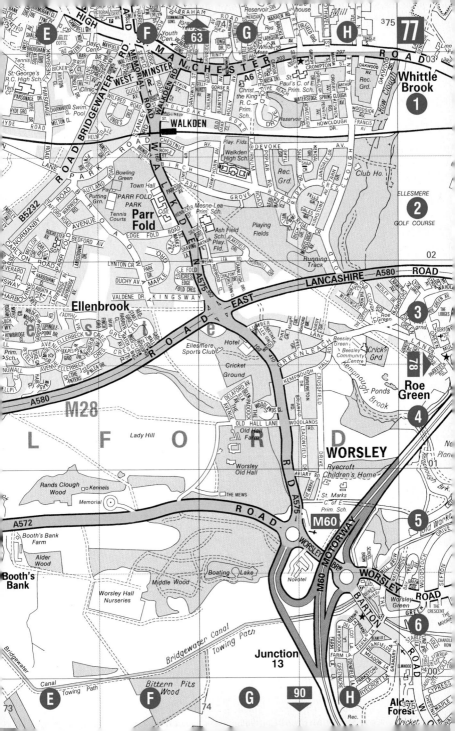

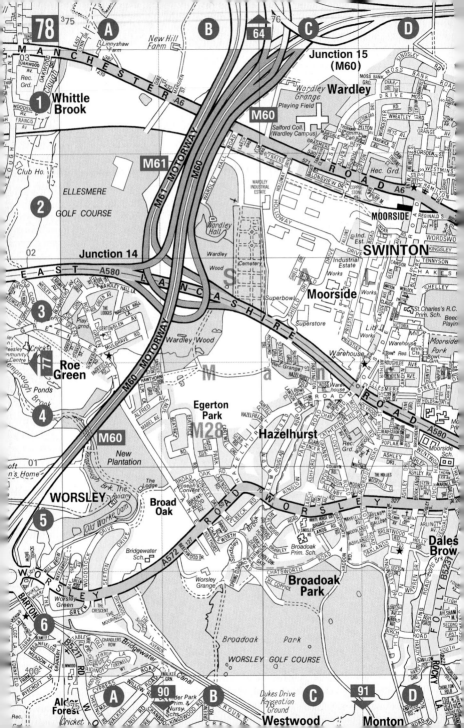

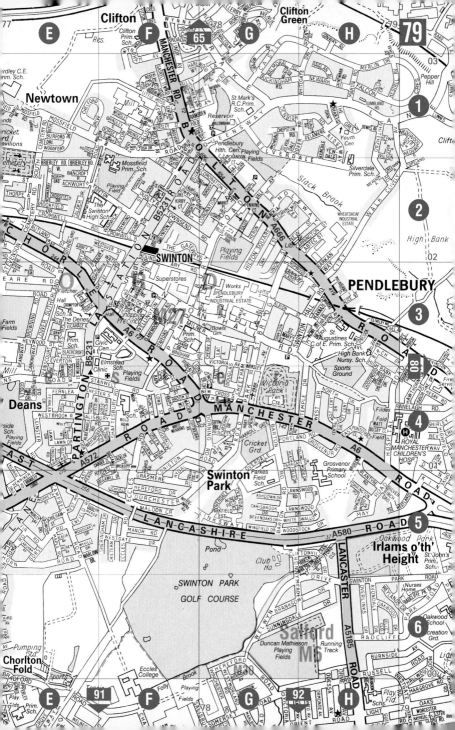

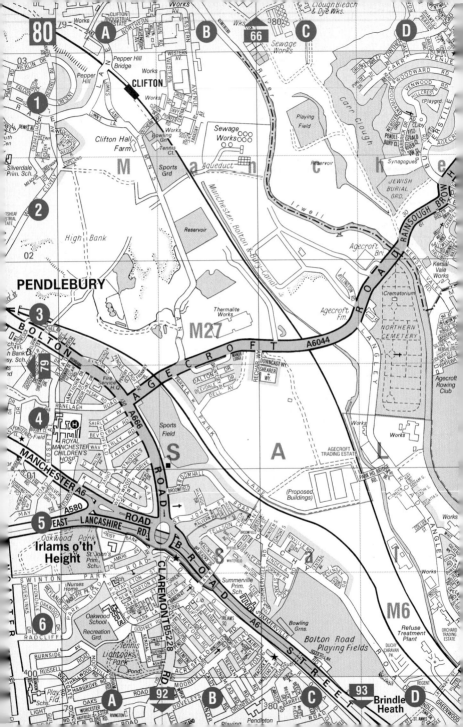

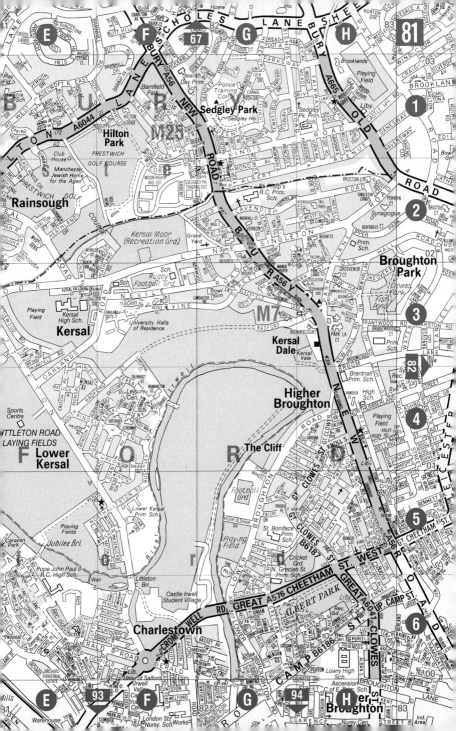

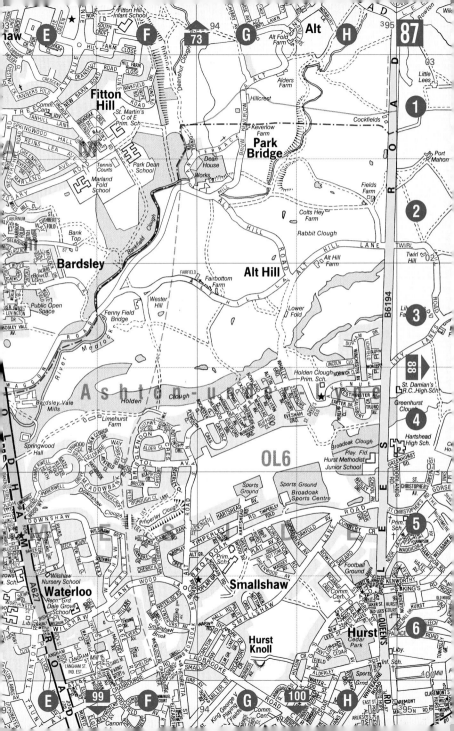

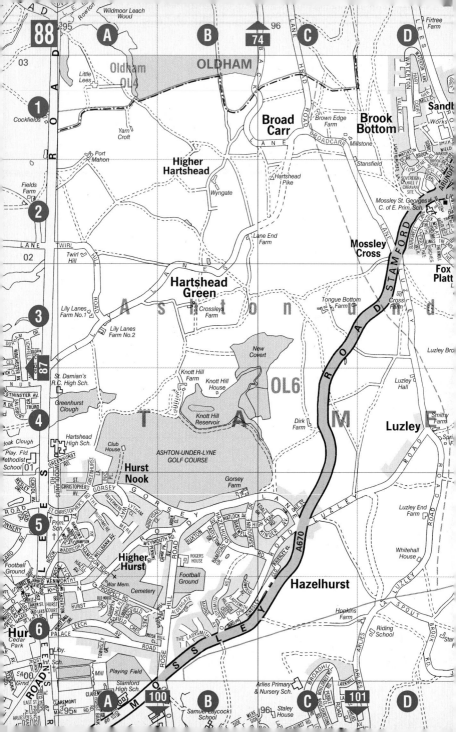

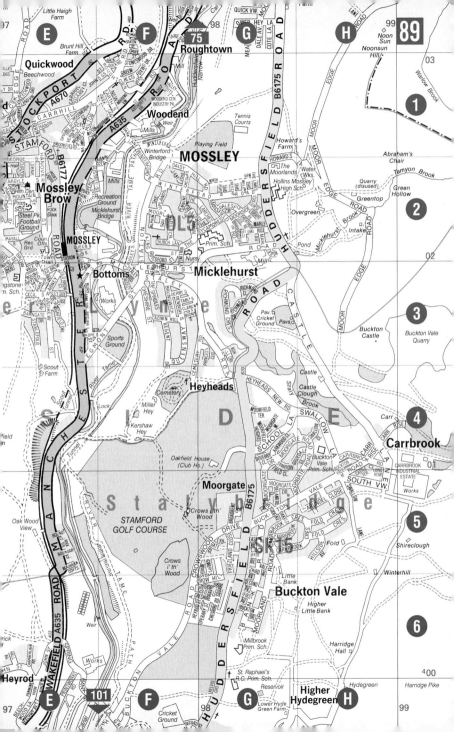

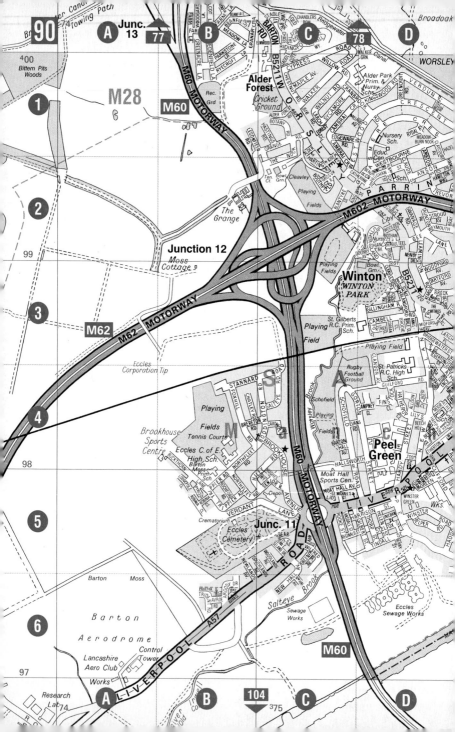

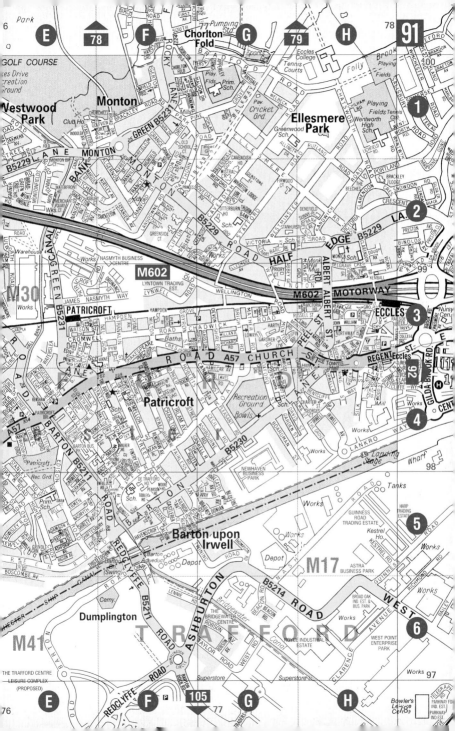

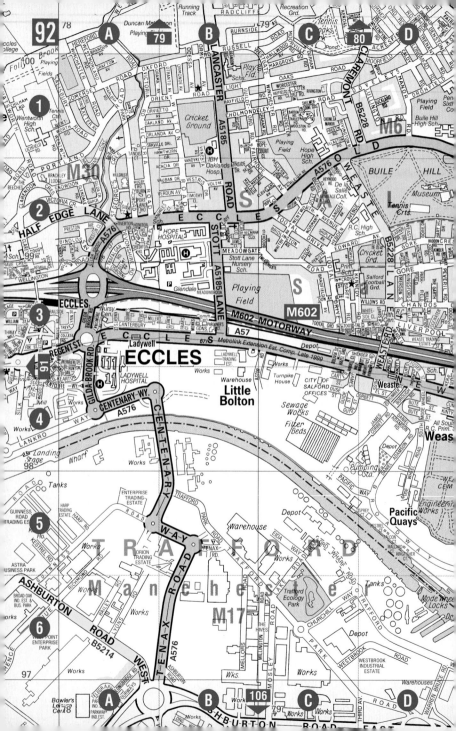

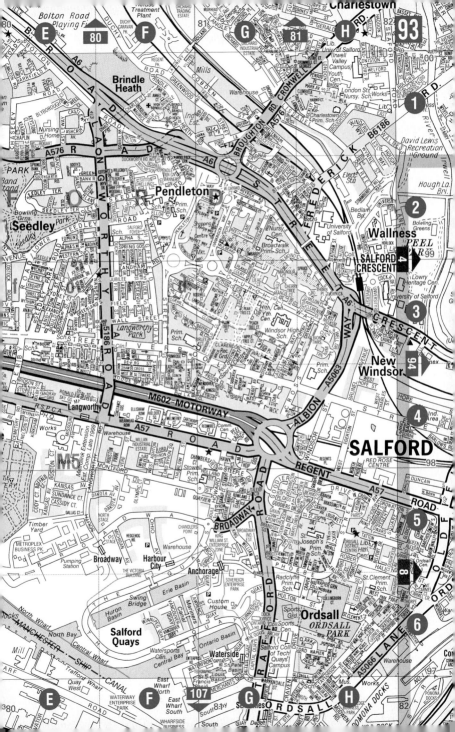

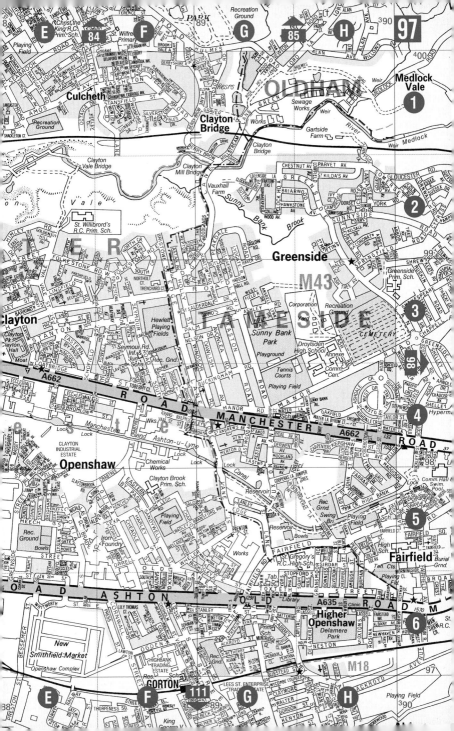

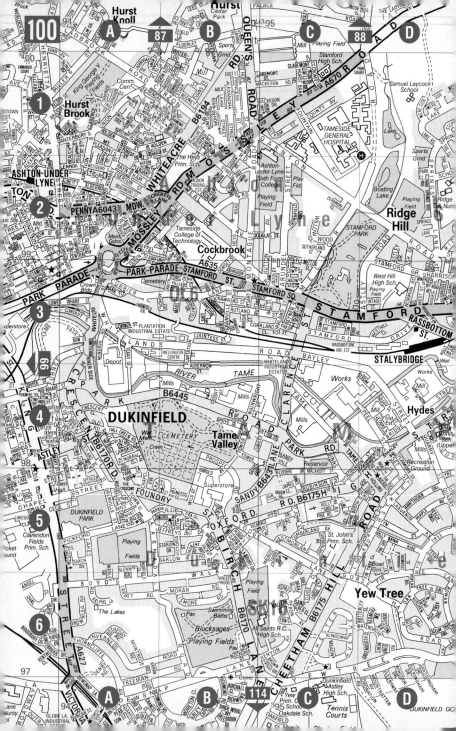

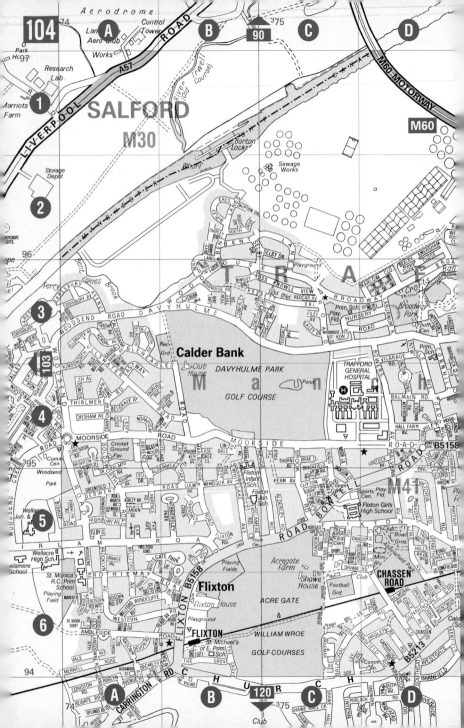

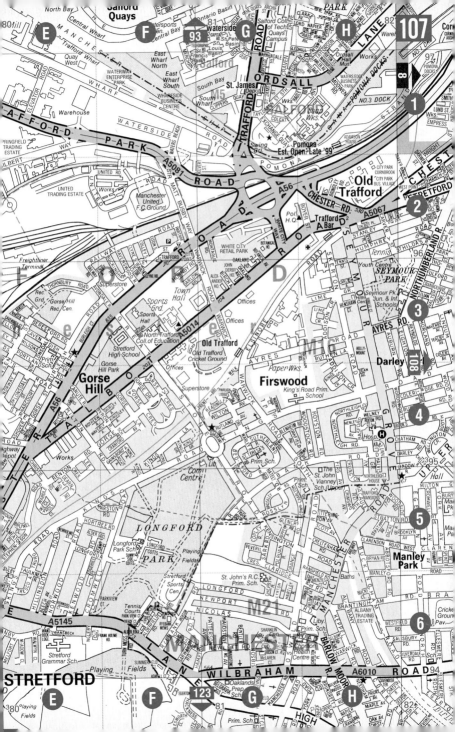

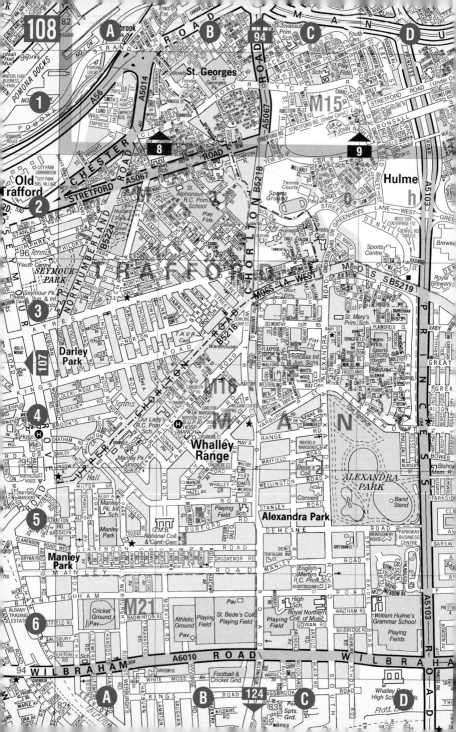

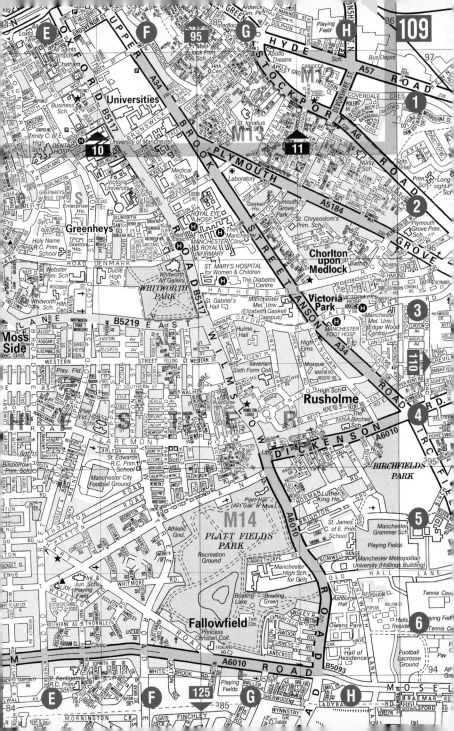

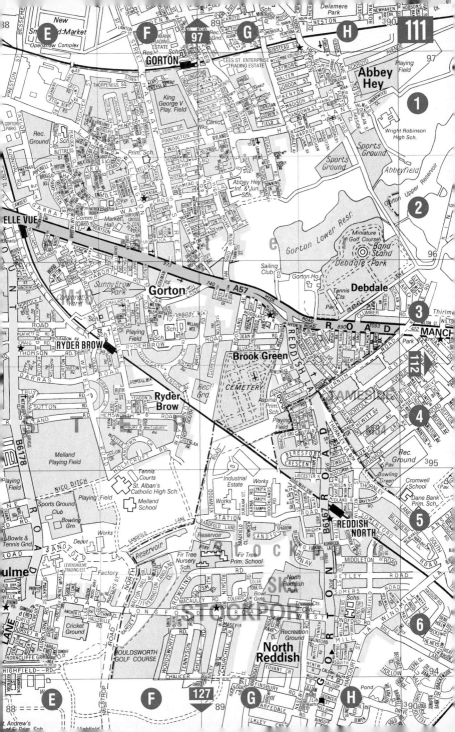

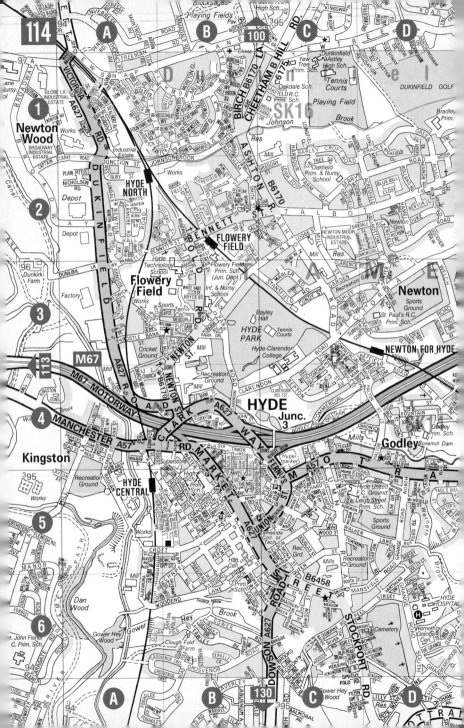

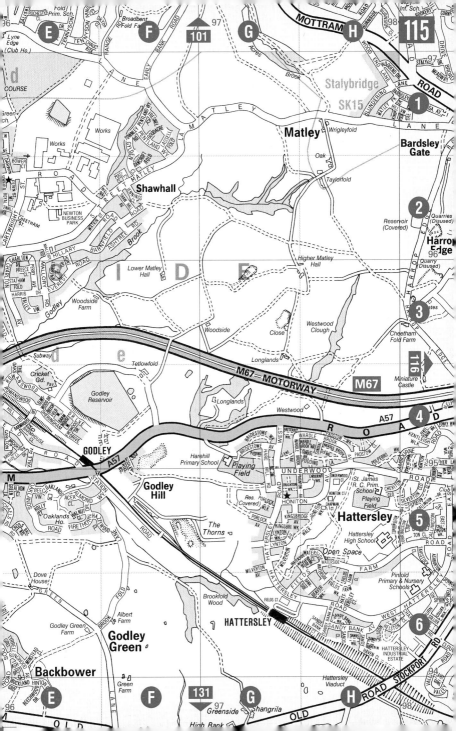

Matley

Wrigleyfold

Stalybridge

SK15

Bardsley Gate

Oak

Taylorfold

Shawhall

Higher Matley Hall

Quarries (Disused)

Reservoir (Covered)

Harro Edge

Quarry Disused)

Lower Matley Hall

Woodside Farm

Westwood Clough

Cheetham Fold Farm

Woodside

Close

Longlands

Miniature Castle

Subway

M67 — MOTORWAY

M67

A57

Cricket Gd. Pav.

Tetlowfold

Godley Reservoir

Longlands

Westwood

ROAD

Harehill Primary School

GODLEY

A57

Playing Field

Bridestowe Wk.

Wardle Brook

Padsow Brook

UNDERWOOD

St. James R. C. Prim. School

Godley Hill

Res. (Covered)

HONITON

Kingsbridge Av.

Playing Field

Hattersley

The Thorns

Hattersley High School

Open Space

FARM

Pintold Primary & Nursery Schools

Dove House

Brookfold Wood

HATTERSLEY

FIELDS CT.

Albert Farm

Godley Green Farm

Godley Green

Sandy Bank

Hattersley Industrial Estate

Backbower

Green Farm

Hattersley Viaduct

ROAD STOCKPORT

Greenside

Shangrila

High Bank

OLD

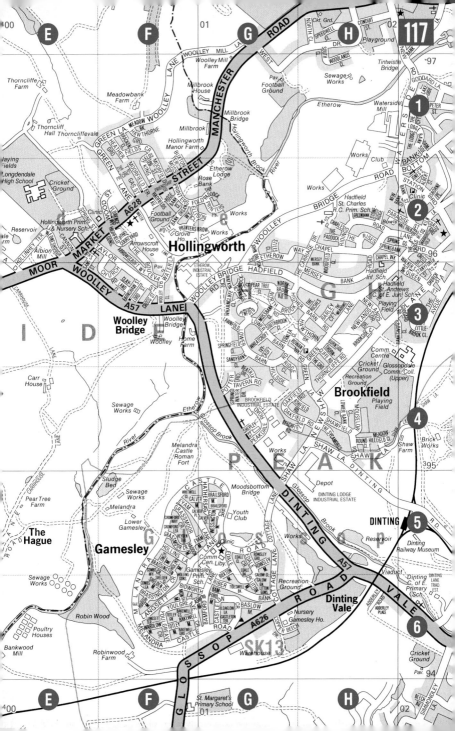

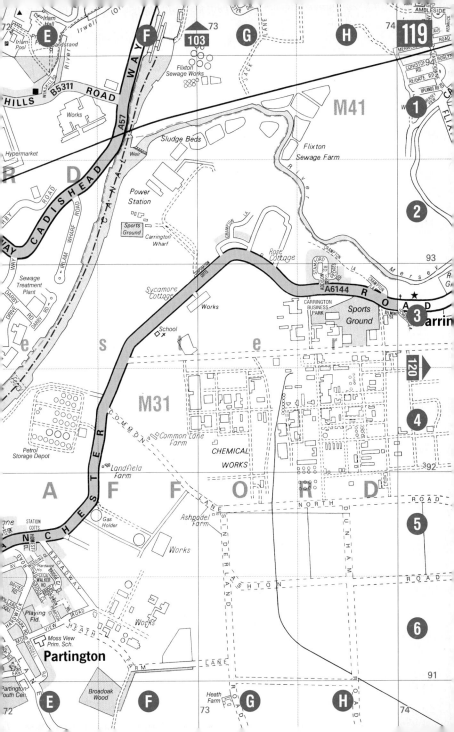

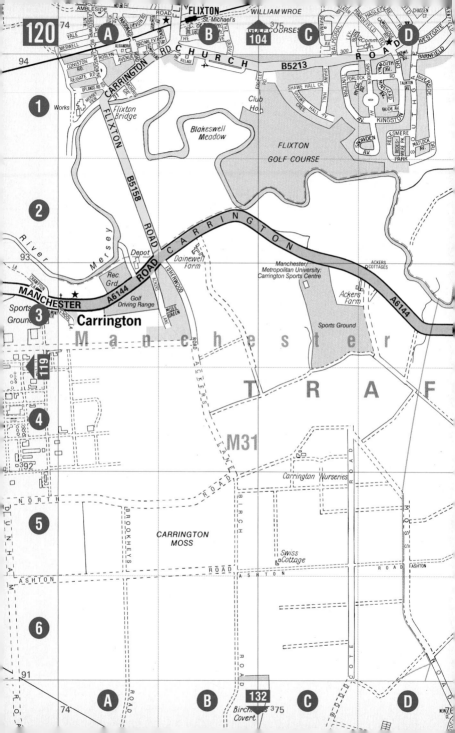

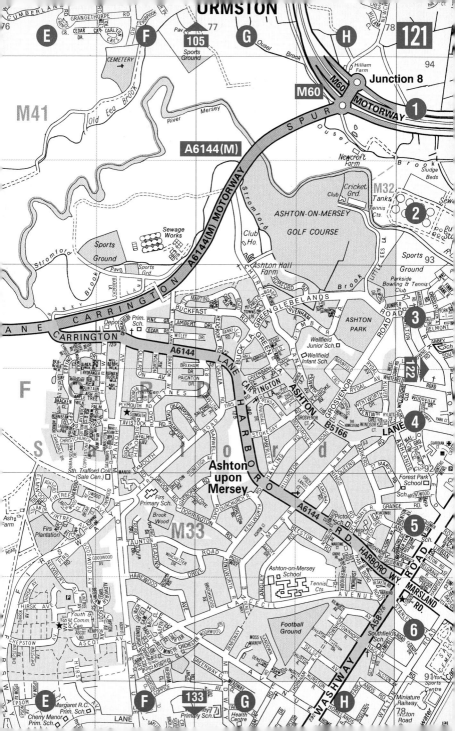

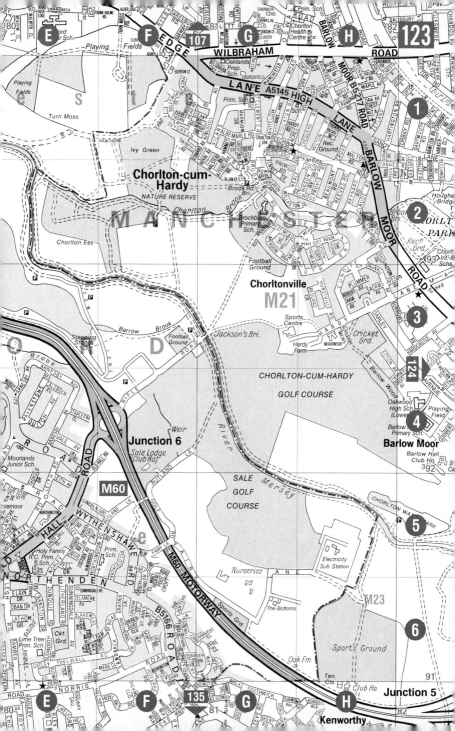

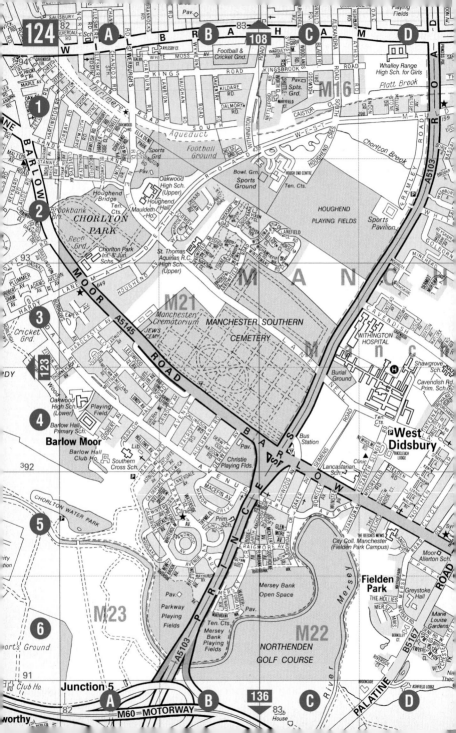

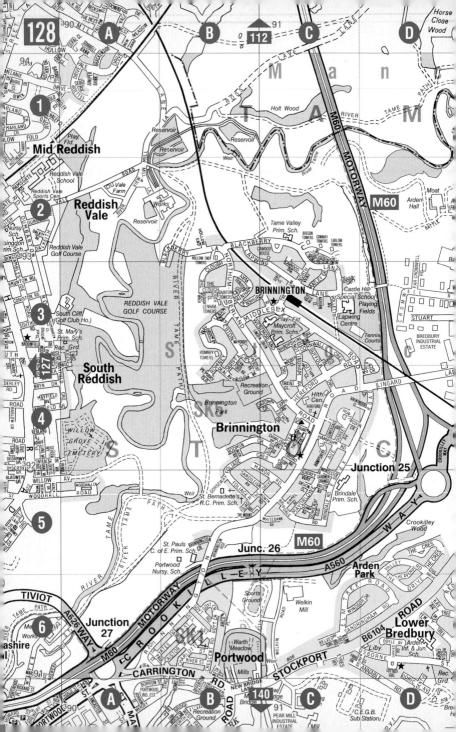

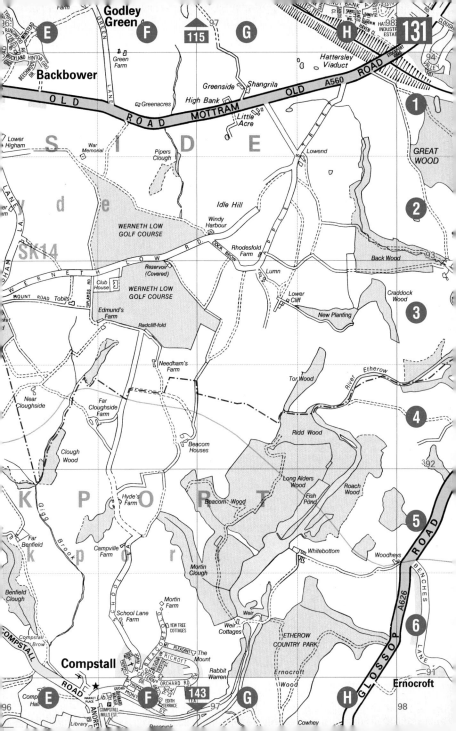

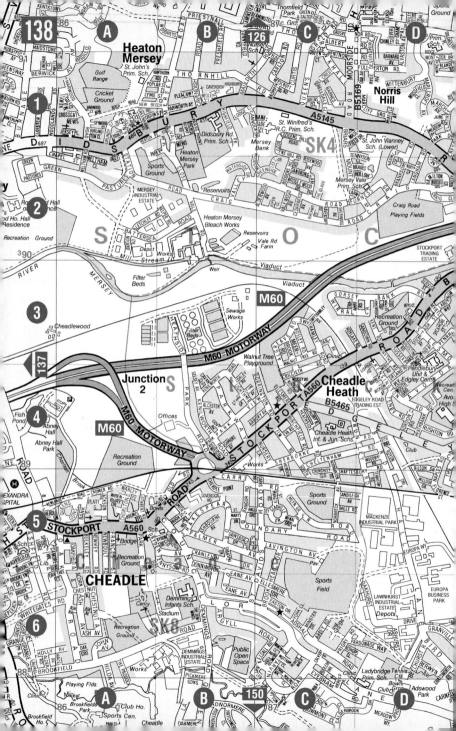

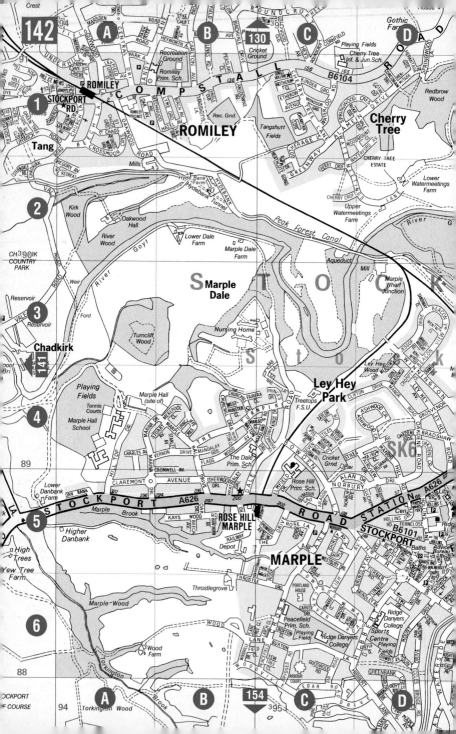

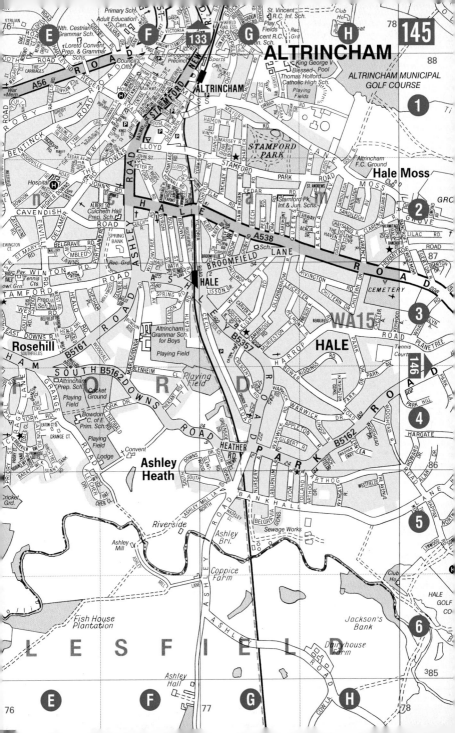

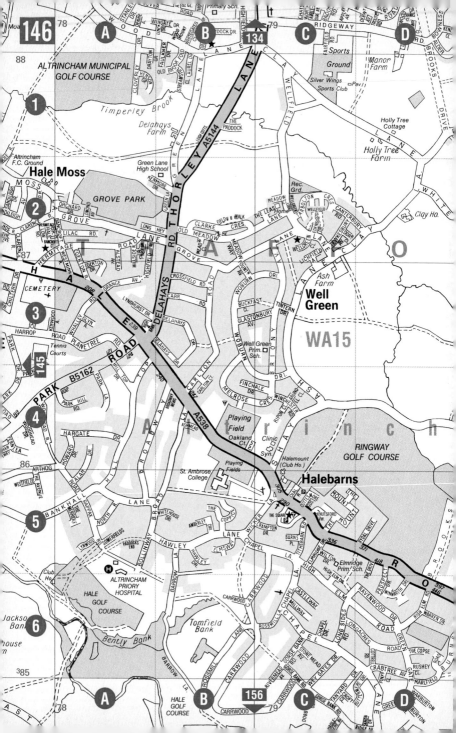

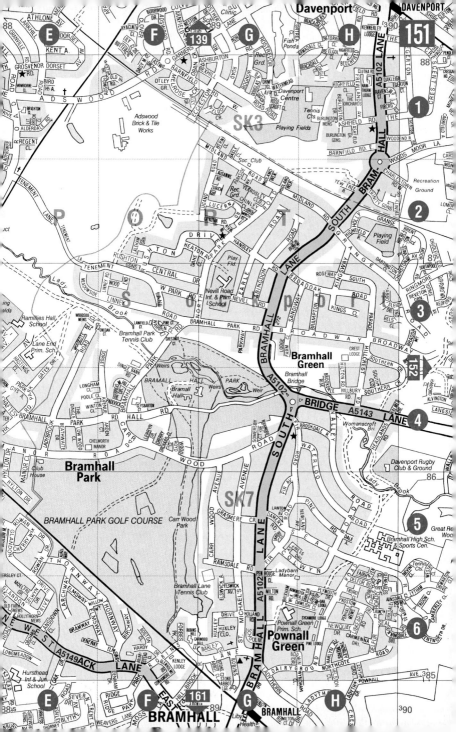

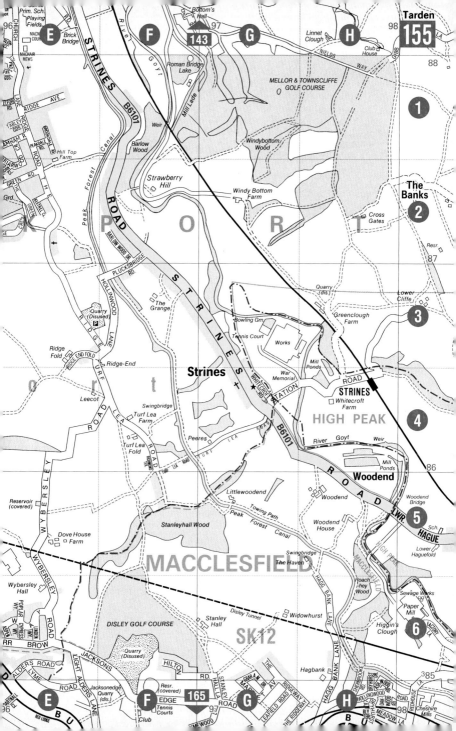

E Brick Bridge
Prim. Sch. Playing Fields
96
CHURCH

F

143
Bottom's Hall
97

G

Linnet Clough
Club House

H
98 88

Roman Bridge Lake

MELLOR & TOWNSCLIFFE GOLF COURSE

1

B6101

STRINES

Weir

Barlow Wood

Strawberry Hill

Windybottom Wood

Windy Bottom Farm

2

Hill Top Farm

Cross Gates

Resr
87

Peak Forest Canal

BARLOW WOOD DR.

ROAD

PLUCKSBRIDGE RD.

HOLLINWOOD LANE

Quarry (Disused) P

The Grange

STRINES

Quarry (dis.)

Lower Cliffe

3

Bowling Grn.

Tennis Court

Works

Greenclough Farm

K P O R T

Ridge Fold

RIDGE END FOLD

Ridge-End

URF LEA ROAD

Leecof

Swingbridge

Turf Lea Farm

Strines

Peeres

WHITCROFT RD.

STATION

War Memorial

Mill Ponds

ROAD

STRINES

Whitecroft Farm

HIGH PEAK

4

o r t

WYBERSLEY ROAD

Turf Lea Fold

TURF LEA ROAD

B6101

River Goyt

Weir

Mill Ponds

ROAD

86

Woodend

Reservoir (covered)

Dove House Farm

Littlewoodend

Towing Path

Peak Forest Canal

Woodend

Woodend House

Woodend Bridge

LWR.
5

Sch
HAGUE

Lower Haguefold

WYBERSLEY ROAD

Wybersley Hall

Stanleyhall Wood

Swingbridge The Haven

Roach -hey Wood

HAGG BANK LANE

HIGH PEAK

Sewage Works

Paper Mill

MACCLESFIELD

POPLAR WY.
CYPRESS WY.
ASPEN
LINDEN
BROW
ROAD

Disley Tunnel

Widowhurst

Higgin's Clough

FACTORY LA.

6

SK12

DISLEY GOLF COURSE

Quarry (Disused)

HILTON

Stanley Hall

Hagbank

HAGG BANK LANE

SHERBROOKE

WOOD

Cheshire Mills

385

JACKSONS

LIGHT ALDERS LANE

LYME ROAD

ALDERS ROAD

RED LODGE

BU

Jacksonedge Quarry (dis.)

F EDGE **165**
Tennis Courts
Club

Resr. (covered)

97
HALLA ROAD
STANLEY ROAD

G

THE
GRANGE AV.
LEAFIELD RD.
RIDGENWAY
THE RIDGEWAY

H

98

HOLLINGWOOD
MEADOW LA.
REDHOUSE

B

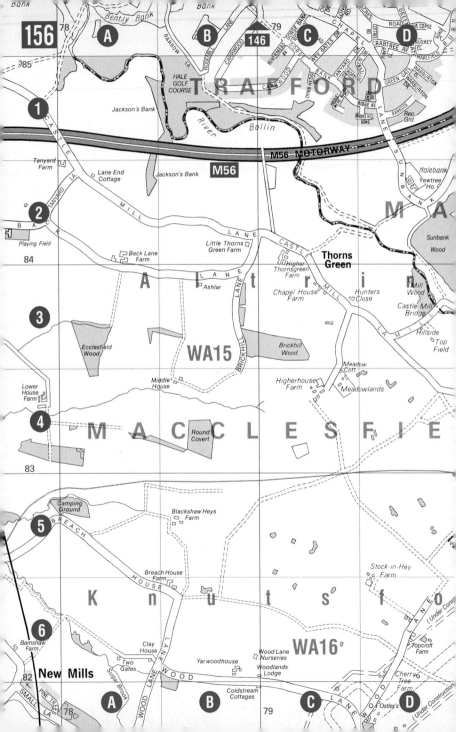

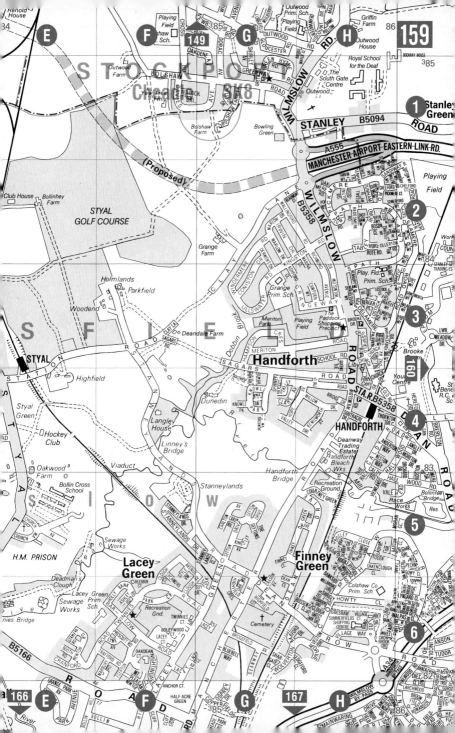

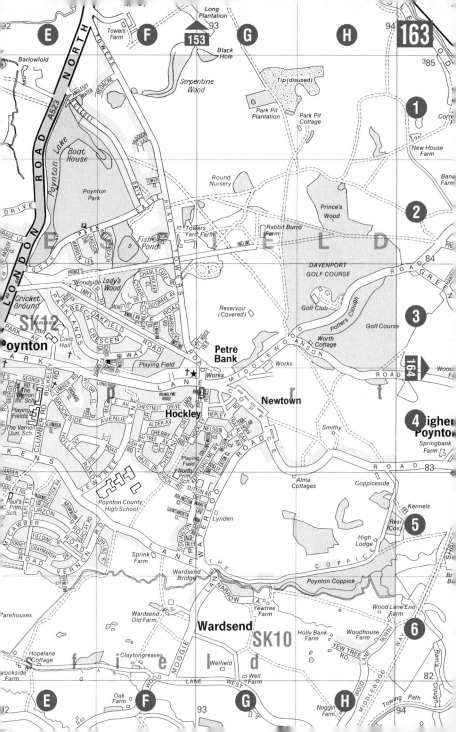

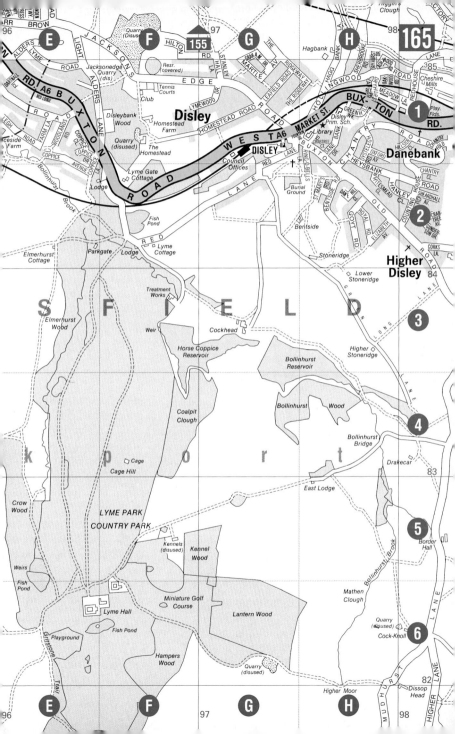

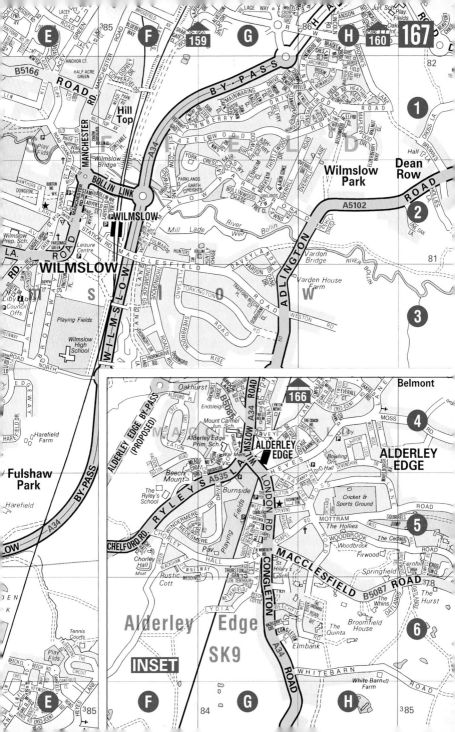

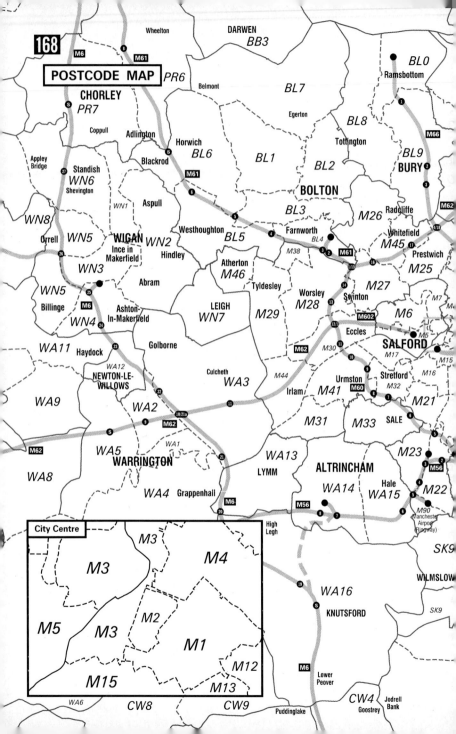

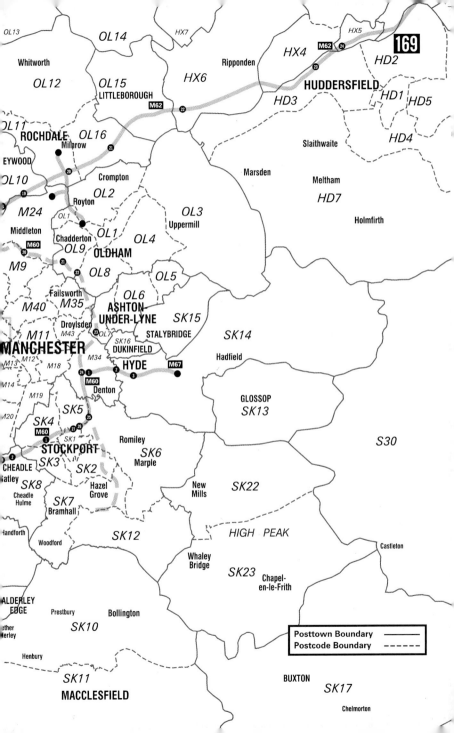

INDEX TO PLACES & AREAS

Names in this index shown in CAPITAL LETTERS, followed by their Postcode District(s), are Posttowns.

Index to Places & Areas

Index to Places & Areas

INDEX TO STREETS

HOW TO USE THIS INDEX

1. Each street name is followed by its Postal District (or, if outside the Manchester Postal District, by its Posttown or Postal Locality), and then by its map reference; e.g. Abberton Rd. *M20* —3E **125** is in the Manchester 20 Postal District and is to be found in square 3E on page **125**. The page number being shown in bold type. A strict alphabetical order is followed in which Av., Rd., St., etc. (though abbreviated) are read in full and as part of the street name; e.g. Abbotsford appears after Abbot's Fold Rd. but before Abbotsford Clo.

2. Streets and a selection of Subsidiary names not shown on the Maps, appear in the index in *Italics* with the thoroughfare to which it is connected shown in brackets; e.g. *Abbeydale. Roch —3G* **27** *(off Spotland Rd.)*

3. Railway stations appear in the index in CAPITALS and are referenced to the actual building and not to the station name. The abbreviations *BR*, *M* and *ELR* after the station name indicates whether it is a British Rail, Metro or East Lancashire Railway station; e.g. ALDERLEY EDGE STATION. *BR* —4G **167**

4. The page references shown in brackets indicate those streets that appear on the large scale map pages 4-12; e.g. Aberdaron Wlk. *M13* —6F **95** (4D **10**) appears in square 6F on page **95** and also appears in the enlarged section in square 4D on page **10**.

5. With the now general usage of Postcodes for addressing mail, it is not recommended that this index is used for such a purpose.

GENERAL ABBREVIATIONS

All : Alley	Cir : Circus	Ho : House	Pas : Passage
App : Approach	Clo : Close	Ind : Industrial	Pl : Place
Arc : Arcade	Comn : Common	Junct : Junction	Quad : Quadrant
Av : Avenue	Cotts : Cottages	La : Lane	Rd : Road
Bk : Back	Ct : Court	Lit : Little	S : South
Boulevd : Boulevard	Cres : Crescent	Lwr : Lower	Sq : Square
Bri : Bridge	Dri : Drive	Mnr : Manor	Sta : Station
B'way : Broadway	E : East	Mans : Mansions	St : Street
Bldgs : Buildings	Embkmt : Embankment	Mkt : Market	Ter : Terrace
Bus : Business	Est : Estate	M : Mews	Trad : Trading
Cvn : Caravan	Gdns : Gardens	Mt : Mount	Up : Upper
Cen : Centre	Ga : Gate	N : North	Vs : Villas
Chu : Church	Gt : Great	Pal : Palace	Wlk : Walk
Chyd : Churchyard	Grn : Green	Pde : Parade	W : West
Circ : Circle	Gro : Grove	Pk : Park	Yd : Yard

POSTTOWN AND POSTAL LOCALITY ABBREVIATIONS

Abb H : Abbey Hey	*Clif* : Clifton	*Harw* : Harwood	*Mat* : Matley
A'ton : Adlington	*Col* : Collyhurst	*Hawk* : Hawkshaw	*Mell* : Mellor
Aff : Affetside	*Comp* : Compstall	*Hawk I* : Hawksley Ind. Est.	*Mid* : Middleton
Ain : Ainsworth	*Crum* : Crumpsall	*Haz G* : Hazel Grove	*Mile P* : Miles Platting
Ald E : Alderley Edge	*Del* : Delph	*H Grn* : Heald Green	*Millb* : Millbrook
Alt : Altrincham	*Dem I* : Demmings Ind. Est.	*Heal* : Healey	*Miln* : Milnrow
Ard : Ardwick	*Dent* : Denton	*Heap* : Heap	*Mob* : Mobberley
Ash : Ashley	*Did* : Didsbury	*H Bri* : Heap Bridge	*Mos C* : Mosley Common
Ash L : Ashton-under-Lyne	*Dig* : Diggle	*Heat C* : Heaton Chapel	*Moss* : Mossley
Ast : Astley	*Dis* : Disley	*Heat M* : Heaton Mersey	*Mos S* : Moss Side
Aud : Audenshaw	*Dob* : Dobcross	*Heyr* : Heyrod	*Most* : Moston
Aus : Austerlands	*Droy* : Droylsden	*Heyw* : Heywood	*Mot* : Mottram
Bag : Baguley	*Duk* : Dukinfield	*Heyw D* : Heywood Distribution	*Nan* : Nangreaves
Bar : Bardsley	*Dun M* : Dunham Massey	Park	*N Mills* : New Mills
Bolt : Bolton	*Dun T* : Dunham Town	*Hig* : Higginshaw	*N Mos* : New Moston
Boot : Boothstown	*Ecc* : Eccles	*H Lane* : High Lane	*Newt H* : Newton Heath
Bow : Bowdon	*Eden* : Edenfield	*Holc* : Holcombe	*Newt M* : Newton Moor Ind. Est.
Brad F : Bradley Fold	*Eger* : Egerton	*Holl* : Hollingworth	*Nwtwn* : Newtown
Brad T : Bradley Fold Trad. Est.	*Elt* : Elton	*Hulme* : Hulme	*N'den* : Northenden
Brad : Bradshaw	*Fail* : Failsworth	*Hur* : Hurstead	*Oldh* : Oldham
Bram : Bramhall	*Fall* : Fallowfield	*Hyde* : Hyde	*Old T* : Old Trafford
Bred : Bredbury	*Farn* : Farnworth	*Ince* : Ince	*Open* : Openshaw
Bred P : Bredbury Park Ind. Est.	*Firg* : Firgrove	*Irl* : Irlam	*Pad* : Padfield
Brei : Breightmet	*Firs* : Firswood	*Kear* : Kearsley	*Part* : Partington
B'btm : Broadbottom	*Fish I* : Fishbrook Ind. Est.	*Lady* : Ladybarn	*Pen* : Pendlebury
B'hth : Broadheath	*Gam* : Gamesley	*Lees* : Lees	*Poy* : Poynton
Brom X : Bromley Cross	*Gat* : Gatley	*Leigh* : Leigh	*Poy I* : Poynton Ind. Est.
Brook : Brooklands	*Gee X* : Gee Cross	*Lev* : Levenshulme	*P'wch* : Prestwich
Burn : Burnage	*G'brk* : Glazebrook	*L'boro* : Littleborough	*Rad* : Radcliffe
B'edg : Burnedge	*Glos* : Glossop	*L Hul* : Little Hulton	*Ram* : Ramsbottom
Bury : Bury	*Gort* : Gorton	*L Lev* : Little Lever	*Redd* : Reddish
Cad : Cadishead	*Gras* : Grasscroft	*Long* : Longsight	*Redf I* : Redfern Ind. Est.
C'brk : Carrbrook	*Gt H* : Great Howarth	*Los* : Lostock	*Ring* : Ringway
Car : Carrington	*G'fld* : Greenfield	*Lud* : Ludworth	*Roch* : Rochdale
Chad : Chadderton	*G'mnt* : Greenmount	*Lyd* : Lydgate	*Rom* : Romiley
Chea : Cheadle	*Grot* : Grotton	*Man* : Manchester	*Ros* : Rostherne
Chea H : Cheadle Hulme	*Had* : Hadfield	*Man A* : Manchester Airport	*Rnd I* : Roundthorn Ind. Est.
Cheq : Chequerbent	*Hale* : Hale	*Man S* : Manchester Science	*Roy O* : Royal Oak Ind. Est.
Chor H : Chorlton cum Hardy	*Haleb* : Halebarns	Park	*Rytn* : Royton
Civ C : Civic Centre	*Hand* : Handforth	*Marp* : Marple	*Rush* : Rusholme
Clay : Clayton	*Harp* : Harpurhey	*Marp B* : Marple Bridge	*St P* : St. Pauls Trad. Est.

Posttown and Postal Locality Abbreviations

Sale : Sale
Salf : Salford
Scout : Scouthead
Shar I : Sharston Ind. Area
Shaw : Shaw
Shore : Shore
Shut : Shuttleworth
Smal : Smallbridge
S'bri : Smithybridge
Spring : Springhead
Stal : Stalybridge
Stan G : Stanley Green Trad. Est.

Stoc : Stockport
Stone : Stoneclough
Stret : Stretford
Strin : Strines
S'dale : Strinesdale
Styal : Styal
S'seat : Summerseat
Sum : Summit
Swint : Swinton
Tim : Timperley
Tin : Tintwistle
Tot : Tottington

Traf P : Trafford Park
Tur : Turton
Tyl : Tyldesley
Uns : Unsworth
Upperm : Uppermill
Urm : Urmston
Walm : Walmersley
Wals : Walshaw
Ward : Wardle
Wdly : Wardley
Waterh : Waterhead
W'houg : Westhoughton

W Tim : West Timperley
Whal R : Whalley Range
W'fld : Whitefield
Whitw : Whitworth
Wilm : Wilmslow
Wthtn : Withington
Woodf : Woodford
Woodl : Woodley
Wor : Worsley
Wyth : Wythenshawe

INDEX TO STREETS

Abberley Dri. *M40* —1D **84**
Abberton Rd. *M20* —3E **125**
Abbey Clo. *Bow* —4C **144**
Abbey Clo. *Rad* —2E **49**
Abbey Clo. *Stret* —4H **105**
Abbey Ct. *M18* —1G **111**
Abbey Ct. *Rad* —3E **49**
Abbey Ct. *Stoc* —3B **140**
Abbey Cres. *Heyw* —1D **38**
Abbeydale. Roch —3G **27**
(off Spotland Rd.)
Abbeydale Clo. *Ash L* —5A **88**
Abbeydale Gdns. *Wor* —6E **63**
Abbey Dri. *Bury* —4G **35**
Abbey Dri. *L'boro* —6D **16**
Abbey Dri. *Swint* —2E **79**
Abbeyfield Sq. Open —5D **96**
(off Herne St.)
Abbey Gdns. *Mot* —4B **116**
Abbey Gro. *Chad* —4G **71**
Abbey Gro. *Ecc* —3G **91**
Abbey Gro. *Mot* —4B **116**
Abbey Gro. *Stoc* —3B **140**
Abbey Hey La. *Abb H* —2G **111**
Abbey Hey La. *Open* —6G **97**
Abbey Hills Rd. *Oldh* —4F **73**
Abbey Lawn. *M16* —4H **107**
Abbey Rd. *Chea* —6C **138**
Abbey Rd. *Del* —2G **59**
Abbey Rd. *Droy* —2H **97**
Abbey Rd. *Fail* —3H **85**
Abbey Rd. *Mid* —3H **53**
Abbey Rd. *Sale* —3A **122**
Abbeyville Wlk. *M15* —2C **108**
Abbeywood Av. *M18* —3G **111**
(in two parts)
Abbotsbury Clo. *M12* —1C **110**
Abbotsbury Clo. *Poy* —2D **162**
Abbots Clo. *Sale* —4D **122**
Abbots Ct. *Sale* —4D **122**
Abbotsfield Clo. *Urm* —4H **103**
Abbot's Fold Rd. Wor —4D **76**
Abbotsford. Whitw —3H **15**
(off Millfold)
Abbotsford Rd. *Mid* —3F **53**
Abbotsford Gro. *Tim* —3G **133**
Abbotsford Rd. *M21* —5H **107**
Abbotsford Rd. *Bolt* —4E **31**
Abbotsford Rd. *Chad* —1E **71**
Abbotsford Rd. *Oldh* —6F **57**
Abbotside Clo. *M16* —4B **108**
Abbotsleigh Dri. *Bram* —3H **151**
Abbot St. *Bolt* —2A **46**
Abbott St. *Oldh* —3C **72**
Abbott St. *Roch* —2B **40**
Abden St. *Rad* —4G **49**
Abels La. *Upperm* —1G **61**
Aber Av. *Stoc* —1C **152**
Abercarn Clo. *M8* —4C **82**
Abercorn Rd. *Bolt* —1F **31**
Abercorn St. *Oldh* —3H **73**
Aberdare Wlk. M9 —4G **69**
(off Brockford Dri.)
Aberdaron Wlk. *M13*
—6F **95** (4D **10**)

Aberdeen. *Ecc* —3G **91**
(off Monton La.)
Aberdeen Cres. *Stoc* —3F **139**
Aberdeen Gdns. *Roch* —5D **14**
Aberdeen Gro. *Stoc* —3F **139**
Aberdeen Ho. *M15* —2F **109**
Aberdeen St. *M15* —2F **109**
Aberford Rd. *M23* —6G **135**
Abergale St. *Stoc* —6A **140**
Abergele Rd. *M14* —1A **126**
Abergele St. *Stoc* —6A **140**
Abernant Clo. *M11* —4B **96**
Aber Rd. *Chea* —5C **138**
Abersoch Av. *M14* —1A **126**
Abingdon Av. *W'fld* —5D **50**
Abingdon Clo. *Chad* —5H **71**
Abingdon Clo. *Roch* —6G **27**
Abingdon Clo. *W'fld* —5D **50**
Abingdon Rd. *Bolt* —5E **33**
Abingdon Rd. *Bram* —3G **151**
Abingdon Rd. *Stoc* —2H **127**
Abingdon Rd. *Urm* —4G **105**
Abingdon St. *M1*
—5E **95** (1A **10**)
Abingdon St. *Ash L* —3B **100**
Abinger Wlk. *M40* —1F **97**
Abington Rd. *Sale* —6B **122**
Abney Rd. *Moss* —3E **89**
Abney Rd. *Stoc* —4E **127**
Aboukir St. *Roch* —3B **28**
Abraham St. *Oldh* —6G **57**
Abram Clo. *M14* —6E **109**
Abram St. *Salf* —5D **80**
Absalom Dri. *M8* —3B **82**
Abson St. *Chad* —6A **56**
Acacia Av. *Chea H* —3C **150**
Acacia Av. *Dent* —4G **113**
Acacia Av. *Hale* —2H **145**
Acacia Av. *Swint* —5E **79**
Acacia Av. *Wilm* —4C **166**
Acacia Dri. *Hale* —2H **145**
Acacia Gro. *Stoc* —5H **127**
Acacia Rd. *Oldh* —2B **86**
Academy Wlk. *M15* —2C **108**
Acer Clo. *Hyde* —5E **115**
Acer Clo. *Roch* —2H **25**
Acer Gro. *Salf* —4H **81**
Acheson St. *M18* —2F **111**
Ackers La. *Car* —3A **120**
(in two parts)
Ackersley Ct. *Chea H* —5D **150**
Ackers St. *M13* —2F **109**
Acker St. *Roch* —3H **27**
Ack La. E. *Bram* —6E **151**
Ack La. W. *Chea H* —5D **150**
Ackroyd Av. *M18* —1H **111**
Ackroyd St. *M11* —6G **97**
(in two parts)
Ackworth Dri. *M23* —5G **135**
Ackworth Rd. *Swint* —2E **79**
Acme Dri. *Pen* —3H **79**
Acomb St. *M14* —4F **109**
Acomb St. *M15* —2F **109**
Acorn Av. *Chea* —6A **138**

Acorn Av. *Hyde* —1C **130**
Acorn Bus. Cen. *Stoc* —2F **139**
Acorn Cen., The. *Oldh* —1F **73**
Acorn Clo. *M19* —1B **126**
Acorn Clo. *W'fld* —3D **66**
Acorn St. *Lees* —3A **74**
Acorn Way. *Oldh* —2C **72**
Acott Ct. *Ram* —2A **12**
Acre Barn. *Shaw* —5C **42**
Acre Clo. *Ram* —2A **12**
Acre Field. *Bolt* —1F **33**
Acre Field. *Sale* —6A **122**
Acrefield Av. *Stoc* —5C **126**
Acrefield Av. *Urm* —6H **105**
Acregate. *Urm* —5C **104**
Acre La. *Chea H* —2D **160**
Acre La. *Oldh* —6E **57**
Acresbrook Av. *Tot* —6H **21**
Acresbrook Wlk. *Tot* —6H **21**
Acresdale. *Los* —6A **30**
Acres Dri. S. *Whitw* —4H **15**
Acresfield Av. *Aud* —4C **98**
Acresfield Clo. *Swint* —5G **79**
Acresfield Mall. Ram —6B **32**
(off Arndale Cen.)
Acresfield Rd. *Hyde* —2D **114**
Acresfield Rd. L *Hul* —5D **62**
Acresfield Rd. *Mid* —4B **54**
Acresfield Rd. *Salf* —6B **80**
Acresfield Rd. *Tim* —3A **134**
Acres La. *Stal* —4F **101**
Acres Pass. *M21* —1G **123**
Acres Rd. *M21* —1G **123**
Acres Rd. *Gat* —6E **137**
Acres St. *Tot* —6H **21**
Acre St. *Chad* —1H **85**
Acre St. *Dent* —4E **113**
Acre St. *Rad* —4E **49**
Acre St. *Rom* —1H **141**
Acre St. *Whitw* —4H **15**
Acre Top Rd. *M9* —4D **68**
Acre View. *Eden* —3A **12**
Acre Wood. *Los* —4A **44**
Acton Av. *M40* —1D **96**
Acton Sq. *Salf* —3H **93**
Acton St. *Roch* —2A **28**
Adair St. *M1* —5G **95** (1F **11**)
Adair St. *Roch* —3B **40**
Adam Clo. *Chea H* —1D **150**
Adams Av. *M21* —3H **123**
Adams Clo. *Poy* —5E **163**
Adams Dri. *L'boro* —4F **17**
Adamson Gdns. *M20* —6D **124**
Adamson Ho. *M15* —1H **107**
Adamson Rd. *Ecc* —5E **91**
Adamson St. *Duk* —1A **114**
Adamson Wlk. *M14* —4F **109**
Adam St. *Ash L* —2A **100**
Adam St. *Bolt* —2B **46**
Adam St. *Oldh* —1D **86**
Ada St. *M9* —2F **83**
Ada St. *Oldh* —3E **73**
Ada St. *Ram* —4D **12**
Ada St. *Roch* —1A **28**
Adcroft St. *Stoc* —4H **139**

Adderley Pl. *Glos* —6H **117**
Adderley Rd. *Glos* —6H **117**
Addingham Clo. *M9* —4D **68**
Addington Rd. *Bolt* —4D **44**
Addington St. *M4*
—3F **95** (3C **6**)
Addison Av. *Ash L* —2B **100**
Addison Clo. *M13*
—1G **109** (5E **11**)
Addison Cres. *M16* —3H **107**
Addison Dri. *Mid* —5C **54**
Addison Grange. *Sale* —6C **122**
Addison Rd. *Hale* —3G **145**
Addison Rd. *Irl* —3G **103**
Addison Rd. *Part* —3H **119**
Addison Rd. *Stret* —4B **106**
Addison Rd. *Urm* —6F **105**
Addison Ter. *M13* —3H **109**
Adelaide Ct. Roch —6F **27**
(off Manchester Rd.)
Adelaide Rd. *Bram* —1H **161**
Adelaide Rd. *Stoc* —3E **139**
Adelaide St. *M8* —5B **82**
Adelaide St. *Bolt* —3H **45**
Adelaide St. *Ecc* —4F **91**
Adelaide St. *Heyw* —3F **39**
Adelaide St. *Mid* —1A **70**
Adelaide St. *Ram* —5C **12**
Adelaide St. *Swint* —4D **78**
Adelaide St. E. *Heyw* —3G **39**
Adelphi Ct. *Salf* —2B **94** (2C **4**)
Adelphi Dri. L *Hul* —4D **62**
Adelphi Gro. L *Hul* —4D **62**
Adelphi St. *Rad* —2F **49**
Adelphi St. *Salf* —3B **94** (4C **4**)
Adelphi Ter. *Salf* —3A **94** (4B **4**)
Aden Clo. *M12*
—5H **95** (1H **11**)
Aden St. *Oldh* —4H **73**
Aden St. *Roch* —2A **28**
Adisham Dri. *Bolt* —4B **32**
Adlington Clo. *Bury* —4G **35**
Adlington Clo. *Poy* —5F **163**
Adlington Clo. *Tim* —5D **134**
Adlington Dri. *Stret* —3F **107**
Adlington Ind. Est. *A'ton*
—6C **162**
Adlington Rd. *Wilm* —3G **167**
Adlington St. *M12*
—5H **95** (2G **11**)
Adlington St. *Bolt* —3H **45**
Adlington St. *Oldh* —6H **57**
Adlington Wlk. *Stoc* —2G **139**
Adlington Way. *Dent* —6G **113**
Admel Sq. *M15* —1E **109** (6H **9**)
Adrian Gro. *Stoc* —3H **139**
Adrian Rd. *Bolt* —3G **31**
Adrian St. *M40* —4A **84**
Adrian Ter. *Roch* —5C **28**
Adria Rd. *M20* —6G **125**
Adscombe St. *M16* —3C **108**
Adshall Rd. *Chea* —6C **138**
Adshead Clo. *M22* —2H **147**
Adstock Wlk. *M40*
—2G **95** (2F **7**)

Adstone Clo. *M4*
—4H **95** (5H **7**)
Adswood Clo. *Oldh* —6H **57**
Adswood Gro. *Stoc* —5F **139**
Adswood Ind. Est. *Stoc*
—5F **139**
Adswood La. E. *Stoc* —5H **139**
Adswood La. W. *Stoc* —5H **139**
Adswood Old Hall Rd. *Chea H*
—1F **151**
Adswood Old Rd. *Stoc* —5G **139**
Adswood Rd. *Chea H & Stoc*
—1E **151**
Adswood St. *M40* —3A **96**
Adswood Ter. *Stoc* —5G **139**
Aegean Gdns. *Salf* —6G **81**
Aegean Rd. *B'hth* —5C **132**
Affetside Dri. *Bury* —3E **35**
Affleck Av. *Rad* —1A **64**
Afghan St. *Oldh* —1F **73**
Age Croft. *Oldh* —6G **73**
Agecroft Rd. *Pen* —4A **80**
Agecroft Rd. *Rom* —2G **141**
Agecroft Rd. E. *P'wch* —1E **81**
Agecroft Rd. W. *P'wch* —1D **80**
Agecroft Trad. Est. *Pen* —4C **80**
Agincourt St. *Heyw* —3D **38**
Agnes Clo. *Oldh* —5A **72**
Agnes St. *M14* —2G **125**
Agnes St. *M19* —5C **110**
Agnes St. *Bolt* —2F **47**
Agnes St. *Chad* —3H **71**
Agnes St. *Roch* —5A **28**
Agnes St. *Salf* —4B **82**
Agnew Pl. *Salf* —1G **93**
Agnew Rd. *M18* —2E **111**
Aigburth Gro. *Stoc* —5G **111**
Ailsa Clo. *M40* —6F **83**
Aimson Pl. *Tim* —4C **134**
Aimson Rd. E. *Tim* —5C **134**
Aimson Rd. W. *Tim* —4C **134**
Aines St. *M12* —6C **96**
Ainley Rd. *M22* —2B **148**
Ainley Wood. *Del* —2G **59**
Ainley Wood. *Duk* —6B **100**
Ainsbrook Av. *Del* —3H **59**
Ainsbrook Ter. *Dig* —2D **60**
(off Harrop Ct. Rd.)
Ainsdale Av. *Bury* —3H **35**
Ainsdale Av. *Salf* —2H **81**
Ainsdale Clo. *Bram* —6H **151**
Ainsdale Clo. *Oldh* —5B **72**
Ainsdale Clo. *Bolt* —4B **46**
Ainsdale Cres. *Rytn* —5C **56**
Ainsdale Dri. *H Grn* —4F **149**
Ainsdale Dri. *Sale* —1G **133**
Ainsdale Dri. *Whitw* —2D **14**
Ainsdale Gro. *Stoc* —1H **127**
Ainsdale Rd. *Bolt* —5A **46**
(in two parts)
Ainsdale Rd. *Stoc* —6A **112**
Ainsdale St. *M12* —1B **110**
Ainsford Rd. *M20* —4H **125**
Ainsley Gro. *Wor* —1F **77**
Ainsley St. *M40* —6C **84**
Ainslie Rd. *Bolt* —4E **31**
Ainsty Rd. *M14* —3E **109**
Ainsworth Clo. *Dent* —4B **112**
Ainsworth Clo. *Shaw* —3D **56**
Ainsworth Ct. *Bolt* —6E **33**
Ainsworth Hall Rd. *Ain* —6B **34**
Ainsworth La. *Bolt* —6E **33**
Ainsworth Rd. *Bury* —4F **35**
Ainsworth Rd. *L Lev* —4A **48**
Ainsworth Rd. *Rad* —1F **49**
Ainsworth St. *Bolt* —3G **31**
Ainsworth St. *Rad* —3B **50**
Ainsworth Wlk. *Roch* —5A **28**
Ainthorpe Wlk. *M40* —6D **84**
Aintree Av. *Sale* —6E **121**
Aintree Clo. *Haz G* —3F **153**

Aintree Dri. *Roch* —3A **26**
Aintree Gro. *Stoc* —6G **139**
Aintree Rd. *L Lev* —5A **48**
Aintree St. *M11* —4D **96**
Aintree Wlk. *Chad* —2A **72**
Airedale Clo. *Gat* —5G **137**
Airedale Ct. *Alt* —6G **133**
Aire Dri. *Bolt* —6F **19**
Airton Clo. *M40* —2G **95** (1F **7**)
Aitken Clo. *Ram* —4D **12**
Aitken St. *M19* —6E **111**
Ajax Dri. *Bury* —4D **50**
Ajax St. *Ram* —4D **12**
Ajax St. *Roch* —2B **40**
Aked Clo. *M12*
—1H **109** (6H **11**)
Akesmoor Dri. *Stoc* —5C **140**
Alamein Dri. *Rom* —1C **142**
Alan Av. *Fail* —6F **85**
Alandale Av. *Aud* —6E **99**
Alandale Dri. *Rytn* —2A **56**
Alandale Clo. *Gat* —4E **139**
Alan Dri. *Hale* —5A **146**
Alan Dri. *Marp* —5C **142**
Alan Rd. *M20* —3G **125**
Alan Rd. *Stoc* —6C **126**
Alan St. *Ram* —2H **31**
Alan Turing Way. *M11* —2B **96**
Alban St. *Salf* —6H **81**
Albany Av. *M11* —6H **97**
Albany Clo. *L Hul* —3D **62**
Albany Ct. *Manx* —3E **125**
Albany Ct. *Urm* —4D **104**
Albany Dri. *Bury* —6D **36**
Albany Rd. *M21* —6H **107**
Albany Rd. *Bram* —3G **161**
Albany Rd. *Ecc* —2D **90**
Albany Rd. *Wilm* —4C **166**
Albany St. *Mid* —2B **70**
Albany St. *Oldh* —6H **57**
Albany St. *Roch* —6A **28**
Albany Trad. Est. *M21* —6H **107**
Albany Way. *Hyde* —5A **116**
Albany Way. *Salf* —2G **93**
Alba St. *Holc* —3C **12**
Alba Way. *Stret* —2A **106**
Albemarle Av. *M20* —3E **125**
Albemarle Rd. *M21* —1G **123**
Albemarle Rd. *Swint* —4E **79**
Albemarle St. *M14* —3E **109**
Albemarle Ter. *Ash L* —2A **100**
Albermarle St. *Ash L* —2A **100**
Alberta St. *Bolt* —2G **45**
Alberta St. *Stoc* —3H **139**
Albert Av. *M18* —3H **111**
Albert Av. *Duk* —1A **114**
Albert Av. *P'wch* —2G **81**
Albert Av. *Shaw* —2E **57**
Albert Av. *Urm* —5G **105**
Albert Av. *Wor* —4E **63**
Albert Clo. *Chea H* —3C **150**
Albert Clo. *W'fld* —1E **67**
Albert Clo. Trad. Est. *W'fld*
—1E **67**
Albert Ct. *Alt* —1F **145**
Albert Fildes Wlk. *M8* —4B **82**
Albert Gdns. *M40* —6D **84**
Albert Gro. *M12* —3C **110**
(in two parts)
Albert Gro. *Farn* —1F **63**
Albert Hill St. *M20* —6F **125**
Albert Mt. *Oldh* —6F **57**
Albert Pl. *M13* —4B **110**
Albert Pl. *Alt* —6F **133**
Albert Pl. *Lees* —3A **74**
Albert Pl. *W'fld* —6F **51**
Albert Rd. *M19* —6B **110**
Albert Rd. *Bolt* —5F **31**
(Bolton)

Albert Rd. *Bolt* —4D **30**
(Markland Hill)
Albert Rd. *Chea H* —3C **150**
Albert Rd. *Ecc* —2H **91**
Albert Rd. *Farn* —1E **63**
Albert Rd. *Hale* —2G **145**
Albert Rd. *Hyde* —5B **114**
Albert Rd. *Sale* —5C **122**
Albert Rd. *Stoc* —6C **126**
Albert Rd. *W'fld* —6E **51**
Albert Rd. *Wilm* —3D **166**
Albert Rd. E. *Hale* —2G **145**
Albert Rd. W. *Bolt* —5D **30**
Albert Royds St. *Roch* —1B **28**
Albert Sq. *M2* —4D **94** (6H **5**)
(in two parts)
Albert Sq. *Bow* —2E **145**
Albert Sq. *Stal* —4D **100**
Albert St. *M11* —4B **96**
Albert St. *Bury* —3E **37**
Albert St. *Cad* —3C **118**
Albert St. *Chad* —6H **71**
Albert St. *Dent* —4F **113**
Albert St. *Droy* —4B **98**
Albert St. *Ecc* —3H **91**
Albert St. *Eger* —1B **18**
Albert St. *Farn* —2F **63**
Albert St. *Had* —2H **117**
Albert St. *Haz G* —2D **152**
Albert St. *Heyw* —3D **38**
Albert St. *Hyde* —4D **114**
Albert St. *Kear* —1G **63**
Albert St. *Lees* —4A **74**
Albert St. *L'boro* —4F **17**
Albert St. *L Lev* —4B **48**
Albert St. *Mid* —1A **70**
Albert St. *Miln* —6G **29**
Albert St. *Oldh* —2H **85**
Albert St. *P'wch* —4G **67**
Albert St. *Rad* —4H **49**
Albert St. *Ram* —3D **12**
Albert St. *Rytn* —3B **56**
Albert St. *Shaw* —6E **43**
Albert St. *Stoc* —2F **139**
Albert St. *Whitw* —1C **14**
Albert St. W. *Fail* —5D **84**
Albert Ter. *Stoc* —2H **139**
Albert St. *M40* —3H **83**
Albinson Wlk. *Part* —6E **119**
Albion Clo. *Stoc* —6G **127**
Albion Ct. *Bury* —3B **36**
Albion Dri. *Droy* —3A **98**
Albion Fold. *Droy* —3A **98**
Albion Gdns. *Stal* —3F **101**
Albion Gro. *Ecc* —5D **90**
Albion Gro. *Sale* —5A **122**
Albion Pl. *Haz G* —2D **152**
Albion Pl. *P'wch* —5E **67**
Albion Pl. *Salf* —6G **81**
(Charlestown)
Albion Pl. *Salf* —3A **94** (4A **4**)
(New Windsor)
Albion Rd. *M14* —6G **109**
Albion Rd. *Roch* —5F **27**
Albion Rd. Ind. Est. *Roch*
—5F **27**
Albion St. *M1* —6D **94** (3G **9**)
Albion St. *Ash L* —2A **100**
(in two parts)
Albion St. *Bolt* —2B **46**
Albion St. *Bury* —3B **36**
Albion St. *Chad* —2G **71**
Albion St. *Fail* —4E **85**
Albion St. *Hyde* —5B **114**
Albion St. *Kear* —2A **64**
Albion St. *L'boro* —4E **17**
Albion St. *Oldh* —2D **72**
(in two parts)
Albion St. *Old T* —3B **108**
Albion St. *Pen* —3G **79**
Albion St. *Rad* —6H **49**

Albion St. *Roch* —4C **40**
Albion St. *Sale* —5B **122**
Albion St. *Stal* —3F **101**
Albion Ter. *Bolt* —2F **31**
Albion Towers. *Salf* —3H **93**
Albion Trad. Est. *Ash L*
—2B **100**
Albion Way. *Salf* —4G **93**
Albury Dri. *M19* —1H **137**
Albury Dri. *Roch* —1B **26**
Albyns Av. *M8* —4C **82**
Alcester Av. *Stoc* —4B **138**
Alcester Clo. *Bury* —2H **35**
Alcester Clo. *Mid* —3B **70**
Alcester Rd. *Gat* —1F **149**
Alcester Rd. *Sale* —1B **134**
Alcester St. *Chad* —6G **71**
Alcester Wlk. *M9* —4E **69**
Alconbury Wlk. *M9* —3D **68**
Aldborough Clo. *M20* —3F **125**
Aldbourne Clo. *M40* —6F **83**
Aldbury Ter. *Bolt* —4H **31**
Aldcroft St. *M18* —1H **111**
Alden Clo. *W'fld* —1E **67**
Alden Wlk. *Stoc* —2F **127**
Alder Av. *Bury* —2G **37**
Alder Av. *Poy* —4F **163**
Alderbank. *Ward* —2A **16**
Alderbank Clo. *Kear* —3H **63**
Alder Clo. *Ash L* —4F **87**
Alder Clo. *Duk* —6E **101**
Aldercroft Av. *M22* —3A **148**
Aldercroft Av. *Bolt* —4F **33**
Alderdale Clo. *Stoc* —4C **126**
Alderdale Dri. *Droy* —3F **97**
Alderdale Dri. *H Lane* —6C **154**
Alderdale Dri. *Stoc* —4C **126**
Alderdale Gro. *Wilm* —4B **166**
Alderdale Rd. *Chea H* —1E **151**
Alder Dri. *Tim* —6D **134**
Alder Dri. *Wdly* —2C **78**
Alder Edge. *M21* —6F **107**
Alderfield Ho. *M21* —6F **107**
Alderfield Rd. *M21* —6F **107**
Alderford Pde. *M8* —5B **82**
Alder Forest Av. *Ecc* —1C **90**
Aldergate Ct. *Swint* —4C **78**
Aldergate Gro. *Ash L* —6B **88**
Alderglen Rd. *M8* —5B **82**
Alder Gro. *Brom X* —5G **19**
Alder Gro. *Dent* —4G **113**
Alder Gro. *Stoc* —3E **139**
Alder Gro. *Stret* —5E **107**
Alder La. *Oldh* —1B **86**
Alderley Av. *Bolt* —6C **18**
Alderley Clo. *Haz G* —5F **153**
Alderley Clo. *Poy* —5F **163**
Alderley Dri. *Bred* —6E **129**
ALDERLEY EDGE STATION. *BR*
—4G **167**
Alderley Lodge. *Wilm* —4D **166**
Alderley Rd. *Sale* —1E **135**
Alderley Rd. *Stoc* —4H **127**
Alderley Rd. *Urm* —5C **104**
Alderley Rd. *Wilm* —4D **166**
Alderley St. *Ash L* —6H **87**
Alderley Ter. *Duk* —4H **99**
Alderman Foley Dri. *Roch*
—2C **26**
Alderman Sq. *M12* —5A **96**
Aldermary Rd. *M21* —4B **124**
Aldermaston Gro. *M9* —3D **68**
Alder Meadow Clo. *Roch*
—2C **26**
Aldermere Cres. *Urm* —3A **104**
Alderminster Av. *L Hul* —4C **62**
Aldermoor Clo. *M11* —5F **97**
Alderney Wlk. *M40*
—2H **95** (1G **7**)
Alder Rd. *Chea* —6H **137**
Alder Rd. *Fail* —6F **85**

Alder Rd.—Alveston Dri.

Alder Rd. *Mid* —5C **54**
Alder Rd. *Roch* —3D **40**
Alders Av. *M22* —6A **136**
Alders Ct. *Oldh* —3E **87**
Aldersgate Rd. *Chea H* —2E **161**
Aldersgate Rd. *Stoc* —5B **140**
Aldersgreen Av. *H Lane*
　　　　　　　　　　　—6D **154**
Aldershot Wlk. *M11* —4B **96**
Alderside Rd. *M9* —3F **83**
Aldersley Av. *M9* —4D **68**
Alderson St. *Oldh* —2C **72**
Alderson St. *Salf* —1G **93**
Alders Rd. *M22* —6A **136**
Alders Rd. *Dis* —6E **155**
Alder St. *Bolt* —4B **46**
Alder St. *Ecc* —1C **90**
Alder St. *Salf* —3F **93**
Aldersyde St. *Bolt* —4H **45**
Alderue Av. *M22* —5B **136**
Alderway. *Ram* —1E **13**
Alderwood Av. *Stoc* —2C **138**
Alderwood Fold. *Lees* —4B **74**
Alderwood Gro. *Ram* —1A **12**
Alderwood Wlk. *M8* —5B **82**
Aldfield Rd. *M23* —2E **135**
Aldford Clo. *M20* —6G **125**
Aldford Gro. *Brad F* —2B **48**
Aldham Av. *M40* —1E **97**
Aldington Rd. *Wilm* —3G **167**
Aldred Clo. *M8* —5D **82**
Aldred St. *Bolt* —4F **45**
Aldred St. *Ecc* —4E **91**
Aldred St. *Fail* —4E **85**
Aldred St. *Salf* —3H **93**
Aldridge Wlk. *M11* —5B **96**
Aldsworth Dri. *M40* —5G **83**
Aldsworth Dri. *Bolt* —3A **46**
Aldwick Av. *M20* —6G **125**
Aldwinians Clo. *Aud* —2E **113**
Aldworth Gro. *Sale* —6F **121**
Aldwych. *Roch* —2F **41**
Aldwych Av. *M14* —4F **109**
Aldwyn Clo. *Aud* —2E **113**
Aldwyn Cres. *Haz G* —3C **152**
Aldwyn Pk. Rd. *Aud* —5C **98**
Alexander Av. *Fail* —3G **85**
Alexander Briant Ct. *Farn*
　　　　　　　　　　　—2E **63**
Alexander Dri. *Bury* —5E **51**
Alexander Dri. *Miln* —5E **29**
Alexander Dri. *Tim* —5A **134**
Alexander Gdns. *Salf* —1B **94**
Alexander Ho. *M16* —3G **107**
Alexander Rd. *Bolt* —4E **33**
Alexander St. *Roch* —3B **40**
Alexander St. *Salf* —3E **93**
Alexandra Av. *M14* —5D **108**
Alexandra Av. *Hyde* —5A **114**
Alexandra Av. *W'fld* —1E **67**
Alexandra Cen. Retail Pk. *Oldh*
　　　　　　　　　　　—3D **72**
Alexandra Clo. *Stoc* —5E **139**
Alexandra Cres. *Oldh* —6F **57**
Alexandra Dri. *M19* —2B **126**
Alexandra Gro. *Irl* —1D **118**
Alexandra Ho. *Oldh* —1F **73**
Alexandra Ind. Est. *Dent*
　　　　　　　　　　　—3G **113**
Alexandra M. *Oldh* —4E **73**
Alexandra Rd. *M16* —4C **108**
Alexandra Rd. *Ash L* —2H **99**
Alexandra Rd. *Dent* —3G **113**
Alexandra Rd. *Ecc* —4D **90**
Alexandra Rd. *Kear* —2A **64**
Alexandra Rd. *Oldh* —5E **73**
Alexandra Rd. *Rad* —1A **64**
Alexandra Rd. *Sale* —5C **122**
Alexandra Rd. *Stoc* —6E **127**
Alexandra Rd. *Wor* —4E **63**
Alexandra Rd. S. *M16* —4C **108**

Alexandra St. *Ash L* —1B **100**
Alexandra St. *Farn* —2F **63**
Alexandra St. *Heyw* —5G **39**
Alexandra St. *Hyde* —6A **114**
Alexandra St. *Oldh* —4E **73**
Alexandra St. *Salf*
　　　　　　　　—2B **94** (1D **4**)
Alexandra Ter. *M19* —6C **110**
Alexandra Ter. *Oldh* —4H **57**
Alexandra Ter. *Sale* —3A **122**
Alford Av. *M20* —1E **125**
Alford Clo. *Bolt* —1H **47**
Alford Rd. *Stoc* —3D **126**
Alford St. *Oldh* —1H **85**
Alfred Av. *Wor* —4A **78**
Alfred James Clo. *M40*
　　　　　　　　—2G **95** (2F **7**)
Alfred St. *M9* —3F **83**
Alfred St. *Ash L* —1B **100**
Alfred St. *Bolt* —3D **46**
Alfred St. *Bury* —5E **37**
Alfred St. *Cad* —3C **118**
Alfred St. *Ecc* —2F **91**
Alfred St. *Eger* —1B **18**
Alfred St. *Fail* —3F **85**
Alfred St. *Farn* —5F **47**
Alfred St. *Hyde* —4A **114**
Alfred St. *Kear* —1H **63**
Alfred St. *L'boro* —3E **17**
Alfred St. *Oldh* —3A **72**
　(Oldham)
Alfred St. *Oldh* —6G **71**
　(White Gate)
Alfred St. *Ram* —4D **12**
Alfred St. *Shaw* —6E **43**
Alfred St. *Whitw* —3H **15**
Alfred St. *Wor* —6F **63**
Alfreton Av. *Dent* —1G **129**
Alfreton Rd. *Stoc* —5D **140**
Alfreton Wlk. *M40* —5A **84**
　(off Thorpebrook Rd.)
Alfriston Dri. *M23* —1G **135**
Algernon Rd. *Wor* —5E **63**
Algernon St. *Ash L* —3B **100**
Algernon St. *Ecc* —2F **91**
Algernon St. *Farn* —5F **47**
Algernon St. *Swint* —3D **78**
Alger St. *Ash L* —1H **100**
Algreave Rd. *Stoc* —3C **138**
Alice Ingham Ct. *Roch* —2D **26**
Alice St. *Bolt* —2G **45**
Alice St. *Droy* —5A **98**
Alice St. *Hyde* —2C **130**
Alice St. *Roch* —2B **28**
Alice St. *Sale* —5D **122**
Alice St. *Swint* —3H **79**
Alicia Ct. *Roch* —2G **27**
Alicia Dri. *Roch* —2G **27**
Alicia St. *Bolt* —2F **47**
Alison St. *M14* —4D **108**
Alison St. *Shaw* —5E **43**
Alixandra Ct. *Urm* —6A **104**
Alker Rd. *M40* —2H **95** (2H **7**)
Alkrington Clo. *Bury* —5E **51**
Alkrington Ct. *Mid* —4B **70**
Alkrington Grn. *Mid* —3H **69**
Alkrington Hall Rd. N. *Mid*
　　　　　　　　　　　—2H **69**
Alkrington Hall Rd. S. *Mid*
　　　　　　　　　　　—3G **69**
Alkrington Pk. Rd. *Mid* —2G **69**
Allanbrooke Wlk. *M15* —2C **108**
Allan Ct. *M21* —2G **123**
Allandale. *Alt* —1D **144**
Allandale Ct. *Salf* —2A **82**
Allandale Rd. *M19* —6B **110**
Allan Roberts Clo. *M9* —2F **83**
Allanson Rd. *M22* —2C **136**
Alldis St. *Stoc* —6B **140**
Allen Av. *Hyde* —1D **130**
Allenby Rd. *Cad* —5B **118**

Allenby Rd. *Swint* —5C **78**
Allenby St. *Shaw* —6E **43**
Allenby Wlk. *M40* —6E **83**
Allen Clo. *Shaw* —1E **57**
Allendale Dri. *Bury* —4E **51**
Allendale Gdns. *Bolt* —3A **32**
Allendale Wlk. *Salf*
　　　　　　　　　　—3B **94** (3C **4**)
Allen Rd. *Urm* —5H **105**
Allen St. *Bury* —2A **36**
Allen St. *L Lev* —4A **48**
Allen St. *Rad* —4E **49**
　(in two parts)
Allen St. *Roch* —5A **28**
Allerdean Wlk. *Stoc* —6A **126**
Allerford St. *M16* —3C **108**
Allerton Ho. *Ram* —5A **32**
　(off Duke St. N.)
Allerton Wlk. *M13*
　　　　　　　　—1F **109** (6D **10**)
Alley St. *Oldh* —4G **73**
Allgreave Clo. *Sale* —1E **135**
Allingham St. *M13* —3A **110**
Allington. *Roch* —5G **27**
Allington Dri. *Ecc* —1G **91**
Alliott Wlk. *M15* —2C **108**
Allison Gro. *Ecc* —4D **90**
Allison St. *M8* —6B **82**
Allonby Wlk. *Mid* —5E **53**
Allotment Rd. *Cad* —3B **118**
Alloway Wlk. *M40* —5A **84**
All Saint's Clo. *Rytn* —2B **56**
All Saints St. *Stret* —5B **106**
All Saints' Rd. *Stoc* —5G **127**
All Saints St. *M40* —6C **84**
All Saints St. *Bolt* —5B **32**
All Saints Ter. *Roch* —1B **28**
Allwood St. *Salf* —4B **94** (6C **4**)
Alma Ind. Est. *Roch* —2H **27**
Alma La. *Wilm* —3D **166**
Alma Rd. *M19* —1C **126**
Alma Rd. *Haz G* —5G **153**
Alma Rd. *Sale* —1G **133**
Alma Rd. *Stoc* —4D **126**
Alma St. *Bolt* —3G **45**
Alma St. *Ecc* —4H **91**
Alma St. *Hyde* —4A **114**
Alma St. *Kear* —4B **64**
Alma St. *L Lev* —4B **48**
Alma St. *Rad* —2F **49**
Alma St. *Roch* —2H **27**
Alma St. *Stal* —3F **101**
Alminstone Clo. *M40* —1F **97**
Almond Av. *Bury* —2G **37**
Almond Clo. *Fail* —5F **85**
Almond Clo. *L'boro* —3D **16**
Almond Clo. *Salf* —2G **93**
Almond Clo. *Stoc* —3E **139**
Almond Ct. *Duk* —4A **100**
Almond Dri. *Sale* —3H **121**
Almond Gro. *Bolt* —2B **32**
Almond Rd. *Oldh* —6H **57**
Almond St. *M40* —1F **95**
Almond St. *Bolt* —1B **32**
Almond St. *Farn* —1E **63**
Almond Tree Rd. *Chea H*
　　　　　　　　　　　—4C **150**
Almond Way. *Hyde* —5E **115**
Alms Hill Rd. *M8* —5C **82**
Almshouses. *Sale* —5E **123**
Alness Rd. *M16* —4C **108**
Alnwick Dri. *Bury* —2E **51**
Alnwick Rd. *M9* —4F **69**
Alperton Wlk. *M40* —1F **97**
Alpha Ct. *Aud* —4C **112**
Alpha Pl. *M15* —6C **94** (3F **9**)
Alpha Rd. *Stret* —5C **106**
Alpha St. *Open* —6G **97**
Alpha St. *Rad* —3F **49**
Alpha St. *Salf* —2F **93**

Alpha St. W. *Salf* —2E **93**
Alphin Clo. *G'fld* —4F **61**
Alphin Clo. *Moss* —6G **75**
Alphin Sq. *Moss* —2F **89**
Alphonsus St. *M16* —3A **108**
Alpine Dri. *Miln* —4G **29**
Alpine Dri. *Rytn* —4A **56**
Alpine Dri. *Ward* —3A **16**
Alpine Rd. *Stoc* —1A **140**
Alpine St. *M11* —2D **96**
Alpine Ter. *Farn* —1G **63**
Alpington Wlk. *M40* —1C **84**
Alport Av. *M16* —5A **108**
Alport Gro. *Glos* —5G **117**
　(off Melandra Castle Rd.)
Alport Lea. *Glos* —5G **117**
　(off Hathersage Cres.)
Alport Way. *Glos* —5G **117**
　(off Melandra Castle Rd.)
Alresford Rd. *Mid* —4H **69**
Alresford Rd. *Salf* —6B **80**
Alric Wlk. *M22* —5C **148**
Alsham Wlk. *M8* —5C **82**
Alsop Av. *Salf* —4F **81**
Alstead Av. *Hale* —2A **146**
Alston Av. *Sale* —6H **121**
Alston Av. *Shaw* —5F **43**
Alston Av. *Stret* —4B **106**
Alston Clo. *Haz G* —4A **152**
Alstone Dri. *Alt* —6C **132**
Alstone Rd. *Stoc* —3E **127**
Alston Gdns. *M19* —4B **126**
Alston Rd. *M18* —2G **111**
Alston St. *Bolt* —4A **46**
Alston St. *Bury* —1A **36**
Alston Wlk. *Mid* —5E **53**
Altair Av. *M22* —4B **148**
Altair Pl. *Salf* —1A **94**
Altcar Gro. *Stoc* —5G **111**
Altcar Wlk. *M22* —3A **148**
　(in two parts)
Alt Fold Dri. *Oldh* —6H **73**
Alt Gro. *Ash L* —5F **87**
Altham Clo. *Bury* —6B **36**
Altham Wlk. *M40* —5A **84**
　(off Craiglands Av.)
Alt Hill La. *Ash L* —3G **87**
Alt Hill Rd. *Ash L* —2G **87**
Althorn Wlk. *M23* —6G **135**
Althorpe Wlk. *M40* —1F **97**
Alt La. *Oldh* —1G **87**
Alton Av. *Urm* —4H **103**
Alton Clo. *Ash L* —4G **87**
Alton Clo. *Bury* —2E **51**
Alton Rd. *Wilm* —1C **166**
Alton Sq. *Open* —6G **97**
Alton St. *M9* —5F **83**
Alton St. *Oldh* —6D **72**
Altrincham Rd. *M22 & Gat*
　　　　　　　　　　　—4A **136**
Altrincham Rd. *M23* —4D **134**
Altrincham Rd. *Styal* —4G **157**
ALTRINCHAM STATION.
　　　　　　　BR & M —1G **145**
Altrincham Rd. *M1*
　(in two parts) —5F **95** (2C **10**)
Altrincham St. *Oldh* —1B **72**
Alt Rd. *Ash L* —5F **87**
Alt Wlk. *W'fld* —5G **51**
Alum Cres. *Bury* —4E **51**
Alvanley Clo. *Sale* —2B **134**
Alvanley Cres. *Stoc* —5E **139**
Alvanley Ind. Est. *Bred* —5F **129**
Alvanley Rd. *Bred* —5G **129**
Alvan Sq. *M11* —6G **97**
Alva Rd. *Oldh* —5H **57**
Alvaston Av. *Stoc* —6D **126**
Alvaston Rd. *M18* —3G **111**
Aveley Av. *M20* —4G **125**
Alverstone Rd. *M20* —3G **125**
Alveston Dri. *Wilm* —6H **159**

Alvington Gro. *Haz G* —4A **152**
Alvon Ct. *Hyde* —5E **115**
Alwin Rd. *Shaw* —5E **43**
Alwinton Av. *Stoc* —6A **126**
Alworth Rd. *M9* —4F **69**
Alwyn Dri. *M13* —3A **110**
Ambassador Pl. *Alt* —6G **133**
Amber Gdns. *Duk* —5H **99**
Amberhill Way. *Wor* —6B **76**
(in two parts)
Amberidge Wlk. *M15* —2E **109**
(off Duxbury Sq.)
Amberley Clo. *Bolt* —2D **44**
Amberley Dri. *M23* —1G **147**
Amberley Dri. *Haleb* —5B **146**
Amberley Dri. *Irl* —6E **103**
Amberley Rd. *Sale* —4G **121**
Amberley Wlk. *Chad* —2A **72**
Amber St. *M4* —3E **95** (3B **6**)
Amberwood. *Chad* —1E **71**
Amberwood Dri. *M23* —5D **134**
Amblecote Dri. E. *L Hul* —3C **62**
Amblecote Dri. W. *L Hul*
—3C **62**
Ambleside. *Stal* —2E **101**
Ambleside Av. *Ash L* —1F **99**
Ambleside Av. *Tim* —6C **134**
Ambleside Clo. *Bolt* —1H **33**
Ambleside Clo. *Mid* —6G **53**
Ambleside Rd. *Stoc* —2H **127**
Ambleside Rd. *Urm* —6A **104**
Ambleside Way. *M9* —1A **84**
Ambrose Cres. *Dig* —4B **60**
Ambrose Dri. *M20* —5B **124**
Ambrose Gdns. *M20* —5B **124**
Ambrose St. *M12* —6C **96**
Ambrose St. *Hyde* —2C **130**
Ambrose St. *Roch* —6H **27**
Ambush St. *M11* —6H **97**
Amelia St. *Hyde* —5C **114**
Amelia St. W. *Dent* —3F **113**
Amersham Clo. *Urm* —2D **104**
Amersham Pl. *M19* —3C **126**
Amersham St. *Salf* —4F **93**
Amesbury Gro. *Stoc* —4H **127**
Amesbury Rd. *M9* —5G **69**
Amherst Rd. *M20 & M14*
—2G **125**
Amlwch Av. *Stoc* —5D **140**
Ammon's Way. *Del* —2H **59**
Ammon Wrigley Clo. *Oldh*
—2D **72**
Amory St. *M12* —5G **95** (2E **11**)
Amos Av. *M40* —1E **97**
Amos St. *M9* —4G **83**
Amos St. *Salf* —3E **93**
Ampleforth Gdns. *Rad* —2E **49**
Ampney Clo. *Ecc* —4D **90**
Amport Wlk. *M40* —1C **84**
Amwell St. *M8* —4D **82**
Amy St. *Mid* —6B **54**
Amy St. *Roch* —2D **26**
Anaconda Dri. *Salf*
—2C **94** (2E **5**)
Ancaster Wlk. *M40* —1C **84**
Anchorage Quay. *Salf* —5G **93**
Anchorage Rd. *Urm* —6A **106**
Anchorage Wlk. *M18* —1E **111**
Anchor Clo. *M19* —6E **111**
Anchor Ct. *M8* —2B **82**
Anchor Ct. *Wilm* —1E **167**
Anchor La. *Farn & Wor* —1B **62**
Anchorside Clo. *M21* —2H **123**
Anchor St. *Oldh* —1D **72**
Ancoats Gro. *M4*
—4H **95** (6G **7**)
Ancoats Gro. N. *M4*
—4H **95** (6G **7**)
Ancoats St. *Lees* —3A **74**
Ancroft Gdns. *Bolt* —4G **45**
Anderton Clo. *Bury* —4F **35**

Anderton Gro. *Ash L* —6A **88**
Anderton Pl. *Salf* —6H **81**
Anderton Way. *Hand* —4H **159**
Andoc Av. *Ecc* —3A **92**
Andover Av. *Mid* —4B **70**
Andover St. *Ecc* —4E **91**
Andover Wlk. *M8* —2C **82**
Andre St. *M11* —3E **97**
Andrew Clo. *G'mnt* —2H **21**
Andrew Clo. *Rad* —6A **50**
Andrew Ct. *Manx* —3F **125**
Andrew Gro. *Duk* —5B **100**
Andrew La. *Bolt* —5D **18**
Andrew La. *H Lane* —4C **154**
Andrew Rd. *M9* —1F **83**
Andrews Av. *Urm* —4A **104**
Andrew's Brow. *M40* —1F **97**
Andrews Clo. *Dent* —1H **129**
Andrews La. *M44* —4E **95** (5B **6**)
Andrew St. *M9* —5F **83**
Andrew St. *Ash L* —6H **87**
Andrew St. *Bury* —3E **37**
Andrew St. *Chad* —1H **71**
Andrew St. *Comp* —1E **143**
Andrew St. *Droy* —1C **98**
Andrew St. *Fail* —3E **85**
Andrew St. *Hyde* —4D **114**
Andrew St. *Mid* —2C **70**
Andrew St. *Moss* —3E **89**
Andrew St. *Stoc* —1F **139**
Andy Nicholson Wlk. *M9*
—3H **83**
Anerley Rd. *M20* —5F **125**
Anfield Clo. *Bury* —4F **51**
Anfield M. *Chea* —2B **150**
Anfield Rd. *M40* —2D **84**
Anfield Rd. *Bolt* —4A **46**
Anfield Rd. *Chea H* —2B **150**
Anfield Rd. *Sale* —4C **122**
Angela Av. *Rytn* —5C **56**
Angela St. *M15* —6B **94** (4D **8**)
Angel Clo. *Duk* —6H **99**
Angelico Rise. *Oldh* —4H **57**
Angelo St. *Ram* —2H **31**
(in two parts)
Angel St. *M4* —2E **95** (2B **6**)
Angel St. *Dent* —3G **113**
Angel St. *Haz G* —2D **152**
Angier Gro. *Dent* —4F **113**
Anglesea Av. *M9* —3F **83**
Anglesea Av. *Stoc* —5H **139**
Anglesey Clo. *Ash L* —5E **87**
Anglesey Dri. *Poy* —1E **163**
Anglesey Gro. *Chea* —5B **138**
Anglesey Rd. *Ash L* —5D **86**
Anglesey Water. *Poy* —1E **163**
Angleside Av. *M19* —5A **126**
Angle St. *Bolt* —4D **32**
Anglia Gro. *Bolt* —3G **45**
Angora Dri. *Salf* —2B **94** (2C **4**)
Angouleme Way. *Bury* —3C **36**
Angus Av. *Heyw* —4C **38**
Aniline St. *M11* —4D **96**
Anita St. *M4* —3F **95** (3D **6**)
Annable Rd. *M18* —1G **111**
Annable Rd. *Bred* —6D **128**
Annable Rd. *Droy* —4B **98**
Annable Rd. *Irl* —1D **118**
Annald Sq. *Droy* —5A **98**
Annan St. *Dent* —3F **113**
Annecy Clo. *Bury* —1H **35**
Anne Line Clo. *Roch* —6A **28**
(off Wellfield St.)
Annersley Av. *Shaw* —1E **57**
Annesley Gdns. *M18* —1F **111**
Annesley Rd. *M40* —2E **85**
Anne St. *Duk* —5B **100**
Annie Darby Ct. *M9* —4F **83**
Annie St. *Ram* —5C **12**
Annie St. *Salf* —3E **93**
Annis Clo. *Ald E* —4H **167**

Annisdale Clo. *Ecc* —3D **90**
Annisfield Av. *G'fld* —4F **61**
Annis Rd. *Ald E* —4H **167**
Annis Rd. *Bolt* —3F **45**
Ann Sq. *Oldh* —1H **73**
Ann St. *Ash L* —5F **99**
Ann St. *Dent* —4E **113**
Ann St. *Heyw* —2F **39**
Ann St. *Hyde* —4A **114**
Ann St. *Kear* —2G **63**
Ann St. *Roch* —5H **27**
Ann St. *Stoc* —5G **127**
Anscombe Clo. *M40*
—2H **95** (2H **7**)
Anscombe Wlk. *M40*
—2H **95** (1H **7**)
Ansdell Av. *M21* —1A **124**
Ansdell Dri. *Droy* —3G **97**
Ansdell Rd. *Roch* —1H **41**
Ansdell Rd. *Stoc* —6A **112**
Ansdell St. *M8* —4C **82**
Ansell Clo. *M18* —1F **111**
Anselms Ct. *Oldh* —5A **72**
Ansford Wlk. *M9* —5E **83**
(off Westmere Dri.)
Ansleigh Av. *M8* —2C **82**
Ansley Gro. *Stoc* —6D **126**
Anslow Clo. *M40* —6F **83**
Anson Av. *Swint* —5E **79**
Anson Clo. *Bram* —2H **161**
Anson Rd. *M14* —3H **109**
Anson Rd. *Dent* —5A **112**
Anson Rd. *Poy* —3H **163**
Anson Rd. *Swint* —5E **79**
Anson Rd. *Wilm* —6A **160**
Anson St. *Bolt* —2B **32**
Anson St. *Ecc* —2D **90**
Anson View. *M14* —4H **109**
Answell Av. *M8* —1C **82**
Antares Av. *Salf* —2B **94** (1C **4**)
Anthistle Ct. *Salf* —3D **92**
Anthony Clo. *M12* —6A **96**
Anthony St. *Bolt* —4B **46**
Anthony St. *Moss* —2D **88**
Antilles Clo. *M12* —3C **110**
Anton Wlk. *M9* —4F **83**
Antrim Clo. *M19* —2H **137**
Anvil St. *M1* —6D **94** (3H **9**)
Anvil St. *Farn* —2F **63**
Anvil Way. *Oldh* —2C **72**
Apethorn La. *Hyde* —2B **130**
Apfel La. *Chad* —2H **71**
Apollo Av. *Bury* —4D **50**
Apollo Wlk. *M12* —1C **110**
Apperley Grange. *Ecc* —1G **91**
Appian Way. *Salf & M8* —5A **82**
Appleby Av. *M12* —4C **110**
Appleby Av. *Hyde* —2A **114**
Appleby Clo. *Bury* —3F **35**
Appleby Clo. *Stoc* —6F **139**
Appleby Gdns. *Bolt* —4C **32**
Appleby Lodge. *M14* —5H **109**
Appleby Rd. *Gat* —1F **149**
Appleby Wlk. *Rytn* —3C **56**
Apple Clo. *Oldh* —6G **73**
Applecross Wlk. *Open* —5E **97**
Appledore Dri. *M23* —4D **134**
Appledore Dri. *Bolt* —2H **33**
Appledore Wlk. *Chad* —3H **71**
Appleford Dri. *M8* —5D **82**
Apple St. *Hyde* —2G **131**
Apple Ter. *Ram* —3H **31**
Appleton Ct. *Sale* —5B **122**
Appleton Gro. *Sale* —1G **133**
Appleton Rd. *Hale* —4G **145**
Appleton Rd. *Stoc* —3F **127**
Appleton Wlk. *Wilm* —6A **160**
Apple Tree Ct. *Salf* —3G **93**
Apple Tree Wlk. *Sale* —4E **121**
Applewood. *Chad* —2E **71**

Apprentice Ct. *M9* —3G **83**
Apprentice La. *Wilm* —4D **158**
April Clo. *Oldh* —5G **73**
Apron Rd. *Man A* —1A **158**
Apsley Clo. *Bow* —4D **144**
Apsley Gro. *M12*
—1G **109** (5F **11**)
Apsley Gro. *Bow* —4D **144**
Apsley Pl. *Ash L* —3G **99**
Apsley Rd. *Dent* —3F **113**
Apsley Side. *Moss* —3E **89**
Apsley St. *Stoc* —2H **139**
Aquarius La. *Salf* —1A **94**
Aquarius St. *M15* —2E **109**
Aqueduct Rd. *Bolt* —3E **47**
Aragon Dri. *Heyw* —3E **39**
Aragon Way. *Marp* —5C **142**
Arbor Av. *M19* —2B **126**
Arbor Dri. *M19* —2B **126**
Arbor Gro. *Droy* —2A **98**
Arbor Gro. *L Hul* —5A **62**
Arbory Av. *M40* —3B **84**
Arbour Clo. *Bury* —5E **23**
Arbour Clo. *Salf* —2F **93**
Arbour Ct. *Marp* —6C **142**
Arbour Rd. *Oldh* —5A **74**
Arbroath St. *M11* —4F **97**
Arbury Av. *Roch* —6G **27**
Arbury Av. *Stoc* —4B **138**
Arcades Shopping Cen. *Ash L*
—2H **99**
Arcade, The. *Stal* —5D **100**
Arcade, The. *Stoc* —4C **128**
Arcadia Av. *Sale* —2A **134**
Archer Av. *Bolt* —5E **33**
Archer Gro. *Bolt* —5E **33**
Archer Pk. *Mid* —1G **69**
Archer Pl. *Urm* —4H **105**
Archer St. *M11* —3C **96**
Archer St. *Moss* —1E **89**
Archer St. *Stoc* —6C **140**
Archer St. *Wor* —4A **76**
Archie St. *Salf* —6G **93**
Arch St. *Bolt* —4C **32**
Arclid Clo. *Wilm* —6A **160**
Arcon Dri. *M16* —4C **108**
Arcon Pl. *Alt* —5C **132**
Arcon Pl. *Stoc* —6B **128**
Ardale Av. *M40* —1C **84**
Ardcombe Av. *M9* —4E **69**
Ardeen Wlk. *M13*
—1G **109** (5E **11**)
Arden Av. *Mid* —4B **70**
Arden Clo. *Ash L* —5B **88**
Arden Clo. *Bury* —5C **36**
Arden Clo. *H Grn* —6G **149**
Arden Ct. *Bram* —4F **151**
Ardenfield. *Dent* —2G **129**
Ardenfield Dri. *M22* —2C **148**
Arden Gro. *M40* —2C **84**
Arden Ho. *Rytn* —3C **56**
Arden Lodge Rd. *M23* —4D **134**
Arden Rd. *Bred* —2E **129**
Ardens Clo. *Swint* —1D **78**
Arden St. *Chad* —6G **71**
Ardent Way. *P'wch* —2F **81**
Arden Wlk. *Sale* —4E **121**
Arderne Rd. *Tim* —3A **134**
Ardern Field St. *Stoc* —4H **139**
Ardern Gro. *Stoc* —3H **139**
Ardern Rd. *M8* —1B **82**
Ardern Wlk. *Stoc* —2G **139**
Ardingley Wlk. *M23* —3D **134**
Ardmore Wlk. *M22* —3C **148**
Ardwick Grn. N. *M12*
—6G **95** (3E **11**)
Ardwick Grn. S. *M13*
—6G **95** (4E **11**)
ARDWICK STATION. *BR*
—6H **95**

Argo St. *Bolt* —3H **45**
Argosy Dri. *Ecc* —6B **90**
Argosy Dri. *Tim* —6F **147**
Argus St. *Oldh* —2A **86**
Argyle Av. *M14* —3A **110**
Argyle Av. *W'fld* —1E **67**
Argyle Av. *Wor* —4E **63**
Argyle Cres. *Heyw* —4D **38**
Argyle Pde. *Heyw* —4C **38**
Argyle St. *M18* —1F **111**
Argyle St. *Bury* —6F **23**
Argyle St. *Droy* —4A **98**
Argyle St. *Haz G* —3E **153**
Argyle St. *Heyw* —4B **38**
Argyle St. *Moss* —2E **89**
Argyle St. *Oldh* —1F **73**
Argyle St. *Roch* —1G **41**
Argyle St. *Swint* —4E **79**
Argyll Av. *Stret* —5B **106**
Argyll Clo. *Fail* —4H **85**
Argyll Pk. Rd. *Fail* —4H **85**
Argyll Rd. *Chad* —6F **71**
Argyll Rd. *Chea* —6B **138**
Argyll St. *Ash L* —2C **100**
Arkendale Clo. *Fail* —4A **86**
Arkholme. *Wor* —3C **76**
Arkholme Wlk. *M40* —4B **84**
Arkle Av. *Stan G* —3A **160**
Arkley Wlk. *M13*
—1F **109** (5D **10**)
Ark St. *M19* —5C **110**
Arkwright Clo. *Bolt* —4G **31**
Arkwright Dri. *Marp* —5E **143**
Arkwright Rd. *Marp* —4E **143**
Arkwright St. *Oldh* —3A **72**
Arkwright Way. *M4*
—3E **95** (4A **6**)
(off Arndale Shopping Cen.)
Arkwright Way. *Roch* —3G **41**
Arlen Ct. *Bolt* —2D **46**
Arlen Rd. *Bolt* —2D **46**
Arlen Way. *Heyw* —3D **38**
Arley Av. *M20* —4D **124**
Arley Av. *Bury* —5E **23**
Arley Clo. *Duk* —1B **114**
Arley Clo. *W Tim* —3F **133**
Arley Dri. *Sale* —1A **134**
Arley Dri. *Shaw* —5G **43**
Arley Gro. *Stoc* —1F **151**
Arley Ho. *Salf* —4H **81**
Arleymere Clo. *Chea H* —2B **150**
Arley Moss Wlk. *M13*
—6F **95** (4D **10**)
Arley St. *Hyde* —4A **114**
Arley St. *Rad* —6H **49**
Arley Way. *Dent* —6G **113**
Arlies Clo. *Stal* —1E **101**
Arlies La. *Stal* —1E **101**
Arlies St. *Ash L* —1B **100**
Arlington Av. *Dent* —5G **113**
Arlington Av. *P'wch* —1G **81**
Arlington Av. *Swint* —5D **78**
Arlington Clo. *Bury* —1C **22**
Arlington Cres. *Wilm* —4B **166**
Arlington Dri. *Poy* —4D **162**
Arlington Dri. *Stoc* —2A **152**
Arlington Rd. *Chea* —1G **149**
Arlington Rd. *Stret* —5B **106**
Arlington St. *M8* —3B **82**
Arlington St. *Ash L* —2A **100**
Arlington St. *Bolt* —4B **46**
Arlington St. *Salf*
—2B **94** (3D **4**)
Arlington Way. *Wilm* —4B **166**
Arliss Av. *M19* —1C **126**
Armadale Av. *M9* —5A **70**
Armadale Clo. *Stoc* —6H **139**
Armadale Ct. *Bolt* —2D **44**
Armadale Rd. *Bolt* —1C **44**
Armadale Rd. *Duk* —5A **100**
Armdale Rise. *Oldh* —6A **58**

Armentieres Sq. *Stal* —4E **101**
Armhope Ter. *Stoc* —3G **139**
Armitage Av. *L Hul* —5B **62**
Armitage Clo. *Hyde* —1C **130**
Armitage Clo. *Mid* —2F **69**
Armitage Clo. *Oldh* —6A **72**
Armitage Gro. *L Hul* —5B **62**
Armitage Ho. *Salf* —2C **92**
Armitage Owen Wlk. *M40*
—4A **84**
Armitage Pl. *Bow* —2F **145**
Armitage Rd. *Alt* —2F **145**
Armitage St. *Ecc* —4E **91**
Armit Rd. *G'fld* —5G **75**
Armour Pl. *M9* —1E **83**
Arm Rd. *L'boro* —5C **16**
Armstrong Hurst Clo. *Roch*
—6H **15**
Arncliffe Clo. *Farn* —6F **47**
Arncliffe Dri. *M23* —2G **142**
Arncliffe Rise. *Oldh* —3B **58**
Arncot Rd. *Ram* —6D **18**
Arncott Clo. *Rytn* —3E **57**
Arndale Shopping Cen. *M4 & M2*
—3E **95** (4A **6**)
Arndale Shopping Cen. *Mid*
—1H **69**
Arndale Shopping Cen. *Stret*
—6C **106**
Arne Clo. *Stoc* —6G **141**
Arnesby Av. *Sale* —4E **123**
Arnesby Gro. *Bolt* —5D **32**
Arne St. *Chad* —4G **71**
Arnfield Dri. *Wor* —5D **76**
Arnfield Rd. *M20* —3F **125**
Arnfield Rd. *Aud* —6F **99**
Arnfield Rd. *Stoc* —6F **139**
Arnold Av. *Heyw* —6G **39**
Arnold Av. *Hyde* —2D **130**
Arnold Clo. *Duk* —6E **101**
Arnold Dri. *Droy* —4A **98**
Arnold Dri. *Mid* —4C **54**
Arnold Rd. *M16* —6C **108**
Arnold Rd. *Eger* —3D **18**
Arnold Rd. *Hyde* —2D **130**
Arnold St. *Bolt* —3G **31**
Arnold St. *Oldh* —1E **73**
Arnold St. *Stoc* —4G **139**
Arnold Wlk. *Dent* —2G **129**
Arnott Cres. *M15* —2D **108**
Arnside Av. *Chad* —3G **71**
Arnside Av. *Haz G* —3C **152**
Arnside Av. *Stoc* —3F **127**
Arnside Clo. *Gat* —1F **149**
Arnside Clo. *H Lane* —5C **154**
Arnside Clo. *Shaw* —6H **43**
Arnside Dri. *Hyde* —3A **114**
Arnside Dri. *Roch* —6A **26**
Arnside Dri. *Salf* —2B **92**
Arnside Gro. *Bolt* —5G **33**
Arnside Gro. *Sale* —3B **122**
Arnside St. *M14* —4F **109**
Arran Av. *Oldh* —6D **72**
Arran Av. *Sale* —6C **122**
Arran Av. *Stret* —5A **106**
Arran Clo. *Bolt* —1C **44**
Arrandale Ct. *Urm* —4F **105**
Arran Gdns. *Urm* —2E **105**
(in three parts)
Arran Gro. *Rad* —2E **49**
Arran Rd. *Duk* —6A **100**
Arran St. *M40* —3H **83**
Arran St. *Salf* —5H **81**
Arran Wlk. *Heyw* —4C **38**
Arras Gro. *Dent* —4H **111**
Arreton Sq. *M14* —4H **109**
Arrowfield Rd. *M21* —3B **124**
Arrowhill Rd. *Rad* —5F **35**
Arrowscroft Way. *Holl* —2F **117**
Arrowsmith Wlk. *M11* —4B **96**
(off Redfield Clo.)

Arrow St. *Ram* —5A **32**
Arrow St. *Salf* —6H **81**
Arrow Trad. Est. *Aud* —2D **112**
Arthington St. *Roch* —3B **28**
Arthog Dri. *Hale* —5H **145**
Arthog Rd. *M20* —6G **125**
Arthog Rd. *Hale* —5H **145**
Arthur Av. *Wor* —4E **63**
Arthur La. *Ain* —2A **34**
Arthur Millwood Ct. *Salf*
—4B **94** (5D **4**)
Arthur Pits. *Roch* —4B **26**
Arthur Rd. *M16* —4A **108**
Arthurs & Alice Kenyon Ind. Est.
Oldh —3H **73**
Arthurs La. *G'fld* —3F **61**
Arthur St. *Bury* —3A **36**
Arthur St. *Ecc* —4E **91**
Arthur St. *Farn* —1F **63**
Arthur St. *Heyw* —3F **39**
Arthur St. *Hyde* —6A **114**
Arthur St. *L Lev* —4B **48**
Arthur St. *P'wch* —4D **66**
Arthur St. *Roch* —3F **27**
Arthur St. *Shaw* —6E **43**
Arthur St. *Stoc* —2G **127**
Arthur St. *Swint* —4D **78**
(in two parts)
Arthur St. *Wor* —1H **77**
(Walkden)
Arthur St. *Wor* —2G **77**
(Worsley)
Arthur Ter. *Stoc* —2G **127**
Artillery Pl. *M22* —1D **148**
Artillery St. *M3* —5C **94** (1F **9**)
Artillery St. *Bolt* —2B **46**
Arundale Av. *M16* —6C **108**
Arundale Clo. *Mot* —4B **116**
Arundale Gro. *Mot* —4B **116**
Arundel Av. *Haz G* —5D **152**
Arundel Av. *Roch* —1E **41**
Arundel Av. *Urm* —6G **103**
Arundel Av. *W'fld* —2F **67**
Arundel Clo. *Bury* —5C **22**
Arundel Clo. *C'brk* —5H **89**
Arundel Clo. *Hale* —4C **146**
Arundel Ct. *M9* —4C **68**
Arundel Gro. *Stoc* —1B **152**
Arundel Rd. *Chea H* —1C **160**
Arundel St. *M15* —6B **94** (3D **8**)
Arundel St. *Ash L* —3C **100**
Arundel St. *Bolt* —6C **18**
Arundel St. *Moss* —2D **88**
Arundel St. *Oldh* —2G **73**
Arundel St. *Roch* —1E **41**
Arundel St. *Wdly* —2C **78**
Arundel Wlk. *Chad* —3G **71**
Asbury Ct. *Ecc* —2E **91**
Asby Clo. *Mid* —5F **53**
Ascension Rd. *Salf* —1B **94**
Ascot Av. *Sale* —6E **121**
Ascot Av. *Stret* —4F **107**
Ascot Clo. *Chad* —2A **72**
Ascot Clo. *Roch* —3A **26**
Ascot Ct. *Sale* —6F **121**
Ascot Dri. *Haz G* —3G **153**
Ascot Dri. *Urm* —5G **103**
Ascot Gro. *Stoc* —4B **140**
Ascot Ho. *Sale* —6E **121**
Ascot Meadow. *Bury* —5C **36**
Ascot M. *Salf* —5H **81**
Ascot Pde. *M19* —3B **126**
Ascot Rd. *M40* —1D **96**
Ascot Rd. *L Lev* —4H **47**
Ascot Wlk. *Salf* —6E **81**
Ascroft Ct. *Oldh* —3D **72**
Ascroft St. *Oldh* —3D **72**
Asdwood Clo. *Oldh* —6H **57**
Asgard Dri. *Salf* —5A **94** (1B **8**)
Asgard Gro. *Salf* —5A **94** (2B **8**)
Ash Av. *Alt* —6C **132**

Ash Av. *Cad* —4B **118**
Ash Av. *Chea* —6A **138**
Ashawe Clo. *L Hul* —6A **62**
Ashawe Gro. *L Hul* —6A **62**
Ashawe Ter. *L Hul* —6A **62**
Ashbank Av. *Bolt* —1C **44**
Ashbee St. *Bolt* —2A **32**
Ashberry Clo. *Wilm* —1G **167**
Ashborne Dri. *Bury* —1D **22**
Ashbourne Av. *Bolt* —1D **46**
Ashbourne Av. *Chea* —5B **138**
Ashbourne Av. *Mid* —4C **54**
Ashbourne Av. *Urm* —5A **104**
Ashbourne Clo. *Ward* —3B **16**
Ashbourne Cres. *Sale* —1D **134**
Ashbourne Dri. *Ash L* —5B **88**
Ashbourne Dri. *H Lane* —1C **164**
Ashbourne Gro. *Salf* —4B **82**
Ashbourne Gro. *W'fld* —6B **50**
Ashbourne Gro. *Wor* —3G **77**
Ashbourne Ho. *M14* —3H **109**
Ashbourne Rd. *Dent* —5E **113**
Ashbourne Rd. *Ecc* —4G **91**
Ashbourne Rd. *Haz G* —5F **153**
Ashbourne Rd. *Salf* —6A **80**
Ashbourne Rd. *Stret* —3A **106**
Ashbourne Sq. *Oldh* —4C **72**
Ashbourne St. *Roch* —2A **26**
Ashbridge Rd. *Fail* —5H **85**
Ashbrook Av. *Dent* —4B **112**
Ashbrook Clo. *Dent* —4B **112**
Ashbrook Clo. *H Grn* —4F **149**
Ashbrook Clo. *W'fld* —1F **67**
Ashbrook Cres. *Roch* —6A **16**
Ashbrook Farm Clo. *Stoc*
—5H **111**
Ashbrook Hey La. *Roch* —5A **16**
Ashbrook La. *Stoc* —5H **111**
Ashbrook St. *Open* —6A **98**
Ashburn Av. *M19* —4B **126**
Ashburner St. *Bolt* —1A **46**
Ashburn Flats. *Heyw* —3E **39**
(off School St.)
Ashburn Gro. *Stoc* —6E **127**
Ashburn Rd. *Stoc* —6E **127**
Ashburton Clo. *Hyde* —5A **116**
Ashburton Rd. *Stoc* —1G **151**
Ashburton Rd. *Traf P* —6B **92**
Ashburton Rd. E. *Traf P*
—1B **106**
Ashburton Rd. W. *Urm & Traf P*
—6F **91**
Ashbury Clo. *Bolt* —2A **46**
Ashbury Pl. *M40* —1A **96**
ASHBURYS STATION. *BR*
—6C **96**
Ashby Av. *M19* —5A **126**
Ashby Clo. *Farn* —4E **47**
Ashby Gro. *W'fld* —2F **67**
Ash Clo. *Ash L* —6H **87**
Ash Clo. *Mot* —3C **116**
Ash Clo. *Roch* —5A **16**
Ashcombe Dri. *Bolt* —1A **48**
Ashcombe Dri. *Rad* —2D **48**
Ashcombe Wlk. *M11* —4B **96**
(off Aldershot Wlk.)
Ashcott Av. *M22* —1B **148**
Ashcott Clo. *Los* —2C **44**
Ash Ct. *Woodl* —4G **129**
Ashcroft. *Roch* —5B **16**
Ashcroft Av. *Salf* —1E **93**
Ashcroft Clo. *Wilm* —4C **166**
Ashcroft St. *Chad* —4G **71**
Ashdale Av. *Bolt* —2C **44**
Ashdale Clo. *Stoc* —4H **127**
Ashdale Cres. *Droy* —4H **97**
Ashdale Dri. *M20* —4H **125**
Ashdale Dri. *H Grn* —3F **149**
Ashdene. *Ash L* —3B **100**
Ashdene. *Roch* —5D **14**
Ashdene Clo. *Chad* —6A **56**

Bk. Chapel St. *M19* —6C **110**
Bk. Chapel St. *Ecc* —3H **91**
Bk. Chapel St. *Haz G* —2E **153**
Bk. Chapel St. *Tot* —4H **21**
Bk. Cheapside. *Bolt* —6B **32**
Bk. Chesham Rd. N. *Bury*
  (off Chesham Rd.) —6G **23**
Bk. Chesham Rd. S. *Bury*
  —1E **37**
Bk. China La. *M1* —4F **95** (5C **6**)
Bk. Chorley Old Rd. S. *Ram*
  —4E **31**
Bk. Church Rd. N. *Ram* —3F **31**
Bk. Clay St. E. *Brom X* —4E **19**
Bk. Clifton St. *Bury* —1D **36**
Bk. College Land. *Salf*
  (off Parsonage) —3D **94** (5G **5**)
Bk. Cowm La. *Whitw* —3G **15**
Back Cowm La. *Whitw* —2G **15**
Bk. Crostons Rd. *Bury* —2B **36**
Bk. Dale St. *Miln* —6F **29**
Bk. Darwen Rd. N. *Eger* —2C **18**
Bk. Dashwood Rd. *P'wch*
  —4E **67**
Bk. Deacon's Dri. *Salf* —5B **80**
Bk. Deane Chu. La. *Bolt* —3F **45**
Bk. Delamere St. S. *Bury*
  (off Delamere St.) —6G **23**
Bk. Denton St. *Bury* —1D **36**
Bk. Devonshire Rd. *Ram*
  —4E **31**
Bk. Devon St. N. *Bury* —5C **36**
Bk. Devon St. S. *Bury* —5D **36**
Bk. Deyne Av. *P'wch* —5F **67**
Bk. Drake St. *Roch* —5G **27**
Bk. Dumers La. *Rad* —2C **50**
Bk. Duncan St. *Salf* —4G **81**
Bk. East St. *Bury* —4D **36**
Bk. Edenfield Rd. *Roch* —1G **25**
Bk. Eden St. *Ram* —1A **32**
Bk. Eldon St. *Bury* —1D **36**
Bk. Elsworth St. *M3* —2E **95**
Bk. Everton St. N. *Ram* —3E **37**
Bk. Fairhaven Rd. *Ram* —2B **32**
Bk. Fern St. E. *Bolt* —1G **45**
Bk. Fletcher St. *Rad* —1B **64**
Backford Wlk. *M20* —2E **125**
Bk. Garden St. *M4*
  (off Dantzic St.) —3E **95** (4A **6**)
Bk. Garden St. *Salf*
  —3C **94** (4F **5**)
Bk. George St. *M1*
  (in two parts) —5E **95** (1A **10**)
Bk. Georgiana St. *Bury* —3D **36**
Bk. Gigg La. *Bury* —5D **36**
Bk. Gladstone St. *Oldh* —3F **73**
Bk. Gorton St. *Bolt* —1C **46**
Bk. Grafton St. *Alt* —1F **145**
Bk. Grantham Clo. *Ram* —4A **32**
Bk. Grosvenor St. *Bury* —5D **36**
Bk. Hamel St. *Hyde* —2D **114**
Bk. Hamilton St. *Salf* —4H **81**
Bk. Hanover St. *M4*
  —3E **95** (3A **6**)
Bk. Hanson St. *Bury* —1D **36**
Bk. Harvey St. *Bury* —2A **36**
Bk. Harvey St. *Ram* —2H **31**
Bk. Haslam St. *Bury* —1E **37**
Bk. Hatfield Rd. *Ram* —4G **31**
Bk. Haymarket St. *Bury* —3C **36**
Bk. Heywood St. *Bury* —4E **37**
Bk. Higher Swan La. W. *Bolt*
  —4H **45**
Bk. Hilton St. *Bury* —1D **36**
Bk. Hilton St. *Salf* —4H **81**
Bk. Holland St. *Ram* —1B **32**
Bk. Hope St. *Oldh* —2F **73**
Bk. Hope St. *Salf* —4H **81**
Bk. Hornby St. *Bury* —1D **36**
Bk. Horne St. N. *Bury* —5C **36**

Bk. Horne St. S. *Bury* —5C **36**
Bk. Hotel St. *Ram* —6B **32**
Bk. Howe St. *Salf* —4G **81**
Bk. Hulme St. *Salf*
  —4A **94** (5B **4**)
Bk. Hulton La. S. *Bolt* —5E **45**
Bk. Huntley Mt. Rd. *Bury*
  —1F **37**
Bk. Ingham St. *Bury* —4E **37**
Bk. Ivanhoe St. *Bolt* —5E **47**
Bk. Ivy Bank Rd. *Ram* —6C **18**
Bk. Ivy Rd. *Ram* —4G **31**
Bk. James St. *L'boro* —4D **16**
Bk. James St. *L Lev* —4B **48**
Bk. John St. *Bolt* —1A **46**
Bk. Kingholm Gdns. *Ram*
  —4H **31**
Bk. King St. *Oldh* —3C **72**
Bk. Knowl St. *Stal* —3F **101**
Bk. Knowsley St. *Bury* —3C **36**
Back La. *Ash* —2A **156**
Back La. *Ash L* —1D **98**
  (in two parts)
Back La. *Mot* —4C **116**
Back La. *Ram* —5A **32**
Back La. *Roch* —1A **26**
  (Rochdale)
Back La. *Roch* —3G **15**
  (Whitworth)
Back La. *Scout* —6C **74**
  (Oldham)
Back La. *Scout* —6E **59**
  (Scouthead)
Bk. Lathom St. *Bury* —1E **37**
  (off Lathom St.)
Bk. Lee St. *Bolt* —5C **32**
Bk. Lee St. *Upperm* —1F **61**
Bk. Lever St. *Bolt* —3A **46**
Bk. Lightburne Av. *Ram* —6F **31**
Bk. Linton Av. *Bury* —6F **23**
Bk. Louise St. *Roch* —6H **15**
Bk. Lucas St. *Bury* —2E **37**
Bk. Lydia St. *Bolt* —6C **32**
Bk. Manchester Old Rd. *Bury*
  —4C **36**
Bk. Manchester Rd. E. *Bury*
  (off Parkhills Rd.) —5C **36**
Bk. Manchester Rd. W. *Bury*
  (Blackford Bridge) —2D **50**
Bk. Manchester Rd. W. *Bury*
  (Bury) —5C **36**
Bk. Manor St. *Bury* —3E **37**
Bk. Market St. *Rad* —1B **64**
Bk. Markland Hill La. *Ram*
  —4D **30**
Bk. Markland Hill La. E. *Bolt*
  (off Whitecroft Rd.) —4D **30**
Bk. Markland Hill La. W. *Ram*
  —4D **30**
Bk. Massie St. *Chea* —5H **137**
Bk. Mawdsley St. *Ram* —6B **32**
Bk. Maxwell St. *Ram* —1A **32**
Bk. Melbourne St. *Stal* —3E **101**
Bk. Mere Gdns. *Ram* —5A **32**
Bk. Merton St. *Bury* —2B **36**
Bk. Millett St. *Bury* —3B **36**
Backmill St. *M4* —4G **95** (6F **7**)
Bk. Milner Av. *Bury* —6F **23**
Bk. Monmouth St. *Bury* —6F **23**
Bk. Nelson St. N. *Bury* —5D **36**
Bk. Nelson St. S. *Bury* —5D **36**
Bk. New George St. *Bury*
  —2A **36**
Bk. New St. *Droy* —5A **98**
Bk. Newton St. *Ram* —3A **32**
Bk. Nook Ter. *Roch* —6F **15**
Bk. Oldham Rd. *Roch* —5A **28**
Bk. Olga St. *Bolt* —3H **31**
Bk. Olive Bank. *Bury* —1H **35**
Back o' th' Low Rd. *Oldh*
  —6B **58**

Back o' th' Moss La. *Heyw*
  (in two parts) —2E **39**
Bk. Parkfield View. *Roch*
  —3H **41**
Bk. Parkhills Rd. *Bury* —4E **37**
Bk. Parkhills Rd. N. *Bury*
  —5D **36**
Bk. Parkhills Rd. S. *Bury*
  —5C **36**
Bk. Patience St. *Roch* —2E **27**
Bk. Piccadilly. *M4 & M1*
  —4E **95** (5B **6**)
Bk. Pine St. Miln —2F **43**
  (off Pine St.)
Bk. Pool Fold. *M2*
  —4D **94** (5H **5**)
Bk. Porter St. *Bury* —1D **36**
Bk. Portland St. *Ash L* —3G **99**
Bk. Prestbury Clo. *Bury* —4E **37**
Bk. Quay St. *M3* —4C **94** (6E **5**)
Bk. Queen St. *Bury* —3E **37**
Bk. Quickwood. *Moss* —1F **89**
Bk. Rake St. *Bury* —1D **36**
Bk. Ramsden Rd. *Roch* —2A **16**
Bk. Red Bank. *M4*
  —2E **95** (1B **6**)
Bk. Rigby La. N. *Bolt* —5G **19**
Bk. Roman Rd. *Salf* —5A **82**
Bk. Rooley Moor Rd. *Roch*
  —2E **27**
Bk. Rowena St. *Bolt* —5E **47**
Bk. Royds St. *Roch* —6A **28**
Bk. St Anne's St. *Bury* —1D **36**
Bk. St George's Rd. *M4*
  —2F **95** (2D **6**)
Bk. St George's Rd. *Ram*
  —5A **32**
Bk. St James St. *Oldh* —2F **73**
Bk. Salford St. *Bury* —1E **37**
Bk. Sankey St. *Bury* —3B **36**
Bk. Sapling Rd. S. *Bolt* —5F **45**
Bk. School St. *Bury* —4F **37**
Bk. Scott St. *Oldh* —4D **72**
Bk. Settle St. N. *Bolt* —4H **45**
Bk. Shepard St. *Bury* —3E **37**
Bk. Shipton St. *Ram* —4F **31**
Bk. Somerset Rd. W. *Ram*
  —5F **31**
Bk. South Pde. *M3*
  —4D **94** (5G **5**)
Bk. Spear St. *M1*
  —3F **95** (4C **6**)
Bk. Spring Gdns. *Bolt* —1B **46**
Bk. Spring St. W. *Bury* —4D **36**
Bk. Square St. *Ram* —3E **13**
Bk. Stanley St. *Ram* —4D **12**
Back St. *P'wch* —4D **66**
Bk. Thomasson Clo. *Ram*
  —4A **32**
Bk. Thomas St. *M4*
  —3E **95** (4B **6**)
Bk. Thorns Rd. *Ram* —2A **32**
Bk. Tonge Moor Rd. E. *Bolt*
  —2D **32**
Backton Pl. *M40* —1H **95**
Bk. Tootal Rd. *Salf* —3D **92**
Bk. Tottington Rd. *Bury* —1H **35**
  (off Sawyer St.)
Bk. Tottington Rd. N. *Bury*
  —1A **36**
Bk. Tottington Rd. S. *Bury*
  —1A **36**
Bk. Turner St. *M4*
  —3E **95** (4A **6**)
Bk. Union Rd. *Roch* —5C **16**
Bk. Vernon St. *Bury* —1D **36**
Bk. Vernon St. *Ram* —5A **32**
Bk. Walmersley Rd. E. *Bury*
  (in three parts) —5F **23**
Bk. Walmersley Rd. W. *Bury*
  (in three parts) —4F **23**

Bk. Walshaw Rd. N. *Bury*
  —2A **36**
Bk. Walshaw Rd. S. *Bury*
  —2A **36**
Bk. Wellington Rd. S. *Bury*
  (off Wellington Rd.) —5C **36**
Backwell Mk. *M4*
  —3G **95** (4F **7**)
  (off Marsworth Dri.)
Bk. Whitegate. *L'boro* —5C **16**
Bk. Wigan Rd. N. *Bolt* —3E **45**
  (in two parts)
Bk. Willows La. *Bolt* —3G **45**
Bk. Woking Gdns. *Ram* —4A **32**
Bk. Young St. *Farn* —2G **63**
Bacon Av. *Dent* —2G **129**
Bacup St. *M40* —3A **84**
Badby Clo. *M4* —4H **95** (5H **7**)
Baddeley Clo. *Stoc* —6F **139**
Badder St. *Ram* —5B **32**
Baden St. *M11* —5A **96**
Bader Dri. *Heyw* —6F **39**
Badger Clo. *Roch* —2A **42**
Badger Edge La. *Oldh* —4E **59**
Badger La. *Roch* —3H **41**
  (in three parts)
Badger St. *Bury* —2D **36**
Badgers Wlk. *M22* —4C **148**
Badminton Rd. *M21* —6A **108**
Bagnall Clo. *Roch* —1B **26**
Bagnall Clo. *Upperm* —6C **60**
Bagnall Ct. *M22* —3C **136**
Bagnall Wlk. *M22* —3C **136**
Bagot St. *M11* —3E **97**
Bagot St. *Wdly* —2C **78**
Bagshaw St. *Hyde* —2C **114**
Bagslate Moor La. *Roch*
  —3B **26**
Bagslate Moor Rd. *Roch*
  —4B **26**
Bagstock Av. *Poy* —5E **163**
Baguley Cres. *Mid* —3C **68**
Baguley Cres. *Stoc* —5F **139**
Baguley Dri. *Bury* —5E **51**
Baguley La. *Sale* —1E **135**
  (in three parts)
Baguley Rd. *Sale* —5E **123**
Baguley St. *Droy* —4B **98**
Baildon Rd. *Roch* —2D **26**
Baildon St. *M40* —2A **84**
Bailey La. *Bolt* —4G **33**
  (in two parts)
Bailey La. *Man A* —4H **147**
Bailey La. *Part* —6D **118**
Bailey Rd. *Traf P* —6A **92**
Bailey St. *M11* —4F **97**
Bailey St. *Oldh* —2E **73**
Bailey St. *P'wch* —4G **67**
Baillie St. *Roch* —4H **27**
  (in two parts)
Baillie St. E. *Roch* —4H **27**
Bainbridge Clo. *M12*
  —1H **109** (6H **11**)
Bainbridge Rd. *Oldh* —6H **57**
Bainburgh Clough. *Oldh*
  —5G **73**
Baines Av. *Irl* —1D **118**
Baines St. *Ram* —5F **31**
Bain St. *Swint* —4F **79**
Bainton Wlk. *M9* —4E **69**
Baird St. *M1* —5F **95** (1D **10**)
Baitings Row. *Roch* —1G **25**
Baker Ho. *Rytn* —3C **56**
  (off Royton Hall Wlk.)
Baker St. *Ash L* —5E **87**
Baker St. *Heyw* —5G **39**
Baker St. *Kear* —3B **64**
Baker St. *Mid* —1B **70**
Baker St. *Ram* —4D **12**
Baker St. *Stal* —4F **101**

Baker St. *Stoc* —6G **127**
Baker St. *Tim* —4C **134**
Baker Ter. *Dent* —3B **112**
Bakewell Av. *Ash L* —5B **88**
Bakewell Av. *Dent* —1G **129**
Bakewell Bank. *Glos* —6F **117**
(off Bakewell Gdns.)
Bakewell Clo. *Glos* —6F **117**
(off Bakewell M.)
Bakewell Fold. *Glos* —6F **117**
(off Bakewell M.)
Bakewell Gdns. *Glos* —6F **117**
Bakewell Grn. *Glos* —6F **117**
(off Bakewell M.)
Bakewell Gro. *Glos* —6F **117**
Bakewell Lea. *Glos* —6F **117**
(off Bakewell M.)
Bakewell M. *Glos* —6F **117**
Bakewell Rd. *Droy* —3G **97**
Bakewell Rd. *Ecc* —5E **91**
Bakewell Rd. *Haz G* —5E **153**
Bakewell Rd. *Stret* —4A **106**
Bakewell St. *M18* —3E **111**
Bakewell St. *Stoc* —3F **139**
Bakewell Wlk. *Glos* —6F **117**
(off Bakewell Gdns.)
Balcary Gro. *Bolt* —5F **31**
Balcombe Clo. *Bury* —4C **22**
Balderstone Rd. *Roch* —3F **41**
Baldock Rd. *M20* —6H **125**
Baldwin Rd. *M19* —3B **126**
Baldwin St. *Bolt* —2H **45**
Bale St. *M2* —5D **94** (1H **9**)
Balfour Gro. *Stoc* —6H **111**
Balfour Rd. *Alt* —4F **133**
Balfour Rd. *Roch* —2E **27**
Balfour Rd. *Urm* —4D **104**
Balfour St. *M8* —3C **82**
Balfour St. *Bolt* —1H **45**
Balfour St. *Oldh* —2G **73**
Balfour St. *Salf* —5E **81**
Balfour St. *Shaw* —6F **43**
Balham Wlk. *M12* —1B **110**
Ballantine St. *M40* —1E **97**
Ballard Clo. *L'boro* —2F **17**
Ballard Way. *Shaw* —5G **43**
Ballater Av. *Urm* —6C **104**
Ballater Clo. *Heyw* —4D **38**
Ballater Wlk. *M8* —4B **82**
Ballbrook Av. *M20* —4E **125**
Ballbrook Ct. *Manx* —5F **125**
Balleratt St. *M19* —6C **110**
Balliol Clo. *Woodl* —5A **130**
Balliol St. *M8* —3C **82**
Balliol St. *Swint* —3E **79**
Balloon St. *M4* —3E **95** (3A **6**)
Ball St. *Roch* —3A **28**
Ball Wlk. *Hyde* —6B **116**
Ballygreen. *Roch* —2C **40**
Balmain Av. *M18* —4E **111**
Balmain Rd. *Urm* —4D **104**
Balmfield St. *M8* —5C **82**
Balmforth St. *M15*
—6B **94** (3D **8**)
Balmoral Av. *Aud* —6D **98**
Balmoral Av. *Chea H* —3C **150**
Balmoral Av. *Hyde* —1C **130**
Balmoral Av. *L Lev* —4A **48**
Balmoral Av. *Roch* —3D **26**
Balmoral Av. *Rytn* —3D **56**
Balmoral Av. *Stret* —4D **106**
Balmoral Av. *Urm* —6D **104**
Balmoral Av. *W'fld* —2E **67**
Balmoral Clo. *Bury* —2E **51**
Balmoral Clo. *G'mnt* —2A **22**
Balmoral Clo. *Miln* —5G **29**
Balmoral Ct. *M9* —4B **68**
Balmoral Dri. *Dent* —3A **112**
Balmoral Dri. *Heyw* —4C **38**
Balmoral Dri. *H Lane* —6C **154**

Balmoral Dri. *Poy* —4D **162**
Balmoral Dri. *Stal* —2E **101**
Balmoral Dri. *Tim* —3H **133**
Balmoral Grange. *P'wch*
—6A **68**
Balmoral Gro. *Haz G* —2F **153**
Balmoral Ho. *Ecc* —3E **91**
(off Queen Victoria St.)
Balmoral Rd. *M14* —1H **125**
Balmoral Rd. *Alt* —1G **145**
Balmoral Rd. *Clif* —1G **79**
Balmoral Rd. *Farn* —2E **63**
Balmoral Rd. *Stoc* —6C **126**
Balmoral Rd. *Urm* —6C **104**
Balmoral St. *M18* —3E **111**
Balmoral Way. *Wilm* —3D **166**
Balmore Clo. *Bolt* —4E **45**
Balmore Ct. *Heyw* —4A **38**
Balm St. *Ram* —5C **12**
(in two parts)
Balsam Clo. *M13*
—6G **95** (4E **11**)
Balshaw Av. *Irl* —5D **102**
Balshaw Clo. *Bolt* —2G **45**
Balshaw Ct. *Irl* —5E **103**
Baltic St. *Salf* —3E **93**
Baltimore St. *M40* —6H **83**
Bamber Av. *Sale* —6E **123**
Bamburgh Clo. *Rad* —2C **48**
Bamburgh Dri. *Ash L* —6C **86**
Bambury St. *Bury* —2D **36**
Bamford Av. *Dent* —1F **129**
Bamford Av. *Mid* —5A **54**
Bamford Clo. *Bury* —1A **38**
Bamford Clo. *H Grn* —5H **149**
Bamford Ct. *Roch* —5D **26**
(off Half Acre M.)
Bamford Fold. *Glos* —6G **117**
(off Castleton Cres.)
Bamford Gdns. *Tim* —5D **134**
Bamford Grn. *Glos* —6G **117**
(off Castleton Cres.)
Bamford Gro. *M20* —6E **125**
Bamford Gro. *Ash L* —5B **88**
Bamford La. *Glos* —6G **117**
Bamford M. *Glos* —6G **117**
Bamford Pl. *Roch* —2G **27**
Bamford Rd. *M9* —4F **69**
Bamford Rd. *M20* —6E **125**
Bamford Rd. *Heyw* —1E **39**
Bamford Rd. *Ram* —1G **13**
Bamfords Pas. *L'boro* —3E **17**
Bamford St. *M11* —3D **96**
Bamford St. *Chad* —1A **72**
Bamford St. *L'boro* —3D **16**
(Caldermoor)
Bamford St. *L'boro* —4D **16**
(Stubley)
Bamford St. *Rytn* —3C **56**
Bamford St. *Stoc* —3H **139**
Bamford Way. *Roch* —5B **26**
Bampton Clo. *Stoc* —4B **140**
Bampton Rd. *M22* —4B **148**
Bampton Wlk. *Mid* —5G **53**
Bambury Dri. *Tim* —3G **133**
Banbury M. *Wdly* —2D **78**
Banbury Rd. *M23* —6F **135**
Banbury Rd. *Mid* —4H **69**
Banbury St. *Bolt* —4E **33**
Banbury St. *Stoc* —2H **139**
Bancroft Av. *Chea H* —4C **150**
Bancroft Clo. *Bred* —6E **129**
Bancroft Ct. *Hale* —2H **145**
Bancroft Fold. *Hyde* —2F **115**
Bancroft Rd. *Hale* —2A **146**
Bancroft Rd. *Swint* —2E **79**
Banff Gro. *Heyw* —4C **38**
Banff Rd. *M14* —3G **109**
Bangor Rd. *Chea* —5B **138**
Bangor St. *Ash L* —3C **100**
Bangor St. *Ram* —5A **32**

Bangor St. *Roch* —5B **28**
Bangor St. *Stoc* —5H **127**
Banham St. *M9* —2F **83**
Bank. *Roch* —2A **16**
Bank Barn La. *Ward* —2B **16**
Bankbottom. *Had* —2H **117**
Bank Bri. Rd. *M11* —2D **96**
Bank Clo. *L'boro* —6A **16**
Banker St. *Bolt* —2E **47**
Bankfield. *Hyde* —2B **114**
Bankfield Av. *M13* —4A **110**
Bankfield Av. *Cad* —4B **118**
Bankfield Av. *Droy* —3A **98**
Bankfield Av. *Stoc* —1E **139**
Bankfield Clo. *Ain* —4C **34**
Bankfield Cotts. *Dob* —5H **59**
Bankfield Cotts. *Woodl*
—4G **129**
Bankfield Dri. *Oldh* —1F **87**
Bankfield Dri. *Wor* —4D **76**
Bankfield Ho. *Woodl* —4H **129**
Bankfield La. *Roch* —3A **26**
Bankfield M. *Bury* —6C **36**
Bankfield Rd. *Chea H* —4B **150**
Bankfield Rd. *Sale* —3G **121**
Bankfield Rd. *Tyl* —3A **76**
Bankfield Rd. *Woodl* —4H **129**
Bankfield St. *M9* —2F **83**
Bankfield St. *Bolt* —2G **45**
(in two parts)
Bank Field St. *Rad* —2D **64**
Bankfield St. *Stoc* —5G **127**
Bankfield Trad. Est. *Stoc*
—5G **127**
Bankfoot Wlk. M8 —5C 82
(off Barnsdale Dri.)
Bankgate . *B'btm* —6C **116**
Bank Gro. *L Hul* —3B **62**
Bank Hall Clo. *Bury* —3G **35**
Bankhall La. *Hale* —5G **145**
Bankhall Rd. *Stoc* —6C **126**
Bankhall Wlk. M9 —4G 83
(off Broadwell Dri.)
Bank Hill St. *Oldh* —2G **73**
Bankhirst Clo. *Crum* —2C **82**
Bank Ho. Rd. *M9* —5D **68**
Bankhouse Rd. *Heyw* —6C **22**
Banklands Clo. *Cad* —4B **118**
Bank La. *G'fld* —5H **61**
Bank La. *L Hul* —3B **62**
Bank La. *Pen & Salf* —6B **80**
Bank La. *Tin* —1H **117**
Bank La. *Ward* —2B **16**
Bankley St. *M19* —6C **110**
Bankmill Clo. *M13*
—6F **95** (4D **10**)
Bank Pl. *Bury* —2A **36**
Bank Pl. *Salf* —3B **94** (4C **4**)
Bank Rd. *M8* —1C **82**
Bank Rd. *Bred* —6G **129**
Bank Rd. *B'hm* —6G **89**
Banks Ct. *Tim* —6D **134**
Bankside. *Haleb* —1D **156**
Bankside. *Hyde* —6H **115**
Bank Side. *Moss* —3E **89**
Bankside Av. *Rad* —3B **50**
Bankside Clo. *Marp B* —2F **143**
Bankside Clo. *Oldh* —3B **72**
Bankside Clo. *Upperm* —2G **61**
Bankside Clo. *Wilm* —6H **159**
Bankside St. *Stoc* —1C **138**
Bankside Rd. *M20* —4F **137**
Bankside Wlk. *Hyde* —5H **115**
Banks La. *Stoc* —3B **140**
Bank Sq. *Wilm* —2E **167**
Bank St. *M8* —3B **82**
Bank St. *M11* —2D **96**
(in two parts)
Bank St. *Ash L* —3H **99**
Bank St. *Aud* —1F **113**
Bank St. *Bolt* —6B **32**

Bank St. *Bury* —3C **36**
Bank St. *Chea* —5A **138**
Bank St. *Dent* —1G **129**
Bank St. *Droy* —5H **97**
Bank St. *Farn* —1F **63**
Bank St. *G'brk* —4A **118**
Bank St. *Had* —2H **117**
Bank St. *Heyw* —3D **38**
(in two parts)
Bank St. *Hyde* —4B **114**
Bank St. *Moss* —3E **89**
Bank St. *Oldh* —3H **73**
Bank St. *Rad* —5H **49**
Bank St. *Ram* —2G **13**
Bank St. *Sale* —4C **122**
Bank St. *Salf* —3B **94** (4C **4**)
Bank St. *Shaw* —6E **43**
Bank St. *Wals* —1F **35**
Bank St. *W'fld* —6C **50**
Bank St. *Woodl* —4H **129**
Bankswood Clo. *Had* —3H **117**
Bank Ter. *Whitw* —1C **14**
Bank, The. *Roch* —4H **27**
Bank Top. *Ash L* —3A **100**
Bank Top. *Bury* —2F **23**
Bank Top Gro. *Bolt* —6E **19**
Bank Top Pk. *Oldh* —3H **73**
Bank Top St. *Heyw* —2D **38**
Bank Top View. *Kear* —2A **64**
Bank View. *Farn* —2G **63**
Bank Wood. *Bolt* —6D **30**
Bannatyne Clo. *M40* —2E **85**
Bannerdale Clo. *M13* —3B **110**
Bannerman Av. *P'wch* —6F **67**
Bannerman Rd. *Droy* —4B **98**
Bannerman Sq. *M16* —3D **108**
Bannerman St. *Salf* —4A **82**
Banner Wlk. *M11* —4B **96**
Bannister Dri. *Chea H* —3B **150**
Bannister St. *Stoc* —4H **139**
Bann St. *Stoc* —3G **139**
Banstead Av. *M22* —4B **136**
Bantry Dri. *M9* —6D **68**
Bantry St. *Bolt* —2A **46**
Bantry St. *Roch* —1A **28**
Baptist St. *M4* —2F **95** (2C **6**)
Barathea Clo. *Roch* —2A **40**
Barbara Rd. *Bolt* —5E **45**
Barbara St. *Bolt* —3H **45**
Barbeck Clo. *M40* —2A **96**
Barberry Bank. *Eger* —1B **18**
Barberry Clo. *B'hth* —4D **132**
Barberry Wlk. *Part* —6D **118**
Barbican St. *M20* —2F **125**
(in two parts)
Barbirolli Mall. M4
—3E **95** (4A **6**)
(off Arndale Shopping Cen.)
Barbirolli Sq. *M2* —5D **94 (2H 9)**
(off Lwr. Mosley St.)
Barbon Wlk. *M4* —3G **95** (4E **7**)
Barbor St. *Roch* —3A **28**
Barchester Av. *Bolt* —4G **33**
Barcheston Rd. *Chea* —1G **149**
Barcicroft Rd. *M19 & Stoc*
—5A **126**
Barcicroft Wlk. *M19* —5A **126**
Barclay Dri. *Ecc* —2G **91**
Barclay Rd. *Poy* —5E **163**
Barclays Av. *Salf* —5B **80**
Barclay St. *M3* —4C **94** (6F **5**)
Barcliffe Av. *M40* —1C **84**
Barclyde St. *Roch* —5G **27**
Barcombe Clo. *Oldh* —5H **57**
Barcombe Clo. *Urm* —4H **105**
Barcombe Wlk. *M9* —4F **83**
(in two parts)
Barcroft Rd. *Bolt* —3F **31**
Barcroft St. *Bury* —2D **36**

Bardell Clo. *Poy* —5D **162**
Bardon Clo. *Bolt* —4H **31**
Bardon Rd. *M23* —5F **135**
Bardsea Av. *M22* —4B **148**
Bardsley Av. *Fail* —4F **85**
Bardsley Clo. *Bolt* —6H **19**
Bardsley Clo. *Hyde* —5A **116**
Bardsley Ga. Av. *Stal* —1A **116**
Bardsley St. *M40* —6D **84**
Bardsley St. *Chad* —6F **71**
Bardsley St. *Lees* —4A **74**
Bardsley St. *Mid* —6A **54**
Bardsley St. *Oldh* —6A **58**
Bardsley St. *Stoc* —5F **127**
Bardsley Vale Av. *Oldh* —3E **87**
Barehill St. *L'boro* —3F **17**
Bare St. *Ram* —5C **32**
Barff Rd. *Salf* —3C **92**
Barfold Clo. *Stoc* —6G **141**
Barfold Wlk. *M15*
　　　　—1C **108** (5E **9**)
Barford Dri. *Wilm* —6G **159**
Barford Wlk. *M23* —1H **147**
Bar Gap Rd. *Oldh* —1D **72**
Baric Clo. *Ecc* —4H **91**
Baring St. *M1* —5F **95** (2D **10**)
Barkan Way. *Pen* —3H **79**
Barker Rd. *Bred* —6F **129**
Barkers La. *Sale* —4H **121**
Barker St. *M3* —1D **94** (1G **5**)
Barker St. *Bury* —4C **36**
Barker St. *Heyw* —4D **38**
Barker St. *Oldh* —2C **72**
Barke St. *L'boro* —6C **16**
Barking St. *M40* —2A **96**
Bark St. *Bolt* —6A **32**
　(in two parts)
Bark St. E. *Bolt* —5B **32**
Bark Wlk. *M15* —1D **108** (5H **9**)
Barkway Rd. *Stret* —5A **106**
Barkwell La. *Moss* —2D **88**
Barkworth Wlk. *M40* —5B **84**
Bar La. *Bolt* —6C **18**
Barlby Wlk. *M40* —5B **84**
Barlea Av. *M40* —2D **84**
Barley Brook Meadow. *Bolt*
　　　　—5D **18**
Barleycorn Clo. *Sale* —6F **123**
Barley Ct. *Had* —3H **117**
Barley Croft. *Chea H* —5B **150**
Barley Croft. *M16* —3D **108**
Barley Croft Rd. *Hyde* —1C **114**
Barley Dri. *Bram* —6G **151**
Barleyfield Wlk. *Mid* —6H **53**
Barley Hall St. *Heyw* —2G **39**
Barleywood Wlk. *Stal* —6H **101**
Barlow Cres. *Marp* —6D **142**
Barlow Fold. *Bury* —2D **50**
Barlow Fold. *Rom* —6B **130**
Barlow Fold. *Stoc* —1H **127**
Barlow Fold Clo. *Bury* —2D **50**
Barlow Fold Rd. *Rom* —6B **130**
Barlow Fold Rd. *Stoc* —1H **127**
Barlow Hall Rd. *M21* —4A **124**
Barlow Ho. *Oldh* —4D **72**
Barlow La. *Ecc* —3E **91**
Barlow La. N. *Stoc* —1H **127**
Barlow Moor Clo. *Roch* —1A **26**
Barlow Moor Ct. *Manx*
　　　　—5D **124**
Barlow Moor Rd. *M21 & M20*
　　　　—6H **107**
Barlow Pk. Av. *Bolt* —6B **18**
Barlow Pl. *M13* —6G **95** (4E **11**)
Barlow Rd. *B'hth* —3D **132**
Barlow Rd. *Duk* —5B **100**
Barlow Rd. *Lev* —6C **110**
Barlow Rd. *Stret* —3F **107**
Barlow Rd. *Wilm* —6F **159**
Barlow's Croft. *Salf*
　　　　—3C **94** (4F **5**)

Barlow's La. S. *Haz G* —2C **152**
Barlows Rd. *Salf* —4A **94** (6A **4**)
Barlow St. *Bury* —2D **36**
Barlow St. *Ecc* —4F **91**
Barlow St. *Heyw* —5G **39**
Barlow St. *Oldh* —3E **73**
Barlow St. *Rad* —4H **49**
Barlow St. *Ram* —6C **32**
Barlow St. *Roch* —4A **28**
Barlow St. *Wor* —5F **63**
Barlow Ter. *M13*
　　　　—6G **95** (4D **10**)
Barlow Ter. *M21* —6G **95**
Barlow Wlk. *Stoc* —1H **127**
Barlow Wood Dri. *Marp*
　　　　—2F **155**
Barmeadow. *Dob* —5H **59**
Barmhouse Clo. *Hyde* —4E **115**
Barmhouse La. *Hyde* —4E **115**
Barmhouse M. *Hyde* —4E **115**
Barmouth St. *M11* —5B **96**
Barmouth Wlk. *Oldh* —1H **85**
Barnaby Rd. *Poy* —5D **162**
Barnacre Av. *M23* —2F **147**
Barnacre Av. *Bolt* —6H **33**
Barnard Av. *Stoc* —1D **138**
Barnard Av. *W'fld* —2F **67**
Barnard Clo. *Ash L* —6D **86**
Barnard Rd. *M18* —4D **110**
Barnard St. *Bolt* —5E **33**
Barnbrook St. *Bury* —2E **37**
Barnby St. *M12* —4C **110**
Barn Clo. *Urm* —5G **103**
Barnclose Rd. *M22* —4B **148**
Barncroft Clo. *Bred* —6E **129**
Barncroft Gdns. *M22* —6A **136**
Barncroft Rd. *Farn* —1F **63**
Barnes Av. *Stoc* —1C **138**
Barnes Clo. *Farn* —1G **63**
Barnes Clo. *Ram* —6C **12**
Barnes Meadows. *L'boro*
　　　　—6G **17**
Barnes St. *Farn* —6D **46**
Barnes St. *Oldh* —1A **74**
Barnes Ter. *Kear* —2A **64**
Barnet Rd. *Ram* —3G **31**
Barnett Av. *M20* —3F **125**
Barnett Ct. *Heyw* —3E **39**
Barnett Dri. *Salf* —3B **94** (3D **4**)
Barnfield. *L'boro* —3H **17**
Barnfield. *Urm* —6D **104**
Barnfield Av. *Rom* —6B **130**
Barnfield Clo. *Eger* —1C **18**
Barnfield Clo. *Rad* —4E **49**
Barnfield Clo. *Salf* —4F **93**
Barnfield Cres. *Sale* —3H **121**
Barnfield Dri. *Wor* —5D **76**
Barnfield Rise. *Shaw* —4E **43**
Barnfield Rd. *M19* —5A **126**
Barnfield Rd. *Hyde* —2E **115**
Barnfield Rd. *Wdly* —1D **78**
Barnfield Rd. E. *Stoc* —1H **151**
Barnfield Rd. W. *Stoc* —1F **151**
Barnfield St. *Dent* —3D **112**
Barnfield St. *Heyw* —3G **39**
Barnfield St. *Roch* —1H **27**
Barnfield Wlk. *Tim* —6C **134**
　(in two parts)
Barn Fold. *Lees* —4A **74**
Barngate Dri. *Moss* —3E **89**
Barngate Rd. *Gat* —5E **137**
Barn Gro. *Aud* —6E **99**
Barnham Wlk. *M23* —3E **135**
Barnhill Av. *P'wch* —1F **81**
Barnhill Dri. *P'wch* —1F **81**
Barnhill Rd. *P'wch* —6E **67**
Barnhill St. *M14* —3D **108**
Barnley Clo. *Irl* —4F **103**
Barnsdale Clo. *Ain* —5C **34**
Barnsdale Dri. *M8* —5C **82**
Barnsfold Av. *M14* —1G **125**

Barnsfold Rd. *Marp* —2D **154**
Barnside. *Whitw* —1C **14**
Barnside Av. *Wor* —1G **77**
Barnside Clo. *Bury* —3E **23**
Barnside Way. *Fail* —4A **86**
Barnsley St. *Stoc* —3A **140**
Barns Pl. *Haleb* —5C **146**
Barnstaple Dri. *M40* —5E **83**
Barnstead Av. *M20* —4H **125**
Barnston Av. *M14* —5F **109**
Barnston Clo. *Bolt* —1B **32**
Barn St. *Oldh* —3C **72**
Barn St. *Ram* —6A **32**
Barn St. *W'fld* —2D **66**
Barnswell St. *M40* —6C **84**
Barnwell Clo. *Open* —6G **97**
Barnway Wlk. *M40* —1C **84**
Barnwood Clo. *Aud* —2E **113**
Barnwood Clo. *Bolt* —4A **32**
　(off Barnwood Dri.)
Barnwood Dri. *Ram* —4A **32**
Barnwood Rd. *M23* —2G **147**
Barnwood Ter. *Bolt* —4A **32**
　(off Barnwood Dri.)
Baroness Gro. *Salf* —1A **94**
Baron Fold. *L Hul* —4C **62**
Baron Fold Cres. *L Hul* —4B **62**
Baron Fold Gro. *L Hul* —4B **62**
Baron Fold Rd. *L Hul* —4B **62**
Baron Grn. *H Grn* —6H **149**
Baron Rd. *Hyde* —2D **130**
Barons Ct. *Fail* —5D **84**
Baron St. *Bury* —4B **36**
　(in three parts)
Baron St. *Oldh* —4F **73**
Baron St. *Roch* —4H **27**
Baron Wlk. *L Lev* —4C **48**
Barrack Hill. *Rom* —1G **141**
Barrack Hill Clo. *Bred* —6G **129**
Barracks La. *Sale* —3F **121**
Barrack St. *M15* —6B **94** (4C **8**)
Barrack St. *Bolt* —1A **46**
Barra Dri. *Urm* —2F **105**
Barrass St. *M11* —6F **97**
Barratt Gdns. *Mid* —3F **53**
Barrett Av. *Kear* —2H **63**
Barrett Ct. *Bury* —3E **37**
Barrett St. *Oldh* —4F **73**
Barrfield Rd. *Salf* —1E **93**
Barr Hill Av. *Salf* —6C **80**
Barrhill Clo. *M15* —1C **108**
Barrie Way. *Bolt* —1D **32**
Barrington Av. *Chea H* —4C **150**
Barrington Av. *Droy* —4H **97**
Barrington Clo. *Alt* —5F **133**
Barrington Rd. *Alt* —5F **133**
Barrington St. *M11* —3E **97**
Barrisdale Clo. *Bolt* —2D **44**
Barrow Bri. Rd. *Bolt* —1D **30**
Barrow Brook. *Sale* —3F **123**
Barrowfield Rd. *M22* —3G **147**
Barrowfields. *Mid* —5A **54**
Barrow Hill Rd. *M8* —6B **82**
Barrow La. *Hale* —6B **146**
Barrow Meadow. *Chea H*
　　　　—5A **150**
Barrows Ct. *Ram* —1B **46**
Barrowshaw Clo. *Wor* —1E **77**
Barrow St. *Salf* —4B **94** (5C **4**)
Barr St. *Kear* —4B **64**
Barrule Av. *Haz G* —4E **153**
Barry Cres. *Wor* —6C **62**
Barry Lawson Clo. *M8* —4B **82**
Barry Rise. *Bow* —3G **144**
Barry Rd. *M23* —1H **135**
Barry Rd. *Stoc* —4H **127**
Barry St. *Oldh* —1F **73**
Barsham Dri. *Bolt* —2H **45**
Bar Ter. *Whitw* —2C **14**
Bartlam Pl. *Oldh* —2D **72**

Bartlemore St. *Oldh* —6E **57**
Bartlett Rd. *Shaw* —1E **57**
Bartlett St. *M11* —6D **96**
Bartley Rd. *M22* —3A **136**
Barton Arc. *M3* —3D **94** (5H **5**)
　(off Deansgate)
Barton Av. *Urm* —5D **104**
Bartonbank Ct. *Woodl* —4H **129**
Barton Bus. Pk. *Ecc* —4E **91**
Barton Clo. *Wilm* —5H **159**
Barton Dock Rd. *Urm & Stret*
　　　　—1G **105**
Barton Fold. *Hyde* —6B **114**
Barton Hall Av. *Ecc* —4C **90**
Barton Ho. *Salf* —1C **92**
Barton La. *Ecc* —5F **91**
Barton Rd. *Ecc* —4E **91**
Barton Rd. *Farn* —2D **62**
Barton Rd. *Mid* —1H **69**
Barton Rd. *Stoc* —2A **138**
Barton Rd. *Stret* —3H **105**
Barton Rd. *Swint* —5G **79**
Barton Rd. *Urm* —3E **105**
Barton Rd. *Wor* —6H **77**
Barton Sq. *M2* —4D **94** (5G **5**)
Barton St. *M3* —5C **94** (2F **9**)
　(in two parts)
Barton St. *Kear* —2G **63**
Barton St. *Oldh* —1B **72**
Barton St. *Swint* —1F **79**
Barton Ter. *Irl* —4G **103**
Barton Wlk. *Farn* —2D **62**
Barway Rd. *M21* —6F **107**
Barwell Clo. *Stoc* —1H **127**
Barwell Rd. *Sale* —4G **121**
Barwell Sq. *Farn* —5D **46**
Barwick Pl. *Sale* —5A **122**
Basford Rd. *M16* —4H **107**
Bashall St. *Bolt* —5G **31**
Basil Ct. *Roch* —5B **28**
Basil St. *M14* —4G **109**
Basil St. *Bolt* —2A **46**
Basil St. *Roch* —5B **28**
Basil St. *Stoc* —6F **127**
Basle Clo. *Bram* —1G **151**
Baslow Av. *M19* —5D **110**
Baslow Clo. *Glos* —6G **117**
　(off Baslow M.)
Baslow Dri. *Haz G* —5F **153**
Baslow Dri. *H Grn* —6G **149**
Baslow Fold. *Glos* —6G **117**
　(off Castleton Cres.)
Baslow Grn. *Glos* —6G **117**
　(off Castleton Cres.)
Baslow Gro. *Stoc* —4H **127**
Baslow M. *Glos* —6G **117**
Baslow Rd. *Dent* —1F **129**
Baslow Rd. *Droy* —2G **97**
Baslow Rd. *Stret* —4A **106**
Baslow St. *M11* —3B **96**
Baslow Way. *Glos* —6G **117**
　(off Castleton Cres.)
Basset Av. *Salf* —6G **81**
Bassett Clo. *Roch* —6E **15**
Bassett Gdns. *Roch* —6E **15**
Bassett Way. *Roch* —1G **27**
Bassey Wlk. *M16* —3C **108**
Bass La. *Bury* —6F **13**
Bass St. *Bolt* —6E **33**
Bass St. *Duk* —5H **99**
Basten Dri. *Salf* —5A **82**
Batchelor Clo. *M21* —2C **124**
Bates Clo. *Roch* —4D **40**
Bateson Dri. *Spring* —3B **74**
Bateson St. *Stoc* —1A **140**
Bateson Way. *Oldh* —4D **72**
Bates St. *M13* —3B **110**
Bates St. *Duk* —5A **100**
Bath Clo. *Haz G* —3G **153**
Bath Cres. *M16* —2A **108**

Beech St. *Bury* —3F **37**
Beech St. *Chad* —6H **71**
Beech St. *Ecc* —4D **90**
Beech St. *Fail* —3E **85**
Beech St. *Hyde* —4B **114**
Beech St. *Mid* —1H **69**
Beech St. *Miln* —1E **43**
Beech St. *Oldh* —2E **73**
Beech St. *Rad* —6A **50**
Beech St. *Roch* —5F **27**
Beech St. *Shaw* —6F **43**
Beech St. *S'seat* —6E **13**
Beech St. *Swint* —4F **79**
Beech Tree Bank. *P'wch*
— —5E **67**
Beechurst Rd. *Chea H* —6D **138**
Beech View. *Hyde* —5E **115**
Beech Wlk. *Mid* —3H **69**
Beech Wlk. *Stret* —6C **106**
Beechway. *H Lane* —6D **154**
Beechway. *Wilm* —4D **166**
Beechwood. *Bow* —4D **144**
Beechwood. *Shaw* —5H **43**
Beechwood Av. *M21* —1A **124**
Beechwood Av. *L'boro* —6E **17**
Beechwood Av. *Ram* —3F **13**
Beechwood Av. *Rom* —1A **142**
Beechwood Av. *Stal* —1G **101**
Beechwood Av. *Stoc* —5H **127**
Beechwood Av. *Urm* —4A **104**
Beechwood Dri. *Hyde* —1E **131**
Beechwood Dri. *Marp* —5E **143**
Beechwood Dri. *Moss* —1E **89**
Beechwood Dri. *Rytn* —1A **56**
Beechwood Dri. *Sale* —5E **121**
Beechwood Dri. *Wilm* —1H **167**
Beechwood Dri. *Wor* —5B **78**
Beechwood Gro. *M9* —5H **69**
Beechwood Gro. *Chea H*
— —5C **150**
Beechwood La. *Stal* —1G **101**
Beechwood Rd. *Oldh* —1D **86**
Beechwood Rd. *P'wch* —6H **67**
Beechwood St. *Bolt* —4B **46**
Beede St. *Open* —5D **96**
Beedon Av. *L Lev* —3A **48**
Beehive Grn. *W'houg* —6A **44**
Beehive St. *Oldh* —6D **72**
Beeley St. *Hyde* —5C **114**
Beeley St. *Salf* —6F **81**
Beenham Clo. *Sale* —6E **121**
Beeston Av. *Salf* —5F **81**
Beeston Av. *Tim* —5H **133**
Beeston Clo. *Bolt* —5E **19**
Beeston Gro. *Stoc* —6G **139**
Beeston Gro. *W'fld* —2F **67**
Beeston Rd. *Hand* —2H **159**
Beeston Rd. *Sale* —5G **121**
Beeston St. *M9* —3G **83**
Beeth St. *M11* —6F **97**
Beeton Gro. *M13* —3A **110**
Beetoon Wlk. *M4*
— —4G **95** (5E **7**)
(off Cardroom Rd.)
Beever St. *M16* —2A **108**
Beever St. *Oldh* —2E **73**
Begley Clo. *Rom* —2F **141**
Begonia Av. *Farn* —6D **46**
Begonia Wlk. *M12* —1B **110**
Beightons Wlk. *Roch* —5D **14**
Belayse Clo. *Bolt* —2F **31**
Belbeck St. *Bury* —3A **36**
Belcroft Dri. *L Hul* —3A **62**
Belcroft Gro. *L Hul* —4A **62**
Belding Av. *M40* —2F **85**
Beldon Rd. *M9* —5D **68**
Belfairs Clo. *Ash L* —4F **87**
Belfield Clo. *Roch* —3C **28**
Belfield Ho. *Bow* —3E **145**
Belfield La. *L'boro* —4D **28**

Belfield La. *Roch* —4C **28**
(in two parts)
Belfield Lawn. *Roch* —3D **28**
Belfield Mill La. *Roch* —3C **28**
Belfield Old Rd. *Roch* —3C **28**
Belfield Rd. *M20* —5F **125**
Belfield Rd. *P'wch* —6A **68**
Belfield Rd. *Roch* —3D **28**
Belfield Rd. *Stoc* —4H **111**
Belfield Trad. Est. *Miln* —3D **28**
Belford Av. *Dent* —4A **112**
Belford Dri. *Bolt* —3A **46**
Belford Rd. *Stret* —4D **106**
Belford Wlk. *M23* —5G **135**
Belfort Dri. *Salf* —5H **93**
Belfry Clo. *Wilm* —1G **167**
Belgate Clo. *M12* —3C **110**
Belgian Ter. *Rytn* —3D **56**
Belgium St. *Roch* —4A **26**
Belgrave Av. *M14* —4A **110**
Belgrave Av. *Fail* —3H **85**
Belgrave Av. *Marp* —4D **142**
Belgrave Av. *Oldh* —5E **73**
Belgrave Av. *Urm* —4A **104**
Belgrave Clo. *Rad* —3G **49**
Belgrave Ct. *Aud* —3D **112**
Belgrave Ct. *Oldh* —4D **72**
Belgrave Cres. *Ecc* —2H **91**
Belgrave Cres. *Stoc* —1B **152**
Belgrave Dri. *Rad* —3G **49**
Belgrave Gdns. *Bolt* —3A **32**
Belgrave Rd. *M40* —2E **85**
Belgrave Rd. *Bow* —2E **145**
Belgrave Rd. *Cad* —4B **118**
Belgrave Rd. *Oldh* —5D **72**
Belgrave Rd. *Sale* —5A **122**
Belgrave St. *Dent* —3D **112**
Belgrave St. *Heyw* —4E **39**
(in two parts)
Belgrave St. *Rad* —3F **49**
Belgrave St. *Ram* —4A **32**
(in two parts)
Belgrave St. *Roch* —2F **27**
Belgrave St. S. *Bolt* —4A **32**
Belgrave Ter. *M40* —5G **83**
Belgravia Gdns. *M21* —1G **123**
Belgravia Gdns. *Hale* —5G **145**
Belgravia M. *Shaw* —6G **43**
Belhaven Rd. *M8* —1B **82**
Bellairs St. *Bolt* —4G **45**
Bellamy St. *M18* —2G **111**
Bella St. *Bolt* —3G **45**
Bell Clough Rd. *Droy* —2B **98**
Bell Cres. *M11* —5A **96**
Belldale Clo. *Stoc* —1C **138**
Belle Isle Av. *Roch* —3C **14**
Bellerby Clo. *W'fld* —1C **66**
Belleville Av. *M22* —5C **148**
Belle Vue Av. *M12* —2B **110**
BELLE VUE STATION. *BR*
— —2E **111**
Belle Vue St. *M12* —1C **110**
Belle Vue Ter. *Bury* —4C **36**
Bellew St. *M11* —5A **96**
Bellfield Av. *Chea H* —4D **150**
Bellfield Av. *Oldh* —1D **86**
Bellingham Clo. *Bury* —3F **35**
Bellingham Clo. *Shaw* —5F **43**
Bellis Clo. *M12* —4A **96**
Bell La. *Bury* —2E **37**
Bell Meadow Dri. *Roch* —6B **26**
Bellott St. *M8* —5C **82**
Bellott Wlk. *Oldh* —1C **72**
Bellpit Clo. *Wor* —4E **77**
Bellscroft Av. *M40* —4B **84**
Bellshill Cres. *Roch* —3C **28**
Bell St. *Bolt* —1C **46**
Bell St. *Droy* —3B **98**
Bell St. *Oldh* —2E **73**
Bell St. *Roch* —3H **27**
Bell Ter. *Ecc* —5E **91**

Belmont Av. *Clif* —4D **64**
Belmont Av. *Dent* —3D **112**
Belmont Av. *Salf* —2A **92**
Belmont Av. *Spring* —2B **74**
Belmont Clo. *Stoc* —6G **127**
Belmont Dri. *Bury* —4G **35**
Belmont Dri. *Marp B* —1F **143**
Belmont Rd. *Bram* —2G **161**
Belmont Rd. *Eger & Bolt*
— —3A **18**
Belmont Rd. *Gat* —5F **137**
Belmont Rd. *Hale* —3G **145**
Belmont Rd. *Rad* —6G **49**
Belmont Rd. *Sale* —3A **122**
Belmont Shopping Cen. *Stoc*
— —1G **139**
Belmont St. *M16* —2B **108**
Belmont St. *Ecc* —2F **91**
Belmont St. *Lees* —4A **74**
Belmont St. *Oldh* —1C **72**
Belmont St. *Salf* —4D **92**
Belmont St. *Stoc* —6F **127**
Belmont Ter. *Part* —3H **119**
Belmont View. *Bolt* —1H **33**
Belmont Wlk. *M13*
— —1G **109** (5E **11**)
Belmont Way. *Chad* —1A **72**
Belmont Way. *Roch* —1G **27**
Belmont Way. *Stoc* —1F **139**
Belper Av. *M8* —2B **82**
Belper Rd. *Ecc* —5D **90**
Belper Rd. *Stoc* —2B **138**
Belper St. *Ash L* —1H **99**
Belper St. *Bolt* —2E **47**
Belper Wlk. *M18* —1E **111**
Belper Way. *Dent* —1G **129**
(in two parts)
Belsay Clo. *Ash L* —6D **86**
Belsay Dri. *M23* —1G **147**
Belstone Av. *M23* —2G **147**
Belstone Clo. *Bram* —3H **151**
Belsyde Wlk. *M9* —4G **83**
(off Norbet Wlk.)
Belthorne Av. *M9* —1A **84**
Belton Av. *Roch* —2C **28**
Beltone Clo. *Stret* —6B **106**
Belton Wlk. *M8* —5C **82**
Belton Wlk. *Oldh* —3B **72**
Belvedere Av. *G'mnt* —2A **22**
Belvedere Av. *Stoc* —5H **111**
Belvedere Ct. *P'wch* —6E **67**
Belvedere Dri. *Bred* —6C **128**
Belvedere Dri. *Duk* —4C **100**
Belvedere Rise. *Oldh* —4H **57**
Belvedere Rd. *M14* —1A **126**
Belvedere Rd. *Salf* —2G **93**
Belvedere St. *Salf* —2H **93**
Belvoir Av. *M19* —5C **110**
Belvoir Av. *Haz G* —5E **153**
Belvoir Meadows. *Roch* —5C **16**
Belvoir St. *Bolt* —6E **33**
Belvoir St. *Roch* —2E **27**
Belvor Av. *Aud* —6E **99**
Belwood Rd. *M21* —2G **123**
Bembridge Clo. *M14* —4G **109**
Bembridge Dri. *Bolt* —2F **47**
Bembridge Rd. *Dent* —1H **129**
Bempton Clo. *Stoc* —6G **141**
Bemrose Av. *B'hth* —5E **133**
Bemsley Pl. *Salf* —5G **93**
Benbecula Way. *Urm* —2E **105**
Benbow Av. *M12* —2B **110**
Benbow St. *Sale* —4B **122**
Ben Brierley Way. *Oldh* —2D **72**
Benbrook Gro. *Wilm* —5A **160**
Bench Carr. *Roch* —2G **27**
Benches La. *Rom* —6H **131**
Benchill Av. *M22* —6B **136**
Benchill Ct. Rd. *M22* —1C **148**
Benchill Cres. *M22* —6A **136**
Benchill Dri. *M22* —6A **136**

Benchill Rd. *M22* —5A **136**
Bendall St. *Open* —5G **97**
Ben Davies Ct. *Rom* —6A **130**
Bendemeer. *Urm* —4E **105**
Bendix St. *M4* —3F **95** (3C **6**)
(in two parts)
Benedict Clo. *Salf* —6G **81**
Benedict Dri. *Duk* —1B **114**
Benfield Av. *M40* —1C **84**
Benfield St. *Heyw* —3F **39**
Benfield Wlk. *Mid* —4F **53**
Benfleet Clo. *M12* —1A **110**
Bengal La. *Ash L* —1A **100**
Bengal Sq. *Ash L* —1A **100**
Bengal St. *M4* —3F **95** (3D **6**)
Bengal St. *Stoc* —3G **139**
Benhale Wlk. *M8* —5C **82**
(off Tamerton Dri.)
Benham Clo. *M20* —6G **125**
Benin Wlk. *M40* —6C **84**
Benja Fold. *Bram* —1F **161**
Benjamin Wilson Ct. *Salf*
— (off Fitzwilliam St.) —1B **94**
Benmore Clo. *Heyw* —3C **38**
Benmore Rd. *M9* —5H **69**
Bennett Clo. *Stoc* —3E **139**
Bennett Dri. *Salf* —5A **82**
Bennett Rd. *M8* —2B **82**
Bennett's La. *Bolt* —2G **31**
Bennett St. *M12* —1A **110**
Bennett St. *Ash L* —4F **99**
Bennett St. *Hyde* —2A **114**
Bennett St. *Rad* —3D **48**
Bennett St. *Roch* —6A **28**
Bennett St. *Stal* —4E **101**
Bennett St. *Stoc* —3E **139**
Bennett St. *Stret* —6C **106**
Benny La. *Droy* —2C **98**
Benson Clo. *Salf* —6A **82**
Benson Rd. *Bury* —3H **35**
Benson Wlk. *Wilm* —5H **159**
Bentcliffe Way. *Ecc* —4H **91**
Bentfield Cres. *Miln* —1E **43**
Bentfold Dri. *Bury* —5E **51**
Bentgate Clo. *Miln* —1E **43**
Bentgate St. *Miln* —2E **43**
Benthall Wlk. *Dent* —1E **129**
Bentham Clo. *Bury* —2E **35**
Bentham Clo. *Farn* —6F **47**
Bent Hill S. *Bolt* —3E **45**
Bentinck Ho. *Ash L* —3G **99**
Bentinck Rd. *Alt* —1E **145**
Bentinck St. *M15*
— —6B **94** (3C **8**)
Bentinck St. *Ash L* —2G **99**
(in two parts)
Bentinck St. *Bolt* —4F **31**
Bentinck St. *Farn* —6E **47**
Bentinck St. *Oldh* —5D **72**
Bentinck St. *Roch* —2E **27**
Bentinck Ter. *Ash L* —3G **99**
Bent La. *M8* —4B **82**
Bent La. *P'wch* —5G **67**
Bent Lanes. *Urm* —2D **104**
Bentley Av. *Mid* —2D **54**
Bentley Clo. *Rad* —3B **50**
Bentley Ct. *Farn* —6F **47**
Bentley Hall Rd. *Bury* —1C **34**
Bentley La. *Bury* —2F **23**
Bentley Rd. *M21* —6G **107**
Bentley Rd. *Dent* —4F **113**
Bentley Rd. *Salf* —3A **82**
Bentleys, The. *Stoc* —6H **127**
Bentley St. *Bolt* —2E **47**
Bentley St. *Chad* —2H **71**
Bentley St. *Farn* —6F **47**
Bentley St. *Oldh* —1F **73**
Bentley St. *Roch* —1F **27**
Bentmeadows. *Roch* —2G **27**

Benton Dri. *Marp B* —3F **143**
Benton St. *M9* —4H **83**
Bents Av. *Bred* —6F **129**
Bents Av. *Urm* —6B **104**
Bentside Rd. *Dis* —2H **165**
Bents La. *Bred* —6F **129**
Bent Spur Rd. *Kear* —4A **64**
Bent St. *M8* —1E **95**
Bent St. *Kear* —2G **63**
Bent Ter. *Urm* —3E **105**
Bentworth Wlk. *M9* —4G **83**
Benville Wlk. *M40* —5B **84**
  (off Troydale Dri.)
Benwick Ter. *Bolt* —3A **32**
Benyon St. *Lees* —3A **74**
Berberis Wlk. *Sale* —3E **121**
Beresford Av. *Bolt* —2G **45**
Beresford Cres. *Oldh* —1H **73**
Beresford Cres. *Stoc* —4G **111**
Beresford Rd. *M13* —4B **110**
Beresford Rd. *Stret* —3E **107**
Beresford St. *M14* —4D **108**
Beresford St. *Fail* —4E **85**
Beresford St. *Miln* —1F **43**
Beresford St. *Oldh* —1H **73**
Berger Gro. *Bolt* —6B **32**
Berger St. *M40* —6D **84**
Bergman Wlk. *M40* —5B **84**
  (off Harmer Clo.)
Berigan Clo. *M12* —2A **110**
Berisford Clo. *Tim* —4G **133**
Berkeley Av. *M14* —3A **110**
Berkeley Av. *Chad* —6F **71**
Berkeley Av. *Stret* —3A **106**
Berkeley Clo. *Hyde* —6B **114**
Berkeley Clo. *Stoc* —3C **140**
Berkeley Ct. *M8* —2A **82**
Berkeley Ct. *Manx* —6D **124**
Berkeley Cres. *Hyde* —6B **114**
Berkeley Cres. *Rad* —2C **48**
Berkeley Dri. *Roch* —1H **41**
Berkeley Dri. *Rytn* —5B **56**
Berkeley Rd. *Bolt* —1A **32**
Berkeley Rd. *Haz G* —2F **153**
Berkeley St. *Ash L* —2G **99**
Berkeley St. *Rytn* —2B **56**
Berkley Av. *M19* —6C **110**
Berkley Wlk. *L'boro* —4D **16**
Berkshire Clo. *Chad* —4H **71**
Berkshire Ct. *Bury* —5D **36**
Berkshire Dri. *Cad* —4A **118**
Berkshire Pl. *Oldh* —4A **72**
Berkshire Rd. *M40*
  —2H **95** (1H 7)
Berlin Rd. *Stoc* —5F **139**
Berlin St. *Bolt* —1G **45**
Bermondsay St. *Salf* —5H **93**
Bernard Gro. *Bolt* —3G **31**
Bernard St. *M9* —3F **83**
Bernard St. *Roch* —6E **15**
Bernard Walker Ct. *Comp*
  —1F **143**
Berne Clo. *Bram* —1G **151**
Berne Clo. *Chad* —3A **72**
Bernice Av. *Chad* —3H **71**
Bernice St. *Bolt* —3G **31**
Berrie Gro. *M19* —1D **126**
Berrington Wlk. *Bolt* —4C **32**
Berry Brow. *M40* —1F **97**
Berry Clo. *Wilm* —4D **166**
Berrycroft La. *Rom* —6G **129**
Berry St. *M1* —5F **95** (2D **10**)
Berry St. *Ecc* —5D **90**
Berry St. *G'fld* —4F **61**
Berry St. *Pen* —1F **79**
Berry St. *Stal* —5G **101**
Bertha Rd. *Roch* —4C **28**
Bertha St. *M11* —5D **96**
Bertha St. *Bolt* —3H **31**
Bertha St. *Shaw* —2F **57**
Bertie St. *Roch* —1D **40**

Bertram St. *M12* —1C **110**
Bertram St. *Sale* —5E **123**
Bertrand Rd. *Bolt* —6G **31**
Bert St. *Bolt* —4F **45**
Berwick Av. *Stoc* —6H **125**
Berwick Av. *Urm* —5A **106**
Berwick Av. *W'fld* —2E **67**
Berwick Clo. *Heyw* —4C **38**
Berwick Clo. *Wor* —4B **76**
Berwick St. *Roch* —5B **28**
Berwyn Av. *M9* —4D **68**
Berwyn Av. *Chea H* —6D **138**
Berwyn Av. *Mid* —1C **70**
Beryl Av. *Tot* —4H **21**
Beryl St. *Ram* —2B **32**
Besom La. *Millb* —2H **101**
Bessemer Rd. *Irl* —3D **118**
Bessemer St. *M11* —6E **97**
Bessemer Way. *Oldh* —2C **72**
BESSES O'TH' BARN STATION.
  M —2E **67**
Bessybrook Clo. *Los* —1A **44**
Beswick Dri. *Fail* —5G **85**
Beswick Royds St. *Roch*
  —2B **28**
Beswick St. *L'boro* —4G **17**
Beswicke St. *Roch* —3G **27**
Beswick Row. *M4*
  —2E **95** (2B **6**)
Beswicks La. *Ald E* —6A **166**
Beswick St. *Droy* —4B **98**
Beswick St. *Rytn* —5C **56**
Beta Av. *Stret* —6C **106**
Beta St. *Ram* —5A **32**
Bethany La. *Miln* —1G **43**
Bethel Av. *Fail* —4E **85**
Bethel Grn. *L'boro* —6G **17**
  (off Calderbrook Rd.)
Bethel St. *M11* —4D **96**
Bethel St. *Heyw* —3E **39**
Bethesda Ho. *M8* —3A **82**
Bethesda St. *Oldh* —5D **72**
Bethnal Dri. *M14* —6E **109**
Betjeman Pl. *Shaw* —5H **43**
Betleymere Rd. *Chea H*
  —1B **150**
Betley Rd. *Stoc* —6H **111**
Betley St. *M1* —5G **95** (1F **11**)
Betley St. *Heyw* —4E **39**
Betley St. *Rad* —3A **50**
Betnor Av. *Stoc* —2B **140**
Betony Clo. *Roch* —6D **14**
Bettwood Dri. *M8* —1A **82**
Betty Nuppy's La. *Roch* —6C **28**
Betula Gro. *Salf* —5H **81**
Betula M. *Roch* —2H **25**
Beulah St. *M11* —6E **97**
Bevan Clo. *M12* —4A **96**
Bevendon Sq. *Salf* —5A **82**
Beverdale Clo. *M11* —5C **96**
Beveridge St. *M14* —4E **109**
Beverley Av. *Dent* —5G **113**
Beverley Av. *Urm* —3G **105**
Beverley Clo. *Ash L* —5F **87**
Beverley Clo. *W'fld* —6F **51**
Beverley Flats. *Heyw* —3E **39**
  (off Wilton St.)
Beverley Pl. *Roch* —3A **28**
Beverley Rd. *Bolt* —5F **31**
Beverley Rd. *L Lev* —4H **47**
Beverley Rd. *Pen* —4A **80**
Beverley Rd. *Stoc* —3C **140**
Beverley St. *M9* —2G **83**
Beverley Wlk. *Oldh* —4C **72**
Beverley Wlk. *Rom* —2G **141**
Beverly Rd. *M14* —2H **125**
Beverston Dri. *Roch* —5G **27**
Beverston Dri. *Salf* —6A **82**
Bevill Sq. *Salf* —3C **94** (3E **5**)
Bevis Grn. *Bury* —3F **23**

Bewick St. *Bolt* —2D **32**
Bewley St. *Oldh* —1B **86**
Bewley Wlk. *M40* —5A **84**
Bexhill Av. *Tim* —5H **133**
Bexhill Clo. *L Lev* —4C **48**
Bexhill Dri. *M13* —4A **110**
Bexhill Rd. *Stoc* —1G **151**
Bexhill Wlk. *Chad* —3H **71**
Bexington Rd. *M16* —4C **108**
Bexley Clo. *Urm* —3D **104**
Bexley Dri. *Bury* —4H **35**
Bexley Dri. *L Hul* —5E **63**
Bexley Sq. *Salf* —3B **94** (4D **4**)
Bexley St. *Oldh* —4A **72**
Bexley Wlk. *M40* —5B **84**
  (off John Foran Clo.)
Beyer Clo. *M18* —2E **111**
Bibby La. *M19* —3B **126**
Bibby St. *Bury* —2D **50**
Bibby St. *Hyde* —2B **114**
Bibury Av. *M22* —2H **147**
Bickerdike Av. *M12* —4C **110**
Bickershaw Dri. *Wor* —1E **77**
  (in two parts)
Bickerstaffe Clo. *Shaw* —1E **57**
Bickerton Ct. *Chad* —6A **72**
Bickerton Dri. *Haz G* —4A **152**
Bickerton Rd. *Alt* —6D **132**
Bickley Wlk. *M16* —3D **108**
Biddall Dri. *M23* —5H **135**
Biddisham Wlk. *M40* —6F **83**
Biddulph Av. *Stoc* —6C **140**
Bideford Dri. *M23* —3F **135**
Bideford Dri. *Bolt* —1A **48**
Bideford Rd. *Roch* —2B **40**
Bideford Rd. *Stoc* —2C **140**
Bidston Av. *M14* —5F **109**
Bidston Clo. *Bury* —3G **35**
Bidston Clo. *Shaw* —1H **57**
Bidston Dri. *Hand* —4A **160**
Bidworth La. *Glos* —6F **117**
Bigginwood Wlk. *M40* —4A **84**
  (off Halliford Rd.)
Bignor St. *M8* —5C **82**
Bilbao St. *Ram* —5G **31**
Bilberry St. *Roch* —5A **28**
Bilbrook St. *M4* —2F **95** (1D **6**)
Billing Av. *M12* —6G **95** (3E **11**)
Billinge Clo. *Bolt* —5B **32**
Billington Rd. *Pen* —3C **80**
Bill La. *W'fld* —1D **66**
Bill Williams Clo. *M11* —5E **97**
Billy La. *Clif* —1F **79**
Billy Meredith Clo. *M14*
  —4E **109**
Billy's La. *Chea H* —4C **150**
Billy Whelan Wlk. *M40* —6B **84**
Bilsland Wlk. *M40* —6C **84**
Bilson Dri. *Stoc* —4D **138**
Bilson Sq. *Miln* —6G **29**
Bilton Wlk. *M8* —3F **83**
Binbrook Wlk. *Bolt* —3B **46**
Bincombe Wlk. *M13* —2G **109**
Bindloss Av. *Ecc* —2A **92**
Bindon Wlk. *M9* —4F **83**
  (off Carisbrook St.)
Bingham Dri. *M23* —5F **135**
Bingham St. *Swint* —3F **79**
Bingley Clo. *M11* —5B **96**
Bingley Dri. *Urm* —3B **104**
Bingley Rd. *Roch* —4C **28**
Bingley Sq. *Roch* —4C **28**
Bingley Ter. *Roch* —4C **28**
Bingley Wlk. *Salf* —3D **80**
Binns Nook Rd. *Roch* —1A **28**
Binns Pl. *M4* —4F **95** (5D **6**)
Binns St. *Stal* —4C **100**
Binn's Ter. *L'boro* —3F **17**
  (off Barehill St.)
Binsley Clo. *Irl* —6E **103**
Binstead Clo. *M14* —4A **110**

Birbeck St. *Stal* —4D **100**
Birchacre Gro. *M14* —2H **125**
Birchall Clo. *Duk* —1B **114**
Birchall Grn. *Woodl* —4F **129**
Birch Av. *M16* —3G **107**
Birch Av. *Cad* —4B **118**
Birch Av. *Chad* —5G **55**
Birch Av. *Fail* —5F **85**
Birch Av. *Mid* —2A **70**
Birch Av. *Oldh* —1B **86**
Birch Av. *Roch* —5B **16**
Birch Av. *Rom* —1B **142**
Birch Av. *Sale* —6B **122**
Birch Av. *Salf* —6C **80**
Birch Av. *Stoc* —5D **126**
Birch Av. *Tot* —6A **22**
Birch Av. *W'fld* —3D **66**
Birch Av. *Wilm* —3D **166**
Birch Clo. *Whitw* —3C **14**
Birch Ct. *M13* —4A **110**
Birch Ct. *Duk* —5B **100**
Birch Cres. *Miln* —2E **43**
Birchdale Av. *H Grn* —3F **149**
Birch Dri. *Haz G* —3C **152**
Birch Dri. *Lees* —4B **74**
Birch Dri. *Pen* —3H **79**
Birchenall St. *M40* —5H **83**
Birchen Bower Dri. *Tot* —6H **21**
Birchen Bower Wlk. *Tot*
  —6H **21**
Birchenlea St. *Chad* —6G **71**
Birches, The. *Moss* —2D **88**
Birches, The. *Sale* —4G **121**
Birchfield. *Bolt* —5A **20**
Birchfield Av. *Bury* —4A **38**
Birchfield Dri. *Roch* —6E **27**
Birchfield Dri. *Wor* —4C **76**
Birchfield Gro. *Bolt* —3C **46**
Birchfield M. *Hyde* —5B **114**
Birchfield Rd. *Stoc* —4C **138**
Birchfields. *Hale* —4H **145**
Birchfields Av. *M13* —4A **110**
Birchfields Rd. *M13 & M14*
  —4A **110**
Birchfold. *L Hul* —5D **62**
Birchfold Clo. *L Hul* —5D **62**
Birchgate Wlk. *Bolt* —3A **46**
Birch Gro. *M14* —4H **109**
Birch Gro. *Aud* —1F **113**
Birch Gro. *Dent* —4E **113**
Birch Gro. *P'wch* —3E **67**
Birch Gro. *Ram* —6C **12**
Birch Gro. *Tim* —6E **135**
Birchgrove Clo. *Bolt* —5E **45**
Birch Hall Clo. *Oldh* —5A **74**
Birch Hall La. *M13* —5A **110**
Birch Hey Clo. *Roch* —5A **16**
Birch Hill Cres. *Roch* —5B **16**
Birch Hill La. *Ward* —3B **16**
Birch Hill Wlk. *L'boro* —4D **16**
Birch Ind. Est. *Heyw* —2C **52**
Birchington Rd. *M14* —1E **125**
Birchin La. *M4* —4E **95** (5B **6**)
Birchinlee Av. *Rytn* —4H **55**
Birch La. *M13* —4A **110**
Birch La. *Duk* —5B **100**
  (in two parts)
Birch Lea Clo. *Bury* —6D **36**
Birchleaf Gro. *Salf* —3C **92**
Birch Mt. *Roch* —5A **16**
Birch Polygon. *M14* —4H **109**
Birch Rd. *M8* —2D **82**
Birch Rd. *Gat* —6E **137**
Birch Rd. *Kear* —3H **63**
Birch Rd. *Mid* —5C **54**
Birch Rd. *Part* —5B **120**
  (Carrington)
Birch Rd. *Part* —6B **118**
  (Partington)
Birch Rd. *Poy* —5F **163**

Blossoms La. *Woodf* —5C **160**
Blossom St. *M4* —3F **95** (4D **6**)
Blossom St. *Salf* —3C **94** (3E **5**)
Bloxham Wlk. *M9* —5H **69**
Blucher St. *M12* —1A **110**
Blucher St. *Ash L* —5E **87**
Blucher St. *Salf* —4A **94** (6A **4**)
Blue Bell Av. *M40* —2A **84**
Blue Bell Clo. *Hyde* —2D **114**
Bluebell Dri. *Marp B* —5H **143**
Bluebell Dri. *Roch* —2B **40**
Bluebell Gro. *Chea* —1H **149**
Bluebell Way. *Wilm* —6G **159**
Blueberry Dri. *Shaw* —6H **43**
Blueberry Rd. *Bow* —3C **144**
Blue Chip Bus. Pk. *B'hth*
—4E **133**
Bluefields. *Shaw* —5H **43**
Blue Ribbon Wlk. *Swint*
—2G **79**
Bluestone Dri. *Stoc* —6A **126**
Bluestone Rd. *M40* —3A **84**
Bluestone Rd. *Dent* —5A **112**
Bluestone Ter. *Dent* —5A **112**
Blundell Clo. *Bury* —4F **51**
Blundell St. *Ram* —6A **32**
Blundering La. *Stal* —1H **115**
Blunn St. *Oldh* —5D **72**
Blyborough Clo. *Salf* —1E **93**
Blyth Av. *M23* —1A **136**
Blyth Av. *L'boro* —6D **16**
Blyth Clo. *Tim* —5C **134**
Blythe Av. *Bram* —1E **161**
Blyton St. *M15* —2F **109**
Blyton Way. *Dent* —1F **129**
Boad St. *M1* —5F **95** (1D **10**)
Boardale Dri. *Mid* —6G **53**
Boardman Clo. *Ram* —3A **32**
Boardman Clo. *Stoc* —5H **127**
Boardman Fold Clo. *Mid*
—4A **70**
Boardman Fold Rd. *Mid*
—4H **69**
Boardman La. *Mid* —1D **68**
Boardman Rd. *M8* —1B **82**
Boardman St. *Ecc* —4G **91**
Boardman St. *Hyde* —5B **114**
Boardman St. *Ram* —3A **32**
Board St. *Ash L* —1B **100**
Board St. *Bolt* —1H **45**
Boar Grn. Clo. *M40* —4C **84**
Boarshaw Clough. *Mid* —5B **54**
Boarshaw Cres. *Mid* —5C **54**
Boarshaw La. *Mid* —4D **54**
Boarshaw Rd. *Mid* —6A **54**
Boarshurst La. *G'fld* —4F **61**
Boat La. *M22* —2C **136**
Boat La. *Dig* —2D **60**
Boat La. *Irl* —5F **103**
Bobbin Wlk. *M4* —4G **95** (5F **7**)
(off Cardroom Rd.)
Bobbin Wlk. *Oldh* —3E **73**
Bob Massey Clo. *Open* —4E **97**
Bob's La. *Cad* —5B **118**
Boddens Hill Rd. *Stoc* —2C **138**
Boddington Rd. *Ecc* —4C **90**
Bodiam Rd. *G'mnt* —2H **21**
Bodley St. *M11* —3E **97**
Bodmin Clo. *Rytn* —4E **57**
Bodmin Cres. *Stoc* —4B **128**
Bodmin Dri. *Bram* —6G **151**
Bodmin Rd. *Sale* —4F **121**
Bodmin Wlk. *M23* —6G **135**
Bodney Wlk. *M9* —6D **68**
Bogart Ct. *Salf* —1E **93**
Bognor Rd. *Stoc* —1G **151**
Bolam Clo. *M23* —2E **135**
Boland Dri. *M14* —1G **125**
Bolderrod Pl. *Oldh* —1E **73**
Bolderstone Pl. *Stoc* —1E **153**
Bold Row. *Swint* —4F **79**

Bold St. *Alt* —2F **145**
Bold St. *Bolt* —6B **32**
Bold St. *Bury* —2E **37**
Bold St. *Clif* —1F **79**
Bold St. *Hulme* —2C **108**
Bold St. *Mos S* —3C **108**
Bolesworth Clo. *M21* —1F **123**
Boleyn Ct. *Heyw* —4E **39**
Boleywood Ct. *Wilm* —6F **159**
Bolholt Ind. Pk. *Bury* —1G **35**
Bolholt Ter. *Bury* —1H **35**
Bolivia St. *Salf* —3C **92**
Bollin Av. *Bow* —5D **144**
Bollin Clo. *M15* —1B **108** (6C **8**)
Bollin Clo. *Kear* —3A **64**
Bollin Clo. *Wilm* —1F **167**
Bollin Ct. *M15* —1B **108** (6C **8**)
Bollin Ct. *Bow* —4D **144**
Bollin Ct. *Wilm* —2F **167**
Bollin Dri. *Sale* —1B **134**
Bollin Dri. *Tim* —3G **133**
Bollings Yd. *Bolt* —1B **46**
Bollington Clo. *Ash L* —4G **99**
Bollington Rd. *M40*
—3H **95** (3G **7**)
Bollington Rd. *Stoc* —4F **127**
Bollington St. *Ash L* —4G **99**
Bollin Hill. *Wilm* —1D **166**
Bollin Sq. *Bow* —4D **144**
Bollin Wlk. *Stoc* —4H **127**
Bollin Wlk. *W'fld* —5G **51**
Bollin Wlk. *Wilm* —2E **167**
Bollinway. *Hale* —5A **146**
Bollin Way. *W'fld* —5G **51**
Bollinwood Chase. *Wilm*
—2G **167**
Bolney Wlk. *M40* —1H **95**
Bolshaw Farm La. *H Grn*
—1G **159**
Bolshaw Rd. *H Grn* —1F **159**
Boltmeadow. *G'fld* —5E **61**
Bolton Av. *M19* —1H **137**
Bolton Av. *Chea H* —1D **160**
Bolton Clo. *Poy* —3D **162**
Bolton Clo. *P'wch* —1D **80**
Bolton Rd. *Brad* —6G **19**
Bolton Rd. *Bury* —5G **35**
Bolton Rd. *Farn* —5F **47**
Bolton Rd. *Hawk* —1D **20**
Bolton Rd. *Kear* —2G **63**
Bolton Rd. *Pen* —1F **79**
Bolton Rd. *Rad* —3D **48**
Bolton Rd. *Roch* —1A **40**
Bolton Rd. *Salf* —5B **80**
Bolton Rd. *Wor* —5F **63**
Bolton Rd. N. *Ram* —1E **13**
Bolton Rd. W. *Ram* —6B **12**
Bolton Rd. *W'houg & Bolt*
—5A **44**
BOLTON STATION. *BR* —1B **46**
Bolton St. *Bolt* —3B **32**
Bolton St. *Bury* —3B **36**
Bolton St. *Oldh* —3F **73**
(in two parts)
Bolton St. *Rad* —4F **49**
Bolton St. *Ram* —4D **12**
Bolton St. *Salf* —3C **94** (5E **5**)
Bolton St. *Stoc* —2G **127**
Bolton Yd. *Upperm* —1F **61**
Bombay Rd. *Stoc* —4E **139**
Bombay Sq. *M1*
—5E **95** (2B **10**)
(off Whitworth St.)
Bombay St. *M1* —5E **95** (2B **10**)
Bombay St. *Ash L* —1B **100**
Bonar Clo. *Stoc* —3E **139**
Bonar Rd. *Stoc* —3E **139**
Boncarn Dri. *M23* —1G **147**
Bonchurch Wlk. *M18* —1D **110**
Bondmark Rd. *M18* —1E **111**
Bond Sq. *Salf* —5A **82**

Bond St. *M12* —6G **95** (2E **11**)
Bond St. *Bury* —3E **37**
Bond St. *Dent* —4F **113**
Bond St. *Eden* —3B **12**
Bond St. *Roch* —1A **28**
Bond St. *Stal* —2E **101**
Bongs Rd. *Stoc* —5F **141**
(in two parts)
Bond Ter. *Bury* —3E **37**
Bonhill Wlk. *M11* —3D **96**
Bonington Rise. *Marp B*
—3F **143**
Bonis Cres. *Stoc* —1C **152**
Bonny Brow St. *Mid* —2D **68**
Bonnyfields. *Rom* —1H **141**
Bonsall Bank. Glos —5G **117**
(off Melandra Castle Rd.)
Bonsall Clo. Glos —5G **117**
(off Melandra Castle Rd.)
Bonsall Fold. Glos —5G **117**
(off Melandra Castle Rd.)
Bonsall St. *M15*
—1D **108** (6G **9**)
Bonscale Cres. *Mid* —4G **53**
Bonthe St. *Irl* —1D **118**
Bonville Chase. *Alt* —1C **144**
Bonville Rd. *Alt* —6C **132**
Boodle St. *Ash L* —2H **99**
Bookham Wlk. *M9* —3G **83**
Boond St. *M4* —4H **95** (5G **7**)
Boond St. *Salf* —3C **94** (3F **5**)
Boonfields. *Brom X* —3E **19**
Booth Av. *M14* —2H **125**
Booth Bri. Clo. *Mid* —2E **69**
Boothby Ct. *Swint* —2D **78**
Boothby Rd. *Swint* —2E **79**
Boothby St. *Stoc* —1C **152**
Booth Clo. *Stal* —4D **100**
Boothcote. *Aud* —1D **112**
Booth Ct. *Farn* —1F **63**
Booth Dri. *Urm* —2B **104**
Boothfield. *Ecc* —2C **90**
Boothfield Av. *M22* —5B **136**
Boothfield Dri. *M22* —5B **136**
Boothfield Rd. *M22* —5A **136**
Boothfields. *Bury* —2A **36**
Booth Hall Dri. *Tot* —6H **21**
Booth Hall Rd. *M9* —6A **70**
Booth Hill La. *Oldh & Rytn*
—6C **56**
Booth Ho. Trad. Est. *Oldh*
—3A **72**
Booth La. *M9* —5C **68**
Booth M16 —4A **108**
Booth Rd. *Alt* —1E **145**
Booth Rd. *Aud* —6A **98**
Booth Rd. *L Lev* —5B **48**
Booth Rd. *Sale* —3B **122**
Booth Rd. *Wilm* —6E **159**
Boothroyden Clo. *Mid* —2D **68**
(in two parts)
Boothroyden Rd. *Mid & M9*
(in two parts) —2E **69**
Boothroyden Ter. *M9* —3E **69**
Boothsbank Av. *Wor* —5D **76**
Booth's Hall Gro. *Wor* —5D **76**
Booths Hall Paddock. *Wor*
—6D **76**
Booth's Hall Rd. *Wor* —5D **76**
Booth's Hall Way. *Wor* —5D **76**
Boothstown Rd. *Wor* —6C **76**
Booth St. *M2* —4D **94** (6H **5**)
Booth St. *Ash L* —3H **99**
Booth St. *Bolt* —2G **31**
Booth St. *Dent* —2F **113**
Booth St. *Fail* —4E **85**
Booth St. *Holl* —2E **117**
Booth St. *Hyde* —6C **114**
Booth St. *Lees* —3A **74**
Booth St. *Mid* —3D **70**
Booth St. *Oldh* —3C **72**

Booth St. *Salf* —3D **94** (4G **5**)
Booth St. *Stal* —5C **100**
Booth St. *Stoc* —4G **139**
Booth St. *Tot* —5H **21**
Booth St. E. *M13*
—1F **109** (5B **10**)
Booth St. W. *M15*
—1E **109** (6A **10**)
Boothway. *Ecc* —3H **91**
Booth Way. *Tot* —6G **21**
Boot La. *Bolt* —4B **30**
Bootle St. *M2* —4D **94** (6G **5**)
Bordale Av. *M9* —4H **83**
Bordan St. *M11* —5B **96**
Borden Way. *Bury* —1F **51**
Border Brook La. *Wor* —5C **76**
Bordesley Av. *L Hul* —3C **62**
Bordley Wlk. *M23* —2E **135**
Bordon Rd. *Stoc* —4D **138**
Boringdon Clo. *M40* —5B **84**
Borland Av. *M40* —2D **84**
Borough Arc. *Hyde* —4B **114**
Borough Av. *Pen* —2G **79**
Borough Av. *Rad* —2B **50**
Borough Rd. *Alt* —1G **145**
Borough Rd. *Salf* —4D **92**
Borough St. *Stal* —4E **101**
Borrans, The. *Wor* —6B **76**
Borron St. *Stoc* —1A **140**
Borrowdale Av. *Bolt* —5E **31**
Borrowdale Av. *Gat* —1F **149**
Borrowdale Clo. *Rytn* —1B **56**
Borrowdale Cres. *M20* —5C **124**
Borrowdale Cres. *Ash L*
—6D **86**
Borrowdale Dri. *Bury* —4E **51**
Borrowdale Dri. *Roch* —1B **40**
Borrowdale Rd. *Mid* —5F **53**
Borrowdale Rd. *Stoc* —4B **140**
Borrowdale Ter. *Stal* —1E **101**
Borsden St. *Swint* —1D **78**
Borth Av. *Stoc* —4B **140**
Borth Wlk. *M23* —5F **135**
Borwell St. *M18* —1F **111**
Boscobel Rd. *Bolt* —5D **46**
Boscombe Av. *Ecc* —2A **92**
Boscombe Dri. *Haz G* —3C **152**
Boscombe St. *M14* —5F **109**
Boscombe St. *Stoc* —5H **111**
Boscow Rd. *L Lev* —5A **48**
Bosden Av. *Haz G* —2E **153**
Bosden Clo. *Hand* —2H **159**
Bosden Clo. *Stoc* —3H **139**
(off Bosden Fold)
Bosden Fold. *Stoc* —3H **139**
Bosdenfold Rd. *Haz G* —2E **153**
Bosden Hall Rd. *Haz G* —2E **153**
Bosdin Rd. E. *Urm* —6A **104**
Bosdin Rd. W. *Urm* —6A **104**
Bosley Av. *M20* —1E **125**
Bosley Clo. *Wilm* —5H **159**
Bosley Dri. *Poy* —4G **163**
Bosley Rd. *Stoc* —3C **138**
Bossall Av. *M9* —5G **69**
Bossington Clo. *Stoc* —3C **140**
Bostock Wlk. *M13*
—6F **95** (4D **10**)
Boston Clo. *Bram* —6F **151**
Boston Clo. *Fail* —2F **85**
Boston Ct. *Salf* —5E **93**
Boston St. *Bolt* —3A **32**
Boston St. *Hyde* —4C **114**
Boston St. *Oldh* —5D **72**
Boston Wlk. *Dent* —6G **113**
Boswell Av. *Aud* —4D **98**
Boswell Way. *Mid* —3E **55**
Bosworth Clo. *W'fld* —1G **67**
Bosworth Sq. *Roch* —1D **40**
Bosworth St. *M11* —5C **96**
Bosworth St. *Roch* —1D **40**
Botanical Av. *M16* —2G **107**

Botanical Ho. *M16* —2G **107**
Botany Clo. *Heyw* —2D **38**
Botany La. *Ash L* —1A **100**
Botany Rd. *Ecc* —1C **90**
Botany Rd. *Woodl* —3G **129**
Botha Clo. *M11* —6F **97**
Botham Clo. *M15* —2E **109**
Botham Ct. *Ecc* —2D **90**
Bothwell Rd. *M40*
 —2G **95** (2F **7**)
Bottesford Av. *M20* —4D **124**
Bottomfield Clo. *Oldh* —6E **57**
Bottomley Side. *M9* —1E **83**
Bottom o' th' Moor. *Brad*
 —3F **33**
Bottom o' th' Moor. *Oldh*
 —2F **73**
Bottom St. *Hyde* —4D **114**
Boulder Dri. *M23* —3G **147**
Boulderstone Rd. *Stal* —1E **101**
Bouldon Dri. *Bury* —6C **22**
Boulevard, The. *Haz G* —3E **153**
Boulevard, The. *Holl* —2F **117**
Bouley Wlk. *M12* —1C **110**
Boulton St. *Salf* —3C **94** (4E **5**)
Boundary Clo. *Moss* —5E **89**
 (in two parts)
Boundary Clo. *Woodl* —4A **130**
Boundary Ct. *Chea* —6G **137**
Boundary Dri. *Brad F* —2A **48**
Boundary Gdns. *Bolt* —3H **31**
Boundary Gdns. *Oldh* —6C **56**
Boundary Grn. *Dent* —2E **113**
Boundary Gro. *Sale* —6F **123**
Boundary Ind. Est. *Bolt* —6A **34**
Boundary La. *M15*
 —1E **109** (5A **10**)
Boundary Pk. Rd. *Oldh* —6A **56**
Boundary Rd. *Chea* —5B **138**
Boundary Rd. *Irl* —4F **103**
Boundary Rd. *Swint* —2F **79**
Boundary St. *M12* —2C **110**
Boundary St. *Bolt* —3H **31**
Boundary St. *Bury* —2D **36**
Boundary St. *L'boro* —3E **17**
Boundary St. *Roch* —5G **27**
Boundary St. E. *M13*
 —6E **95** (4B **10**)
Boundary St. W. *M15*
 —1E **109** (5A **10**)
Boundary, The. *Clif* —5E **65**
Bourdon St. *Roch* —6G **27**
Bourdon St. *M40*
 —2H **95** (2H **7**)
Bourget St. *M8* —3B **82**
Bournbrook Av. *L Hul* —3C **62**
Bourne Av. *Swint* —4F **79**
Bourne Dri. *M40* —2B **84**
Bourne Ho. *Salf* —3F **93**
Bournelea Av. *M19* —3B **126**
Bourne Rd. *Shaw* —5E **43**
Bourne St. *Chad* —1H **85**
Bourne St. *Stoc* —5G **127**
Bourne St. *Wilm* —3C **166**
Bourne Wlk. *Bolt* —4B **32**
Bournville Av. *Stoc* —5G **127**
Bournville Dri. *Bury* —3F **35**
Bournville Gro. *M19* —6D **110**
Bourton Clo. *Bury* —2H **35**
Bourton Dri. *M18* —3D **110**
Bowden Clo. *Hyde* —6A **116**
Bowden Clo. *Roch* —5D **40**
Bowden La. *Marp* —4C **142**
Bowden Rd. *Swint* —4G **79**
Bowden St. *Bolt* —1H **45**
Bowden St. *Dent* —4E **113**
Bowden St. *Haz G* —2E **153**
Bowden St. *Hyde* —2B **114**
Bowden St. *Ram* —4F **31**
Bowden View. *Urm* —5D **104**
Bowdon Av. *M14* —6D **108**

Bowdon Ho. *Stoc* —3G **139**
Bowdon Rise. *Bow* —3F **145**
Bowdon Rd. *Alt* —2E **145**
Bowdon St. *Stoc* —3G **139**
 (in two parts)
Bowen Clo. *Bram* —2H **161**
Bowen St. *Bolt* —4F **31**
Bower Av. *Haz G* —4D **152**
Bower Av. *Roch* —5B **16**
Bower Av. *Stoc* —6E **127**
Bower Ct. *Hyde* —2E **115**
Bowerfield Av. *Haz G* —5D **152**
Bowerfield Cres. *Haz G*
 —5D **152**
Bowerfold La. *Stoc* —1E **139**
Bower Gro. *Stal* —3G **101**
Bower La. *Chad* —1G **85**
Bower Rd. *Hale* —4G **145**
Bowers Av. *Urm* —3D **104**
Bower St. *Bury* —2G **37**
Bower St. *Newt H* —6H **83**
Bower St. *Oldh* —2E **73**
Bower St. *Salf* —4A **82**
Bower St. *Stoc* —5H **111**
Bower Ter. *Droy* —2C **98**
Bowery Av. *Chea H* —1B **160**
Bowes Clo. *Bury* —6B **22**
Bowes St. *M14* —4D **108**
Bowfell Circ. *Urm* —4D **104**
Bowfell Dri. *H Lane* —5C **154**
Bowfell Gro. *M9* —5D **68**
Bowfell Rd. *Urm* —5C **104**
Bowfield Wlk. *M40* —6C **84**
Bowgreave Av. *Bolt* —6H **33**
Bow Grn. M. *Bow* —3D **144**
Bow Grn. Rd. *Bow* —4B **144**
Bowgreen Wlk. *M15*
 —1B **108** (6D **8**)
Bowker Av. *Dent* —1H **129**
Bowker Av. *Urm* —3B **82**
Bowker Bank Av. *M8* —1B **82**
Bowker Clo. *Roch* —2A **26**
Bowker Ct. *Salf* —5H **81**
Bowker St. *Hyde* —4C **114**
Bowker St. *Rad* —4G **49**
Bowker St. *Salf* —5H **81**
Bowker St. *Wor* —6D **62**
Bowker Vale Gdns. *M9* —6B **68**
BOWKER VALE STATION. *M*
 —6B **68**
Bowlacre Rd. *Hyde* —3B **130**
Bowland Av. *M18* —3A **112**
Bowland Clo. *Ash L* —4G **87**
Bowland Clo. *Bury* —2E **35**
Bowland Clo. *Shaw* —5C **42**
Bowland Clo. *Stoc* —6E **141**
Bowland Ct. *Sale* —5B **122**
Bowland Dri. *Bolt* —3C **30**
Bowland Gro. *Miln* —1D **42**
Bowland Rd. *M23* —5F **135**
Bowland Rd. *Dent* —4B **112**
Bowland Rd. *Woodl* —4H **129**
Bow La. *M2* —4D **94** (6H **5**)
Bow La. *Bow* —5C **144**
Bow La. *Heyw* —3F **39**
Bowlee Clo. *Bury* —5E **51**
Bowler St. *Lev* —1D **126**
Bowler St. *Shaw* —6F **43**
Bowlers Wlk. *Roch* —1H **27**
Bowley Av. *M22* —3G **147**
Bowling Grn. Ct. *M16* —3B **108**
Bowling Grn. St. *Heyw* —3F **39**
Bowling Grn. St. *Hyde* —5B **114**
Bowling Grn. St. *Ram* —2F **13**
 (in two parts)
Bowling Grn. Way. *Roch*
 —4B **26**
Bowling Rd. *M18* —4G **111**
Bowling St. *Chad* —1H **85**
Bowman Cres. *Ash L* —2B **100**

Bowmeadow Grange. *M12*
 —3B **110**
Bowmead Wlk. *M8* —5B **82**
Bowmont Clo. *Chea H* —1C **150**
Bowness Av. *Cad* —5B **118**
Bowness Av. *Chea H* —4D **150**
Bowness Av. *Roch* —2E **27**
Bowness Av. *Stoc* —3G **127**
Bowness Ct. *Mid* —5F **53**
Bowness Dri. *Sale* —4H **121**
Bowness Rd. *Ash L* —1F **99**
Bowness Rd. *Bolt* —3H **45**
Bowness Rd. *L Lev* —3H **47**
Bowness Rd. *Mid* —5E **53**
Bowness Rd. *Tim* —6D **134**
Bowness St. *M11* —6H **97**
Bowness St. *Stret* —4D **106**
Bowness Wlk. Rytn —3C 56
 (off Shaw St.)
Bowscale Clo. *M13* —3B **110**
Bowstone Hill Rd. *Bolt* —6D **20**
Bow St. *M2* —4D **94** (6G **5**)
Bow St. Ash L —3A 100
 (off Nelson St.)
Bow St. Ash L —2H 99
 (off Warrington St.)
Bow St. *Bolt* —6B **32**
Bow St. *Oldh* —2D **72**
Bow St. *Roch* —2D **40**
Bow St. *Stoc* —3E **139**
Bow Vs. *Bow* —3D **144**
Bowyers St. *Lady* —2A **126**
Boxgrove Rd. *Sale* —4G **121**
Boxgrove Wlk. *M8* —5B **82**
Boxhill Dri. *M23* —2G **135**
Box St. *L'boro* —4E **17**
Box St. *Ram* —3F **13**
Boxtree Av. *M18* —3F **111**
Box Wlk. *Part* —6C **118**
Boyd St. *M12* —6C **96**
Boyd's Wlk. *Duk* —6A **100**
Boyer St. *M16* —2H **107**
Boyle St. *M8* —5D **82**
Boyle St. *Ram* —4E **31**
Boysnope Cotts. *Ecc* —2H **103**
Boysnope Cres. *Ecc* —3G **103**
Brabant Rd. *Chea H* —3D **150**
Brabham Clo. *M21* —1H **123**
Brabyns Av. *Rom* —6B **130**
Brabyns Brow. *Marp* —4E **143**
Brabyns Rd. *Hyde* —2C **130**
Bracadale Dri. *Stoc* —1H **151**
Bracdale Dri. *Stoc* —6G **139**
Bracewell Clo. *M12* —2C **110**
Bracken Av. *Wor* —6G **63**
Brackenbury Wlk. *M15*
 —2E **109**
Bracken Clo. *Bolt* —5B **18**
Bracken Clo. *Droy* —3C **98**
Bracken Clo. *Heyw* —5F **39**
Bracken Clo. *Holl* —1F **117**
Bracken Clo. *Marp B* —4F **143**
Bracken Clo. *Sale* —4E **121**
Bracken Clo. *Spring* —3B **74**
Bracken Dri. *M23* —6H **135**
Brackenfield Wlk. *Tim* —5D **134**
Brackenhall Ct. *Heyw* —3C **38**
Brackenhill Ter. Dent —2G 129
 (off Wordsworth Rd.)
Brackenhurst Av. *Moss* —2G **89**
Brackenlea Fold. *Roch* —1D **26**
Brackenlea Pl. *Stoc* —6F **139**
Bracken Lodge. *Rytn* —6C **56**
Brackenside. *Stoc* —1A **128**
Brackenwood Dri. *Chea*
 —1H **149**
Brackenwood M. *Wilm*
 —1H **167**
Brackley Av. *M15*
 —6B **94** (4C **8**)
Brackley Av. *Cad* —3B **118**

Brackley Ct. *M22* —3B **136**
Brackley Dri. *Mid* —4A **70**
Brackley Lodge. *Ecc* —2H **91**
Brackley Rd. *Bolt* —6E **45**
Brackley Rd. *Ecc* —1F **91**
Brackley Rd. *Stoc* —5E **127**
Brackley Sq. *Oldh* —1E **73**
Brackley St. *Farn* —1F **63**
 (in two parts)
Brackley St. *Oldh* —1E **73**
Brackley St. *Wor* —6D **63**
Bracknell Dri. *M9* —6C **68**
Bracondale Av. *Bolt* —3F **31**
Bradbourne Clo. *Bolt* —2A **46**
Bradburn Av. *Ecc* —4F **91**
Bradburn Clo. *Ecc* —4F **91**
Bradburn Gro. *Ecc* —4F **91**
Bradburn Rd. *Irl* —2C **118**
Bradburn St. *Ecc* —4F **91**
Bradburn Wlk. M8 —5D 82
 (off Moordown St.)
Bradbury Av. *Alt* —6C **132**
Bradbury's La. *G'fld* —5G **61**
Bradbury St. *Ash L* —1G **99**
Bradbury St. *Bury* —2E **51**
Bradbury St. Redf I —6C 114
Bradbury Wlk. Rytn —3C 56
 (off Shaw St.)
Bradda Mt. *Bram* —3A **152**
Braddan Av. *Sale* —6C **122**
Bradden Clo. *Salf* —4G **93**
Braddocks Clo. *Roch* —5B **16**
Braddon Av. *Urm* —5F **105**
Braddon Rd. *Woodl* —4G **129**
Braddon St. *M11* —4E **97**
Brade Clo. *M11* —5E **97**
Bradfield Av. *Salf* —3C **92**
Bradfield Clo. *Stoc* —5G **111**
Bradfield Rd. *Urm & Stret*
 —5H **105**
Bradfield St. *M4* —4G **95** (6F **7**)
Bradford Av. *Bolt* —4D **46**
Bradford Ct. *M40* —2C **84**
Bradford Cres. *Bolt* —3C **46**
Bradford Pk. Dri. *Bolt* —1D **46**
Bradford Rd. *M40*
 —3H **95** (4G **7**)
Bradford Rd. *Ecc* —6E **79**
Bradford Rd. *Farn & Bolt*
 —6C **46**
Bradford St. *Bolt* —1C **46**
Bradford St. *Farn* —2F **63**
Bradford St. *Oldh* —1C **72**
Bradford Ter. *Bury* —4B **36**
Bradgate Av. *H Grn* —4H **149**
Bradgate Clo. *M22* —3C **136**
Bradgate Rd. *Alt* —6C **132**
Bradgate Rd. *Sale* —1B **134**
Bradgate Rd. *Ash L* —4G **99**
Bradgreen Rd. *Ecc* —2E **91**
Brading Wlk. *M22* —5C **148**
Bradley Av. *Salf* —4F **81**
Bradley Clo. *Aud* —6E **99**
Bradley Clo. *Tim* —4G **133**
Bradley Dri. *Bury* —5F **51**
Bradley Fold. *Stal* —3F **101**
Bradley Fold Rd. *Brad T & Ain*
 —1B **48**
Bradley Grn. Rd. *Hyde* —1D **114**
Bradley Ho. *Oldh* —4D **72**
Bradley La. *Bolt* —2B **48**
Bradley La. *Miln* —1F **43**
Bradley La. *Stret* —2B **122**
Bradley's Ct. *M1* —4F **95** (5C **6**)
Bradley St. *M1* —3F **95** (4D **6**)
Bradley St. *Duk* —6G **99**
Bradley St. *Miln* —1F **43**
Bradney Clo. *M9* —5D **68**
Bradnor Rd. *Shar I* —4B **136**
Bradshaw Av. *M20* —2F **125**
Bradshaw Av. *Fail* —6E **85**

Breslyn St. *M3* —2D **94** (2G **5**)
Brethren's St. *Droy* —5A **98**
Bretland Gdns. *Hyde* —6A **116**
Bretland Wlk. *M22* —2D **148**
Brettargh St. *Salf* —1G **93**
Bretton Wlk. *M22* —5B **148**
Brett Rd. *Wor* —5C **76**
Brett St. *M22* —2C **136**
Brewers Grn. *Haz G* —2D **152**
Brewer St. *M1* —4F **95** (5C **6**)
Brewerton Rd. *Oldh* —4G **73**
Brewery St. *M3* —2D **94** (2H **5**)
Brewery St. *Alt* —1F **145**
Brewery St. *Stoc* —6H **127**
Brewster St. *M9* —3F **83**
Brewster St. *Mid* —5A **54**
Brian Av. *Droy* —2C **98**
Brian Farrell Dri. *Duk* —1C **114**
Brian Rd. *Farn* —5C **46**
Brian St. *Roch* —3B **40**
Briar Av. *Haz G* —3E **153**
Briar Av. *Oldh* —6H **57**
Briar Clo. *Roch* —2C **26**
Briar Clo. *Sale* —5E **121**
Briar Clo. *Urm* —4C **104**
Briar Cres. *M22* —6C **136**
Briardene. *Dent* —2G **113**
Briardene Gdns. *M22* —1C **148**
Briarfield. *Eger* —1B **18**
Briarfield Rd. *M20 & M19*
　　　　　　　—3H **125**
Briarfield Rd. *Chea H* —2D **150**
Briarfield Rd. *Dob* —5A **60**
Briarfield Rd. *Farn* —6C **46**
Briarfield Rd. *Stoc* —3G **127**
Briarfield Rd. *Tim* —6C **134**
Briarfield Rd. *Wor* —4G **77**
Briar Gro. *Chad* —6H **55**
Briar Gro. *Woodl* —4G **129**
Briar Hill Av. *L Hul* —5A **62**
Briar Hill Clo. *L Hul* —5A **62**
Briar Hill Ct. Salf —2G **93**
　(off Briar Hill Way)
Briar Hill Gro. *L Hul* —5A **62**
Briar Hill Way. *Salf* —2G **93**
Briarlands Av. *Sale* —1H **133**
Briarlands Clo. *Bram* —1F **161**
Briar Lea Clo. *Bolt* —3A **46**
Briarlea Gdns. *M19* —4A **126**
Briarley Gdns. *Woodl* —3A **130**
Briarmere Wlk. *Chad* —2A **72**
Briars Hollow. *Stoc* —2C **138**
Briars Mt. *Stoc* —2C **138**
Briarstead Clo. *Bram* —6F **151**
Briar St. *Roch* —5F **27**
Briarthorn Clo. *Marp* —2E **155**
Briarwood. *Wilm* —2F **167**
Briarwood Av. *M23* —3E **135**
Briarwood Av. *Droy* —2G **97**
Briarwood Chase. *Chea H*
　　　　　　　—4D **150**
Briarwood Cres. *Marp* —2E **155**
Brice St. *Duk* —5H **99**
Brickbridge Rd. *Marp* —6E **143**
Brickfield St. *Roch* —1B **28**
Brick Ground. *Roch* —1G **25**
Brickhill La. *Ash* —3B **156**
Brickkiln Row. *Bow* —4E **145**
Brickley St. *M3* —2E **95** (1A **6**)
Bricknell Wlk. *M22* —2D **148**
Brick St. *M4* —3E **95** (4B **6**)
Brick St. *Bury* —2E **37**
Bridcam St. *M8* —6C **82**
Briddon St. *M3* —2D **94** (1H **5**)
　(in two parts)
Brideoak St. *M8* —4C **82**
Brideoak St. *Oldh* —1A **74**
Bridestowe Av. *Hyde* —4G **115**
Bridestowe Wlk. *Hyde* —4G **115**
Bride St. *Bolt* —3A **32**
　(in two parts)

Bridge Av. *Woodl* —4G **129**
Bridge Bank Rd. *L'boro* —6D **16**
Bridge Clo. *Part* —6E **119**
Bridge Clo. *Rad* —5F **49**
Bridge Dri. *Chea* —1H **149**
Bridge Dri. *Hand* —4H **159**
Bridge End. *Del* —3H **59**
Bridgefield Av. *Wilm* —6G **159**
Bridgefield Clo. *H Lane*
　　　　　　　—6C **154**
Bridgefield Cres. *Spring*
　　　　　　　—3B **74**
Bridgefield Dri. *Bury* —3G **37**
Bridgefield St. *Rad* —4H **49**
Bridgefield St. *Roch* —4F **27**
Bridgefield St. *Stoc* —1G **139**
Bridgefield Wlk. *Rad* —4H **49**
Bridgefold Rd. *Roch* —4E **27**
Bridgefoot Clo. *Wor* —6C **76**
Bridgeford St. *M15*
　　　　　　　—1E **109** (6B **10**)
Bridge Gro. *Tim* —4H **133**
Bridge Hall Dri. *Bury* —2G **37**
Bridge Hall Fold. *Bury* —3G **37**
Bridge Hall Ind. Est. *H Bri*
　　　　　　　—3G **37**
Bridge Hall La. *Bury* —3G **37**
Bridge La. *Bram* —4H **151**
Bridgelea Rd. *M20* —3F **125**
Bridgeman Pl. *Bolt* —1C **46**
Bridgeman St. *Bolt* —3H **45**
Bridgeman St. *Farn* —6F **47**
Bridgemere Clo. *Rad* —2F **49**
Bridgend Clo. *M12* —1C **110**
Bridgend Clo. *Chea H* —1D **150**
Bridgenorth Av. *Urm* —5H **105**
Bridgenorth Dri. *L'boro* —6D **16**
Bridge Rd. *Bury* —4B **36**
Bridges Av. *Bury* —4F **23**
Bridges Ct. Bolt —1B **46**
　(off Soho St.)
Bridge St. *M3* —4D **94** (5G **5**)
Bridge St. *Aud* —6F **99**
Bridge St. *Bolt* —5B **32**
Bridge St. *Bury* —1E **37**
Bridge St. *Droy* —5G **97**
Bridge St. *Duk* —1G **113**
Bridge St. *Farn* —6G **47**
Bridge St. *Heyw* —3E **39**
Bridge St. *Mid* —1A **70**
Bridge St. *Miln* —5F **29**
Bridge St. *Oldh* —3E **73**
Bridge St. *Pen* —3G **79**
Bridge St. *Rad* —1B **64**
Bridge St. *Ram* —3E **13**
Bridge St. *Roch* —4C **40**
Bridge St. *Salf* —4C **94** (5F **5**)
Bridge St. *Shaw* —5G **43**
Bridge St. *Spring* —3B **74**
Bridge St. *Stal* —4D **100**
Bridge St. *Stoc* —1H **139**
Bridge St. *Upperm* —2F **61**
Bridge St. *Whitw* —6A **16**
　(Rochdale)
Bridge St. *Whitw* —4G **15**
　(Whitworth)
Bri. St. Brow. *Stoc* —1H **139**
Bridge St. W. *Salf*
　　　　　　　—4C **94** (5E **5**)
Bridges Way. *Dent* —2F **129**
Bridgewater Cen., The. *Urm*
　　　　　　　—6G **91**
Bridgewater Clo. *H Grn*
　　　　　　　—6H **149**
*Bridgewater Hall. M1 —5D **94***
　(off Gt. Bridgewater St.)
Bridgewater Pl. *M4*
　　　　　　　—4E **95** (5B **6**)
Bridgewater Rd. *Alt* —4F **133**
Bridgewater Rd. *Mos C* —4B **76**
Bridgewater Rd. *Pen* —4H **79**

Bridgewater Rd. *Wor* —1E **77**
Bridgewater St. *M3*
　　　　　　　—5C **94** (2F **9**)
Bridgewater St. *Bolt* —1H **45**
Bridgewater St. *Ecc* —3D **90**
Bridgewater St. *Farn* —1F **63**
Bridgewater St. *L Hul* —5D **62**
Bridgewater St. *Oldh* —1E **73**
Bridgewater St. *Sale* —4B **122**
Bridgewater St. *Salf*
　　　　　　　—2C **94** (1E **5**)
Bridgewater St. *Stret* —5E **107**
Bridgewater Viaduct. *M15*
　　　　　　　—6C **94** (3E **9**)
*Bridgewater Wlk. Wor —6F **63***
　(off Victoria Sq.)
Bridgeway. *Marp* —5C **142**
Bridgewood Lodge. *Heyw*
　　　　　　　—3D **38**
Bridgnorth Rd. *M9* —6C **68**
Bridle Clo. *Droy* —2C **98**
Bridle Clo. *Urm* —5A **104**
Bridle Ct. *Woodf* —5H **161**
Bridle Fold. *Rad* —3G **49**
Bridle Rd. *P'wch* —2G **67**
Bridle Rd. *Wilm* —6D **158**
Bridle Rd. *Woodf* —4H **161**
Bridle Way. *Woodf* —5H **161**
Bridlington Av. *Salf* —2C **92**
Bridlington Clo. *M40* —5C **84**
Bridlington Sq. *Roch* —5H **27**
Bridport Av. *M40* —3D **84**
Bridson La. *Bolt* —3F **33**
Bridson St. *Oldh* —2G **73**
Bridson St. *Salf* —4E **93**
Brief St. *Bolt* —4E **33**
Brien Av. *Alt* —4F **133**
Briercliffe Clo. *M18* —1F **111**
Briercliffe Rd. *Bolt* —2G **45**
Brierfield Dri. *Bury* —3E **23**
Brierholme Av. *Eger* —2C **18**
Brierley Av. *Fail* —4F **85**
Brierley Av. *W'fld* —5C **50**
Brierley Clo. *Ash L* —5C **88**
Brierley Clo. *Dent* —6E **113**
Brierley Dri. *Mid* —2A **70**
Brierley Rd. E. *Swint* —2E **79**
Brierley Rd. W. *Swint* —2E **79**
Brierleys Pl. *L'boro* —3E **17**
Brierley St. *Bury* —5C **36**
Brierley St. *Chad* —1A **72**
Brierley St. *Duk* —4B **100**
Brierley St. *Heyw* —3F **39**
Brierley St. *Oldh* —6D **72**
Brierley St. *Stal* —4F **101**
Brierley Wlk. *Chad* —1A **72**
Brierton St. *M22* —4H **147**
Brierwood Clo. *Oldh* —6C **56**
Briery Av. *Bolt* —5H **19**
Brigade St. *Bolt* —6G **31**
Brigadier Clo. *M20* —3F **125**
Brigantine Clo. *Salf* —5G **93**
Briggs Clo. *Sale* —2E **133**
Briggs Fold Clo. *Eger* —1C **18**
Briggs Fold Rd. *Eger* —1C **18**
Briggs Rd. *Stret* —3F **107**
Briggs St. *Salf* —2B **94** (2D **4**)
Brigham St. *M11* —5E **97**
Brightman St. *M18* —1F **111**
Brighton Av. *M19* —2B **126**
Brighton Av. *Bolt* —4E **31**
Brighton Av. *Salf* —5A **82**
Brighton Av. *Stoc* —5H **111**
Brighton Av. *Urm* —4A **104**
Brighton Clo. *Chea H* —1E **151**
Brighton Gro. *M14* —5H **109**
Brighton Gro. *Hyde* —6C **114**
Brighton Gro. *Sale* —4A **122**
Brighton Gro. *Urm* —5A **104**
Brighton Pl. *M13*
　　　　　　　—1F **109** (6C **10**)

Brighton Range. *M18* —3H **111**
Brighton Rd. *Scout* —6C **58**
Brighton Rd. *Stoc* —2E **139**
Brighton St. *M4* —2E **95** (1B **6**)
Brighton St. *Bury* —2F **37**
Bright Rd. *Ecc* —3G **91**
Brightstone Wlk. *M13* —3A **110**
Bright St. *Ash L* —3B **100**
Bright St. *Aud* —3E **113**
Bright St. *Bury* —2E **37**
Bright St. *Chad* —5G **71**
Bright St. *Droy* —4B **98**
Bright St. *Eger* —1B **18**
Bright St. *Oldh* —4B **72**
Bright St. *Rad* —3A **50**
Bright St. *Roch* —5A **28**
Brightwater Clo. *W'fld* —1E **67**
Brightwell Wlk. M4
　(off Tib St.) —3F **95** (4C **6**)
Brigsteer Vis. *M40* —6F **83**
　(off Thornton St. N.)
Brigstock Av. *M18* —2E **111**
Briksdal Way. *Los* —6A **30**
Brimelow St. *Bred* —6C **128**
Brimfield Wlk. *M40* —5C **84**
Brimpton Wlk. *M8* —5B **82**
　(off Kenford Wlk.)
Brimrod La. *Roch* —6F **27**
Brindale Rd. *Stoc* —5C **128**
Brindfale Rd. *Stoc* —5C **128**
Brindle Clo. *Salf* —1F **93**
Brindle Heath Rd. *Salf* —1F **93**
Brindle Mt. *Salf* —1F **93**
Brindle Pl. *M15*
　　　　　　　—1E **109** (6A **10**)
Brindle Rise. *Salf* —1F **93**
Brindle Way. *Shaw* —6H **43**
Brindley Av. *M9* —4D **68**
Brindley Av. *Marp* —6D **142**
Brindley Av. *Sale* —3C **122**
Brindley Clo. *Ecc* —6F **91**
Brindley Clo. *Farn* —1D **62**
Brindley Dri. *Wor* —5C **76**
Brindley Gro. *Wilm* —6A **160**
Brindley Lodge. *Swint* —5E **79**
Brindley Rd. *M16* —2H **107**
Brindley St. *Bolt* —1B **32**
Brindley St. *Ecc* —2D **90**
Brindley St. *Pen* —1F **79**
Brindley St. *Wor* —5B **76**
　(Boothstown)
Brindley St. *Wor* —1F **77**
　(Worsley)
Brinell Dri. *Irl* —3C **118**
Brinkburn Rd. *Haz G* —2G **153**
Brinklow Clo. *M11* —6G **97**
Brinkshaw Av. *M22* —2C **148**
Brinksway. *Bolt* —6A **30**
Brinksway. *Stoc* —3D **138**
Brinksworth Clo. *Bolt* —5A **34**
Brinnington Cres. *Stoc*
　　　　　　　—5B **128**
Brinnington Rise. *Stoc* —5B **128**
Brinnington Rd. *Stoc* —6A **128**
BRINNINGTON STATION. *BR*
　　　　　　　—3C **128**
Brinscome Av. *M22* —3A **148**
Brinsop Sq. *M12* —1D **110**
Brinston Wlk. *M40* —4A **84**
Brinsworth Dri. *M8* —5C **82**
Briony Av. *Hale* —3C **146**
Briony Clo. *Rytn* —5C **56**
Brisbane Clo. *Bram* —2H **161**
Brisbane Rd. *Bram* —2H **161**
Brisbane St. *M15* —2F **109**
Briscoe La. *M40* —2B **96**
Briscoe St. *Oldh* —1D **72**
Briscoe Wlk. *Mid* —5E **53**
Bristol Av. *M19* —1D **126**
Bristol Av. *Ash L* —4F **87**
Bristol Av. *Bolt* —4E **33**

Bristol Clo.—Brookhurst La.

Brunton Rd. *Stoc* —3H **127**
Brunt St. *M14* —4F **109**
Bruntwood Av. *H Grn* —4E **149**
Bruntwood La. *Chea* —1A **150**
Bruntwood La. *Chea H*
—4A **150**
Brushes Av. *Stal* —2H **101**
Brushes Rd. *Stal* —2H **101**
Brussels Rd. *Stoc* —5F **139**
Bruton Av. *Stret* —6B **106**
Brutus Wlk. *Salf* —5A **82**
Bryan Rd. *M21* —5H **107**
Bryan St. *Oldh* —6G **57**
Bryant Clo. *M13* —1G **109**
Bryant's Acre. *Bolt* —6B **30**
Bryantsfield. *Bolt* —1A **44**
Bryceland Clo. *M12* —5A **96**
Bryce St. *Hyde* —3B **114**
Brydges Rd. *Marp* —6C **142**
Brydon Av. *M12*
—6G **95** (3F **11**)
Brydon Clo. *Salf* —3F **93**
Bryndale Gro. *Sale* —2H **133**
Brynden Av. *M20* —4G **125**
Bryn Dri. *Stoc* —4H **127**
Brynford Av. *M9* —4C **68**
Bryngs Dri. *Bolt* —1H **33**
Brynhall Clo. *Rad* —2E **49**
Brynheys Clo. *L Hul* —4C **62**
Bryn Lea Ter. *Bolt* —1E **31**
Brynorme Rd. *M8* —1C **82**
Brynton Rd. *M13* —4A **110**
Bryn Wlk. *Bolt* —5B **32**
Bryone Dri. *Stoc* —6B **140**
Bryon Rd. *G'mnt* —1H **21**
Bryon St. *Rytn* —3C **56**
Bryony Clo. *M22* —4A **148**
Bryony Clo. *Wor* —5F **63**
Bryson Wlk. *M18* —2E **111**
Buccleuch Lodge. *Manx*
—4D **124**
Buchanan St. *Pen* —2F **79**
Buchanan St. *Ram* —3D **12**
Buchan St. *M11* —3D **96**
Buckden Wlk. *M23* —1F **135**
Buckerstaffe Clo. *Shaw* —1E **57**
Buckfast Av. *Oldh* —5G **73**
(in two parts)
Buckfast Clo. *M21* —6H **107**
Buckfast Clo. *Chea H* —1D **160**
Buckfast Clo. *Hale* —3B **146**
Buckfast Clo. *Poy* —2D **162**
Buckfast Rd. *Mid* —4H **53**
Buckfast Rd. *Sale* —3F **121**
Buckfast Wlk. *Salf* —4A **82**
Buckfield Av. *Salf* —6H **93**
Buckfield Dri. *Salf* —6H **93**
Buckhurst Rd. *M19* —6C **110**
Buckhurst Rd. *Bury* —5H **13**
Buckingham Av. *Dent* —6H **113**
Buckingham Av. *Salf* —3D **92**
Buckingham Av. *W'fld* —2E **67**
Buckingham Dri. *Bury* —5H **35**
Buckingham Dri. *Duk* —6D **100**
Buckingham Gro. *Tim* —2H **133**
Buckingham Rd. *M21* —5H **107**
Buckingham Rd. *Cad* —3A **118**
Buckingham Rd. *Chea H*
—3C **150**
Buckingham Rd. *Clif* —1G **79**
Buckingham Rd. *Droy* —4G **97**
Buckingham Rd. *Poy* —4D **162**
Buckingham Rd. *Stal* —2E **101**
Buckingham Rd. *Stoc* —4D **126**
(in two parts)
Buckingham Rd. *Stret* —2F **107**
Buckingham Rd. *Wilm* —3C **166**
Buckingham Rd. W. *Stoc*
—5C **126**

Buckinghamshire Pk. Clo. *Shaw*
—5E **43**
Buckingham St. *Roch* —3A **28**
Buckingham St. *Salf* —4F **93**
Buckingham St. *Stoc* —5A **140**
Buckingham Way. Stoc
(off Windsor St.) —5A **140**
Buckingham Way. *Tim*
—4A **134**
Buckland Av. *M9* —6C **68**
Buckland Gro. *Hyde* —1E **131**
Buckland Rd. *Salf* —1D **92**
Buckland St. *M4* —4H **95** (6G **7**)
Buck La. *Sale* —3G **121**
Buckley Av. *M18* —3E **111**
Buckley Brook St. *Roch* —1B **28**
Buckley Chase. *Miln* —6E **29**
Buckley Clo. *Hyde* —2C **130**
Buckley Cotts. *Roch* —6H **15**
Buckley Dri. *Rom* —2G **141**
Buckley Farm La. *Roch* —6H **15**
Buckley Hill La. *Miln* —6E **29**
Buckley La. *Farn* —3D **62**
Buckley La. *Roch* —6H **15**
Buckley La. *W'fld* —6C **66**
Buckley Rd. *M18* —3D **110**
Buckley Rd. *Oldh* —1H **73**
Buckley Rd. *Roch* —1B **28**
Buckley Sq. *Farn* —3E **63**
Buckley St. *Aud* —6D **98**
Buckley St. *Bury* —2D **36**
Buckley St. *Chad* —2G **71**
Buckley St. *Droy* —4A **98**
Buckley St. *Heyw* —2F **39**
Buckley St. *Lees* —4A **74**
Buckley St. *Open* —5F **97**
Buckley St. *Rad* —4G **49**
Buckley St. *Shaw* —6G **43**
Buckley St. *Stal* —5D **100**
Buckley St. *Stoc* —5G **111**
Buckley St. *Upperm* —1F **61**
Buckley Ter. *Roch* —6H **15**
Buckley View. *Roch* —6H **15**
Bucklow Av. *M14* —5F **109**
Bucklow Av. *Part* —5D **118**
Bucklow Clo. *Mot* —6B **116**
Bucklow Dri. *M22* —3C **136**
Bucklow View. *Bow* —2C **144**
Buckstones Rd. *Shaw & Oldh*
—4G **43**
Buckthorn Clo. *M21* —2B **124**
Buckthorn Clo. *Tim* —6E **135**
Buckthorn La. *Ecc* —4B **90**
Buckton Clo. *Dig* —2C **60**
Buckton Dri. *Stal* —6G **89**
(Mossley)
Buckton Dri. *Stal* —1H **101**
(Stalybridge)
Buckton Vale M. *C'brk* —4H **89**
Buckton Vale Rd. *C'brk* —5G **89**
Buckwood Clo. *Haz G* —2G **153**
Buddleia Gro. Salf —5H **81**
(off Bk. Hilton St.)
Bude Av. *Stoc* —4B **128**
Bude Av. *Urm* —1D **120**
Bude Clo. *Bram* —6H **151**
Bude Ter. *Duk* —4H **99**
Bude Wlk. *M23* —6H **135**
Budsworth Av. *M20* —2F **125**
Budworth Gdns. *Droy* —4B **98**
Budworth Rd. *Sale* —6E **123**
Budworth Wlk. *Wilm* —6A **160**
Buersil Av. *Roch* —1H **41**
Buersil Gro. *Roch* —2H **41**
Buersil St. *Roch* —2H **41**
Buerton Av. *M9* —4C **68**
Buffalo Ct. *Salf* —5E **93**
Bugle St. *M15 & M1*
—6C **94** (3F **9**)
Buile Hill Av. *L Hul* —5D **62**

Buile Hill Dri. *Salf* —2D **92**
Buile Hill Gro. *L Hul* —4D **62**
Buile St. *Salf* —4A **82**
Bulford Av. *M22* —3H **147**
Bulkeley Rd. *Chea* —5A **138**
Bulkeley Rd. *Hand* —4G **159**
Bulkeley Rd. *Poy* —4E **163**
Bulkeley St. *Stoc* —3F **139**
Bullcote Grn. *Rytn* —3E **57**
Bullcote La. *Oldh* —3E **57**
Buller M. *Bury* —4H **35**
Buller Rd. *M13* —5B **110**
Buller St. *Bolt* —5E **47**
Buller St. *Bury* —4H **35**
Buller St. *Droy* —5B **98**
Buller St. *Oldh* —1H **73**
Bullfinch Dri. *Bury* —6A **24**
Bullfinch Wlk. *M21* —2B **124**
Bull Hill Cres. *Rad* —1H **65**
Bullock St. *Stoc* —4H **139**
Bullows Rd. *L Hul* —3B **62**
Bulrush Clo. *Wor* —4F **63**
Bulteel St. *Bolt* —5G **45**
Bulteel St. *Ecc* —2D **90**
Bulteel St. *Wor* —4A **76**
Bulwer St. *Roch* —3A **28**
Bunkers Hill. *W'fld* —5B **66**
Bunkers Hill Rd. *Hyde* —6A **116**
Bunkershill Rd. *Rom* —2H **141**
Bunsen St. *M1* —4F **95** (5C **6**)
Bunting M. *Wor* —3D **76**
Bunyan Clo. *Oldh* —3A **58**
Bunyan St. *Roch* —2H **27**
Bunyard St. *M8* —5D **82**
Burbage Bank. Glos —5G **117**
(off Edale Cres.)
Burbage Gro. Glos —5G **117**
(off Edale Cres.)
Burbage Rd. *M23* —3G **147**
Burbage Way. Glos —5G **117**
(off Edale Cres.)
Burbridge Clo. *M11* —4A **96**
Burchall Field. *Roch* —4B **28**
Burcot Wlk. *M8* —6A **82**
Burdale Dri. *Salf* —1B **92**
Burder St. *Oldh* —1A **86**
Burdett Av. *Roch* —2B **26**
Burdett Way. *M12* —2A **110**
Burdith Av. *M14* —5E **109**
Burdon Av. *M22* —2C **148**
Burford Av. *M16* —5B **108**
Burford Av. *Bram* —2E **161**
Burford Av. *Urm* —3G **105**
Burford Clo. *Wilm* —4B **166**
Burford Cres. *Wilm* —4B **166**
Burford Dri. *M16* —5B **108**
Burford Dri. *Bolt* —2A **46**
Burford Dri. *Swint* —1E **79**
Burford Gro. *Sale* —2G **133**
Burford Rd. *M16* —5B **108**
Burford Wlk. *M16* —5B **108**
Burgate Wlk. *Salf* —5B **82**
Burgess Av. *Ash L* —6G **87**
Burgess Dri. *Fail* —4F **85**
Burghley Clo. *Rad* —2B **48**
Burghley Dri. *Rad* —2B **48**
Burgin Wlk. *M40* —6E **83**
Burgundy Dri. *Tot* —4H **21**
Burke St. *Bolt* —3H **31**
Burkitt St. *Hyde* —5C **114**
Burland Clo. *Salf* —6A **82**
Burleigh Clo. *Haz G* —4A **152**
Burleigh Ct. *Stret* —3E **107**
Burleigh Ho. *M15* —2F **109**
Burleigh M. *M21* —3H **123**
Burleigh Rd. *Stret* —4E **107**
Burleigh St. *M15* —2F **109**
Burlescombe Clo. *Alt* —5D **132**
Burley Ct. *Stoc* —1E **139**
Burlin Ct. *M16* —4B **108**
Burlington Av. *Oldh* —5C **72**

Burlington Clo. *Stoc* —1A **138**
Burlington Ct. *Alt* —6F **133**
Burlington Dri. *Stoc* —1H **151**
Burlington Gdns. *Stoc* —1H **151**
Burlington M. *Stoc* —1H **151**
Burlington Rd. *M20* —2G **125**
Burlington Rd. *Alt* —6F **133**
Burlington Rd. *Ecc* —1G **91**
Burlington St. *M15* —2E **109**
Burlington St. *Ash L* —3F **99**
Burlington St. E. *M15* —2E **109**
Burman St. *M11 & Droy*
—6H **97**
Burnaby St. *Bolt* —2H **45**
Burnaby St. *Oldh* —4B **72**
Burnaby St. *Roch* —1C **40**
Burnage Av. *M19* —1B **126**
Burnage Hall Rd. *M19* —2A **126**
Burnage La. *M19* —1H **137**
Burnage Range. *M19* —6C **110**
BURNAGE STATION. *BR*
—5H **125**
Burn Bank. *G'fld* —4H **75**
Burnbray Av. *M19* —3A **126**
Burnby Wlk. *M23* —2F **135**
Burndale Dri. *Bury* —4E **51**
Burndale Wlk. *M23* —2F **135**
Burnden Rd. *Bolt* —2D **46**
Burnedge Clo. *Whitw* —3H **15**
Burnedge Fold Rd. *Gras*
—3F **75**
Burnedge La. *Gras* —3E **75**
Burnedge M. *Oldh* —3F **75**
Burnell Clo. *M40*
—2H **95** (2G **7**)
Burnell Ct. *Heyw* —6F **39**
Burnett Av. *Salf* —5H **93**
Burnett Clo. *M40* —6F **83**
Burnfield Rd. *M18* —4F **111**
Burnfield Rd. *Stoc* —4G **111**
Burnham Av. *Bolt* —4E **31**
Burnham Av. *Stoc* —6H **111**
Burnham Clo. *Chea H* —3B **150**
Burnham Dri. *M19* —1B **126**
Burnham Dri. *Urm* —4E **105**
Burnham Wlk. *Farn* —6F **47**
Burnleigh Ct. *Bolt* —6D **44**
Burnley La. *Chad* —5G **55**
Burnley Rd. *Bury* —3E **23**
(in two parts)
Burnley Rd. *Ram* —1A **12**
Burnley St. *Chad* —2H **71**
Burnley St. *Fail* —3G **85**
Burnmoor Rd. *Bolt* —5H **33**
Burnsall Av. *W'fld* —1C **66**
Burnsall Gro. *Rytn* —3B **56**
Burnsall Wlk. *M22* —3G **147**
Burns Av. *Bury* —1D **50**
Burns Av. *Chea* —5B **138**
Burns Av. *Swint* —2D **78**
Burns Clo. *M11* —4A **96**
Burns Clo. *Oldh* —2A **58**
Burns Cres. *Stoc* —4E **141**
Burns Fold. *Duk* —6E **101**
Burns Gdns. *P'wch* —6D **66**
Burns Gro. *Droy* —3A **98**
Burnside. *Had* —3H **117**
Burnside. *Haleb* —6D **146**
Burnside. *Ram* —3A **12**
Burnside. *Shaw* —5H **43**
Burnside. *Stal* —6H **101**
Burnside Av. *Salf* —6H **79**
Burnside Av. *Stoc* —3G **127**
Burnside Clo. *Bred* —6F **129**
Burnside Clo. *Heyw* —4F **39**
Burnside Clo. *Rad* —6F **35**
Burnside Clo. *Stal* —6H **101**
Burnside Cres. *Mid* —4G **53**
Burnside Dri. *M19* —2A **126**
Burnside Rd. *Bolt* —3F **31**
Burnside Rd. *Gat* —6E **137**

Burnside Rd. *Roch* —5C **28**
Burns Rd. *Dent* —2G **129**
Burns Rd. *L Hul* —4D **62**
Burns St. *Bolt* —1B **46**
Burns St. *Heyw* —4F **39**
Burnthorpe Av. *M9* —6D **68**
Burnthorpe Clo. *Roch* —5A **26**
Burntwood Wlk. *M9* —3G **83**
(off Naunton Wlk.)
Burran Rd. *M22* —5B **148**
Burrell St. *M13* —6F **95** (4D **10**)
(off Hanworth Clo.)
Burrows Av. *M21* —3H **123**
Burrswood Av. *Bury* —5F **23**
Burrwood Dri. *Stoc* —6F **139**
Burslem Av. *M20* —1E **125**
Burstead St. *M18* —6G **97**
Burstock St. *M4* —2F **95** (1D **6**)
Burston St. *M18* —1E **111**
Burtinshaw St. *M18* —2F **111**
Burton Av. *M20* —3E **125**
Burton Av. *Stret* —6B **106**
Burton Av. *Tim* —2A **134**
Burton Av. *Tot* —1F **35**
Burton Dri. *Poy* —3D **162**
Burton Gro. *Wor* —3C **78**
Burton Ho. *Wilm* —2E **167**
Burton Rd. *M20* —5D **124**
Burton St. *M40* —1F **95**
Burton St. *Lees* —3A **74**
Burton St. *Mid* —1H **69**
Burton St. *Stoc* —6G **127**
Burton Wlk. *Salf* —3B **94** (3D **4**)
Burton Wlk. Stoc —6G **127**
(off Heskith St.)
Burtonwood Ct. *Mid* —6H **53**
Burtree St. *M12* —1C **110**
Burwell Clo. *Roch* —6D **14**
Burwell Gro. *M23* —4F **135**
Bury Av. *M16* —5A **108**
Bury & Bolton Rd. *Rad* —6C **34**
BURY BOLTON STREET
STATION. *ELR* —3C **36**
Bury Ind. Est. *Bolt* —6H **33**
Bury New Rd. *Bolt* —6C **32**
Bury New Rd. *Brei* —6A **34**
Bury New Rd. *Bury & Heyw*
—3G **37**
Bury New Rd. *Ram* —3F **13**
Bury New Rd. *Salf & M8*
—3G **81**
Bury New Rd. *W'fld & P'wch*
—6C **50**
Bury Old Rd. *Ain* —4A **34**
Bury Old Rd. *Bolt* —6C **32**
(in two parts)
Bury Old Rd. *Heap & Heyw*
—4A **38**
Bury Old Rd. *P'wch & M8*
—6H **67**
Bury Old Rd. *Walm* —4H **13**
Bury Old Rd. *W'fld & P'wch*
—2D **66**
Bury Pl. *M11* —3E **97**
Bury Rd. *Bolt* —6D **32**
Bury Rd. *Rad* —3H **49**
Bury Rd. *Ram* —3A **12**
Bury Rd. *Roch* —6A **26**
Bury Rd. *Tot* —5H **21**
Bury Rd. *Tur* —1B **20**
Bury & Rochdale Old Rd.
Bury & Heyw —1B **38**
BURY STATION. *M* —3C **36**
Bury St. *Heyw* —3D **38**
Bury St. *Moss* —3E **89**
Bury St. *Rad* —3A **50**
Bury St. *Ram* —6C **32**
Bury St. *Salf* —3C **94** (3F **5**)
Bury St. *Stoc* —6H **127**
Bushell St. *Bolt* —3F **45**
Bushey Dri. *M23* —6G **135**

Busheyfield Clo. *Hyde* —2B **114**
Bushfield Wlk. *M23* —4E **135**
Bushgrove Wlk. M9 —4F **69**
(off Claygate Dri.)
Bushmoor Wlk. *M13* —2H **109**
Bushnell Wlk. M9 —4F **69**
(off Eastlands Rd.)
Bush St. *M40* —6G **83**
Bushton Wlk. *M40* —6E **83**
Bushway Wlk. M8 —5D **82**
(off Geneva Wlk.)
Busk Rd. *Chad* —1A **72**
Busk Wlk. *Chad* —1A **72**
Butcher La. *M23* —4D **134**
(in two parts)
Butcher La. *Bury* —3D **36**
Butcher La. *Rytn* —2A **56**
Bute Av. *Oldh* —6D **72**
Bute St. *M40* —3H **83**
Bute St. *Bolt* —4F **31**
Bute St. *Ecc* —5D **90**
Bute St. *Salf* —4D **92**
Butler Ct. *M40* —2G **95** (2F **7**)
Butler Ct. *Stret* —6D **106**
Butler Grn. *Chad* —5G **71**
Butler La. *M4* —2G **95** (2F **7**)
Butler St. *M4* —2G **95** (2F **7**)
Butler St. *Ram* —5C **12**
Butley St. *Haz G* —1E **153**
Butman St. *M18* —1H **111**
Buttercup Av. *Wor* —6B **62**
Buttercup Dri. *Roch* —2B **40**
Buttercup Dri. *Stoc* —1F **151**
Butterfield Clo. *Chea H*
—4D **150**
Butterhouse La. *Dob* —5C **60**
Butter La. *M3* —4D **94** (5G **5**)
Butterley Clo. *Duk* —6D **100**
Buttermere Av. *Heyw* —5F **39**
Buttermere Av. *Swint* —5F **79**
Buttermere Clo. *L Lev* —3H **47**
Buttermere Clo. *Stret* —4C **106**
Buttermere Dri. *Haleb* —1D **156**
Buttermere Dri. *Mid* —5G **53**
Buttermere Dri. *Ram* —2D **12**
Buttermere Gro. *Rytn* —6B **42**
Buttermere Rd. *Ash L* —1G **99**
Buttermere Rd. *Farn* —1A **62**
Buttermere Rd. *Gat* —2F **149**
Buttermere Rd. *Oldh* —1H **73**
Buttermere Rd. *Part* —6C **118**
Buttermere Ter. *Stal* —2E **101**
Butterstile La. *P'wch* —2D **80**
Butterwick Clo. *M12* —4D **110**
Butterworth Hall. *Miln* —6G **29**
Butterworth La. *Chad* —6E **71**
Butterworth Pl. *Shore* —3E **17**
Butterworth St. *M11* —5C **96**
Butterworth St. *Chad* —1H **71**
Butterworth St. *L'boro* —4E **17**
Butterworth St. *Mid* —2C **70**
Butterworth St. *Rad* —3H **49**
Butterworth St. *Shaw* —4E **57**
Butterworth Way. *G'fld* —4F **61**
Buttery Ho. La. *Hale* —3E **147**
Butt Hill Av. *P'wch* —6F **67**
Butt Hill Ct. *P'wch* —6F **67**
Butt Hill Dri. *P'wch* —6F **67**
Butt Hill Rd. *P'wch* —6F **67**
Butt La. *Moss* —5D **74**
Button Hole. *Shaw* —6H **43**
Button La. *M23* —1G **135**
Buttress St. *M18* —1E **111**
Butts La. *Del* —3E **59**
Butts, The. *Roch* —4H **27**
Buxted Rd. *Oldh* —6F **57**
Buxton Av. *M20* —3D **124**
Buxton Av. *Ash L* —5B **88**
Buxton Clo. Glos —5G **117**
(off Buxton M.)
Buxton Cres. *Roch* —1H **41**

Buxton Cres. *Sale* —2D **134**
Buxton La. *Droy* —4G **97**
Buxton La. *Marp* —6C **142**
Buxton M. *Glos* —5G **117**
Buxton Old Rd. *Dis* —1H **165**
Buxton Pl. *Oldh* —4C **72**
Buxton Rd. *Dis* —1H **165**
Buxton Rd. *Haz G & H Lane*
—4F **153**
Buxton Rd. *Stoc* —5A **140**
Buxton Rd. *Stret* —4A **106**
Buxton Rd. W. *Dis* —1E **165**
Buxton St. *M1* —5F **95** (2D **10**)
Buxton St. *Bury* —3A **36**
Buxton St. *Gat* —6E **137**
Buxton St. *Haz G* —2D **152**
Buxton St. *Heyw* —4F **39**
Buxton St. *Whitw* —2H **15**
Buxton Ter. *Holl* —1F **117**
Buxton Wlk. Glos —6G **117**
(off Buxton M.)
Buxton Way. *Dent* —1F **129**
Bycroft Wlk. *Salf* —4F **97**
Byer Clo. *Sale* —6G **123**
Bye Rd. *Ram* —2G **13**
Bye St. *Aud* —6F **99**
Byfield Rd. *M22* —1A **148**
Byland Av. *Chea H* —1D **160**
Byland Av. *Oldh* —5H **73**
Byland Clo. *Bolt* —3A **32**
Byland Gdns. *Rad* —3E **49**
Bylands Clo. *Poy* —3D **162**
Bylands Fold. *Duk* —1B **114**
Byland Wlk. *M22* —4B **148**
Byng Av. *Cad* —5B **118**
Byng St. *Farn* —1F **63**
Byng St. *Heyw* —5G **39**
Byng St. E. *Bolt* —1B **46**
Byre Clo. *Sale* —6G **123**
Byrom Av. *M19* —6E **111**
Byrom Ct. *Droy* —4H **97**
Byrom Pde. *M19* —6E **111**
Byrom Pl. *M3* —4C **94** (6F **5**)
Byrom St. *M3* —5C **94** (1F **9**)
Byrom St. *Alt* —2F **145**
Byrom St. *Bury* —1H **35**
Byrom St. *Old T* —3B **108**
Byrom St. *Salf* —5G **93**
Byrom St. *Stal* —4D **100**
Byron Av. *Droy* —3A **98**
Byron Av. *P'wch* —6D **66**
Byron Av. *Rad* —3D **48**
Byron Av. *Swint* —3E **79**
Byron Dri. *Chea* —5B **138**
Byron Gro. *Stoc* —6G **111**
Byron Rd. *Dent* —1F **129**
Byron Rd. *G'mnt* —1H **21**
Byron Rd. *Mid* —5B **54**
Byron Rd. *Stret* —4E **107**
Byrons Dri. *Tim* —5A **134**
Byron St. *Ecc* —3F **91**
Byron St. *Oldh* —1H **85**
Byron St. *Rytn* —3C **56**
Byron Wlk. *Farn* —2D **62**
Byron Wlk. Rytn —3C **56**
(off Shaw St.)
Byrth Rd. *Oldh* —3D **86**
Bywell Wlk. M8 —4B **82**
(off Levenhurst Rd.)
Bywood Wlk. *M8* —6A **82**

Cabin La. *Oldh* —4B **58**
Cablestead Wlk. M11 —5B **96**
(off Cotteridge Wlk.)
Cable St. *M4* —3F **95** (3C **6**)
Cable St. *Bolt* —5B **32**
Cable St. *Salf* —3C **94** (3F **5**)
Cabot Pl. *Stoc* —5H **127**
Cabot St. *M13* —1F **109** (5D **10**)
Caddington Rd. *M21* —1A **124**

Cadishead Way. *Irl* —2E **119**
Cadleigh Wlk. *M40* —4A **84**
Cadman St. *M12*
—6H **95** (4G **11**)
Cadmium Wlk. *M18* —3E **111**
Cadnam Dri. *M22* —2D **148**
Cadogan Pl. *Salf* —2A **82**
Cadogan St. *M14* —3H **109**
Cadum Wlk. *M13*
—1G **109** (5E **11**)
Caen Av. *M40* —6C **70**
Caernarvon Clo. *G'mnt* —2H **21**
Caernarvon Dri. *Haz G* —4C **152**
Caernarvon Way. *Dent* —6F **113**
Caesar St. *Roch* —3G **41**
Cairn Dri. *Roch* —5A **26**
Cairn Dri. *Salf* —6G **81**
Cairngorm Dri. *Bolt* —2C **44**
Cairns Pl. *Ash L* —6H **87**
Cairn Wlk. *M11* —4B **96**
Caister Av. *W'fld* —2E **67**
Caister Clo. *Urm* —6G **103**
Caistor Clo. *M16* —1C **124**
Caistor St. *Stoc* —6B **128**
Caistor Wlk. *Oldh* —2D **72**
Caithness Clo. *M23* —1G **147**
Caithness Dri. *Bolt* —1C **44**
Caithness Rd. *Roch* —6A **26**
Cajetan Ho. *Mid* —4H **53**
Cakebread St. *M12*
—6G **95** (3E **11**)
Calbourne Cres. *M12* —4D **110**
Calcot Wlk. *M23* —5F **135**
Calcutta Rd. *Stoc* —4E **139**
Caldbeck Av. *Bolt* —4D **30**
Caldbeck Av. *Sale* —4E **123**
Caldbeck Dri. *Farn* —2A **62**
Caldbeck Dri. *Mid* —6G **53**
Caldecott Rd. *M9* —4C **68**
Calder Av. *M22* —3B **136**
Calder Av. *Irl* —6D **102**
Calder Av. *L'boro* —2E **17**
Calderbank Av. *Urm* —3A **104**
Calderbrook Dri. *Chea H*
—1C **150**
Calderbrook Rd. *L'boro* —3E **17**
Calderbrook Ter. *L'boro* —1G **17**
Calderbrook Wlk. *M9* —4F **83**
Calderbrook Way. *Oldh* —4F **73**
Calder Clo. *Bury* —3G **23**
Calder Clo. *Poy* —5D **162**
Calder Clo. *Stoc* —4H **127**
Caldercourt. *Urm* —3A **104**
Calder Cres. *W'fld* —5F **51**
Calder Dri. *Kear* —4B **64**
Calder Dri. *Swint* —2E **79**
Calder Dri. *Wor* —1C **76**
Calder Flats. Heyw —3E **39**
(off Wilton St.)
Calder Gro. *Shaw* —5E **43**
Calder Rd. *Bolt* —4A **46**
Caldershaw La. *Roch* —1C **26**
Caldershaw Rd. *Roch* —2C **26**
Calder St. *Roch* —1B **28**
Calder St. *Salf* —5B **94** (2C **8**)
Caldervale Av. *M21* —5A **124**
Calder Wlk. *Mid* —5E **53**
Calder Wlk. *W'fld* —5F **51**
Calder Way. *W'fld* —5F **51**
Calderwood Clo. *Tot* —5H **21**
Caldey Rd. *Rnd l* —6E **135**
Caldon Clo. *Ecc* —5F **91**
Caldwell St. *Stoc* —6H **111**
Caldy Dri. *Ram* —6C **12**
Caldy Rd. *Hand* —4H **159**
Caldy Rd. *Salf* —6B **80**
Caledon Av. *M40* —3A **84**
Caledonia Dri. *Ecc* —5G **91**
Caledonia St. *Bolt* —2G **45**
Caledonia St. *Rad* —3A **50**
(in two parts)

Carisbrook Dri. *Swint* —5G **79**
Carisbrooke Av. *Haz G* —4D **152**
Carisbrooke Dri. *Bolt* —2B **32**
Carisbrook St. *M9* —5F **83**
Carlburn St. *M11* —3F **97**
Carleton Clo. *Wor* —2E **77**
Carleton Rd. *Poy* —3A **164**
Carley Gro. *M9* —5D **68**
Carlford Gro. *P'wch* —6D **66**
Carlin Ga. *Tim* —5A **134**
Carling Dri. *M22* —3C **148**
Carlingford Clo. *Stoc* —6G **139**
Carlisle Clo. *L Lev* —5A **48**
Carlisle Clo. *Rom* —2G **141**
Carlisle Clo. *W'fld* —2F **67**
Carlisle Cres. *Ash L* —4G **87**
Carlisle Dri. *Irl* —5E **103**
Carlisle Dri. *Tim* —3G **133**
Carlisle St. *Ald E* —5G **167**
Carlisle St. *Brom X* —3E **19**
Carlisle St. *Oldh* —5A **72**
(in two parts)
Carlisle St. *Pen* —1F **79**
Carlisle St. *Roch* —6E **15**
Carlisle St. *Stoc* —3G **139**
Carlisle Way. *Dent* —6F **113**
Carloon Rd. *M23* —2H **135**
Carlow Dri. *M22* —3C **148**
Carl St. *Bolt* —3H **31**
Carlton Av. *Bolt* —3E **45**
Carlton Av. *Bram* —2F **161**
Carlton Av. *Chea H* —2B **150**
Carlton Av. *Fall* —4F **109**
Carlton Av. *Firs* —3H **107**
Carlton Av. *Oldh* —6H **57**
Carlton Av. *P'wch* —1A **82**
Carlton Av. *Rom* —6B **130**
Carlton Av. *W'fld* —6B **50**
Carlton Av. *Wilm* —5G **159**
Carlton Clo. *Bolt* —2G **33**
Carlton Ct. *Hale* —4B **146**
Carlton Ct. *P'wch* —2E **81**
Carlton Cres. *Stoc* —1A **140**
Carlton Cres. *Urm* —6F **105**
Carlton Dri. *Gat* —5E **137**
Carlton Dri. *P'wch* —1A **82**
Carlton Flats. Heyw —3E **39**
(off Brunswick St.)
Carlton Gdns. *Farn* —6F **47**
Carlton Mans. *M16* —4B **108**
Carlton Pl. *Farn* —6G **47**
Carlton Pl. *Haz G* —4F **153**
Carlton Range. *M18* —3H **111**
Carlton Rd. *M16* —4B **108**
Carlton Rd. *Ash L* —6G **87**
Carlton Rd. *Bolt* —5E **31**
Carlton Rd. *Hale* —4B **146**
Carlton Rd. *Hyde* —4E **115**
Carlton Rd. *Sale* —3A **122**
Carlton Rd. *Salf* —1E **93**
Carlton Rd. *Stoc* —1C **138**
Carlton Rd. *Urm* —6F **105**
Carlton Rd. *Wor* —2E **77**
Carlton St. *M16* —3A **108**
Carlton St. *Bolt* —1B **46**
Carlton St. *Bury* —5D **36**
Carlton St. *Ecc* —2F **91**
Carlton St. *Farn* —6F **47**
Carlton Way. *G'brk* —4A **118**
Carlton Way. *Rytn* —5B **56**
Carlyle Clo. *M8* —5C **82**
Carlyle St. *Bury* —2C **36**
Carlyn Av. *Sale* —5D **122**
Carmel Av. *Salf* —5A **94** (2A **8**)
Carmel Clo. *Salf* —5A **94** (2A **8**)
Carmel Ct. *M8* —1B **82**
Carmenna Dri. *Part* —6C **118**
Carmichael Clo. *Part* —6C **118**
Carmichael St. *Stoc* —3F **139**
Carmine Fold. *Mid* —5H **53**
Carmona Dri. *P'wch* —5E **67**

Carmona Gdns. *Salf* —2G **81**
Carmoor Rd. *M13* —2G **109**
Carnaby St. *M9* —2H **83**
Carna Rd. *Stoc* —5G **111**
Carnarvon St. *M3* —1D **94**
Carnarvon St. *Oldh* —1H **85**
Carnarvon St. *Salf* —4A **82**
Carnarvon St. *Stoc* —2A **140**
Carnation Rd. *Farn* —6C **46**
Carnation Rd. *Oldh* —5A **74**
Carnation St. *M3*
—2D **94** (1H **5**)
Carnegie Av. *M19* —6D **110**
Carnegie Clo. *Sale* —6F **121**
Carnforth Av. *Roch* —6D **40**
Carnforth Dri. *G'mnt* —1A **22**
Carnforth Dri. *Sale* —6A **122**
Carnforth Rd. *Chea H* —1D **150**
Carnforth Rd. *Stoc* —3E **127**
Carnforth Sq. *Roch* —6D **40**
Carnforth St. *M14* —4F **109**
Carnoustie Clo. *M40* —4C **84**
Carnoustie Clo. *Wilm* —1G **167**
Carnoustie Dri. *H Grn* —4G **149**
Carnoustie Dri. *Ram* —4D **12**
Carnwood Clo. *M40* —1F **97**
Carolina Ho. *Salf* —2C **94** (2E **5**)
Caroline Dri. *M4* —4G **95** (5E **7**)
Caroline St. *Ash L* —2A **100**
Caroline St. *Bolt* —3H **45**
Caroline St. *Irl* —1D **118**
Caroline St. *Salf* —1C **94**
Caroline St. *Stal* —4E **101**
Caroline St. *Stoc* —4F **139**
Carpenters La. *M4*
—3E **95** (4B **6**)
Carpenters Wlk. *Droy* —4H **97**
Carpenters Way. *Roch* —1H **41**
Carradale Dri. *Sale* —4E **121**
Carradale Wlk. *M40* —5A **84**
Carr Av. *P'wch* —1D **80**
Carr Bank Av. *M9* —6B **68**
Carr Bank Av. *Ram* —2D **12**
Carr Bank Dri. *Ram* —2D **12**
Carr Bank Rd. *Ram* —2D **12**
Carrbrook Clo. *C'brk* —5G **89**
Carrbrook Cres. *C'brk* —5G **89**
Carrbrook Dri. *Rytn* —6C **56**
Carrbrook Ind. Est. *C'brk*
—5H **89**
Carrbrook Rd. *C'brk* —4H **89**
(in two parts)
Carrbrook Ter. *Rad* —3H **49**
Carr Brow. *H Lane* —6E **155**
Carr Clo. *Stoc* —3B **140**
Carrfield Av. *L Hul* —5A **62**
Carrfield Av. *Stoc* —1A **152**
Carrfield Av. *Tim* —5D **134**
Carrfield Clo. *L Hul* —5A **62**
Carrfield Gro. *L Hul* —5A **62**
Carrgate Rd. *Dent* —6H **113**
Carrgreen Clo. *M19* —4B **126**
Carr Gro. *Miln* —5G **29**
Carr Head. *Dig* —1C **60**
Carrhill Quarry Clo. *Moss*
—1E **89**
Carrhill Rd. *Moss* —1E **89**
Carrhouse La. *Holl* —3E **117**
Carr Ho. Rd. *Spring* —2B **74**
Carriage Dri. *L'boro* —2G **17**
Carriage Dri., The. *Had*
—3H **117**
Carriages, The. *Alt* —1E **145**
Carriage St. *M16* —2B **108**
Carrick Gdns. *M22* —1B **148**
Carrick Gdns. *Mid* —3H **53**
Carrie St. *Ram* —5F **31**
Carrill Gro. *M19* —6C **110**
Carrill Gro. E. *M19* —6C **110**
Carrington Bus. Pk. *Car*
—3H **119**

Carrington Clo. *Roch* —6B **16**
Carrington Dri. *Bolt* —2B **46**
Carrington Field St. *Stoc*
—4H **139**
Carrington La. *Car & Sale*
—2B **120**
Carrington Rd. *M14* —1G **125**
Carrington Rd. *Stoc* —6A **128**
Carrington Rd. *Urm* —1A **120**
Carrington Spur. *Sale & Part*
—3E **121**
Carrington St. *Chad* —6H **71**
Carrington St. *Pen* —2H **79**
Carr La. *Ald E* —6A **166**
Carr La. *Dig* —2C **60**
Carr La. *G'fld* —3F **61**
Carrmel Ct. *Del* —4H **59**
Carrock Wlk. *Mid* —6D **52**
Carron Av. *M9* —2H **83**
Carron Gro. *Bolt* —6H **33**
Carroway St. *M40* —6G **83**
Carr Rise. *C'brk* —4H **89**
Carr Rd. *Hale* —3B **146**
Carr Rd. *Irl* —5F **103**
Carrs Av. *Chea* —5C **138**
Carrslea Clo. *Rad* —2E **49**
Carrs Rd. *Chea* —5B **138**
Carr St. *Ash L* —6H **87**
Carr St. *Ram* —2D **12**
Carr St. *Swint* —4D **78**
Carrsvale Av. *Urm* —4D **104**
Carrswood Rd. *M23* —3C **134**
Carruthers Clo. *Heyw* —2H **39**
Carruthers St. *M4*
—3H **95** (4G **7**)
Carrwood. *Haleb* —6B **148**
Carr Wood Av. *Bram* —5G **151**
Carrwood Hey. *Ram* —5C **12**
Carr Wood Rd. *Bram* —4F **151**
Carrwood Rd. *Wilm* —6D **158**
Carsdale Rd. *M22* —5C **148**
Carslake Av. *Bolt* —5G **31**
Carslake Rd. *M40* —6F **83**
Carson Rd. *M19* —1C **126**
Carstairs Av. *Stoc* —1A **152**
Carstairs Clo. *M8* —4B **82**
Car St. *Oldh* —2E **73**
Carter Bldgs. *Heyw* —3G **39**
Carter Clo. *Dent* —5F **113**
Carter Pl. *Hyde* —2B **114**
Carter St. *Bolt* —3C **46**
Carter St. *Hyde* —2B **114**
Carter St. *Kear* —2G **63**
Carter St. *Moss* —3E **89**
Carter St. *Salf* —6H **81**
(Lower Broughton)
Carter St. *Salf* —4C **92**
(Weaste)
Carter St. *Stal* —3E **101**
Carthage St. *Oldh* —5D **72**
Carthorpe Arch. *Salf* —4F **93**
Cartleach Gro. *Wor* —1C **76**
Cartleach La. *Wor* —1B **76**
Cartledge St. *M1*
—5F **95** (2D **10**)
Cartmel. Roch —3G **27**
(off Spotland Rd.)
Cartmel Av. *Miln* —1D **42**
Cartmel Av. *Stoc* —3G **127**
Cartmel Clo. *Bolt* —5B **44**
Cartmel Clo. *Bury* —4E **51**
Cartmel Clo. *Gat* —2G **149**
Cartmel Clo. *Haz G* —2C **152**
Cartmel Clo. *Oldh* —6B **72**
Cartmel Cres. *Bolt* —3E **33**
Cartmel Cres. *Chad* —1F **85**
Cartmel Dri. *Tim* —5D **134**
Cartmel Gro. *Wor* —4B **78**
Cartmell Ct. *M9* —5A **70**
Cartmel Wlk. *M9* —4F **83**

Cartmel Wlk. *Mid* —5G **53**
Cartridge Clo. *M22* —1D **148**
Cartridge St. *Heyw* —3E **39**
Cartwright Rd. *M21* —1F **123**
Cartwright St. *Aud* —1F **113**
Cartwright St. *Hyde* —2E **115**
Cartwright St. *Oldh* —3F **73**
Carver Av. *P'wch* —4G **67**
Carver Clo. *M16* —2H **107**
Carver Dri. *Marp* —6C **142**
Carver Rd. *Hale* —3G **145**
Carver Rd. *Marp* —6C **142**
Carver St. *M16* —2H **107**
Carver Wlk. M15 —2D **108**
(off Arnott Cres.)
Carwood Dell. *Bram* —6G **151**
Cashmere Rd. *Stoc* —4E **139**
Cashmoor Wlk. *M12* —1A **110**
Caspian Rd. *B'hth* —5C **132**
Cassandra Ct. *Salf*
—5A **94** (2B **8**)
Cass Av. *Salf* —5G **93**
Cassidy Clo. *M4* —3F **95** (3D **6**)
Cassidy Ct. *Salf* —5F **93**
Cassidy Gdns. *Mid* —3F **53**
Casson Ga. *Roch* —2G **27**
Casson St. *Fail* —4F **85**
Casterton Way. *Wor* —6C **76**
Castle Av. *Dent* —5E **113**
Castle Av. *Roch* —5G **27**
Castlebrook Clo. *Bury* —3F **51**
Castle Clo. *Droy* —3B **98**
Castle Ct. *Ash L* —4F **87**
Castle Croft. *Bolt* —2F **33**
Castlecroft Rd. *Bury* —3C **36**
Castledene Av. *Salf* —2E **93**
Castle Farm Dri. *Stoc* —6B **140**
Castle Farm La. *Stoc* —5B **140**
Castlefield Av. *Salf* —3A **82**
Castleford Clo. *Bolt* —5H **31**
Castleford St. *Chad* —6A **56**
Castleford Wlk. *M21* —2B **124**
Castle Gro. *Ram* —1A **22**
Castle Hall Clo. *Stal* —4E **101**
Castle Hall Ct. *Stal* —4E **101**
Castle Hall View. *Stal* —4E **101**
Castle Hill. *Bred* —2E **129**
Castle Hill. *Roch* —5G **27**
Castle Hill Cres. *Roch* —5G **27**
Castle Hill Mobile Home Pk.
Woodl —3F **129**
Castle Hill Pk. *Woodl* —3F **129**
Castle Hill Rd. *Bury* —3A **24**
Castle Hill Rd. *P'wch* —1H **81**
Castle Hill St. *Bolt* —2D **32**
(in two parts)
Castle La. *C'brk* —3G **89**
Castlemere Dri. *Shaw* —5H **43**
Castlemere Rd. *M9* —6E **69**
Castlemere St. *Roch* —5G **27**
Castlemere Ter. *Roch* —5H **27**
Castle M. *Farn* —2F **63**
Castle Mill La. *Ash* —1A **156**
Castle Mill St. *Oldh* —2F **73**
Castlemoor Av. *Salf* —3F **81**
Castle Pk. Ind. Est. *Oldh* —1F **73**
Castle Quay. *M15*
—6C **94** (3E **9**)
Castlerigg Clo. *Heat C* —2F **127**
Castlerigg Dri. *Mid* —4E **53**
Castlerigg Dri. *Rytn* —1A **56**
Castle Rd. *Bury* —4G **51**
Castleshaw Rd. *Stoc* —6D **140**
Castle St. *M3* —5C **94** (2E **9**)
Castle St. *Bolt* —6C **32**
Castle St. *Bury* —3C **36**
Castle St. *Ecc* —3H **91**
Castle St. *Farn* —2F **63**
Castle St. *Had* —4D **114**
Castle St. *Mid* —2D **70**
Castle St. *Stal* —4E **101**

Charnville Rd. *Gat* —6D **136**
Charnwood Av. *Dent* —4B **112**
Charnwood Clo. *Ash L* —4G **87**
Charnwood Clo. *Shaw* —5C **42**
Charnwood Clo. *Wor* —1E **77**
Charnwood Cres. *Haz G*
  —5D **152**
Charnwood Rd. *M9* —4F **69**
Charnwood Rd. *Woodl* —4A **130**
Charter. *Ecc* —4H **91**
Charter Av. *Rad* —5A **50**
Charter Clo. *Sale* —6F **121**
Charter Rd. *Alt* —1G **145**
Charter St. *M3* —2D **94** (1H 5)
Charter St. *Oldh* —1E **73**
Charter St. *Roch* —1G **41**
Chartwell Clo. *Salf* —3F **93**
Chartwell Dri. *M23* —4D **134**
Chasefield. *Bow* —3C **144**
Chaseley Rd. *Roch* —3G **27**
Chaseley Rd. *Salf* —1E **93**
Chase St. *M4* —2E **95** (1B 6)
Chase, The. *Bolt* —6E **31**
Chase, The. *Wor* —6A **78**
Chasetown Clo. *M23* —5D **134**
Chassen Av. *Urm* —5C **104**
Chassen Ct. *Urm* —6D **104**
Chassen Rd. *Bolt* —6F **31**
Chassen Rd. *Urm* —5D **104**
CHASSEN ROAD STATION. *BR*
  —6D **104**
Chataway Rd. *M8* —3E **83**
Chatburn Av. *Roch* —6D **40**
Chatburn Ct. *Shaw* —5F **43**
Chatburn Gdns. *Heyw* —3B **38**
Chatburn Rd. *M21* —1A **124**
Chatburn Rd. *Bolt* —2D **30**
Chatburn Sq. *Roch* —5D **40**
Chatcombe Rd. *M22* —3G **147**
Chatfield Rd. *M21* —1H **123**
Chatford Clo. *Salf* —1C **94**
Chatham Ct. *M20* —3E **125**
Chatham Gdns. *Bolt* —2H **45**
Chatham Gro. *M20* —3E **125**
Chatham Pl. *Bolt* —2H **45**
Chatham Rd. *Gort* —4G **111**
Chatham Rd. *Old T* —4H **107**
Chatham St. *M1* —4F **95** (6C 6)
Chatham St. *Hyde* —2C **130**
Chatham St. *Stoc* —3E **139**
Chatley Rd. *Ecc* —4B **90**
Chatley St. *M3* —1D **94**
Chatswood Av. *Stoc* —5H **139**
Chatsworth Av. *P'wch* —4F **67**
Chatsworth Clo. *Bury* —2E **51**
Chatsworth Clo. *Shaw* —5H **43**
Chatsworth Clo. *Tim* —6C **134**
Chatsworth Clo. *Urm* —5G **105**
Chatsworth Ct. *M9* —4C **68**
  (off Deanswood Dri.)
Chatsworth Ct. *Stoc* —6A **140**
Chatsworth Cres. *Stret*
  —4H **105**
Chatsworth Gro. *M16* —5B **108**
Chatsworth Gro. *L Lev* —3A **48**
Chatsworth Rd. *M18* —2E **111**
Chatsworth Rd. *Chea H*
  —1D **164**
Chatsworth Rd. *Droy* —2G **97**
Chatsworth Rd. *Ecc* —1H **91**
Chatsworth Rd. *Haz G* —4F **153**
Chatsworth Rd. *H Lane*
  —1D **164**
Chatsworth Rd. *Rad* —2D **48**
Chatsworth Rd. *Stret* —4A **106**
Chatsworth Rd. *Wilm* —5B **166**
Chatsworth Rd. *Wor & Swint*
  —5B **78**
Chatsworth St. *Oldh* —4G **73**
Chatsworth St. *Roch* —6E **15**
Chatterton Clo. *M20* —3G **125**

Chatterton Old La. *Ram* —3A **12**
Chatterton Rd. *Ram* —3A **12**
Chattock Clo. *M16* —4C **108**
Chatton Clo. *Bury* —3F **35**
Chatwell Ct. *Miln* —1G **43**
Chatwood Rd. *M40* —1D **84**
Chaucer Av. *Dent* —2G **129**
Chaucer Av. *Droy* —4A **98**
Chaucer Av. *Rad* —3E **49**
Chaucer Av. *Stoc* —6F **111**
Chaucer Ho. *Stoc* —1F **127**
Chaucer M. *Stoc* —2B **140**
Chaucer Rise. *Duk* —6E **101**
Chaucer Rd. *Mid* —5B **54**
Chaucer St. *Bolt* —3H **31**
Chaucer St. *Oldh* —3C **72**
Chaucer St. *Roch* —3C **40**
Chaucer St. *Rytn* —2C **56**
Chaucer Wlk. *M13*
  —1G **109** (6F **11**)
Chaumont Way. *Ash L* —2H **99**
Chauncy Rd. *M40* —3E **85**
Chaytor Av. *M40* —4A **84**
Cheadle Av. *Salf* —4E **81**
Cheadle Grn. *Chea* —5H **137**
CHEADLE HULME STATION. *BR*
  —3D **150**
Cheadle Old Rd. *Stoc* —4D **138**
Cheadle Point. *Chea* —5B **138**
Cheadle Rd. *Chea* —1A **150**
Cheadle St. *M11* —5F **97**
Cheadle St. *Ram* —6A **32**
Cheadle Wood. *Chea H*
  —5A **150**
Cheam Clo. *M11* —6D **96**
Cheam Rd. *Tim* —3H **133**
Cheapside. *M2* —4D **94** (5H 5)
Cheap Side. *Mid* —5A **54**
Cheapside. *Oldh* —2C **72**
Cheddar St. *M18* —2F **111**
Chedlee Dri. *Chea H* —4A **150**
Chedlin Dri. *M23* —1G **147**
Chedworth Cres. *L Hul* —3C **62**
Chedworth Gro. *Bolt* —2A **46**
  (off Parrot St.)
Cheeryble St. *M11 & Fail*
  —6H **97**
Cheesden Wlk. *W'fld* —6G **51**
Cheetham Av. *Mid* —6B **54**
Cheetham Fold Rd. *Hyde*
  —1B **130**
Cheetham Gdns. *Stal* —4F **101**
Cheetham Hill. *Shaw* —1F **57**
Cheetham Hill. *Whitw* —2H **15**
Cheetham Hill Rd. *M4 & M8*
  —2E **95** (1A 6)
Cheetham Hill Rd. *M8* —3B **82**
Cheetham Hill Rd. *Duk & Stal*
  —1B **114**
Cheetham Pde. *M8* —3B **82**
Cheetham Rd. *Swint* —4G **79**
Cheethams Cres. *Rytn* —3E **57**
Cheetham St. *M40* —6G **83**
Cheetham St. *Fail* —3G **85**
  (in two parts)
Cheetham St. *Hyde* —2E **115**
Cheetham St. *Mid* —1H **69**
Cheetham St. *Oldh* —2F **73**
Cheetham St. *Rad* —4A **50**
Cheetham St. *Roch* —3H **27**
Cheetham St. *Shaw* —1G **57**
Cheetham Wlk. *Hyde* —4C **114**
Cheetwood Rd. *M8* —1D **94**
Cheetwood St. *M8* —1C **94**
Chelbourne Dri. *Oldh* —1H **85**
Chelburne Clo. *Stoc* —6D **140**
Chelburn View. *L'boro* —6G **17**
Cheldon Wlk. *M40* —5C **84**
Chelford Av. *Bolt* —6C **18**
Chelford Clo. *M13* —2H **109**
Chelford Clo. *Alt* —5G **133**

Chelford Clo. *Mid* —5C **54**
Chelford Ct. *Hand* —2A **160**
Chelford Dri. *Swint* —1E **79**
Chelford Gro. *Stoc* —6E **139**
Chelford Rd. *M16* —4A **108**
Chelford Rd. *Ald E* —4F **167**
Chelford Rd. *Hand* —2H **159**
Chelford Rd. *Sale* —1E **135**
Chellow Dene. *Moss* —2D **88**
Chelmer Gro. *Heyw* —2C **38**
Chelmsford Av. *M40* —1D **96**
Chelmsford Rd. *Stoc* —3E **139**
Chelmsford St. *Oldh* —4C **72**
Chelmsford Wlk. *Dent* —6G **113**
Chelsea Av. *Rad* —3D **48**
Chelsea Clo. *Shaw* —6F **43**
Chelsea Rd. *M40* —6B **84**
Chelsea Rd. *Bolt* —4H **45**
Chelsea Rd. *Urm* —6G **103**
Chelsea St. *Bury* —2D **50**
Chelsea St. *Roch* —6F **27**
Chelsfield Gro. *M21* —1B **124**
Chelston Av. *M40* —1D **84**
Chelston Dri. *H Grn* —1G **159**
Cheltenham Cres. *Salf* —3A **82**
Cheltenham Dri. *Sale* —5C **122**
Cheltenham Grn. *Mid* —3A **70**
Cheltenham Rd. *M21* —5H **107**
Cheltenham Rd. *Mid* —3A **70**
Cheltenham Rd. *Stoc* —4C **138**
Cheltenham St. *Oldh* —6F **57**
Cheltenham St. *Roch* —1D **40**
Cheltenham St. *Salf* —1G **93**
Chelt Wlk. *M22* —3H **147**
Chelwood Clo. *Bolt* —4B **18**
Chelworth Mnr. *Bram* —4E **151**
Chemist St. *Ram* —4B **32**
Cheney Clo. *M11* —6F **97**
Chepstow Av. *Sale* —6E **121**
Chepstow Clo. *Roch* —3B **26**
Chepstow Dri. *Haz G* —3G **153**
Chepstow Dri. *Oldh* —6F **57**
Chepstow Rd. *M21* —6G **107**
Chepstow Rd. *Clif* —1G **79**
Chepstow St. *M1*
  —5D **94** (2H **9**)
Chepstow St. N. *M1*
  —5D **94** (2H **9**)
Chepstow St. S. *M1*
  —5D **94** (2H **9**)
Chequers Rd. *M21* —1H **123**
Cherington Clo. *Hand* —4B **160**
Cherington Rd. *Chea* —1G **149**
Cheriton Av. *Sale* —4C **122**
Cheriton Clo. *Hyde* —5H **115**
Cheriton Dri. *Bolt* —1G **47**
Cheriton Rise. *Stoc* —5G **141**
Cheriton Rd. *Urm* —4H **103**
Cherrington Clo. *M23* —1H **135**
Cherrington Dri. *Roch* —5D **40**
Cherry Av. *Ash L* —5F **87**
Cherry Av. *Bury* —2G **37**
Cherry Av. *Oldh* —6G **73**
Cherry Clo. *Bury* —6E **37**
Cherry Ct. *Sale* —5A **122**
Cherry Ct. *Tim* —4C **134**
Cherry Croft. *Rom* —2C **142**
  (in two parts)
Cherry Dri. *Swint* —3G **79**
Cherry Gro. *Roch* —3C **26**
Cherry Gro. *Rytn* —1A **56**
Cherry Gro. *Stal* —5E **101**
Cherry Hall Dri. *Shaw* —6C **42**
Cherry Hinton. *Oldh* —1B **72**
Cherry Holt Av. *Stoc* —5B **126**
Cherry La. *Sale* —1E **133**
Cherry Orchard Clo. *Bram*
  —4F **151**
Cherry St. *P'wch* —4G **67**
Cherryton Wlk. *M13*
  —1G **109** (6E **11**)

Cherry Tree Av. *Farn* —1B **62**
Cherry Tree Av. *Poy* —4F **163**
Cherrytree Clo. *Rom* —1C **142**
Cherry Tree Clo. *Tim* —6B **134**
Cherry Tree Clo. *Wilm* —6A **160**
Cherry Tree Ct. *Salf* —3G **93**
Cherry Tree Ct. *Stoc* —1C **152**
Cherry Tree Dri. *Haz G*
  —5F **153**
Cherry Tree Est. *Rom* —1D **142**
Cherry Tree La. *Bury* —4A **36**
Cherry Tree La. *Rom* —1C **142**
Cherry Tree La. *Stoc* —6C **140**
Cherrytree Rd. *M23* —2F **135**
Cherry Tree Rd. *Chea H*
  —4B **150**
Cherry Tree Wlk. *Moss* —2D **88**
Cherry Tree Wlk. *Stret* —6C **106**
Cherry Tree Way. *Bolt* —1D **32**
Cherry Wlk. *Chea H* —5E **151**
Cherry Wlk. *Part* —6B **118**
Cherrywood. *Chad* —2D **70**
Cherrywood Clo. *Wor* —2D **76**
Chertsey Clo. *M18* —2G **111**
Chertsey Clo. *Shaw* —5F **43**
Cherwell Av. *Heyw* —2C **38**
Cherwell Clo. *Chea H* —6C **150**
Cherwell Clo. *Oldh* —2A **86**
Cherwell Clo. *W'fld* —1E **67**
Chesham Av. *M22* —1A **148**
Chesham Av. *Bolt* —3A **32**
Chesham Av. *Roch* —6D **40**
Chesham Av. *Urm* —4A **104**
Chesham Clo. *Wilm* —5C **166**
Chesham Cres. *Bury* —2E **37**
Chesham Fold Rd. *Bury* —2F **37**
Chesham Ho. *Salf* —3F **93**
Chesham Pl. *Bow* —3E **145**
Chesham Rd. *Bury* —1D **36**
Chesham Rd. *Ecc* —5E **91**
Chesham Rd. *Oldh* —3G **73**
Chesham Rd. *Wilm* —5C **166**
Chesham St. *Bolt* —5F **45**
Cheshire Clo. *Stret* —6B **106**
Cheshire Ct. *Ram* —3F **13**
Cheshire Gdns. *M14* —6E **109**
Cheshire Rd. *C'brk* —6G **89**
Cheshire Rd. *Part* —6B **118**
Cheshire Sq. *C'brk* —6G **89**
Cheshires, The. *Moss* —2F **89**
Cheshire St. *Moss* —3F **89**
Chesney Av. *Chad* —1E **85**
Chesshyre Av. *M4*
  —4H **95** (5H **7**)
Chessington Rise. *Clif* —6G **65**
Chester Av. *Duk* —5C **100**
Chester Av. *Hale* —3H **145**
Chester Av. *L Lev* —3B **48**
Chester Av. *Roch* —5C **26**
Chester Av. *Sale* —2D **132**
Chester Av. *Stal* —1H **101**
Chester Av. *Urm* —4G **105**
Chester Av. *W'fld* —2E **67**
Chester Clo. *Cad* —4B **118**
Chester Clo. *L Lev* —3B **48**
Chester Clo. *Wilm* —6A **160**
Chester Dri. *Ram* —5C **12**
Chesterfield Gro. *Ash L*
  —2B **100**
Chesterfield St. *Oldh* —3F **73**
Chesterfield Way. *Dent*
  —1F **129**
Chestergate. *Stoc* —2F **139**
Chester Pl. *Rytn* —3B **56**
Chester Rd. *M16 & M15*
  —2A **108**
Chester Rd. *Haz G* —6D **152**
Chester Rd. *Ros* —6A **144**
Chester Rd. *Stret & M16*
  —2C **122**
Chester Rd. *Tyl* —3A **76**

Chester Rd. *Woodf & Poy* —6F **161**
Chesters Croft Cvn. Site. *Chea H* —2C **160**
Chester Sq. *Ash L* —3G **99**
Chester St. *M15 & M1* —6D **94** (4H **9**)
Chester St. *Bury* —1E **37**
Chester St. *Dent* —5F **113**
Chester St. *Oldh* —4A **72**
Chester St. *P'wch* —4E **67**
Chester St. *Ram* —4B **32**
Chester St. *Roch* —5A **28**
Chester St. *Stoc* —2F **139**
Chester St. *Swint* —4E **79**
Chesterton Dri. *Bolt* —2C **44**
Chesterton Gro. *Droy* —3A **98**
Chesterton Rd. *M23* —3D **134**
Chesterton Rd. *Oldh* —5F **57**
Chesterton Wlk. *M23* —4E **135**
Chester Wlk. Bolt —3A **32**
(off Boardman St.)
Chester Walks. *Rom* —2G **141**
Chestnut Av. *M21* —1H **123**
Chestnut Av. *Bury* —3F **37**
Chestnut Av. *Cad* —4B **118**
Chestnut Av. *Chea* —6A **138**
Chestnut Av. *Droy* —2G **97**
Chestnut Av. *Tot* —6A **22**
Chestnut Av. *W'fld* —2D **66**
Chestnut Av. *Wor* —1F **77**
Chestnut Clo. *Bolt* —3F **45**
Chestnut Clo. *Oldh* —1H **73**
Chestnut Clo. *Stal* —5E **101**
Chestnut Clo. *Wilm* —6A **160**
Chestnut Ct. *Bram* —3F **151**
Chestnut Cres. *Oldh* —1H **73**
Chestnut Dri. *Poy* —4F **163**
Chestnut Dri. *Sale* —2F **133**
Chestnut Fold. *Rad* —3G **49**
Chestnut Gdns. *Dent* —5E **113**
Chestnut Gro. *Fail* —5F **85**
Chestnut Gro. *Rad* —1F **65**
Chestnut Pl. *Roch* —3B **28**
Chestnut Rd. *Ecc* —1C **90**
Chestnut St. *Chad* —6F **71**
Chestnut Vs. *Stoc* —1E **139**
Chestnut Wlk. *Part* —6B **118**
Chestnut Way. *L'boro* —3D **16**
Chesworth Clo. *Stoc* —3H **139**
Chesworth Ct. *Droy* —4H **97**
Chesworth Fold. *Stoc* —3H **139**
Chesworth Wlk. M15 —6C **94** (4E **9**)
(off Jackson Cres.)
Chetham Clo. *Salf* —6H **93**
Chetwyn Av. *Brom X* —4E **19**
Chetwyn Av. *Rytn* —3A **56**
Chetwynd Av. *Urm* —5E **105**
Chetwynd Clo. *Sale* —3G **121**
Chevassut St. *M15* —1C **108** (5E **9**)
Chevin Gdns. *Bram* —6A **152**
Chevington Dri. *M9* —5F **83**
Chevington Dri. *Stoc* —6H **125**
Chevington Gdns. *Bolt* —2A **32**
Cheviot Av. *Chea H* —3B **150**
Cheviot Av. *Oldh* —6C **72**
Cheviot Av. *Rytn* —4A **56**
Cheviot Clo. *Bolt* —6B **18**
Cheviot Clo. *Bury* —2G **35**
Cheviot Clo. *Chad* —4G **71**
Cheviot Clo. *Mid* —1D **70**
Cheviot Clo. *Miln* —5G **29**
Cheviot Clo. *Ram* —5A **14**
Cheviot Clo. *Salf* —2E **93**
Cheviot Clo. *Stoc* —6F **127**
Cheviot Ct. *Oldh* —5C **72**
Cheviot Rd. *Haz G* —4B **152**
Cheviots Rd. *Shaw* —5E **43**
Cheviot St. *M3* —2D **94** (1H **5**)

Chevithorne Clo. *Alt* —5D **132**
Chevril Clo. *M15* —1E **109** (5A **10**)
Chevron Clo. *Roch* —2B **40**
Chevron Clo. *Salf* —3H **93**
Chevron Pl. *Alt* —4F **133**
Chew Brook Dri. *G'fld* —4F **61**
Chew Vale. *Duk* —6D **100**
Chew Vale. *G'fld* —4F **61**
Chew Valley Rd. *G'fld* —3E **61**
Chicago Av. *Man A* —6H **147**
Chichester Clo. *L'boro* —6D **16**
Chichester Clo. *Sale* —6F **121**
Chichester Cres. *Chad* —6G **55**
Chichester Rd. *M15* —1D **108** (6G **9**)
Chichester Rd. *Rom* —1A **142**
Chichester Rd. S. *M15* —2C **108**
Chichester St. *Roch* —4A **28**
Chichester Way. *Dent* —6G **113**
Chidlow Av. *M20* —2E **125**
Chidwall Rd. *M22* —3H **147**
Chief St. *Oldh* —3E **73**
Chiffon Way. Salf —2B **94** (2C **4**)
Chigwell Clo. *M22* —6B **136**
Chilcombe Wlk. M9 —4G **69**
(off Brockford Dri.)
Chilcote Av. *Sale* —5F **121**
Childwall Clo. *Bolt* —5A **46**
Chilham Rd. *Ecc* —1H **91**
Chilham Rd. *Wor* —1G **77**
Chilham St. *Bolt* —4F **45**
Chilham St. *Swint* —5E **79**
Chillington Wlk. *Dent* —6E **113**
Chilmark Dri. *M23* —5G **135**
Chiltern Av. *Chea H* —3B **150**
Chiltern Av. *Urm* —4A **104**
Chiltern Clo. *Haz G* —4B **152**
Chiltern Clo. *Ram* —5E **13**
Chiltern Clo. *Shaw* —5D **42**
Chiltern Clo. *Wor* —3G **77**
Chiltern Dri. *Bolt* —6D **32**
Chiltern Dri. *Bury* —1H **35**
Chiltern Dri. *Hale* —3H **145**
Chiltern Dri. *Rytn* —3A **56**
Chiltern Dri. *Stoc* —1A **152**
Chiltern Dri. *Swint* —5F **79**
Chiltern Gdns. *Sale* —3C **134**
Chiltern Rd. *Ram* —5E **13**
Chilton Av. *Chad* —3G **71**
Chilton Dri. *Mid* —2C **70**
Chilworth St. *M14* —5F **109**
Chime Bank. *M8* —4D **82**
China La. *M1* —4F **95** (5C **6**)
China La. *Bolt* —5B **32**
Chingford Wlk. M13 —3B **110**
(off St John's Rd.)
Chinley Av. *M40* —3A **84**
Chinley Av. *Stret* —3A **106**
Chinley Clo. *Bram* —2G **151**
Chinley Clo. *Sale* —6D **122**
Chinley Clo. *Stoc* —6D **126**
Chinley St. *Salf* —6F **81**
Chinwell View. *M19* —1C **126**
Chip Hill Rd. *Bolt* —3D **44**
Chippendale Pl. *Ash L* —6A **88**
Chippenham Av. *Stoc* —4D **140**
Chippenham Ct. *M4* —3H **95** (4G **7**)
Chippenham Rd. *M4* —3G **95** (4F **7**)
Chipping Fold. *Miln* —6F **29**
Chipping Rd. *Bolt* —3D **30**
Chipping Sq. *M12* —3C **110**
Chipstead Wlk. *M12* —1A **110**
Chirmside St. *Bury* —4H **35**
Chirton Wlk. *M40* —4A **84**
Chiseldon Clo. Bolt —2A **46**
(off Bantry St.)

Chiselhurst St. *M8* —3C **82**
Chisholm Ct. *Mid* —6H **53**
Chisholme Clo. *G'mnt* —1G **21**
Chisholm St. *Open* —6F **97**
Chisledon Av. *Salf* —5B **82**
Chisledon Clo. Bolt —2A **46**
(off Bantry St.)
Chislehurst Av. *Urm* —4E **105**
Chislehurst Clo. *Bury* —4H **35**
Chiswick Dri. *Rad* —2B **48**
Chiswick Rd. *M20* —6G **125**
Chisworth Clo. *Bram* —2G **151**
Chisworth St. *Bolt* —2D **32**
Chisworth Wlk. *Dent* —1G **129**
Choir St. *Salf* —1C **94**
Chokeberry Clo. *B'hth* —3D **132**
Cholmondeley Av. *Tim* —2G **133**
Cholmondeley Rd. *Salf* —1B **92**
Chomlea. *Alt* —1D **144**
Chomlea Mnr. *Salf* —1C **92**
Choral Gro. *Salf* —6H **81**
Chorley Clo. *Bury* —4F **35**
Chorley Hall Clo. *Ald E* —5F **167**
Chorley Hall La. *Ald E* —5F **167**
Chorley New Rd. *Hor & Bolt* —6A **30**
Chorley Old Rd. *Hor & Bolt* —2A **30**
Chorley Rd. *Sale* —1E **135**
Chorley Rd. *Wdly* —2E **79**
Chorley St. *Bolt* —5A **32**
Chorley St. *Stret* —3F **107**
Chorley Wood Av. M19 —3B **126**
Chorlton Dri. *Chea* —5A **138**
Chorlton Fold. *Ecc* —6D **78**
(in two parts)
Chorlton Fold. *Woodl* —4A **130**
Chorlton Grn. *M21* —1G **123**
Chorlton Gro. *Stoc* —4B **140**
Chorlton Pl. *Chor H* —6H **107**
Chorlton Rd. *M16 & M15* —3B **108** (4D **8**)
Chorlton St. *M1* —5E **95** (1B **10**)
Chorlton St. *M16* —2A **108**
Chretien Rd. *M22* —1B **136**
Christ Chu. Av. *Salf* —3H **93**
Christchurch Clo. *Bolt* —2H **33**
Christchurch La. *Bolt* —2H **33**
Christchurch Rd. *Sale* —4E **121**
Christie Rd. *Stret* —4E **107**
Christie St. *Stoc* —3A **140**
Christine St. *Shaw* —6F **43**
(in two parts)
Christleton Av. *Stoc* —4F **127**
Christleton Way. *Hand* —2H **159**
Christopher Acre. *Roch* —2A **26**
Christopher St. *M40* —1F **97**
Christopher St. *Salf* —4G **93**
Chronnell Dri. *Bolt* —5G **33**
Chudleigh Clo. *Alt* —5D **132**
Chudleigh Clo. *Bram* —2A **152**
Chudleigh Rd. *M8* —1C **82**
Chulsey St. *Bolt* —3F **45**
Church Av. *M40* —6C **84**
Church Av. *Bolt* —3G **45**
Church Av. *Dent* —1G **129**
Church Av. *Hyde* —1D **130**
Church Av. *Mid* —1D **54**
Church Av. *Salf* —3D **92**
Church Av. *Styal* —5E **159**
Church Bank. *Bolt* —6C **32**
Church Bank. *Bow* —3D **144**
Churchbank. *Stal* —2H **101**
Church Brow. *Bow* —3D **144**
Church Brow. *Mid* —6A **54**
Church Brow. *Mot* —6B **114**
(Hyde)

Church Brow. *Mot* —4C **116**
(Mottram)
Church Clo. *Aud* —6F **99**
Church Clo. *Hand* —4H **159**
Church Clo. *Rad* —1A **64**
Church Ct. *Bury* —2E **37**
Church Ct. *Chad* —4A **72**
Church Ct. *Duk* —4H **99**
Church Ct. *Hale* —4G **145**
Church Ct. *Ram* —1A **12**
Church Croft. *Bury* —3F **51**
Churchdale Rd. *M9* —5D **68**
Church Dri. *P'wch* —5E **67**
Churchfield. *M21* —1G **123**
Churchfield Clo. *Rad* —6F **49**
Churchfield Rd. *Salf* —6B **80**
Churchfields. *Aud* —6E **99**
Churchfields. *Bow* —4D **144**
Churchfields. *Dob* —5A **60**
Churchfields. *Part* —3F **121**
Churchfield Wlk. M11 —5C **96**
(off Outrington Dri.)
Churchgate Bldgs. *M1* —5G **95** (1E **11**)
Church Grn. *Rad* —3B **50**
Church Grn. *Salf* —2F **93**
Church Gro. *Ecc* —4G **91**
Church Gro. *Haz G* —3E **153**
Churchill Av. *M16* —5B **108**
Churchill Av. *Ain* —4D **34**
Churchill Clo. *Heyw* —5G **39**
Churchill Ct. *Salf* —3F **93**
Churchill Cres. *Marp* —4B **142**
Churchill Cres. *Stoc* —6G **111**
Churchill Dri. *L Lev* —4C **48**
Churchill Pl. *Ecc* —1E **91**
Churchill Rd. *Alt* —4F **133**
Churchill St. *Bolt* —6E **33**
Churchill St. *Oldh* —3E **73**
Churchill St. *Roch* —2E **27**
(in two parts)
Churchill St. *Stoc* —6F **127**
Churchill St. E. *Oldh* —3E **73**
Churchill Way. *Salf* —3G **93**
Churchill Way. *Traf P* —6C **92**
Church La. *M9* —3F **83**
(in two parts)
Church La. *Ald E* —4G **167**
Church La. *Burn* —3B **126**
Church La. *Marp* —5D **142**
Church La. *Moss* —2F **89**
Church La. *Oldh* —2D **72**
Church La. *P'wch* —5E **67**
Church La. *Ram* —1A **12**
Church La. *Roch* —4H **27**
Church La. *Rom* —1A **142**
Church La. *Sale* —2G **121**
Church La. *Salf* —2G **81**
Church La. *Upperm* —6D **60**
Church La. *W'fld* —1C **66**
Church La. *Woodf* —5E **161**
Churchley Clo. *Stoc* —5C **138**
Churchley Rd. *Stoc* —4C **138**
Church Mnr. *Stoc* —5D **126**
Church Meadow. *G'fld* —4G **75**
Church Meadow. *Hyde* —4A **114**
Church Meadow. *Uns* —3F **51**
Church Meadow Gdns. *Hyde* —4A **114**
Church Meadows. *Bolt* —2H **33**
Church M. *Dent* —4E **113**
Church Pl. *Heyw* —3F **39**
Church Pl. *Oldh* —2D **72**
Church Rd. *M22* —2B **136**
Church Rd. *Bolt* —3E **31**
Church Rd. *Chea H* —5C **150**
Church Rd. *Ecc* —3H **91**
Church Rd. *Farn* —1G **63**

Church Rd. *Gat* —6E **137**
Church Rd. *G'fld* —4G **75**
Church Rd. *Hand* —3H **159**
Church Rd. *Holl* —3F **117**
Church Rd. *Mid* —2D **70**
Church Rd. *Rad* —1A **64**
Church Rd. *Ram* —1G **13**
Church Rd. *Roch* —5B **28**
Church Rd. *Sale* —5D **122**
Church Rd. *Shaw* —1F **57**
Church Rd. *Stoc* —1F **139**
Church Rd. *Upperm* —1F **61**
Church Rd. *Urm* —6B **104**
Church Rd. *Wilm* —5B **166**
Church Rd. *Wor* —6F **63**
Church Rd. E. *Sale* —5D **122**
Church Rd. W. *Sale* —5C **122**
Churchside. *Farn* —2D **62**
Churchside Clo. *M9* —1F **83**
Church Stile. *Roch* —4H **27**
(in two parts)
Churchstoke Wlk. *M23*
　　　　　　　　—4E **135**
Church St. *M4* —3E **95** (4A **6**)
Church St. *Ain* —4C **34**
Church St. *Alt* —6F **133**
Church St. *Ash L* —3H **99**
Church St. *Aud* —6E **99**
Church St. *Brad* —6H **19**
Church St. *Bury* —2E **37**
Church St. *Chea* —5H **137**
Church St. *Del* —3G **59**
Church St. *Droy* —4B **98**
Church St. *Duk* —4H **99**
Church St. *Ecc* —3G **91**
(in three parts)
Church St. *Fail* —3F **85**
Church St. *Farn* —1G **63**
Church St. *Had* —3H **117**
Church St. *Heyw* —3F **39**
Church St. *Hyde* —6B **114**
Church St. *Kear* —2G **63**
Church St. *Lees* —4A **74**
Church St. *L'boro* —4E **17**
Church St. *L Lev* —4H **47**
Church St. *Marp* —5D **142**
Church St. *Mid* —5A **54**
Church St. *Miln* —1F **43**
Church St. *Oldh* —2D **72**
Church St. *Pen* —3H **79**
(Pendlebury)
Church St. *Pen* —3E **79**
(Swinton)
Church St. *Rad* —4H **49**
Church St. *Roch* —4G **27**
Church St. *Rytn* —3B **56**
Church St. *Smal* —6B **16**
Church St. *Stal* —3E **101**
Church St. *Stoc* —6G **127**
(in two parts)
Church St. *Stret* —6C **106**
Church St. *Wals* —1F **35**
Church St. *Whitw* —1C **14**
Church St. *Wilm* —2E **167**
Church St. *Woodl* —4G **129**
Church St. E. *Oldh* —1A **74**
Church St. E. *Rad* —4A **50**
(in two parts)
Church St. W. *Rad* —4H **49**
Church Ter. *Hand* —3H **159**
Church Ter. *Miln* —6G **29**
Church Ter. *Oldh* —2D **72**
Church Ter. *Sale* —3A **122**
Church Ter. *Stoc* —1F **139**
Church Ter. *Ward* —2A **16**
Churchtown Av. *Bolt* —6H **33**
Church View. *Droy* —4B **98**
Church View. *Fail* —3F **85**
Church View. *Hyde* —6B **114**
Church View. *Irl* —5E **103**
Church View. *Mot* —4C **116**

Church View. *Roch* —1A **26**
Church View. *Styal* —5E **159**
Church Wlk. *Alt* —6F **133**
Church Wlk. *Clif* —5F **65**
Church Wlk. *Farn* —1E **63**
Church Wlk. *Rytn* —3B **56**
Church Wlk. *Stal* —3E **101**
(in two parts)
Church Wlk. *Wilm* —3C **166**
Churchwood Rd. *M20* —6F **125**
Churnet St. *M40* —6F **83**
Churston Av. *M9* —5G **69**
Churston Av. *Bram* —3H **151**
Churton Av. *M14* —5F **109**
Churton Av. *Sale* —6H **121**
Churton Rd. *M18* —4E **111**
Churwell Av. *Stoc* —5B **126**
Cicero St. *M9* —3H **83**
Cicero St. *Oldh* —6E **57**
Cilder's Villa. *Oldh* —5D **74**
Cinder Hill La. *Chad* —3G **55**
Cinder St. *M4* —3G **95** (3E **7**)
Cinnabar Dri. *Mid* —6H **53**
Cinnamon Clo. *Roch* —3F **27**
Cinnamon St. *Roch* —3F **27**
Cipher St. *M4* —2G **95** (2E **7**)
Circle Ct. *Stret* —3H **105**
Circle, The. *Stret* —3H **105**
Circuit, The. *M20* —4F **125**
Circuit, The. *Ald E* —6E **167**
Circuit, The. *Chea H* —6C **150**
Circuit, The. *Stoc* —5D **138**
Circuit, The. *Wilm* —4A **166**
Circular Rd. *M20* —4F **125**
Circular Rd. *Dent* —5E **113**
Circular Rd. *P'wch* —1F **81**
Circus St. *M1* —4F **95** (6C **6**)
Cirencester Clo. *L Hul* —3C **62**
Ciss La. *Urm* —5G **105**
Citrus Way. *Salf* —3G **93**
City Av. *Dent* —5E **113**
City Course Trad. Est. *Open*
　　　　　　　　—5C **96**
City Ct. Ind. Est. *M4*
　　　　　　　　—3G **95** (3E **7**)
City Gdns. *Dent* —5D **112**
City Pk. Bus. Village. *M16*
　　　　　　　　—2H **107**
City Pk. Cornbrook. *M16*
　　　　　　　　—2H **107**
City Point. *M16* —2F **107**
City Rd. *M15* —1A **108** (6B **8**)
City Rd. *Wor* —3C **76**
City Rd. E. *M15* —6D **94** (3G **9**)
City Wlk. *Pen* —3H **79**
Civic Wlk. *Heyw* —3F **39**
Clacton Wlk. *M13*
　　　　　　　—1G **109** (6E **11**)
(off Ardeen Wlk.)
Clague St. *M11* —3C **96**
Claife Av. *M40* —1B **84**
Clammerclough Rd. *Kear*
　　　　　　　　—1H **63**
Clandon Av. *Ecc* —3D **90**
Clapgate. *Rom* —2F **141**
Clapgate Rd. *Roch* —2A **26**
Clapham St. *M40* —3C **84**
Clara Gorton Ct. *Roch* —5B **28**
Clara St. *Oldh* —5A **72**
Clara St. *Roch* —6H **27**
Clara St. *Whitw* —4H **15**
Clare Av. *Hand* —4G **159**
Clarebank. *Bolt* —6D **30**
Clare Clo. *Bury* —6D **22**
Clare St. *Farn* —6B **46**
Clare St. *Stoc* —2A **140**
Claremont Av. *M20* —4E **125**
Claremont Av. *Marp* —5A **142**
Claremont Av. *Stoc* —4E **127**
Claremont Av. *W Tim* —3F **133**
Claremont Dri. *L Hul* —4D **62**

Claremont Dri. *W Tim* —3F **133**
Claremont Gro. *M20* —6E **125**
Claremont Gro. *Hale* —2G **145**
Claremont Range. *M18*
　　　　　　　　—3H **111**
Claremont Rd. *M16 & M14*
　　　　　　　　—4C **108**
Claremont Rd. *Chea H* —5C **150**
Claremont Rd. *Miln* —6E **29**
Claremont Rd. *Roch* —4E **27**
Claremont Rd. *Sale* —4B **122**
Claremont Rd. *Salf* —5A **80**
Claremont Rd. *Stoc* —6B **140**
Claremont St. *Ash L* —1C **100**
(in two parts)
Claremont St. *Chad* —6A **56**
Claremont St. *Fail* —3F **85**
Claremont St. *Oldh* —1D **86**
Clarence Arc. *Ash L* —3H **99**
Clarence Av. *Oldh* —5B **72**
Clarence Av. *Sale* —6G **121**
Clarence Av. *Traf P* —6H **91**
Clarence Av. *W'fld* —2E **67**
Clarence Ct. *Bolt* —5A **32**
Clarence Ct. *Wilm* —3D **166**
Clarence Gro. *M15* —3C **108**
Clarence Rd. *M13* —4A **110**
Clarence Rd. *Ash L* —1A **100**
Clarence Rd. *Hale* —2H **145**
Clarence Rd. *Stoc* —4D **126**
Clarence Rd. *Swint* —4C **78**
Clarence St. *M2* —4D **94** (6H **5**)
Clarence St. *Bolt* —5B **32**
(in two parts)
Clarence St. *Farn* —6G **47**
Clarence St. *Hyde* —3C **114**
Clarence St. *Roch* —1F **27**
Clarence St. *Rytn* —4E **57**
Clarence St. *Salf* —1A **94**
Clarence St. *Stal* —4C **100**
Clarendon Av. *Alt* —6G **133**
Clarendon Av. *Stoc* —6D **126**
Clarendon Cres. *Ecc* —2H **91**
Clarendon Cres. *Sale* —4D **122**
Clarendon Gdns. *Ecc* —2H **91**
Clarendon Gro. *Bolt* —1D **46**
Clarendon Ind. Est. *Hyde*
　　　　　　　　—4C **114**
Clarendon Pl. *Hyde* —5C **114**
Clarendon Rd. *M16* —5A **108**
Clarendon Rd. *Aud* —6A **98**
Clarendon Rd. *Bolt* —6E **33**
Clarendon Rd. *Dent* —5H **113**
Clarendon Rd. *Ecc* —2H **91**
Clarendon Rd. *Haz G* —2F **153**
Clarendon Rd. *Hyde* —4B **114**
Clarendon Rd. *Irl* —2D **118**
Clarendon Rd. *Sale* —5D **122**
Clarendon Rd. *Swint* —3F **79**
Clarendon Rd. *Urm* —4A **104**
Clarendon Rd. W. *M21*
　　　　　　　　—5H **107**
Clarendon St. *M15*
(in two parts) —1D **108** (5G **9**)
Clarendon St. *Bolt* —3A **46**
Clarendon St. *Bury* —1E **37**
Clarendon St. *Duk* —5G **99**
(in two parts)
Clarendon St. *Hyde* —4B **114**
(in two parts)
Clarendon St. *Moss* —3F **89**
Clarendon St. *Roch* —1H **41**
Clarendon St. *Stoc* —6H **127**
Clarendon St. *W'fld* —1D **66**
Clarendon Wlk. *Salf* —3G **93**
Clare Rd. *M19* —1C **126**
Clare Rd. *Stoc* —1C **138**
Clare St. *M1* —6F **95** (3D **10**)
Clare St. *Dent* —3E **113**
Clare St. *Salf* —4A **94** (6B **4**)
Claribel St. *M11* —5A **96**

Claridge Rd. *M21* —5G **107**
Clarion St. *M4* —2G **95** (2E **7**)
Clark Av. *M18* —2G **111**
Clarke Av. *Salf* —6H **93**
Clarke Brow. *Mid* —6A **54**
Clarke Cres. *Hale* —2B **146**
Clarke Cres. *L Hul* —3A **62**
Clarke Ind. Est. *Stret* —2H **105**
Clarkes Croft. *Bury* —2G **37**
Clarke's La. *Roch* —3F **27**
Clarke St. *M1* —6F **95** (3D **10**)
Clarke St. *Ash L* —5F **99**
Clarke St. *Bolt* —5G **31**
Clarke St. *B'hth* —4F **133**
Clarke St. *Farn* —2G **63**
Clarke St. *Heyw* —3F **39**
Clarke St. *Roch* —1B **28**
Clarkethorn Ter. *Stoc* —6G **127**
Clarksfield Rd. *Oldh* —3G **73**
Clarksfield St. *Oldh* —3G **73**
Clark's Hill. *P'wch* —5E **67**
Clarkson Clo. *Dent* —5D **112**
Clarkson Clo. *Mid* —2E **69**
Clark Way. *Hyde* —4A **114**
Clarkwell Clo. *Oldh* —1C **72**
Clatford Wlk. *M9* —4F **83**
(off Fernclough Rd.)
Claude Av. *Swint* —3D **78**
Claude Rd. *M21* —2G **123**
Claude St. *M8* —2C **82**
Claude St. *Ecc* —2D **90**
Claude St. *Swint* —3D **78**
Claudia Sq. *C'brk* —6G **89**
Claughton Av. *Bolt* —6H **33**
Claughton Av. *Wor* —3E **77**
Claughton Rd. *Wals* —6A **15**
Clavendon Rd. *Rad* —6E **35**
Claverham Wlk. *M23* —4E **135**
Claverton Rd. *Rnd I* —1E **147**
Claxton Av. *M9* —5H **69**
Claybank Dri. *Tot* —4F **21**
Clay Bank St. *Heyw* —2E **39**
Clay Bank Ter. *Moss* —5G **75**
Claybrook Wlk. *M11* —4C **96**
Clayburn Rd. *M15*
　　　　　　　—1C **108** (5F **9**)
Claycourt Av. *Ecc* —1D **90**
Clay Croft Ter. *L'boro* —2E **17**
Claydon Dri. *Rad* —2B **48**
Clayfield Dri. *Roch* —3B **26**
Claygate Dri. *M9* —4F **69**
Clayhill Wlk. *M9* —2G **83**
Clayland Clo. *Holl* —3F **117**
Clay La. *M23* —1F **147**
Clay La. *Hand* —3F **159**
(Handforth)
Clay La. *Hand* —5A **166**
(Wilmslow)
Clay La. *Roch* —3H **25**
Clay La. *Tim* —6C **134**
Claymore St. *M18* —1G **111**
Clay St. *Brom X* —4E **19**
Clay St. *Oldh* —5C **72**
Claythorpe Wlk. *M8* —1A **82**
Clayton Av. *M20* —5F **125**
Clayton Av. *Bolt* —2E **47**
Claytonbrook Rd. *M11* —5E **97**
Clayton Clo. *M15* —2C **108**
Clayton Clo. *Bury* —4F **35**
Clayton Hall Rd. *M11* —3E **97**
Clayton Ind. Est. *M11* —4E **97**
Clayton La. *M11* —5D **96**
Clayton La. S. *M12* —6C **96**
Clayton's Clo. *Spring* —2B **74**
Clayton St. *M11* —2D **96**
(in two parts)
Clayton St. *Bolt* —2E **47**
Clayton St. *Chad* —6G **71**
Clayton St. *Dent* —5E **113**
Clayton St. *Duk* —5B **100**

Coalshaw Grn. Rd. *Chad*
—6G **71**
Coatbridge St. *M11* —3E **97**
Cobalt Av. *Urm* —1H **105**
Cobb Clo. *M8* —6A **68**
Cobbett's Way. *Wilm* —5C **166**
Cobble Bank. *M9* —6E **69**
Cobblers Yd. *Ald E* —5G **167**
Cobden Mill Ind. Est. *Farn*
—6E **47**
Cobden St. *M9* —3G **83**
Cobden St. *Ash L* —3B **100**
Cobden St. *Bolt* —2H **31**
Cobden St. *Bury* —2E **37**
Cobden St. *Chad* —2H **71**
Cobden St. *Eger* —1B **18**
Cobden St. *Heyw* —4F **39**
Cobden St. *Oldh* —1H **73**
Cobden St. *Rad* —1F **49**
Cobden St. *Salf* —1G **93**
Coberley Av. *Urm* —3B **104**
Cob Hall Rd. *Stret* —6C **106**
Cobham Av. *M40* —6C **70**
Cobham Av. *Bolt* —4H **45**
Coblers Hill. *Del* —2H **59**
Cobourg St. *M1* —5F **95** (1C **10**)
Coburg Av. *Salf* —1B **94**
Cochrane Av. *M12* —2A **110**
Cochrane St. *Bolt* —2B **46**
Cock Brow. *Hyde* —2G **131**
Cock Clod St. *Rad* —4A **50**
Cockcroft St. *M9* —2F **83**
Cocker Hill. *Stal* —3E **101**
Cocker Mill La. *Shaw* —2D **56**
Cockers La. *Stal* —5H **101**
Cocker St. *L Hul* —5C **62**
Cockey Moor Rd. *Bolt & Bury*
—4D **34**
Cockhall La. *Whitw* —4G **15**
Cock Hollow. *Bury* —1E **37**
Cocklinstones. *Bury* —2H **35**
Cockroft Rd. *Salf* —3H **93**
Coconut Gro. *Salf* —3H **93**
Codale Dri. *Bolt* —4H **33**
Coddington Av. *Open* —5G **97**
Cody Ct. *Salf* —5E **93**
Coe St. *Bolt* —2B **46**
Coghlan Clo. *M11* —3D **96**
Cohen St. *M40* —6G **83**
Coke St. *Salf* —3B **82**
Colborne Av. *Ecc* —3D **90**
Colborne Av. *Rom* —1H **141**
Colborne Av. *Stoc* —4H **111**
Colborne Way. *Hyde* —4A **116**
Colbourne Av. *M8* —1B **82**
Colby Wlk. *M40* —4A **84**
Colchester Av. *Bolt* —5G **33**
Colchester Av. *P'wch* —1G **81**
Colchester Clo. *M23* —2E **135**
Colchester Dri. *Farn* —6B **46**
Colchester Pl. *Stoc* —6D **126**
Colchester St. *M40* —1H **95**
Colchester Wlk. *Oldh* —2D **72**
Colclough Clo. *M40* —5B **84**
Coldfield Dri. *Rnd I* —1F **135**
Cold Greave Clo. *Miln* —1G **43**
Coldhurst Hollow Est. *Oldh*
—6C **56**
Coldhurst St. *Oldh* —1C **72**
Coldstream Av. *M9* —5F **69**
Coldwall St. *Roch* —3F **27**
Colebrook Dri. *M40* —5A **84**
Colebrook Rd. *Tim* —5A **134**
Coleby Av. *Old T* —3A **108**
Coleby Av. *Wyth* —4D **148**
Coledale Dri. *Mid* —6E **53**
Coleford Gro. *Bolt* —1A **46**
Coleford Wlk. *M16* —4C **108**
(off Maclure Clo.)
Colegate Cres. *M14* —1F **125**

Colenso Ct. *Bolt* —6E **33**
Colenso Gro. *Stoc* —6D **126**
Colenso Rd. *Bolt* —6F **33**
Colenso St. *Oldh* —6B **72**
Coleport Clo. *Chea H* —4C **150**
Coleridge Av. *Mid* —4C **54**
Coleridge Av. *Rad* —4E **49**
Coleridge Clo. *Stoc* —6G **111**
Coleridge Dri. *L'boro* —1F **29**
Coleridge Rd. *M16* —4A **108**
Coleridge Rd. *G'mnt* —1H **21**
Coleridge Rd. *Oldh* —3H **57**
Coleridge Rd. *Stoc* —6G **111**
Coleridge St. *M40* —1E **97**
Coleridge Way. *Stoc* —6G **111**
Colesbourne Clo. *L Hul* —3C **62**
Coleshill St. *M40* —2A **96**
Colesmere Wlk. *M40* —2D **84**
Cole St. *M40* —3H **83**
Colgate La. *Salf* —1G **107**
Colgrove Av. *M40* —1C **84**
Colindale Av. *M9* —5G **69**
Colindale Clo. *Bolt* —2G **45**
Colin Rd. *Stoc* —5F **127**
Colinton Clo. *Bolt* —4H **31**
Colinwood Clo. *Bury* —4D **50**
Coll Dri. *Urm* —2F **105**
College Av. *Droy* —5H **97**
College Av. *Oldh* —6B **72**
College Clo. *Bolt* —1A **46**
College Clo. *Stoc* —5A **140**
College Clo. *Wilm* —1C **166**
College Croft. *Ecc* —3H **91**
College Land. *M3*
—4D **94** (5G **5**)
College Rd. *M16* —4A **108**
College Rd. *Ecc* —3A **92**
College Rd. *Oldh* —5B **72**
College Rd. *Roch* —4F **27**
College Way. *Bolt* —1H **45**
Collen Cres. *Bury* —5B **22**
Collett St. *Oldh* —1G **73**
Colley St. *Roch* —2A **28**
Colley St. *Stret* —2F **107**
Collie Av. *Salf* —6G **81**
Collier Av. *Miln* —4F **29**
Collier Clo. *Hyde* —6A **116**
Collier Hill. *Oldh* —6B **72**
Collier Hill Av. *Oldh* —6A **72**
Collier's Ct. *Roch* —4H **41**
Collier St. *Rad* —4H **49**
Collier St. *Salf* —5D **80**
Collier St. *Salf* —5C **94** (2F **9**)
(Manchester)
Collier St. *Salf* —2C **94** (3F **5**)
(Salford)
Collier St. *Swint* —4E **79**
Collier Wlk. *Hyde* —6A **116**
Colliery St. *M11* —4C **96**
(in two parts)
Collin Av. *M18* —3E **111**
Collingburn Av. *Salf* —6H **93**
Collingburn Ct. *Salf* —6H **93**
Colling Clo. *Irl* —6E **103**
Collinge Av. *Mid* —1C **70**
Collinge St. *Bury* —1H **35**
Collinge St. *Heyw* —3E **39**
Collinge St. *Mid* —2D **70**
Collinge St. *Shaw* —6F **43**
Collingham St. *M8* —1E **95**
Colling St. *Ram* —4D **12**
Collington Clo. *M12* —2C **110**
Collingwood Av. *Droy* —2G **97**
Collingwood Clo. *Poy* —4G **163**
Collingwood Dri. *Swint* —4H **79**
Collingwood Rd. *M19* —6B **110**
Collingwood St. *Roch* —5C **40**
Collingwood Way. *Oldh* —1D **72**
Collins Av. *Farn* —1F **63**
Collins St. *Wals* —1F **35**

Collop Dri. *Heyw* —6G **39**
Coll's La. *Del* —3F **59**
Collyhurst Av. *Wor* —1G **77**
Collyhurst Rd. *M40* —1F **95**
Collyhurst St. *M40* —1G **95**
Colman Gdns. *Salf* —6H **93**
Colmar Way. *Hyde* —5B **114**
Colmore Av. *Manx* —6H **125**
Colmore Dri. *M9* —5A **70**
Colmore Gro. *Bolt* —1D **32**
Colmore St. *Bolt* —2D **32**
Colne St. *Roch* —4D **40**
Colonial Rd. *Stoc* —5A **140**
Colshaw Clo. E. *Rad* —3F **49**
Colshaw Clo. S. *Rad* —3F **49**
(in two parts)
Colshaw Dri. *Wilm* —6H **159**
Colshaw Rd. *M23* —1G **147**
Colshaw Wlk. *Wilm* —6H **159**
Colson Dri. *Mid* —2H **69**
Colsterdale Clo. *Rytn* —2C **56**
Colt Hill La. *Upperm* —1H **75**
Coltness Wlk. *M40* —6C **84**
Colts Acre. *Salf* —6A **94** (3A **8**)
(off Bramble Av.)
Coltsfoot Dri. *B'hth* —3D **132**
Columbia Av. *M18* —3H **111**
Columbia Rd. *Bolt* —5G **31**
Columbia St. *Oldh* —5D **72**
Columbine Clo. *Roch* —6C **14**
Columbine St. *Open* —6F **97**
Columbine Wlk. *Part* —6D **118**
(in two parts)
Colville Dri. *Bury* —4H **35**
Colville Gro. *Sale* —2G **133**
Colville Gro. *Tim* —5A **134**
Colville Rd. *Oldh* —6B **56**
Colwell Av. *Stret* —5B **106**
Colwell Wlk. *M9* —4D **68**
Colwick Av. *Alt* —5G **133**
Colwith Av. *Bolt* —4G **33**
Colwood Wlk. *M8* —5B **82**
(off Elizabeth St.)
Colwyn Av. *M14* —1A **126**
Colwyn Av. *Mid* —3A **70**
Colwyn Cres. *Stoc* —4H **127**
Colwyn Gro. *Bolt* —4H **31**
Colwyn Rd. *Bram* —5G **151**
Colwyn Rd. *Chea H* —4A **150**
Colwyn Rd. *Swint* —4C **78**
Colwyn St. *Ash L* —5E **87**
Colwyn St. *Oldh* —2B **72**
Colwyn St. *Roch* —3B **40**
Colwyn St. *Salf* —2F **93**
Colwyn Ter. *Ash L* —5E **87**
Colyton Wlk. *M22* —2D **148**
Combe Clo. *M11* —2D **96**
Combermere Av. *M20* —2E **125**
Combermere Clo. *Chea H*
—1B **150**
Combermere St. *Duk* —4A **100**
Combs Bank. *Glos* —6F **117**
(off Melandra Castle Rd.)
Combs Fold. *Glos* —5F **117**
(off Brassington Cres.)
Combs Gdns. *Glos* —6F **117**
(off Brassington Cres.)
Combs Gro. *Glos* —5F **117**
(off Brassington Cres.)
Combs Lea. *Glos* —6F **117**
Combs M. *Glos* —5F **117**
(off Brassington Cres.)
Combs Ter. *Glos* —6F **117**
(off Melandra Castle Rd.)
Comer Ter. *Sale* —5A **122**
Comet St. *M1* —4F **95** (6D **6**)
Commercial Av. *Stan G*
—2A **160**
Commercial Brow. *Hyde*
—3C **114**
Commercial Rd. *Haz G*
—2D **152**

Commercial Rd. *Oldh* —3D **72**
Commercial St. *M15*
—6C **94** (3F **9**)
Commercial St. *Hyde* —4C **114**
Commercial St. *Oldh* —3A **72**
Common La. *Car* —4F **119**
Common Side Rd. *Wor* —4B **76**
Como Wlk. *M18* —1D **110**
Compass St. *Open* —6E **97**
Compstall Av. *M14* —5F **109**
Compstall Gro. *M18* —1G **111**
Compstall Mills Est. *Comp*
—1F **143**
Compstall Rd. *Rom* —1A **142**
Compton Clo. *Urm* —6G **103**
Compton Dri. *M23* —3G **147**
Compton Fold. *Shaw* —5G **43**
Compton St. *Stal* —4F **101**
Compton Way. *Mid* —2C **70**
Comrie Wlk. *M23* —6G **135**
Comus St. *Salf* —5A **94** (1A **8**)
Concastrian Ind. Est. *M9*
—4E **83**
Concert La. *M2* —4E **95** (6A **6**)
Concil St. *M15* —1E **109** (5A **10**)
Concord Bus. Pk. *M22*
—4C **148**
Concord Pl. *Salf* —6E **81**
Concord Way. *Duk* —5A **100**
(in two parts)
Condor Clo. *Droy* —2C **98**
Condor Pl. *Salf* —6E **81**
Condor Wlk. *M13*
—1G **109** (6D **10**)
(off Glenbarry Clo.)
Conduit St. *Ash L* —3A **100**
Conduit St. *Oldh* —4H **57**
Conduit St. *Tin* —1H **101**
Conewood Wlk. *M13*
—1G **109** (6F **11**)
Coney Gro. *M23* —4G **135**
Coneymead. *Stal* —1E **101**
Congham Rd. *Stoc* —3E **139**
Congleton Av. *M14* —5E **109**
Congleton Clo. *Ald E* —5G **167**
Congleton Rd. *Ald E* —5G **167**
Congou St. *M1* —4G **95** (1E **11**)
Congreave St. *Oldh* —1C **72**
Conifer Wlk. *Part* —6C **118**
Coningsby Dri. *M9* —3F **83**
Conisber Clo. *Eger* —2C **18**
Conisborough. *Roch* —5G **27**
Conisborough Pl. *W'fld* —2F **67**
Coniston Av. *M9* —3F **83**
Coniston Av. *Farn* —1A **62**
Coniston Av. *Hyde* —3A **114**
Coniston Av. *L Hul* —4C **62**
Coniston Av. *Oldh* —6B **72**
Coniston Av. *Sale* —1C **134**
Coniston Av. *W'fld* —1D **66**
Coniston Clo. *Chad* —2G **71**
Coniston Clo. *Dent* —5B **112**
Coniston Clo. *L Lev* —3A **48**
Coniston Clo. *Ram* —1E **13**
Coniston Dri. *Bury* —6G **36**
Coniston Dri. *Hand* —3G **159**
Coniston Dri. *Mid* —5G **53**
Coniston Dri. *Stal* —1E **101**
Coniston Gro. *Ash L* —1G **99**
Coniston Gro. *Heyw* —5F **39**
Coniston Gro. *L Hul* —5C **62**
Coniston Gro. *Rytn* —1B **56**
Coniston Rd. *Gat* —5F **137**
Coniston Rd. *H Lane* —6B **154**
Coniston Rd. *Part* —5C **118**
Coniston Rd. *Stoc* —3H **127**
Coniston Rd. *Stret* —4C **106**
Coniston Rd. *Swint* —5F **79**
Coniston Rd. *Urm* —1A **120**
Coniston St. *M40* —6C **84**

Coniston St. *Bolt* —2B **32**
Coniston St. *Salf* —1H **93**
Coniston Wlk. *Tim* —6D **134**
Conmere Sq. *M15*

—6D **94** (4H **9**)
Connaught Av. *M19* —2B **126**
Connaught Av. *Roch* —2H **41**
Connaught Av. *W'fld* —1E **67**
Connaught Clo. *Wilm* —1F **167**
Connaught Pl. *Salf* —3F **93**
Connaught Sq. *Bolt* —3D **32**
Connaught St. *Bury* —4A **36**
Connaught St. *Oldh* —3C **72**
Connel Clo. *Bolt* —1H **47**
Connell Rd. *M23* —5G **135**
Connell Way. *Heyw* —2H **39**
Connery Cres. *Ash L* —5H **87**
Connie St. *M11* —5E **97**
Conningsbury Clo. *Brom X*

—3D **18**
Connington Av. *M9* —2F **83**
Connington Clo. *Rytn* —3A **56**
Connor Way. *Gat* —1D **148**
Conquest Clo. *M12* —1B **110**
Conrad Clo. *Oldh* —3A **58**
Conrad St. *Ram* —5A **32**
Conran St. *M9* —4F **83**
Consett Av. *M23* —5G **135**
Consort Av. *Rytn* —1A **56**
Consort Clo. *Duk* —1A **114**
Consort Pl. *Bow* —3D **144**
Constable Clo. *Bolt* —4H **31**
Constable Dri. *Marp B* —3F **143**
Constable Dri. *Wilm* —1H **167**
Constable St. *M18* —1G **111**
Constable Wlk. *Dent* —2G **129**
Constance Gdns. *Salf* —4F **93**
Constance Rd. *Bolt* —3G **45**
Constance Rd. *Part* —6D **118**
Constance St. *M15*

—6C **94** (3F **9**)
Constantine Rd. *Roch* —4H **27**
Constantine St. *Oldh* —3H **57**
Constellation Trad. Est. *Rad*

—1F **49**
Consul St. *M22* —2C **136**
Convamore Rd. *Bram* —6F **151**
Convent St. *Oldh* —5G **73**
Conway Av. *Bolt* —4E **31**
Conway Av. *Clif* —6H **65**
Conway Av. *Irl* —1D **118**
Conway Av. *W'fld* —2D **66**
Conway Clo. *M16* —4H **107**
Conway Clo. *Heyw* —2C **38**
Conway Clo. *Mid* —2A **70**
Conway Clo. *W'fld* —2D **66**
Conway Cres. *G'mnt* —1H **21**
Conway Dri. *Bury* —3H **37**
Conway Dri. *Haz G* —4C **152**
Conway Dri. *Stal* —2E **101**
Conway Dri. *Tim* —5C **134**
Conway Gro. *Chad* —6F **55**
Conway Rd. *Chea H* —3A **150**
Conway Rd. *Sale* —6D **122**
Conway Rd. *Urm* —3F **105**
Conway St. *Farn* —2F **63**
Conway St. *Stoc* —5G **127**
Conway Towers. *Stoc* —2C **128**
Conyngham Rd. *M14* —3H **109**
Cooke St. *Dent* —4E **113**
Cooke St. *Fail* —3F **85**
Cooke St. *Farn* —2G **63**
Cooke St. *Haz G* —2D **152**
Cooke St. *Hyde* —2D **114**
Cooks Croft. *Spring* —2C **74**
Cook St. *Aud* —1F **113**
Cook St. *Bury* —3D **36**
Cook St. *Ecc* —3E **91**
Cook St. *Oldh* —2G **73**
Cook St. *Roch* —2B **28**

Cook St. *Salf* —3C **94** (4F **5**)
Cook St. *Stoc* —2G **139**
Cook Ter. Duk —4H **99**
(off Astley St.)
Cook Ter. *Rad* —4H **49**
Cook Ter. *Roch* —2B **28**
Coomassie St. *Heyw* —3E **39**
Coomassie St. *Rad* —4G **49**
Coomassie St. *Salf* —2F **93**
Coombes Av. *Hyde* —6D **114**
Coombes Av. *Marp* —6D **142**
Coombes St. *Stoc* —6B **140**
Co-operation St. *Fail* —2F **85**
Co-operative St. *Haz G*

—2E **153**
Co-operative St. *L Hul* —4A **62**
Co-operative St. *Rad* —3G **49**
Co-operative St. *Salf* —3F **93**
Co-operative St. *Shaw* —6F **43**
Co-operative St. *Spring* —3B **74**
Co-operative St. *Upperm*

—1F **61**
Cooper Fold. *Mid* —3A **54**
Cooper Ho. *M15*

—1E **109** (6A **10**)
Cooper La. *M9* —4F **69**
Cooper La. *Mid* —4H **53**
Cooper Rd. *Irl* —2C **118**
Coopers Fold. *Chea H* —1B **160**
Coopers Row. *Ram* —6B **32**
Cooper St. *M2* —4E **95** (6H **5**)
Cooper St. *Bury* —3C **36**
Cooper St. *Duk* —4H **99**
Cooper St. *Haz G* —2F **153**
Cooper St. *Ram* —4B **32**
Cooper St. *Roch* —5B **16**
Cooper St. *Roy O* —4H **139**
Cooper St. *Spring* —2C **74**
Cooper St. *Stret* —6D **106**
Coopers Wlk. *Roch* —1C **28**
Cooper Ter. *Roch* —3B **28**
Coop St. *M4* —3F **95** (3C **6**)
Coop St. *Bolt* —1A **32**
Coop Ter. *Roch* —4D **28**
Copage Dri. *Bred* —5G **129**
Cope Bank. *Bolt* —4G **31**
Cope Bank E. *Bolt* —4G **31**
Cope Bank W. *Bolt* —3F **31**
Cope Clo. *M11* —6G **97**
Copeland Av. *Clif* —2A **80**
Copeland Clo. *Mid* —6E **53**
Copeland M. *Bolt* —6E **31**
Copeland St. *Hyde* —2B **114**
Copeman Clo. *M13*

—1G **109** (6E **11**)
Copenhagen Sq. *Roch* —3A **28**
Copenhagen St. *Roch* —3A **28**
Cope St. *Ram* —4G **31**
Copgrove Rd. *M21* —2H **123**
Copgrove Wlk. *M22* —6C **148**
Copley Av. *Stal* —3G **101**
Copley Pk. M. *Stal* —3G **101**
Copley Rd. *M21* —5G **107**
Copley St. *Shaw* —5G **43**
Copley St. *Stal* —3G **101**
Copperas La. *Droy* —5G **97**
Copperas St. *M4* —3E **95** (4B **6**)
Copperbeech Clo. *M22*

—2C **136**
Copper Beech Dri. *Glos*

—6G **117**
Copperfield Ct. *Alt* —2E **145**
Copperfield Rd. *Chea H*

—2D **160**
Copperfield Rd. *Poy* —5D **162**
Copperfields. *Wilm* —1F **167**
Copper La. *P'wch* —3G **66**
Copperways. *Manx* —4F **125**
Coppice Av. *Dis* —1E **165**
Coppice Av. *Sale* —1F **133**
Coppice Clo. *Dis* —1E **165**

Coppice Clo. *Woodl* —4H **129**
Coppice Dri. *M22* —2B **136**
Coppice Dri. *Dis* —1E **165**
Coppice Dri. *Whitw* —2C **14**
Coppice Rd. *Poy* —4G **163**
Coppice St. *Bury* —2G **37**
Coppice St. *Oldh* —4B **72**
(in two parts)
Coppice, The. *Bolt* —6H **19**
Coppice, The. *Haleb* —5B **146**
Coppice, The. *Mid* —3B **70**
Coppice, The. *Poy* —5G **163**
Coppice, The. *Ram* —5C **12**
Coppice, The. *Swint* —6C **78**
Coppice, The. *Wor* —3H **77**
Coppice Way. *Hand* —3A **160**
Coppingford Clo. *Roch* —1C **26**
Copping St. *M12* —1B **110**
Coppins, The. *Wilm* —5B **166**
Coppleridge Dri. *M8* —2C **82**
Copplestone Ct. *Wor* —2C **78**
Copplestone Dri. *Sale* —4E **121**
Cop Rd. *Oldh* —3G **57**
Copse Av. *M22* —2C **148**
Copse Dri. *Bury* —5F **23**
Copse, The. *Haleb* —6D **146**
Copse, The. *Marp B* —3G **143**
Copse, The. *Tur* —1G **19**
Copse Wlk. *L'boro* —4D **16**
Copson St. *M20* —2F **125**
Copster Av. *Oldh* —6C **72**
Copster Hill Rd. *Oldh* —6C **72**
Copster Pl. *Oldh* —6C **72**
Copthall La. *M8* —3B **82**
Copthorne Clo. *Heyw* —5F **39**
Copthorne Cres. *M13* —5A **110**
Copthorne Dri. *Bolt* —1G **47**
Copthorne Wlk. *Tot* —6H **21**
Coptrod Head Clo. *Roch* —5E **15**
Coral Av. *Chea H* —4C **150**
Coral M. *Rytn* —4C **56**
Coral Rd. *Chea H* —4C **150**
Coral St. *M13* —6G **95** (4E **11**)
Coram St. *M18* —1H **111**
Corbar Rd. *Stoc* —6A **140**
Corbett St. *M11* —3C **96**
(in two parts)
Corbett St. *Roch* —3A **28**
Corbridge Wlk. *M8* —5D **82**
Corbrook Rd. *Chad* —6E **55**
Corby St. *M12* —1C **110**
Corcoran Clo. *Heyw* —2E **39**
Corcoran Dri. *Rom* —1D **142**
Corda Av. *M22* —3B **136**
Corday La. *P'wch* —1H **67**
Cordingley Av. *Droy* —5H **97**
Cordova Av. *Dent* —4H **111**
Corelli St. *M40* —1B **96**
Corfe Clo. *Urm* —6G **103**
Corfe Cres. *Haz G* —4C **152**
Corinthian Av. *Salf* —6G **81**
Corinth Wlk. *Wor* —1F **77**
Corkland Clo. *Ash L* —3B **100**
Corkland Rd. *M21* —1H **123**
Corkland St. *Ash L* —3C **100**
Corks La. *Dis* —2H **165**
Cork St. *M12* —5H **95** (1H **11**)
Cork St. *Ash L* —2A **100**
Cork St. *Bury* —3E **37**
Corley Av. *Stoc* —3B **138**
Corley Wlk. *M11* —4D **96**
Cormallen Gro. *Fail* —4G **85**
Cormorant Clo. *Wor* —6E **63**
Cormorant Wlk. *M12* —1C **110**
Cornall St. *Bury* —2A **36**
Cornbrook Arches. *M15*

—6A **94** (4B **8**)
Cornbrook Clo. *Wand* —3A **16**
Cornbrook Ct. *M15*

—1B **108** (6C **8**)

Cornbrook Gro. *M16* —2B **108**
Cornbrook Pk. Rd. *M15*

—1A **108** (5B **8**)
Cornbrook Rd. *M15*

—1A **108** (5A **8**)
Cornbrook St. *M16 & M15*

—2B **108**
Cornbrook Way. *M16* —2B **108**
Corn Clo. *M13* —2G **109**
Cornell St. *M4* —3F **95** (3D **6**)
Corner Croft. *Wilm* —5D **166**
Corner St. *Ash L* —3A **100**
Cornerways. Had —2H **117**
(off Albert St.)
Cornet St. *Salf* —5H **81**
Corn Exchange. *M4*

—3D **94** (4H **5**)
Cornfield. *Stal* —1A **116**
Cornfield Clo. *Bury* —4F **23**
Cornfield Clo. *Sale* —6F **123**
Cornfield Dri. *M22* —2A **148**
Cornfield Rd. *Rom* —6C **130**
Cornfield St. *Miln* —6F **29**
Cornford Av. *M18* —4D **110**
Cornhey Rd. *Sale* —1E **133**
Cornhill Av. *Urm* —4D **104**
Corn Hill La. *Aud* —2A **112**
Cornhill Rd. *Urm* —3D **104**
Cornhill St. *Oldh* —5H **57**
Cornish Clo. *M22* —5B **148**
Cornishway. *M22* —4A **148**
Cornish Way. *Rytn* —4D **56**
Cornishway Ind. Est. *M22*

—5B **148**
Cornlea Dri. *Wor* —4E **77**
Corn Mill Clo. *Roch* —5A **16**
Corn St. *Fail* —5C **84**
Corn St. *Oldh* —2E **73**
Cornwall Av. *M19* —1D **126**
Cornwall Clo. *Bury* —5E **37**
Cornwall Clo. *H Lane* —6C **154**
Cornwall Cres. *Dig* —3B **60**
Cornwall Cres. *Stoc* —3C **128**
Cornwall Dri. *Bury* —5D **36**
Cornwall Ho. *Salf*

—4B **94** (5D **4**)
Cornwall Rd. *Cad* —4B **118**
Cornwall Rd. *Droy* —2A **98**
Cornwall Rd. *H Grn* —5F **149**
Cornwall St. *M11* —6F **97**
Cornwall St. *Ecc* —4E **91**
Cornwall St. *Oldh* —4H **71**
Cornwell Clo. *Wilm* —1G **167**
Cornwood Clo. *M8* —4B **82**
Corona Av. *Hyde* —4C **114**
Corona Av. *Oldh* —6B **72**
Coronation Av. *Duk* —1D **114**
Coronation Av. *Heyw* —5G **39**
Coronation Av. *Hyde* —6C **114**
Coronation Bldgs. *M4* —1F **95**
Coronation Gdns. *Rad* —2F **49**
Coronation Rd. *Ash L* —5G **87**
Coronation Rd. *Droy* —2H **97**
Coronation Rd. *Fail* —5E **85**
Coronation Rd. *Rad* —2E **49**
Coronation Sq. *M12*

—5G **95** (2F **11**)
Coronation Sq. *Aud* —6D **98**
Coronation Sq. *L Lev* —4B **48**
Coronation St. *M11* —5E **97**
Coronation St. *Dent* —4C **112**
Coronation St. *Oldh* —2E **73**
Coronation St. *Pen* —2G **79**
Coronation St. Ram —1B **46**
(off Gt. Moor St.)
Coronation St. *Salf* —5H **93**
Coronation St. *Stoc* —5G **127**
Coronation Vs. *Whitw* —3H **15**
Coronation Wlk. *Rad* —2E **49**
Corporation Cotts. *Part*

—3G **119**

Corporation Rd. *Aud* —2D **112**
Corporation Rd. *Ecc* —3G **91**
Corporation Rd. *Roch* —5F **27**
Corporation St. *M4*
    —3D **94** (4H **5**)
Corporation St. *Bolt* —6B **32**
Corporation St. *Hyde* —5B **114**
Corporation St. *Mid* —1A **70**
Corporation St. *Stal* —4E **101**
Corporation St. *Stoc* —1H **139**
Corporation Yd. *Redd* —1H **127**
Corporation Yd. *Stoc* —5D **126**
Corran Clo. *Ecc* —3D **90**
Corrie Cres. *Kear* —4D **64**
Corrie Dri. *Kear* —5D **64**
Corrie Rd. *Clif* —6G **65**
Corrie St. *L Hul* —5C **62**
Corrie Way. *Bred P* —4E **129**
Corrigan St. *M18* —1G **111**
Corringham Rd. *M19* —2E **127**
Corring Way. *Bolt* —1D **32**
Corrin Rd. *Bolt* —2D **46**
Corris Av. *M9* —4C **68**
Corson St. *Bolt* —5F **47**
(in two parts)
Corston Wlk. *M40* —5B **84**
Corwen Clo. *Oldh* —1H **85**
Corwen St. *M9* —3G **83**
Cosgrove Cres. *Fail* —6E **85**
Cosgrove Rd. *Fail* —6E **85**
Cosham Rd. *M22* —2D **148**
Costabeck Wlk. *M40* —1F **97**
Costobadie Clo. *Mot* —4B **116**
Costobadie Way. *Mot* —4B **116**
Cotaline Clo. *Roch* —2B **40**
Cotall Wlk. *M8* —1C **94**
Cotefield Av. *Bolt* —4B **46**
Cotefield Clo. *Marp* —6D **142**
Cotefield Rd. *M22* —3H **147**
Cote Grn. La. *Marp B* —2F **143**
Cote Grn. Rd. *Marp B* —2F **143**
Cote La. *L'boro* —3D **16**
Cote La. *Moss* —6G **75**
Cotford Rd. *Ram* —6D **18**
Cotham St. *M3* —1D **94**
Cotman Dri. *Marp B* —3G **143**
Cotswold Av. *Chad* —4G **71**
Cotswold Av. *Haz G* —4B **152**
Cotswold Av. *Shaw* —5D **42**
Cotswold Av. *Urm* —4B **104**
Cotswold Clo. *P'wch* —4G **67**
Cotswold Clo. *Ram* —5E **13**
Cotswold Cres. *Bury* —2G **35**
Cotswold Cres. *Miln* —4G **29**
Cotswold Dri. *Rytn* —4H **55**
Cotswold Dri. *Salf* —2F **93**
Cotswold Rd. *Stoc* —6F **127**
Cottage Gdns. *Bred* —6D **128**
Cottage La. *Glos* —6G **117**
Cottage Lawns. *Ald E* —4H **167**
Cottage, The. *Heyw* —3E **53**
Cottage Wlk. *Roch* —5C **14**
Cottam Cres. *Marp B* —3F **143**
Cottam Gro. *Swint* —4G **79**
Cottam St. *Bury* —2A **36**
Cottam St. *Oldh* —1B **72**
Cottenham La. *Salf* —1C **94**
Cottenham St. *M13*
    —1F **109** (5D **10**)
Cotterdale Clo. *M16* —5B **108**
Cotteridge Wlk. *M11* —5B **96**
Cotterill Clo. *M23* —2C **134**
Cotter St. *M12* —6G **95** (3E **11**)
Cottesmore Dri. *M8* —3E **83**
Cottesmore Gdns. *Haleb*
    —5C **146**
Cottingham Dri. *Ash L* —1A **100**
Cottingham St. *M12* —1A **110**
Cottonfield Rd. *M20* —3G **125**

Cotton Fold. *Roch* —5C **28**
Cotton Hill. *M20* —4G **125**
Cotton La. *M20* —3F **125**
Cotton La. *Roch* —1C **40**
Cotton St. *M4* —3F **95** (4D **6**)
Cotton St. *Bolt* —3H **31**
Cotton St. *Hyde* —4C **114**
Cotton St. E. *Ash L* —3G **99**
Cotton St. W. *Ash L* —3G **99**
Cotton Tree Clo. *Oldh* —1H **73**
Cotton Tree St. *Stoc* —2G **139**
Cottonwood Dri. *Sale* —4E **121**
Cottrell Rd. *Haleb* —6D **146**
Cottrill St. *Salf* —3H **93**
Coucill Sq. *Farn* —1G **63**
Coulsden Dri. *M9* —6F **69**
Coulthart St. *Ash L* —2H **99**
Coulthurst St. *Ram* —3D **12**
Coulton Clo. *Oldh* —1E **73**
Coulton Wlk. *Salf* —3F **93**
Councillor La. *Chea* —5B **138**
Councillor St. *M12* —4A **96**
Countess Av. *Stan G* —2A **160**
Countess Gro. *Salf* —6G **81**
Countess La. *Rad* —2D **48**
Countess Pl. *P'wch* —5G **67**
Countess Rd. *M20* —6F **125**
Countess St. *Ash L* —3B **100**
Countess St. *Stoc* —6H **139**
Counthill Dri. *M8* —1A **82**
Counthill Rd. *Oldh* —6H **57**
Counting Ho. Rd. *Dis* —2H **165**
Count St. *Roch* —6A **28**
County Av. *Ash L* —1C **100**
County Rd. *Wor* —5C **62**
County St. *M2* —4D **94** (6H **5**)
County St. *Oldh* —1A **86**
Coupland Clo. *Oldh* —3B **58**
Coupland St. *M15* —2E **109**
Coupland St. *Whitw* —1C **14**
Coupland St. E. *M15*
    —1E **109** (6B **10**)
Courier St. *M18* —6G **97**
Course View. *Oldh* —6A **74**
Court Dri. *M40* —1G **97**
Courtfield Av. *M9* —5F **69**
Courthill St. *Stoc* —3A **140**
Court Ho. Way. Heyw —3F **39**
(off Longford St.)
Courtney Grn. *Wilm* —5H **159**
Courtney Pl. *Bow* —4C **144**
Court St. *Bolt* —6C **32**
Court St. *Upperm* —1F **61**
Courtyard Dri. *Wor* —6C **62**
Courtyard, The. Holl —2F **117**
Cousin Fields. *Brom X* —4G **19**
Covall Wlk. *M8* —5D **82**
Covell Rd. *Poy* —2E **163**
Covent Garden. *Stoc* —2H **139**
Coventry Av. *Stoc* —4B **138**
Coventry Gro. *Chad* —6G **55**
Coventry Rd. *Rad* —2F **49**
Coventry St. *Roch* —5H **27**
Coverdale Av. *Bolt* —5E **31**
Coverdale Av. *Rytn* —2A **56**
Coverdale Clo. *Heyw* —4E **39**
Coverdale Cres. *M12*
    —1H **109** (5G **11**)
Coverham Av. *Oldh* —5H **73**
Coverhill Rd. *Grot* —4D **74**
Covert Rd. *M22* —6C **136**
Covert Rd. *Oldh* —6H **73**
Cove, The. *Hale* —2H **145**
Covington Pl. *Wilm* —3E **167**
Cowan St. *M40* —3H **95** (4H **7**)
Cowburn St. *M3* —2D **94** (1H **5**)
Cowburn St. *Heyw* —4G **39**
Cowesby St. *M14* —4E **109**
Cowhill La. *Ash L* —2A **100**
Cowie St. *Shaw* —5F **43**

Cow La. *Alt* —6A **132**
Cow La. *Ash* —6H **145**
Cow La. *Bolt* —5F **45**
Cow La. *Fail* —4E **85**
Cow La. *Haz G* —1D **152**
Cow La. *Oldh* —2G **73**
Cow La. *Sale* —3E **123**
Cow La. *Salf* —4A **94** (6B **4**)
Cow La. *Wilm* —2F **167**
Cowley Gro. *Mot* —4B **116**
Cowley Rd. *Ram* —6D **18**
Cowling St. *Oldh* —5D **72**
Cowling St. *Swint* —3D **80**
Cowlishaw. *Shaw* —2E **57**
Cowlishaw La. *Shaw* —2E **57**
Cowlishaw Rd. *Hyde* —4D **130**
Cowm Pk. Way N. *Whitw*
    —3G **15**
Cowm Pk. Way S. *Whitw*
    —1C **14**
Cowm Top La. *Roch* —4D **40**
(in two parts)
Cowper St. *Ash L* —2A **100**
Cowper St. *Mid* —1D **70**
Cowper Wlk. *M11* —4B **96**
Cox Grn. Rd. *Eger* —1C **18**
Coxton Rd. *M22* —4C **148**
Coxwold Gro. *Bolt* —4G **45**
Crabbe St. *M4* —2E **95** (1B **6**)
Crab La. *M9* —5D **68**
Crabtree Av. *Dis* —2H **165**
Crabtree Av. *Haleb* —6D **146**
Crabtree Ct. *Dis* —1H **165**
Crabtree La. *M11* —5F **97**
(in two parts)
Crabtree Rd. *Oldh* —1F **73**
Crabtree St. *Bury* —2F **37**
Craddock Rd. *Sale* —1C **134**
Craddock St. *Moss* —2D **88**
Cradley Av. *M11* —5F **97**
Crag Av. *Bury* —1D **22**
Cragg Pl. *L'boro* —4F **17**
Cragg Rd. *Chad* —5F **55**
(in two parts)
Crag La. *Bury* —1D **22**
Craig Av. *Bury* —4H **35**
Craig Av. *Urm* —4C **104**
Craig Clo. *Stoc* —2D **138**
Craigend Dri. *M9* —4G **83**
Craig Hall. *Irl* —2D **118**
Craighall Av. *M19* —1B **126**
Craighall Rd. *Bolt* —5C **18**
Craigie St. *M8* —6B **82**
Craiglands. *Roch* —3H **41**
Craiglands Av. *M40* —5A **84**
Craigmore Av. *M20* —5B **124**
Craignair Ct. *Pen* —4A **80**
Craig Rd. *M18* —3E **111**
Craig Rd. *Stoc* —2B **138**
Craig Wlk. *Oldh* —4C **72**
Craigweil Av. *M20* —6G **125**
Craigwell Rd. *P'wch* —1A **82**
Craigwell Wlk. *M13*
    —6F **95** (4C **10**)
Crail Pl. *Heyw* —4B **38**
Cramer St. *M40* —6H **83**
Crammond Clo. *M40* —5D **84**
Cramond Clo. *Bolt* —4H **31**
Cramond Wlk. *Bolt* —4H **31**
Crampton Dri. *Haleb* —5C **146**
Crampton La. *Car* —2G **119**
(in three parts)
Cranage Av. *Hand* —2H **159**
Cranage Rd. *M19* —1D **126**
Cranark Clo. *Bolt* —6E **31**
Cranberry Clo. *B'hth* —3D **132**
Cranberry Rd. *Part* —6D **118**
Cranberry St. *Oldh* —3F **73**
Cranbourne Av. *Chea* H
    —3D **150**
Cranbourne Clo. *Ash L* —1G **99**

Cranbourne Ct. *Stoc* —5D **126**
Cranbourne Rd. *Ash L* —1G **99**
Cranbourne Rd. *Chor H*
    —1H **123**
Cranbourne Rd. *Old T* —3A **108**
Cranbourne Rd. *Roch* —5A **26**
Cranbourne Rd. *Stoc* —5D **126**
Cranbourne St. *Salf*
    —4A **94** (6A **4**)
Cranbourne Ter. *Ash L* —6F **87**
Cranbrook Clo. Bolt —4B **32**
(off Lindfield Dri.)
Cranbrook Gdns. *Ash L*
    —1H **99**
Cranbrook Pl. *Oldh* —3G **73**
Cranbrook Rd. *M18* —4G **111**
Cranbrook Rd. *Ecc* —1C **90**
Cranbrook St. *Ash L* —1H **99**
Cranbrook St. *Oldh* —3F **73**
Cranbrook St. *Rad* —2A **50**
Cranbrook Wlk. *Chad* —3G **71**
Crandon Ct. *Clif* —1G **79**
Crandon Dri. *M20* —3G **137**
Cranes Bill Clo. *M22* —4A **148**
Crane St. *M12* —5G **95** (2F **11**)
Crane St. *Bolt* —4F **45**
Cranfield Wlk. *M40* —3A **96**
Cranford Av. *M20* —5H **125**
Cranford Av. *Sale* —3C **122**
Cranford Av. *Stret* —4F **107**
Cranford Av. *W'fld* —5C **50**
Cranford Clo. *Swint* —5H **79**
Cranford Clo. *W'fld* —5C **50**
Cranford Dri. *Irl* —4D **102**
Cranford Gdns. *Marp* —4D **142**
Cranford Gdns. *Urm* —4A **104**
Cranford Rd. *Urm* —4A **104**
Cranford Rd. *Wilm* —6E **159**
Cranford St. *Bolt* —5G **45**
Cranham Clo. *Bury* —2H **35**
Cranham Clo. *L Hul* —3C **62**
Cranham Rd. *M22* —3G **147**
Cranleigh Av. *Stoc* —5B **126**
Cranleigh Clo. *Oldh* —6A **58**
Cranleigh Dri. *Brook* —2C **134**
Cranleigh Dri. *Chea* —5B **138**
Cranleigh Dri. *Haz G* —6G **153**
Cranleigh Dri. *Sale* —4A **122**
Cranleigh Dri. *Wor* —3G **77**
Cranlington Dri. *M8* —5B **82**
Cranmer Ct. *Heyw* —4E **39**
Cranmere Av. *M19* —5E **111**
Cranmere Dri. *Sale* —1F **133**
Cranmer Rd. *M20* —5F **125**
Cranston Dri. *M20* —3F **137**
Cranston Dri. *Sale* —6E **123**
Cranston Gro. *Gat* —6D **136**
Cranswick St. *M14* —4E **109**
Crantock Dri. *H Grn* —5G **149**
Crantock Dri. *Stal* —2H **101**
Crantock St. *M12* —4D **110**
Cranwell Dri. *M19* —5A **126**
Cranworth St. *Stal* —4F **101**
Craston Rd. *M13* —5A **110**
Crathie Ct. *Bolt* —4F **31**
Craven Av. *Salf* —5H **93**
Craven Clo. *Salf* —5H **93**
Craven Dri. *B'hth* —3E **133**
Craven Dri. *Salf* —16 **107**
Craven Gdns. *Roch* —6G **27**
Cravenhurst Av. *M40* —1D **96**
Craven Pl. *M11* —3E **97**
Craven Pl. *Bolt* —3C **30**
Craven Rd. *B'hth* —4E **133**
(in two parts)
Craven Rd. *Stoc* —3H **127**
Craven St. *Ash L* —5H **87**
Craven St. *Bury* —2F **37**
Craven St. *Droy* —4A **98**
Craven St. *Oldh* —6C **56**

Curzon Rd. *Ash L* —1B **100**
Curzon Rd. *Bolt* —6G **31**
Curzon Rd. *H Grn* —6F **149**
Curzon Rd. *Poy* —5E **163**
Curzon Rd. *Roch* —3F **41**
Curzon Rd. *Sale* —4B **122**
Curzon St. *Salf* —4H **81**
Curzon St. *Stoc* —4D **140**
Curzon St. *Stret* —4A **106**
Curzon St. *Moss* —2E **89**
Curzon St. *Oldh* —2D **72**
Cutgate Clo. *M23* —2E **135**
Cutgate Rd. *Roch* —2D **26**
Cutgate Shopping Precinct.
　　　　　　Roch —3D **26**
Cuthbert Av. *M19* —5D **110**
Cuthbert Mayne Ct. *Roch*
　　　　　　—5G **27**
Cuthbert Rd. *Chea* —5A **138**
Cuthbert St. *Bolt* —5F **45**
Cuthill Wlk. *M40* —1F **97**
Cutland St. *M40* —5A **84**
Cut La. *Roch* —2B **26**
Cutler Hill Rd. *Fail* —4H **85**
Cutler St. *Chad* —2A **72**
Cutnook La. *Irl* —2D **102**
Cutter Clo. *Salf* —5G **93**
Cycle St. *M11* —5D **96**
Cyclone St. *M11* —5B **96**
Cygnus Av. *Salf* —2A **94** (1B **4**)
Cymbal Ct. *Stoc* —6H **127**
Cynthia Dri. *Marp* —6D **142**
Cypress Av. *Chad* —1H **71**
Cypress Clo. *Stoc* —3E **139**
Cypress Gdns. *Firg* —4D **28**
Cypress Gro. *Dent* —4G **113**
Cypress Gro. *Kear* —2H **63**
Cypress Rd. *Droy* —2A **98**
Cypress Rd. *Ecc* —1C **90**
Cypress Rd. *Oldh* —1H **73**
Cypress St. *M9* —4F **83**
Cypress St. *Mid* —2C **70**
Cypress Wlk. *Sale* —3E **121**
Cypress Way. *H Lane* —6E **155**
Cyprus Clo. *Oldh* —3H **73**
Cyprus Clo. *Salf* —4F **93**
Cyprus St. *Stret* —6D **106**
Cyril St. *M14* —4F **109**
Cyril St. *Bolt* —2C **46**
Cyril St. *Shaw* —6G **43**
Cyrus St. *M40* —3H **95** (4H **7**)

Daccamill Dri. *Swint* —4F **79**
Dacre Av. *M16* —5H **107**
Dacre Clo. *Mid* —6D **52**
Dacre Rd. *Roch* —1F **41**
Dacres Av. *G'fld* —5H **75**
Dacres Dri. *G'fld* —5H **75**
Dacres Rd. *G'fld* —5H **75**
Daffodil Clo. *Roch* —6E **15**
Daffodil St. *Ram* —6D **18**
Dagenham Rd. *M14* —3G **109**
Dagmar St. *Wor* —5E **63**
Dagnall Av. *M21* —2H **123**
Dahlia Clo. *Roch* —6D **14**
Daimler St. *M8* —5C **82**
Dain Clo. *Duk* —5C **100**
Daine Av. *M23* —2H **135**
Dainton St. *M12*
　　　　　　—5H **95** (3H **11**)
Daintry Clo. *M15*
　　　　　　—1D **108** (5G **9**)
Daintry Rd. *Oldh* —2A **72**
Dairybrook Gro. *Wilm* —6A **160**
Dairyground Rd. *Bram* —6G **151**
Dairyhouse La. *Dun M* —5C **132**
Dairy Ho. La. *Woodf* —4C **160**
Dairy St. *Chad* —2H **71**
Daisey St. *Stoc* —4H **139**

Daisy Av. *M13* —3A **110**
Daisy Av. *Farn* —6C **46**
Daisy Bank. *M40* —6C **84**
Daisy Bank. *Hyde* —1A **130**
Daisy Bank Av. *Pen & Salf*
　　　　　　—5A **80**
Daisybank La. *H Grn* —4E **149**
Daisy Bank Rd. *M14* —3H **109**
Daisyfield Clo. *M22* —4A **148**
Daisyfield Ct. *Bury* —4A **36**
Daisyfield Wlk. *Wor* —6F **63**
Daisy Hill Clo. *Sale* —5E **123**
Daisy Hill Ct. *Oldh* —1A **74**
　　(off Howard St.)
Daisy Hill Rd. *Moss* —2F **89**
Daisy M. *Stoc* —1F **151**
Daisy Row. *L'boro* —6D **16**
Daisy St. *Bolt* —3G **45**
Daisy St. *Bury* —3A **36**
Daisy St. *Chad* —1G **71**
Daisy St. *Oldh* —2B **72**
Daisy St. *Roch* —3G **27**
Daisy Way. *H Lane* —6D **154**
Dakerwood Clo. *M40* —6C **84**
Dakota Av. *Salf* —5E **93**
Dalbeattie St. *M9* —2G **83**
Dalberg St. *M12*
　　　　　　—6H **95** (4G **11**)
Dalbury Dri. *M40* —6E **83**
Dalby Av. *Swint* —4E **79**
Dalby Gro. *Stoc* —2A **140**
Dale Av. *Bram* —5H **151**
Dale Av. *Ecc* —2E **91**
Dale Av. *Moss* —6G **75**
Dale Bank M. *Clif* —4D **64**
Dalebeck Clo. *W'fld* —1G **67**
Dalebeck Wlk. *W'fld* —1G **67**
Dalebrook Av. *Duk* —1B **114**
Dalebrook Clo. *L Lev* —3A **48**
Dalebrook Rd. *Sale* —1C **134**
Dale Ct. *Dent* —5F **113**
Dale End. *Oldh* —1E **87**
Dalefields. *Del* —3H **59**
Daleford Sq. *M13*
　　　　　　—6F **95** (4E **11**)
Dalegarth Av. *Bolt* —6A **30**
Dale Gro. *Ash L* —6E **87**
Dale Gro. *Cad* —3C **118**
Dale Gro. *Tim* —4H **133**
Dalehead Clo. *M18* —1H **111**
Dalehead Dri. *Shaw* —6H **43**
Dale Ho. *Mid* —6B **54**
Dale Ho. *Shaw* —1F **57**
Dale Ho. Fold. *Poy* —3G **163**
Dale La. *Del* —2H **59**
Dale Rd. *Marp* —5B **142**
Dale Rd. *Mid* —6B **54**
Dales Av. *M8* —1B **82**
Dales Av. *W'fld* —6B **50**
Dales Brow. *Bolt* —5D **18**
Dales Brow. *Swint* —5D **78**
Dalesfield Cres. *Moss* —2G **89**
Dales Gro. *Wor* —2H **77**
Dales La. *W'fld* —6C **50**
Dalesman Dri. *Oldh* —4H **57**
Dalesman Wlk. *M15*
　　　　　　—1E **109** (5A **10**)
　　(off Wilmott St.)
Dales Pk. Dri. *Swint* —5D **78**
Dale Sq. *Rytn* —3D **56**
Dale St. *M1* —4F **95** (5B **6**)
　　(in two parts)
Dale St. *Ash L* —5C **88**
Dale St. *B'hth* —4F **133**
Dale St. *Bury* —1A **36**
Dale St. *Kear* —6G **47**
Dale St. *Mid* —2B **70**
Dale St. *Miln* —5F **29**
Dale St. *Rad* —5G **49**
Dale St. *Ram* —1E **13**

Dale St. *Roch* —4C **28**
Dale St. *Shaw* —1F **57**
Dale St. *Stal* —4D **100**
Dale St. *Stoc* —5F **139**
Dale St. *Swint* —5E **79**
Dale St. *W'fld* —6C **50**
Dale St. Ind. Est. *Rad* —5G **49**
Dale St. W. *Ash L* —3G **99**
Daleswood Av. *W'fld* —6B **50**
Dale View. *Dent* —2G **129**
Dale View. *Hyde* —1B **130**
Dale View. *L'boro* —1F **29**
Dalham Av. *M9* —1A **84**
Dalkeith Av. *M19* —2H **127**
Dalkeith Gro. *Bolt* —2D **44**
Dalkeith Rd. *Stoc* —2H **127**
Dalkeith Sq. *Heyw* —4C **38**
Dallas Ct. *Salf* —5E **93**
Dalley Av. *Salf* —1B **94**
Dallimore Rd. *Rnd I* —5E **135**
Dalmahoy Clo. *M40* —3C **84**
Dalmain Clo. *M8* —5B **82**
Dalmain Wlk. *M8* —5B **82**
Dalmeny Ter. *Roch* —1F **41**
Dalmorton Rd. *M21* —1B **124**
Dalny St. *M19* —6D **110**
Dalry Wlk. *M23* —6G **135**
Dalston Av. *Fail* —3H **85**
Dalston Dri. *M20* —1F **137**
Dalston Dri. *Bram* —2E **161**
Dalston Gdns. *Bolt* —3A **32**
　　(off Gladstone St.)
Dalton Av. *M14* —5E **109**
Dalton Av. *Clif* —6A **66**
Dalton Av. *Roch* —4D **28**
Dalton Av. *Stret* —3H **105**
Dalton Av. *W'fld* —2E **67**
Dalton Clo. *Ram* —5C **12**
Dalton Clo. *Roch* —4D **28**
Dalton Ct. *M40* —1F **95**
Dalton Dri. *Pen* —4B **80**
Dalton Gdns. *Urm* —4D **104**
Dalton Gro. *Stoc* —5E **127**
Dalton Rd. *M9* —4F **69**
Dalton Rd. *Mid* —2D **68**
Dalton St. *M4 & M40* —1F **95**
Dalton St. *Bury* —3A **36**
　　(in two parts)
Dalton St. *Chad* —2H **71**
Dalton St. *Ecc* —2F **91**
Dalton St. *Fail* —3E **85**
Dalton St. *Oldh* —2F **73**
Dalton St. *Sale* —3C **122**
Daltrey St. *Oldh* —1E **73**
Dalveen Av. *Urm* —3E **105**
Dalveen Dri. *Tim* —4H **133**
Dalymount Clo. *Bolt* —3D **32**
Damask Av. *Salf* —3B **94** (3C **4**)
Dame Hollow. *H Grn* —6H **149**
Damery Ct. *Bram* —5G **151**
Damery Rd. *Bram* —5G **151**
Dame St. *Oldh* —1B **72**
Dam Head Dri. *M9* —6G **69**
Damien St. *M12* —5C **110**
Damside. *Had* —1H **117**
Damson Wlk. *Part* —6B **118**
Dan Bank. *Marp* —5A **142**
Danbury Wlk. *M23* —3D **134**
Danby Clo. *Hyde* —3D **114**
Danby Ct. *Oldh* —1C **72**
Danby Pl. *Hyde* —3D **114**
Danby Rd. *Bolt* —4A **46**
Danby Rd. *Hyde* —3D **114**
Danby Wlk. *M9* —2G **83**
　　(off Polworth Rd.)
Dane Av. *Part* —5D **118**
Dane Av. *Stoc* —3C **138**
Danebank. *Dent* —5B **112**
Dane Bank Dri. *Dis* —1H **165**
Danebank Wlk. *M13*
　　　　　　—6F **95** (4D **10**)

Danebridge Clo. *Farn* —1G **63**
Dane Clo. *Bram* —2F **151**
Danecroft Clo. *M13* —1H **109**
Dane Dri. *Wilm* —3G **167**
Danefield Ct. *H Grn* —5H **149**
Danefield Rd. *Sale* —3C **122**
Dane Hill Clo. *Dis* —2H **165**
Daneholme Rd. *M19* —4A **126**
Dane M. *Sale* —3B **122**
Dane Rd. *Dent* —5A **112**
Dane Rd. *Sale* —3B **122**
Dane Rd. Ind. Est. *Sale*
　　　　　　—3C **122**
DANE ROAD STATION. *M*
　　　　　　—3C **122**
Danesbury Rise. *Chea* —6H **137**
Danesbury Rd. *Bolt* —1D **32**
Daneshill. *P'wch* —3F **67**
Danes La. *Whitw* —1A **14**
Danesmoor Dri. *Bury* —1F **37**
Danesmoor Rd. *M20* —4E **125**
Danes Rd. *M14* —5H **109**
Danes, The. *M8* —2B **82**
Dane St. *M11* —6G **97**
Dane St. *Moss* —6F **75**
Dane St. *Oldh* —2G **73**
Dane St. *Roch* —4G **27**
Danesway. *Pen* —4A **80**
Danesway. *P'wch* —1H **81**
Daneswood Av. *M9* —5H **69**
Daneswood Av. *Whitw* —1C **14**
Daneswood Clo. *Whitw* —1B **14**
Danett Clo. *M12* —1D **110**
Dane Wlk. *Stoc* —4H **127**
Dan Fold. *Oldh* —2C **72**
Danforth Gro. *M19* —1D **126**
Daniel Adamson Av. *Part*
　　　　　　—6B **118**
Daniel Adamson Rd. *Salf*
　　　　　　—4D **92**
Daniel Fold. *Roch* —1D **25**
Daniel's La. *Stoc* —1G **139**
Daniel St. *Haz G* —3E **153**
Daniel St. *Heyw* —3D **38**
Daniel St. *Oldh* —1F **73**
Daniel St. *Rytn* —4E **57**
Daniel St. *Whitw* —3H **15**
Danisher La. *Oldh* —3D **86**
Dannywood Clo. *Hyde* —1A **130**
Danson St. *M40* —2A **96**
Dantall Av. *M9* —6A **70**
Dante Clo. *Ecc* —1A **92**
Danty St. *Duk* —4H **99**
Dantzic St. *M4* —3E **95** (4A **6**)
Danwood Clo. *Dent* —5H **113**
Dapple Gro. *M11* —5C **96**
Darbishire St. *Bolt* —4C **32**
Darby Rd. *Irl* —3E **119**
Darbyshire Clo. *Bolt* —5G **31**
Darbyshire Ho. *Tim* —4C **133**
Darbyshire St. *Rad* —4G **49**
Darbyshire Wlk. *Rad* —4H **49**
Darcy Wlk. *M14* —3E **109**
Darden Clo. *Stoc* —6A **126**
Darell Wlk. *M8* —5D **82**
Darenth Clo. *M15*
　　　　　　—1D **108** (6G **9**)
Daresbury. *Urm* —3H **103**
Daresbury Av. *Alt* —6G **133**
Daresbury Av. *Urm* —3H **103**
Daresbury Clo. *Sale* —6D **122**
Daresbury Clo. *Stoc* —6F **139**
Daresbury Rd. *M21* —6F **107**
Daresbury St. *M8* —3C **82**
Darfield Wlk. *M40*
　　　　　　—2H **95** (2G **7**)
Dargai St. *M11* —4F **97**
Dargle Rd. *Sale* —3B **122**
Darian Av. *M22* —5B **148**
Dark La. *M12* —5H **95** (2G **11**)
Dark La. *Alt* —2A **132**

Dark La. *Bred* —6D **128**
Dark La. *Del* —1G **59**
Dark La. *Moss* —1F **89**
(in two parts)
Darlbeck Wlk. *M21* —4A **124**
Darley Av. *M21 & M20*
(in two parts) —3H **123**
Darley Av. *Ecc* —5E **91**
Darley Av. *Farn* —6G **47**
Darley Av. *Gat* —6F **137**
Darley Ct. *Ram* —3G **31**
Darley Gro. *Farn* —6G **47**
Darley Rd. *M16* —4H **107**
Darley Rd. *Haz G* —6F **153**
Darley Rd. *Roch* —1F **41**
Darley St. *M11* —4B **96**
Darley St. *Bolt* —4H **31**
Darley St. *Farn* —1G **63**
Darley St. *Sale* —5B **122**
Darley St. *Stoc* —6E **127**
Darley St. *Stret* —3D **106**
Darley Ter. *Bolt* —4A **32**
Darlington Clo. *Bury* —6B **22**
Darlington Rd. *M20* —3E **125**
Darlington Rd. *Roch* —1F **41**
Darliston Av. *M9* —4C **68**
Darlton Wlk. *M9* —3G **83**
Darnall Av. *M20* —1E **125**
Darnbrook Dri. *M22* —4H **147**
Darncombe Clo. *M16* —3D **108**
Darnley Av. *Wor* —2E **77**
Darnley St. *M16* —3B **108**
Darnton Rd. *Ash L & Stal*
—1C **100**
Darras Rd. *M18* —4E **111**
Darsham Wlk. *M16* —3C **108**
Dart Clo. *Chad* —1F **71**
Dartford Av. *Ecc* —3D **90**
Dartford Av. *Stoc* —3B **128**
Dartford Clo. *M12*
—1H **109** (6H **11**)
Dartford Rd. *Urm* —6E **105**
Dartington Clo. *M23* —5D **134**
Dartington Clo. *Bram* —2H **151**
Dartmouth Clo. *Oldh* —5D **72**
Dartmouth Cres. *Stoc* —4C **128**
Dartmouth Rd. *M21* —1A **124**
Dartmouth Rd. *W'fld* —2E **67**
Dartnall Clo. *Dis* —1E **165**
Darton Av. *M40* —2A **96**
Darvel Clo. *Bolt* —1H **47**
Darwell Av. *Ecc* —5E **91**
Darwen Rd. *Eger* —2C **18**
Darwen St. *M16* —1A **108**
Darwin Gro. *Bram* —1G **161**
Darwin St. *Bolt* —3H **31**
Darwin St. *Hyde* —2E **115**
Darwin St. *Oldh* —4G **73**
Dashwood Av. *P'wch* —4E **67**
Dashwood Wlk. *M12* —1C **110**
Datchet Ter. *Roch* —1F **41**
Dauntesey Av. *Swint* —3B **80**
Davehall Av. *Wilm* —2D **166**
Davenfield Gro. *M20* —6F **125**
Davenfield Rd. *M20* —6F **125**
Davenham Rd. *Hand* —3H **159**
Davenham Rd. *Sale* —3G **121**
Davenham Rd. *Stoc* —5H **111**
Davenhill Rd. *M19* —1C **126**
Davenport Av. *M20* —2F **125**
Davenport Av. *Rad* —1F **49**
Davenport Av. *Wilm* —5B **166**
Davenport Dri. *Woodl* —3H **129**
Davenport Fold. *Bolt* —2A **34**
Davenport Fold Rd. *Bolt*
—1A **34**
Davenport Gdns. *Bolt* —5A **32**
Davenport Ho. *Bram* —1F **151**
Davenport La. *B'hth* —4E **133**
Davenport Lodge. *Stoc*
—6H **139**

Davenport Pk. Rd. *Stoc*
—6A **140**
Davenport Rd. *B'hth* —4E **133**
Davenport Rd. *Haz G* —2D **152**
DAVENPORT STATION. *BR*
—6H **139**
Davenport St. *Aud* —5E **99**
Davenport St. *Bolt* —5A **32**
Davenport St. *Droy* —4G **97**
Davenport Ter. *M9* —4G **83**
Daventry Rd. *M21* —1B **124**
Daventry Rd. *Roch* —1F **41**
Daventry Way. *Roch* —2F **41**
Daveylands. *Wilm* —2G **167**
Davey La. *Ald E* —4G **167**
David Brow. *Bolt* —5E **45**
David Lewis Clo. *Roch* —5C **28**
David M. *M14* —2G **125**
David Pegg Wlk. *M40* —5B **84**
David's Farm Clo. *Mid* —2C **70**
David's La. *Spring* —2B **74**
Davidson Dri. *Mid* —5D **53**
David's Rd. *Droy* —3G **97**
David St. *Bury* —2A **36**
(in two parts)
David St. *Dent* —5G **113**
David St. *Oldh* —3C **72**
David St. *Roch* —2H **27**
David St. *Stoc* —1G **127**
David St. N. *Roch* —2H **27**
Davies Av. *H Grn* —1F **159**
Davies Rd. *Bred* —6D **128**
Davies Rd. *Part* —6E **119**
Davies Sq. *M14* —3E **109**
Davies St. *Ash L* —4F **99**
Davies St. *Kear* —2A **64**
Davies St. *Oldh* —1B **72**
Davis St. *Ecc* —4G **91**
Davy Av. *Clif* —1B **80**
Davyhulme Circ. *Urm* —3E **105**
Davyhulme Rd. *Stret* —4C **106**
Davyhulme Rd. *Urm* —3A **104**
Davyhulme Rd. E. *Stret*
—4D **106**
Davyhulme St. *Roch* —2B **28**
Davylands. *Urm* —2B **104**
Davy St. *M40* —1F **95**
Daw Bank. *Stoc* —2G **139**
Dawes St. *Bolt* —1B **46**
Dawley Clo. *Bolt* —1G **45**
Dawley Clo. *Bolt* —1G **45**
Dawley Flats. *Heyw* —3E **39**
(off Brunswick St.)
Dawlish Av. *Chad* —6F **55**
Dawlish Av. *Chea H* —5B **150**
Dawlish Av. *Droy* —3G **97**
Dawlish Av. *Stoc* —4C **128**
Dawlish Clo. *Bram* —6H **151**
Dawlish Clo. *Hyde* —4A **116**
Dawlish Rd. *M21* —1A **124**
Dawlish Rd. *Sale* —4G **121**
Dawnay St. *M11* —5D **96**
Dawn St. *Shaw* —1F **57**
Dawson La. *Ram* —6A **32**
Dawson Rd. *B'hth* —4F **133**
Dawson Rd. *H Grn* —5H **149**
Dawson St. *M3* —5B **94** (2C **8**)
Dawson St. *Bury* —1E **37**
(in two parts)
Dawson St. *Heyw* —3E **39**
Dawson St. *Lees* —4A **74**
Dawson St. *Oldh* —3H **73**
Dawson St. *Pen* —3G **79**
Dawson St. *Redf I* —6C **114**
Dawson St. *Roch* —3H **27**
Dawson St. *Salf* —3D **94** (3G **5**)
Dawson St. *Stoc* —6B **128**
Day Dri. *Fail* —5F **85**
Day Gro. *Mot* —4C **116**
Daylesford Clo. *Chea* —1H **149**
Daylesford Cres. *Chea* —1H **149**
Daylesford Rd. *Chea* —1H **149**

Deacon Av. *Swint* —2E **79**
Deacon Clo. *Bow* —4C **144**
Deacons Clo. *Stoc* —2A **140**
Deacons Cres. *Tot* —6A **22**
Deacon's Dri. *Salf* —5H **81**
Deacon St. *Roch* —2B **28**
Deakins Bus. Pk. *Eger* —2B **18**
Deal Av. *Stoc* —4B **128**
Deal Clo. *M40* —6D **84**
Dealey Rd. *Bolt* —3E **45**
Deal St. *Bolt* —4B **46**
Deal St. *Hyde* —5C **114**
Deal St. *Salf* —3C **94** (4F **5**)
Deal St. N. *Bury* —2F **37**
Deal St. S. *Bury* —3F **37**
(in two parts)
Deal Wlk. *Chad* —3G **71**
Dean Av. *Newt H* —5B **84**
Dean Av. *Old T* —4H **107**
Deanbank Av. *M19* —1B **126**
Dean Bank Dri. *Roch* —4H **41**
Dean Brook Clo. *M40* —4B **84**
Dean Clo. *M15* —1B **108** (6C **8**)
Dean Clo. *Farn* —1B **62**
Dean Clo. *Part* —5D **118**
Dean Clo. *Ram* —1A **12**
Dean Clo. *Wilm* —6G **159**
Dean Ct. *M15* —1B **108** (6C **8**)
Dean Ct. *Bolt* —5C **32**
Dean Ct. *Duk* —4H **99**
Deancourt. *Roch* —1F **41**
Dean Dri. *Bow* —4C **144**
Dean Dri. *Wilm* —6G **159**
Deane Av. *Bolt* —2F **45**
Deane Av. *Chea* —6B **138**
Deane Av. *Tim* —6A **134**
Deane Chu. Clough. *Bolt*
—2E **45**
Deane Chu. La. *Bolt* —3F **45**
Deane Clo. *W'fld* —2B **66**
Deane Rd. *Bolt* —2G **45**
Deanery Gdns. *Salf* —3H **81**
Deanery Way. *Stoc* —1G **139**
Deane Wlk. *Bolt* —1A **46**
(in two parts)
Dean Ho. *Ram* —5B **32**
Dean La. *M40* —4B **84**
Dean La. *Haz G* —5D **152**
DEAN LANE STATION. *BR*
—5B **84**
Dean Moor Rd. *Haz G* —3A **152**
Dean Rd. *M18* —3G **111**
Dean Rd. *Cad* —3C **118**
Dean Rd. *Hand* —4A **160**
Dean Rd. *Salf* —2C **94** (2F **5**)
Dean Row Rd. *Wilm* —6G **159**
Deanscourt Av. *Swint* —4E **79**
Deansgate. *M3* —5C **94** (3F **9**)
(in two parts)
Deansgate. *Bolt* —6A **32**
Deansgate. *Rad* —4H **49**
Deansgate La. *Tim* —4G **133**
DEANSGATE STATION. *BR*
—5C **94**
Deanshut Rd. *Oldh* —1E **87**
Deans Rd. *Swint* —4D **78**
Dean St. *M1* —4F **95** (5C **6**)
Dean St. *Ash L* —2G **99**
Dean St. *Fail* —4E **85**
Dean St. *Moss* —2D **88**
Dean St. *Rad* —4F **49**
Dean St. *Ram* —5B **32**
Dean St. *Roch* —2B **28**
Dean St. *Stal* —3E **101**
Deansway. *Swint* —3E **79**
Deanswood Dri. *M9* —4C **68**
Dean Ter. *Ash L* —2F **87**
Dean Wlk. *Mid* —5F **53**
Deanwater Clo. *M13*
—6F **95** (4D **10**)
Deanwater Ct. *H Grn* —6H **149**

Deanwater Ct. *Stret* —1D **122**
Deanway. *M40* —3A **84**
Deanway. *Urm* —5H **103**
Deanway. *Wilm* —6G **159**
Deanway Trad. Est. *Hand*
—4H **159**
Dearden Av. *L Hul* —4C **62**
Dearden Fold. *Bury* —4A **36**
Dearden Fold. *Eden* —3B **12**
Deardens St. *Bury* —4A **36**
Dearden St. *L'boro* —3F **17**
Dearden St. *L Lev* —3A **48**
Dearden Wlk. *M15*
—1C **108** (5F **9**)
Dearncamme Clo. *Bolt* —6F **19**
Dearne Dri. *Stret* —5E **107**
Dearnley Clo. *L'boro* —5C **16**
Dearnley Pas. *L'boro* —5C **16**
Debdale Av. *M18* —3H **111**
Debdale La. *M18* —3H **111**
Debenham Av. *M40* —1E **97**
Debenham Ct. *Farn* —2F **63**
Debenham Rd. *Stret* —5A **106**
De Brook Ct. *Urm* —6A **104**
Dee Av. *Tim* —6D **133**
Dee Dri. *Kear* —4B **64**
Deepcar St. *M19* —5C **110**
Deepdale. *Oldh* —3H **73**
Deepdale Av. *M20* —1E **125**
Deepdale Av. *Roch* —5C **28**
Deepdale Av. *Rytn* —5A **42**
Deepdale Clo. *Stoc* —6H **111**
Deepdale Ct. *M9* —6B **70**
Deepdale Dri. *Pen* —4B **80**
Deepdale Rd. *Bolt* —5G **33**
Deepdene St. *M12* —1B **110**
Deeping Av. *M16* —5B **108**
Deeplish Cotts. *Roch* —6H **27**
Deeplish Rd. *Roch* —6H **27**
Deeplish St. *Roch* —6H **27**
Deeply Vale La. *Bury* —1A **24**
Deeracre Av. *Stoc* —5C **140**
Deerfold Clo. *M18* —2F **111**
Deerhurst Dri. *M8* —5B **82**
Deeroak Clo. *M18* —1D **110**
Deerpark Rd. *M16* —4C **108**
Deer St. *M1* —5G **95** (1E **11**)
Defence St. *Bolt* —1H **45**
Deganwy Gro. *Stoc* —4H **127**
Deighton Av. *M20* —1E **125**
Delacourt Rd. *M14* —1E **125**
De Lacy Dri. *Bolt* —4D **32**
Delafield Av. *M12* —5C **110**
Delaford Av. *Wor* —4G **77**
Delaford Clo. *Stoc* —1G **151**
Delaford Wlk. *M40* —1F **97**
Delahays Dri. *Hale* —3B **146**
Delahays Range. *M18* —3H **111**
Delahays Rd. *Hale* —3B **146**
Delaine Rd. *M20* —3G **125**
Delamere Av. *Clif* —1H **79**
Delamere Av. *Sale* —6E **123**
Delamere Av. *Salf* —5A **80**
Delamere Av. *Shaw* —5H **43**
Delamere Av. *Stret* —5D **106**
Delamere Clo. *C'brk* —5G **89**
Delamere Clo. *Haz G* —2G **153**
Delamere Clo. *Woodl* —4A **130**
Delamere Ct. *M9* —4C **68**
Delamere Gdns. *Bolt* —2H **31**
Delamere Rd. *M19* —1C **126**
Delamere Rd. *Dent* —5B **112**
Delamere Rd. *Gat* —6F **137**
Delamere Rd. *Hand* —3H **159**
Delamere Rd. *Haz G* —2G **153**
Delamere Rd. *Roch* —1A **42**
Delamere Rd. *Stoc* —1B **152**
Delamere Rd. *Urm* —5B **104**
Delamere St. *M11* —6H **97**
Delamere St. *Ash L* —2H **99**

Delamere St. *Bury* —6G **23**
Delamere St. *Oldh* —4F **73**
Delamer Rd. *Bow* —2E **145**
Delaunays Rd. *M8 & M9*
    —2C **82**
Delaunays Rd. *Sale* —5H **121**
Delaware Wlk. *M9* —4F **83**
Delbooth Av. *Urm* —3A **104**
Delft Wlk. *Salf* —6E **81**
Delfur Rd. *Bram* —6H **151**
Delhi Rd. *Irl* —1D **118**
Dellar St. *Roch* —2E **27**
Dell Av. *Pen* —4B **80**
Dell Clo. *Spring* —4B **74**
Dellcot Clo. *P'wch* —1H **81**
Dellcot Clo. *Salf* —6H **79**
Dellcot La. *Wor* —6H **77**
Dell Gdns. *Roch* —1D **26**
Dellhide Clo. *Spring* —3C **74**
Dell Rd. *Roch* —6B **14**
Dell Meadow. *Whitw* —4C **14**
Dell Rd. *Roch* —6B **14**
Dell Side. *Bred* —6E **129**
Dellside Gro. *Wor* —6G **63**
Dell Side Way. *Roch* —1E **27**
Dell St. *Bolt* —6G **19**
Dell, The. *Bolt* —6G **19**
Delph Av. *Eger* —1B **18**
Delph Brook Way. *Eger* —1B **18**
Delph Hill Clo. *Bolt* —3C **30**
Delphi Av. *Wor* —1F **77**
Delph La. *Bolt* —4C **34**
Delph La. *Del* —2H **59**
Delph New Rd. *Del* —4G **59**
Delph St. *Bolt* —2H **45**
Delph St. *Miln* —5F **29**
Delside Av. *M40* —3A **84**
Delta Clo. *Rytn* —5A **56**
Delta Rd. *Aud* —6E **99**
Delta Wlk. *M40* —4A **84**
Delvino St. *M15* —2D **108**
Delvino Wlk. *M14* —3E **109**
Delwood Gdns. *M22* —2B **148**
De Massey Clo. *Woodl*
    —3H **129**
Demesne Clo. *Stal* —4G **101**
Demesne Cres. *Stal* —4G **101**
Demesne Dri. *St P* —3G **101**
Demesne Rd. *M16* —5C **108**
Demmings Ind. Est. *Dem I*
    —6B **138**
Demmings Rd. *Dem I* —6B **138**
Demmings, The. *Chea* —6B **138**
Dempsey Dri. *Bury* —5F **51**
Denbigh Clo. *Haz G* —2D **152**
Denbigh Dri. *Shaw* —1D **56**
Denbigh Pl. *Salf* —3G **93**
  (in two parts)
Denbigh Rd. *Bolt* —2D **46**
Denbigh Rd. *Clif* —1G **79**
Denbigh Rd. *Dent* —6F **113**
Denbigh St. *Moss* —3F **89**
Denbigh St. *Oldh* —6D **72**
Denbigh St. *Stoc* —6F **127**
Denbigh Wlk. *M15* —2C **108**
Denbury Dri. *Alt* —6D **132**
Denbury Grn. *Haz G* —4A **152**
Denbury Wlk. *M9* —5E **83**
  (off Westmere Dri.)
Denbydale Way. *Rytn* —3A **56**
  (in two parts)
Denby La. *Stoc* —5F **127**
Denby Rd. *Duk* —6A **100**
Dencombe St. *M13* —3B **110**
Dene Av. *Bury* —5C **22**
Dene Bank. *Bolt* —6G **19**
Dene Brow. *Dent* —1H **129**
Dene Ct. *Stoc* —1E **139**
Dene Dri. *Mid* —2H **69**
Denefield Clo. *Marp B* —2F **143**
Denefield Pl. *Ecc* —2H **91**
Deneford Rd. *M20* —1E **137**

Dene Hollow. *Stoc* —6A **112**
Denehurst Rd. *Roch* —3D **26**
Denehurst St. *M12* —1B **110**
Dene Pk. *M20* —6E **125**
Dene Rd. *M20* —6E **125**
Dene Rd. W. *Manx* —6D **124**
Deneside. *M40* —5F **83**
Deneside Cres. *Haz G* —2F **153**
Deneside Wlk. *M9* —2G **83**
  (off Dalbeattie St.)
Dene St. *Bolt* —6G **19**
Denesway. *Sale* —6G **121**
  (in two parts)
Deneway. *Bram* —6E **151**
Deneway. *H Lane* —5D **154**
Deneway. *Stoc* —1E **139**
Deneway Clo. *Stoc* —1E **139**
Deneway M. *Stoc* —1E **139**
Denewell Clo. *M13*
    —1H **109** (6G **11**)
Denewood Ct. *Wilm* —3D **166**
Denham Clo. *Bolt* —5E **19**
Denham Dri. *Bram* —6F **151**
Denham Dri. *Irl* —6E **103**
Denham St. *M13* —3H **109**
Denham St. *Rad* —1F **49**
Den Hill Dri. *Spring* —3B **74**
Denhill Rd. *M15* —2D **108**
Denhill Rd. Ind. Est. *M15*
    —2D **108**
Denholme Rd. *Roch* —1F **41**
Denholm Rd. *M20* —3G **137**
Denhurst Rd. *L'boro* —3F **17**
Denis Av. *M16* —5C **108**
Denison Rd. *M14* —4G **109**
Denison Rd. *Haz G* —5E **153**
Deniston Rd. *Stoc* —4D **126**
Den La. *Spring* —2B **74**
Den La. *Upperm* —1F **61**
Denman Wlk. *M8* —5B **82**
  (off Ermington Dri.)
Denmark Rd. *M15* —3D **108**
Denmark Rd. *Sale* —3B **122**
Denmark St. *Alt* —1F **145**
Denmark St. *Chad* —1A **72**
Denmark St. *Oldh* —2G **73**
Denmark St. *Roch* —3A **28**
Denmark Way. *Chad* —1A **72**
Denmore Rd. *M40* —6D **70**
Dennington Dri. *Urm* —3E **105**
Dennison Av. *M20* —2F **125**
Dennison Ct. *Mid* —1H **69**
Dennison Rd. *Chea H* —5D **150**
Denshaw Av. *Dent* —2D **112**
Denshaw Clo. *M19* —6A **126**
Denshaw Rd. *Del* —1E **59**
Densmond Wlk. *M40*
    —2G **95** (2F **7**)
Densmore St. *Fail* —4F **85**
Denson Rd. *Tim* —3B **134**
Denstone Av. *Ecc* —2G **91**
Denstone Av. *Sale* —6G **121**
Denstone Av. *Urm* —4E **105**
Denstone Cres. *Bolt* —3G **33**
Denstone Rd. *Salf* —6B **80**
Denstone Rd. *Stoc* —6H **111**
Denstone Wlk. *M9* —6G **69**
  (off Dam Head Dri.)
Dent Clo. *Stoc* —3C **128**
Dentdale Clo. *Bolt* —1B **44**
Dentdale Wlk. *M22* —5A **148**
Denton La. *Chad* —4G **71**
Denton Relief Rd. *Aud* —3D **112**
Denton Rd. *Aud* —2E **113**
Denton Rd. *Bolt* —1B **48**
DENTON STATION. *BR*
    —3C **112**
Denton St. *Bury* —1D **36**
Denton St. *Heyw* —4E **39**
Denton St. *Roch* —2H **27**
Denver Av. *M40* —2H **95** (1H **7**)

Denver Dri. *Tim* —5A **134**
Denver Rd. *Roch* —1F **41**
Denville Cres. *M22* —2C **148**
Denyer Ter. *Duk* —4H **99**
Depleach Rd. *Chea* —6H **137**
Deptford Av. *M23* —2G **147**
De Quincey Clo. *W Tim*
    —2F **133**
De Quincey Rd. *W Tim* —2F **133**
Deramore Clo. *Ash L* —2C **100**
Deramore St. *M14* —4F **109**
Derby Av. *Salf* —3E **93**
Derby Clo. *Cad* —4A **118**
Derby Ct. *Oldh* —4A **72**
Derby Ct. *Sale* —6C **122**
Derby Gro. *M19* —6D **110**
Derby Ho. *M15* —2F **109**
Derby Range. *Stoc* —5D **126**
Derby Rd. *M14* —2G **125**
Derby Rd. *Ash L* —2B **100**
Derby Rd. *Hyde* —3C **114**
Derby Rd. *Rad* —1A **64**
Derby Rd. *Sale* —3G **121**
Derby Rd. *Salf* —4E **93**
Derby Rd. *Stoc* —5E **127**
Derby Rd. *Urm* —4F **105**
Derby Rd. *W'fld* —3E **67**
Derbyshire Av. *Stret* —4A **106**
Derbyshire Cres. *Stret* —4A **106**
Derbyshire Grn. *Stret* —5D **106**
Derbyshire Gro. *Stret* —4A **106**
Derbyshire La. *Stret* —5C **106**
Derbyshire La. W. *Stret*
    —4A **106**
Derbyshire Rd. *M40* —1F **97**
Derbyshire Rd. *Poy* —2B **164**
Derbyshire Rd. *Ram* —2A **32**
Derbyshire Rd. *Sale* —5C **122**
Derbyshire Rd. S. *Sale*
    —6C **122**
Derbyshire St. *M11* —6E **97**
Derby St. *M8* —6A **82**
Derby St. *Alt* —6G **133**
Derby St. *Ash L* —6E **87**
Derby St. *Bolt* —3H **45**
Derby St. *Bury* —3D **36**
Derby St. *Chad* —6H **71**
  (Chadderton)
Derby St. *Chad* —4A **72**
  (Oldham)
Derby St. *Dent* —4D **112**
  (in two parts)
Derby St. *Fail* —2G **85**
Derby St. *Heyw* —3D **38**
Derby St. *Marp* —5D **142**
Derby St. *Moss* —3F **89**
Derby St. *P'wch* —5E **67**
Derby St. *Ram* —3F **13**
Derby St. *Roch* —6A **28**
Derby St. *Stal* —2F **101**
Derby St. *Stoc* —3F **139**
Derby Way. *Marp* —5D **142**
Dereham Clo. *Bury* —6D **22**
Derg St. *Salf* —3F **93**
DERKER STATION. *BR* —1E **73**
Derker St. *Oldh* —1E **73**
Dermot Murphy Clo. *M20*
    —3D **124**
Dernford Av. *M19* —4B **126**
Derrick Walker St. *Roch* —6F **27**
Derry Av. *M22* —1C **148**
Derry St. *Oldh* —3D **72**
Derville Wlk. *M9* —3F **83**
  (off Alderside Rd.)
Derwen Rd. *Stoc* —4G **139**
Derwent Av. *M21* —4B **124**
Derwent Av. *Ash L* —1G **99**
Derwent Av. *Droy* —4G **97**
Derwent Av. *Heyw* —4F **39**
Derwent Av. *Miln* —5H **29**
Derwent Av. *Tim* —6D **134**

Derwent Av. *W'fld* —1F **67**
Derwent Clo. *Chor H* —4B **124**
Derwent Clo. *Dent* —5B **112**
Derwent Clo. *L Lev* —4H **47**
Derwent Clo. *Part* —5D **118**
Derwent Clo. *W'fld* —1F **67**
Derwent Clo. *Wor* —1D **76**
Derwent Dri. *Bram* —2E **161**
Derwent Dri. *Bury* —6B **36**
Derwent Dri. *Chad* —2G **71**
Derwent Dri. *Hand* —2G **159**
Derwent Dri. *Kear* —4B **64**
Derwent Dri. *L'boro* —1F **29**
Derwent Dri. *Sale* —1A **134**
Derwent Dri. *Shaw* —5E **43**
Derwent Ind. Area. *Salf*
    —6A **94** (2B **8**)
Derwent Rd. *Farn* —1B **62**
Derwent Rd. *H Lane* —5C **154**
Derwent Rd. *Mid* —4G **53**
Derwent Rd. *Stret* —4D **106**
Derwent Rd. *Urm* —5A **104**
Derwent St. *M8* —5E **83**
Derwent St. *Droy* —3F **97**
Derwent St. *Roch* —2H **27**
Derwent St. *Salf* —5A **94** (2B **8**)
Derwent Ter. *Stal* —1E **101**
Derwent Wlk. *Oldh* —2H **73**
Derwent Wlk. *W'fld* —1F **67**
Desford Av. *M21* —6A **108**
Design St. *Bolt* —3F **45**
Desmond Rd. *M22* —1C **148**
Destructor Rd. *Swint* —2E **79**
De Trafford Ho. *Ecc* —4F **91**
De Traffords, The. *Irl* —4F **103**
Dettingen St. *Salf* —5B **80**
Deva Cen., The. *M3* —3F **5**
Deva Clo. *Haz G* —4D **152**
Deva Clo. *Poy* —3B **162**
Devaney Wlk. *Dent* —6E **113**
Deva Sq. *Oldh* —4A **72**
Devas St. *M15* —2F **109**
  (in two parts)
Deverill Av. *M18* —3H **111**
Devine Clo. *Rytn* —1B **56**
Devine Clo. *Salf* —3B **94** (3C **4**)
Devisdale Ct. *Alt* —2D **144**
Devisdale Rd. *Alt* —1D **144**
Devoke Av. *Wor* —1G **77**
Devoke Gro. *Farn* —1A **62**
Devon Av. *M19* —1B **126**
Devon Av. *W'fld* —6C **50**
Devon Clo. *L Lev* —3C **48**
Devon Clo. *Salf* —2A **92**
Devon Clo. *Shaw* —6D **42**
Devon Clo. *Stoc* —5C **128**
Devon Dri. *Bolt* —4C **34**
Devon Dri. *Dig* —3B **60**
Devonport Cres. *Rytn* —3D **56**
Devon Rd. *Cad* —4B **118**
Devon Rd. *Droy* —2A **98**
Devon Rd. *Fail* —5E **85**
Devon Rd. *Urm* —6A **104**
Devonshire Clo. *Heyw* —3C **38**
Devonshire Clo. *Urm* —5G **105**
Devonshire Clo. *Salf* —3H **81**
Devonshire Ct. *Stoc* —6A **140**
Devonshire Dri. *Ald E* —4H **167**
Devonshire Dri. *Wor* —5A **76**
Devonshire Pk. Rd. *Stoc*
    —6A **140**
Devonshire Pl. *P'wch* —4E **67**
Devonshire Rd. *M21* —1A **124**
Devonshire Rd. *Bolt* —4F **31**
Devonshire Rd. *B'hth* —5F **133**
Devonshire Rd. *Ecc* —3G **91**
Devonshire Rd. *Haz G* —5F **153**
Devonshire Rd. *Roch* —3F **41**
Devonshire Rd. *Salf* —2A **92**
Devonshire Rd. *Stoc* —1D **138**
Devonshire Rd. *Wor* —3E **63**

Douglas St. Ash L —2C 100
Douglas St. Bolt —6C 18
Douglas St. Fail —4G 85
Douglas St. Hyde —5C 114
Douglas St. Oldh —1E 73
Douglas St. Ram —3D 12
Douglas St. Salf —5H 81
Douglas St. Swint —4G 79
Douglas St. Bk. Ram —3D 12
Douglas Wlk. Sale —4E 121
Douglas Way. W'fld —6G 51
Doulton St. M40 —3C 84
Dounby Av. Ecc —2D 90
Douro St. M40 —6H 83
Douthwaite Dri. Rom —2C 142
Dove Bank Rd. L Lev —3H 47
Dovebrook Clo. C'brk —4G 89
Dovecote. Droy —2D 98
Dovecote Clo. Brom X —3F 19
Dovecote La. Lees —1B 74
Dovecote La. L Hul —6A 62
Dovecote M. M21 —1G 123
Dovedale Av. M20 —2E 125
Dovedale Av. Droy —3G 97
Dovedale Av. Ecc —2G 91
Dovedale Av. P'wch —6H 67
Dovedale Av. Urm —5F 105
Dovedale Clo. H Lane —6C 154
Dovedale Dri. Ward —3B 16
Dovedale Rd. Bolt —4H 33
Dovedale Rd. Stoc —4D 140
Dovedale St. Fail —4E 85
Dove Dri. Bury —1F 37
Dove Dri. Irl —3E 103
Dovehouse Clo. W'fld —1C 66
Doveleys Rd. Salf —1C 92
Dover Clo. BL8 —2A 22
Dovercourt Av. Stoc —5B 126
Dover Gro. Bolt —1H 45
Dove Rd. Bolt —3F 45
Dover Pk. Urm —3F 105
Dover Rd. Clif —1G 79
Dover St. M13 —1F 109 (6D 10)
Dover St. Ecc —3D 90
Dover St. Farn —5E 47
Dover St. Oldh —4A 72
Dover St. Roch —1B 28
Dover St. Stoc —1G 127
Dovestone Cres. Duk —6D 100
Dovestone Wlk. M40 —2E 85
Doveston Gro. Sale —3B 122
Doveston Rd. Sale —3B 122
Dove St. Oldh —4G 73
Dove St. Ram —1A 32
Dove St. Roch —4F 27
Dove Wlk. M8 —6D 82
Dove Wlk. Farn —1B 62
Dow Fold. Bury —2F 35
Dow La. Bury —2F 35
Dowling St. M19 —6E 111
(in two parts)
Dowling St. Roch —5H 27
Downcast Way. Swint —3C 80
Downesway. Ald E —5F 167
Downfield Clo. Ram —3C 12
Downfields. Stoc —6A 142
Downgate Wlk. M8 —5C 82
Downhall Grn. Bolt —5B 32
Downham Av. Bolt —5E 33
Downham Chase. Tim —5B 134
Downham Clo. Rytn —5A 56
Downham Cres. P'wch —6H 67
Downham Gdns. P'wch —6A 68
Downham Gro. P'wch —6A 68
Downham Rd. Heyw —3C 38
Downham Wlk. M23 —3F 135
Downhill Clo. Oldh —6C 56
Downing Clo. Ash L —5D 86

Downing St. M1
—6F 95 (3D 10)
Downing St. Ash L —6D 86
Downing St. Ind. Est. Ard
—6G 95 (3D 10)
(off Charlton Pl.)
Downley Clo. Roch —1C 28
Downley Dri. M4 —3G 95 (4F 7)
Downs Dri. Tim —3G 133
Downshaw Rd. Ash L —5E 87
Downs, The. Alt —2E 145
Downs, The. Chea —2H 149
Downs, The. Mid —3B 70
(in two parts)
Downs, The. P'wch —1E 81
Dowry Rd. Lees —2A 74
Dowry St. Oldh —6D 72
Dowson Rd. Hyde —2B 130
Dowson St. Bolt —6C 32
Dow St. Hyde —2B 114
Doyle Av. Bred —6D 128
Doyle Clo. Oldh —3A 58
Doyle Rd. Bolt —4C 44
Draba Brow. Ram —3E 13
Drake Av. Cad —3C 118
Drake Av. Farn —2F 63
Drake Clo. Oldh —1D 72
Drake Ct. Stoc —5G 127
Drake Rd. B'hth —3D 132
Drake Rd. L'boro —6G 17
Drake St. Roch —4H 27
Draxford Ct. Wilm —3E 167
Draycott St. Bolt —3A 32
Draycott St. E. Bolt —3B 32
Drayfields. Droy —3D 98
Drayton Clo. Bolt —3H 31
Drayton Clo. Sale —1F 133
Drayton Dri. H Grn —6F 149
Drayton Gro. Tim —1A 146
Drayton Mnr. Manx —3F 137
Drayton Wlk. M16 —2B 108
Drefus Av. M11 —3E 97
Dresden St. M40 —3C 84
Dresser Cen., The. Open
—6D 96
Drewett St. M40 —1A 96
Driffield St. M14 —4E 109
Driffield St. Ecc —5E 91
Drill Wlk. M4 —3G 95 (4F 7)
(off Kirby Wlk.)
Drinkwater Rd. P'wch —2D 80
Driscoll St. M13 —4B 110
Drive, The. M20 —6G 125
Drive, The. Bred —6D 128
Drive, The. Bury —6F 23
Drive, The. Chea H —1E 151
Drive, The. Haleb —5D 146
Drive, The. Marp —5C 142
Drive, The. P'wch —5F 67
Drive, The. Ram —2A 12
Drive, The. Sale —2G 133
Drive, The. Salf —2G 81
Drive, The. Stoc —5B 128
Droitwich Rd. M40 —1H 95
Dronfield Rd. M22 —3B 136
Dronfield Rd. Salf —1D 92
Droughts La. P'wch —1H 67
Droylsden Rd. M40 —5C 84
Droylsden Rd. Aud —4B 98
Drummond St. Bolt —1A 32
Drury La. Chad —6G 71
Drury St. M19 —6C 110
Dryad Clo. Pen —1F 79
Drybrook Clo. M13 —2A 110
Dryburgh Av. Bolt —1H 31
Dry Clough La. Upperm —2E 61
Dryclough Wlk. Rytn —4C 56
Dryden Av. Chea —5A 138
Dryden Av. Swint —4D 78
Dryden Clo. Duk —6F 101
Dryden Clo. Marp —1D 154

Dryden Rd. M16 —4A 108
Dryden St. M13
—1G 109 (6E 11)
Dryden Way. Dent —1G 129
Drygate Wlk. M9 —4G 83
(off Orpington Rd.)
Dryhurst Dri. Dis —1H 165
Dryhurst La. Dis —1H 165
Dryhurst Wlk. M15
—1E 109 (6A 10)
Drymoss. Oldh —2E 87
Drywood Av. Wor —6A 78
Ducal St. M4 —1F 95 (1C 6)
Duchess Pk. Clo. Shaw —5F 43
Duchess Rd. Crum —3D 82
Duchess St. Shaw —5E 43
Duchess Wlk. Bolt —3F 45
Duchy Av. Bolt —6E 45
Duchy Av. Wor —3F 77
Duchy Bank. Salf —5B 80
Duchy Cvn. Pk. Salf —6D 80
Duchy Rd. Salf —5C 80
Duchy St. Salf —2F 93
Duchy St. Stoc —4F 139
Ducie Av. M15 —2F 109
Ducie Bank. Bolt —6G 31
Ducie Cres. M15 —2F 109
Ducie Gro. M15 —2F 109
Ducie Pl. Salf —4A 94 (6A 4)
Ducie St. M1 —4F 95 (6C 6)
Ducie St. Oldh —1D 86
Ducie St. Rad —2F 49
Ducie St. Ram —2D 12
Ducie St. W'fld —1D 66
Duckshaw La. Farn —1E 63
Duckworth Ho. Salf —1F 93
Duckworth Rd. P'wch —6D 66
Duckworth St. Bolt —3G 45
Duckworth St. Bury —1E 37
(in two parts)
Duckworth St. Shaw —6G 43
Duddon Av. Bolt —4H 33
Duddon Clo. W'fld —1G 67
Duddon Wlk. Mid —5G 53
Dudley Av. Bolt —4E 33
Dudley Av. W'fld —1D 66
Dudley Clo. M15 —2C 108
Dudley Ct. M16 —4B 108
Dudley Rd. M16 —5B 108
Dudley Rd. Cad —5B 118
Dudley Rd. Pen —2F 79
Dudley Rd. Sale —3C 122
Dudley Rd. Tim —4B 134
Dudley St. Dent —3E 113
Dudley St. Ecc —4E 91
Dudley St. Oldh —3H 73
Dudley St. Salf & M8 —4A 82
Dudlow Wlk. M15
—1B 108 (6D 8)
Dudwell Clo. Bolt —4G 31
Duerden St. Bolt —5E 45
Duffield Ct. M15 —2E 109
Duffield Gdns. Mid —4H 69
Duffield Rd. Mid —4H 69
Duffield Rd. Salf —6B 80
Duffins Clo. Roch —6D 14
Dufton Wlk. M22 —4C 148
Dufton Wlk. Mid —5G 53
Dugdale Av. M9 —5G 69
Duke Av. Stan G —1B 160
Duke Clo. M16 —2B 108
Duke Ct. M16 —2B 108
Dukefield St. M22 —3C 136
Duke Pl. M3 —5C 94 (2E 9)
Duke Rd. Hyde —2D 114
Dukes All. Ram —6B 32
(off Ridgeway Gdns.)
Duke's Av. L Lev —3A 48
Dukes Platting. Ash L —6B 88
Duke's Ter. Duk —4H 99
(off Astley St.)

Duke St. M3 —5C 94 (2E 9)
(Manchester)
Duke St. M3 —3D 94 (3G 5)
(Salford)
Duke St. Ain —4C 34
Duke St. Ald E —4H 167
Duke St. Ash L —2H 99
Duke St. Bolt —5A 32
(in two parts)
Duke St. Dent —4E 113
Duke St. Droy —4B 98
Duke St. Ecc —1E 91
Duke St. Fail —3G 85
Duke St. Heyw —3D 38
Duke St. L'boro —4E 17
Duke St. L Hul —4C 62
Duke St. Moss —2G 89
Duke St. Rad —5H 49
Duke St. Ram —5C 12
Duke St. Roch —2H 27
(in two parts)
Duke St. Shaw —1G 57
Duke St. Stal —4D 100
Duke St. Stoc —2H 139
Duke St. Wor —1A 78
Duke St. N. Ram —5A 32
Duke's Wharf. Wor —6H 77
Dukinfield Rd. Hyde —2A 114
Dulford Wlk. M13 —2G 109
(off Plymouth Gro.)
Dulford Wlk. Salf —5B 82
Dulgar St. Open —5D 96
Dulverton St. M40 —5B 84
Dulwich Clo. Sale —6F 121
Dulwich St. M4 —2F 95 (1C 6)
Dumbarton Clo. Stoc —3H 127
Dumbarton Dri. Heyw —4C 38
Dumbarton Rd. Stoc —2H 127
Dumbell St. Pen —1F 79
Dumber La. Sale —3H 121
Dumers La. Rad & Bury —3B 50
Dumfries Wlk. Heyw —4C 38
Dumplington Circ. Urm —6F 91
Dunbar Av. M23 —2G 147
Dunbar Dri. Bolt —4A 46
Dunbar Gro. Heyw —5B 38
Dunbar St. Oldh —1C 72
Dunblaine Av. Stoc —6F 127
Dunblane Av. Bolt —2C 44
Dunblane Av. Stoc —1F 139
Dunblane Gro. Heyw —5C 38
Duncan Edwards Ct. M40
—6B 84
(off Eddie Colman Clo.)
Duncan Edwards Ho. Salf
(off Sutton Dwellings) —2F 93
Duncan Rd. M13 —4B 110
(in two parts)
Duncan St. Duk —1A 114
Duncan St. Ram —5B 32
Duncan St. Salf —4G 81
(Higher Broughton)
Duncan St. Salf —5A 94 (1A 8)
(Salford)
Duncan St. Shaw —4E 57
Dunchurch Clo. Los —1B 44
Dunchurch Rd. Sale —5G 121
Dun Clo. Salf —3B 94 (3C 4)
Duncombe Clo. Bram —2A 152
Duncombe Dri. M40 —4B 84
Duncombe Rd. Bolt —4A 46
Duncombe St. Salf —5A 82
Duncote Gro. Rytn —2D 56
Dundee. Ecc —3G 91
(off Monton La.)
Dundee Clo. Heyw —4B 38
Dundee La. Ram —3D 12
Dundonald Rd. M20 —6G 125
Dundonald Rd. Chea H —6C 150
Dundonald St. Stoc —5H 139

Dundraw Clo. *Mid* —6D **52**
Dundrennan Clo. *Poy* —2D **162**
Dunecroft. *Dent* —3G **113**
Dunedin Dri. *Salf* —5D **80**
Dunedin Rd. *G'mnt* —1H **21**
Dunelm Dri. *Sale* —2D **134**
Dungeon Wlk. *Wilm* —2E **167**
Dunham Lawn. *Alt* —1D **144**
Dunham M. *Bow* —4B **144**
Dunham Rise. *Alt* —1E **145**
Dunham Rd. *Bow* —5A **144**
Dunham Rd. *Duk* —1B **114**
Dunham Rd. *Hand* —2H **159**
Dunham Rd. *Part* —5H **119**
Dunham St. *Lees* —1A **74**
Dunkeld Gdns. *M23* —5F **135**
Dunkeld Rd. *M23* —5F **135**
Dunkerley Av. *Fail* —4F **85**
Dunkerleys Clo. *M8* —3B **82**
Dunkerley St. *Ash L* —6E **87**
Dunkerley St. *Oldh* —1G **73**
Dunkerley St. *Rytn* —3B **56**
Dunkery Rd. *M22* —4B **148**
Dunkirk Clo. *Dent* —5A **112**
Dunkirk La. *Hyde* —2H **113**
Dunkirk Rise. *Roch* —4G **27**
Dunkirk Rd. *W'fld* —6D **50**
Dunkirk St. *Droy* —4B **98**
Dunley Clo. *M12* —2C **110**
Dunlin Clo. *Bolt* —2C **46**
Dunlin Clo. *Poy* —3A **162**
Dunlin Clo. *Roch* —4B **26**
Dunlin Clo. *Stoc* —6G **141**
Dunlin Dri. *Irl* —4E **103**
Dunlin Wlk. *B'hth* —3D **132**
Dunlop Av. *Roch* —1E **41**
Dunlop St. *M3* —4D **94** (5G **5**)
Dunmail Dri. *Mid* —4G **53**
Dunmere Wlk. *M9* —4E **83**
(off Mannington Dri.)
Dunmore Rd. *Gat* —5F **137**
Dunmow Ct. *Stoc* —6E **141**
Dunmow Wlk. *M23* —1G **135**
Dunnerdale Wlk. *M18* —2E **111**
Dunnisher Rd. *M23* —6H **135**
Dunnock Clo. *Stoc* —6F **141**
Dunollie Rd. *Sale* —6E **123**
Dunoon Clo. *Heyw* —4C **38**
Dunoon Dri. *Bolt* —6A **18**
Dunoon Rd. *Stoc* —2H **127**
Dunoon Wlk. *M9* —4F **83**
Dunrobin Clo. *Heyw* —5C **38**
Dunscar Clo. *W'fld* —2B **66**
Dunscar Fold. *Eger* —3C **18**
Dunscar Ind. Est. *Eger* —4C **18**
Dunscar Sq. *Eger* —3C **18**
Dunsfold Dri. *M23* —3D **134**
Dunsford Ct. *Spring* —3B **74**
Dunsley Av. *M40* —1D **84**
Dunsmore Clo. *M16* —3B **108**
Dunsop Dri. *Bolt* —2D **30**
Dunsop Wlk. *M15*
(in two parts) —1D **108** (6G **9**)
Dunstable. *Roch* —3G **27**
(off Spotland Rd.)
Dunstable St. *M19* —6D **110**
Dunstall Rd. *M22* —6C **136**
Dunstan St. *Bolt* —6E **33**
Dunster Av. *Aud* —6E **99**
Dunster Av. *M9* —5G **69**
Dunster Av. *Clif* —1H **79**
Dunster Av. *Roch* —6C **27**
Dunster Av. *Stoc* —4C **128**
Dunster Clo. *Haz G* —4C **152**
Dunster Dri. *Urm* —6G **103**
Dunster Pl. *Wor* —4B **76**
Dunster Rd. *Wor* —4B **76**
Dunsters Av. *Bury* —6C **22**
Dunsterville Ter. *Roch* —6G **27**
(off New Barn La.)
Dunston St. *M11* —5E **97**

Dunton Grn. *Stoc* —3B **128**
Dunton Towers. *Stoc* —3B **128**
(off Dunton Grn.)
Dunvegan Ct. *Heyw* —4A **38**
Dunvegan Rd. *Haz G* —4F **153**
Dunwood Av. *Shaw* —5G **43**
Dunwood Pk. Courts. *Shaw*
—4G **43**
Dunworth St. *M14* —4F **109**
Durant St. *M4* —2F **95** (2C **6**)
Durban Clo. *Shaw* —1E **57**
Durban Rd. *Ram* —6C **18**
Durban St. *Ash L* —4E **99**
Durban St. *Oldh* —6A **72**
Durban St. *Roch* —3C **40**
Durden M. *Shaw* —1F **57**
Durham Av. *Urm* —4G **105**
Durham Clo. *Clif* —1F **79**
Durham Clo. *Duk* —1B **114**
Durham Clo. *L Lev* —3B **48**
Durham Clo. *Rom* —2G **141**
Durham Cres. *Fail* —5G **85**
Durham Dri. *Ash L* —3H **87**
Durham Dri. *Bury* —5E **37**
Durham Dri. *Ram* —6D **12**
Durham Gro. *Cad* —3A **118**
Durham Ho. *Stoc* —3G **139**
Durham Rd. *Salf* —6A **80**
Durhams Pas. *L'boro* —4E **17**
Durham St. *Bolt* —3B **32**
Durham St. *Droy* —5A **98**
Durham St. *Oldh* —5A **72**
(in two parts)
Durham St. *Rad* —2A **50**
Durham St. *Roch* —5H **27**
Durham St. *Stoc* —6B **111**
Durham St. Bri. *Roch* —6A **28**
Durham Wlk. *Dent* —6F **113**
Durham Wlk. *Heyw* —3C **38**
Durley Av. *M8* —4D **82**
Durley Av. *Tim* —4B **134**
Durling St. *M12* —6G **95** (4F **11**)
Durnford Av. *Urm* —5A **106**
Durnford Clo. *Roch* —1H **25**
Durnford St. *Mid* —6H **53**
Durnford Wlk. *M22* —2H **147**
Durn St. *L'boro* —3G **17**
Durrington Wlk. *M40* —6C **70**
(off Sawston Wlk.)
Dutton St. *M3* —2D **94** (1H **5**)
Duty St. *Ram* —2A **32**
Duxbury Av. *Bolt* —6A **20**
Duxbury Av. *L Lev* —2A **48**
Duxbury Dri. *Bury* —3C **37**
Duxbury St. *Bolt* —3H **31**
Duxford Lodge. *M8* —1B **82**
Duxford Wlk. *M40* —6C **70**
Dyche St. *M4* —2F **95** (5B **6**)
Dye Ho. La. *Roch* —6A **16**
Dye La. *Rom* —1H **141**
Dyers Ct. *L'boro* —3E **17**
Dyer St. *M11* —5C **96**
Dyer St. *Salf* —6A **94** (3A **8**)
Dymchurch Av. *Rad* —2C **64**
Dymchurch St. *M40* —1E **97**
Dysarts Clo. *Moss* —6G **75**
Dysart St. *Ash L* —3B **100**
Dysart St. *Stoc* —6B **140**
Dyserth Gro. *Stoc* —4H **127**
Dyson Clo. *Farn* —1F **63**
Dyson Gro. *Lees* —1B **74**
Dyson St. *Farn* —2F **63**
Dyson St. *Moss* —1D **88**
Dyson St. *Oldh* —3D **72**
Dystelegh Rd. *Dis* —1H **165**

Eades St. *Salf* —2G **93**
Eadington St. *M8* —2C **82**
Eafield Av. *Miln* —4F **29**
Eafield Clo. *Miln* —4F **29**

Eafield Rd. *L'boro* —6C **16**
Eafield Rd. *Roch* —2C **28**
Eagar St. *M40* —5C **84**
Eagle Dri. *Salf* —6E **81**
Eagle Mill Ct. *Del* —2G **59**
Eagles Nest. *P'wch* —6E **67**
Eagle St. *M4* —3E **95** (3B **6**)
Eagle St. *Bolt* —6C **32**
Eagle St. *Oldh* —2C **72**
Eagle Technology Pk. *Roch*
—1G **41**
Eagley Bank. *Bolt* —4D **18**
Eagley Brow. *Ram* —5D **18**
Eagley Ct. *Brom X* —4E **19**
Eagley Dri. *Bury* —4G **35**
Eagley Way. *Bolt* —4D **18**
Ealees. *L'boro* —4G **17**
Ealees Rd. *L'boro* —4G **17**
Ealing Av. *M14* —5G **109**
Ealing Pl. *M19* —3C **126**
Ealing Rd. *Stoc* —3E **139**
Eames Av. *Rad* —1A **64**
Eamont Wlk. *M9* —4F **83**
Earby Gro. *M9* —6H **69**
Earle St. *Bram* —3G **151**
Earlesden Cres. *L Hul* —3C **62**
Earle St. *Ash L* —3F **99**
Earl Rd. *Ram* —3D **12**
Earl Rd. *Stan G* —2A **160**
Earl Rd. *Stoc* —5E **127**
Earlscliffe Ct. *Bow* —1D **144**
Earlston Av. *Dent* —4A **112**
Earl St. *Bolt* —2C **46**
Earl St. *Bury* —3D **36**
Earl St. *Dent* —5E **99**
(Audenshaw)
Earl St. *Dent* —3A **112**
(Denton)
Earl St. *Heyw* —3E **39**
Earl St. *Moss* —2D **88**
Earl St. *P'wch* —5G **67**
Earl St. *Ram* —3F **13**
Earl St. *Roch* —5C **40**
Earl St. *Salf* —1B **94**
Earl St. *Stoc* —3F **139**
Earlswood Wlk. *M18* —1E **111**
Earlswood Wlk. *Bolt* —3B **46**
Earl Ter. *Duk* —4H **99**
(off Astley St.)
Earl Wlk. *M12* —2B **110**
Early Bank. *Stal* —6G **101**
Early Bank Rd. *Duk* —1F **115**
Earney St. *Alt* —1F **145**
Earnshaw Av. *Roch* —6E **15**
Earnshaw Av. *Stoc* —2B **140**
Earnshaw Clo. *Ash L* —6D **86**
Earnshaw St. *M40* —5G **83**
Earnshaw St. *Bolt* —4F **45**
Earnshaw St. *Holl* —3F **117**
Easby Clo. *Chea H* —1D **160**
Easby Clo. *Poy* —2D **162**
Easby Rd. *Mid* —4H **53**
Easedale Clo. *Urm* —4B **104**
Easedale Rd. *Bolt* —5E **31**
Easington Wlk. *M40* —5A **84**
E. Aisle Rd. *Traf P* —3C **106**
East Av. *M19* —2B **126**
East Av. *H Grn* —4G **149**
East Av. *Stal* —2E **101**
(in two parts)
East Av. *W'fld* —5C **50**
E. Bank Rd. *Ram* —6C **12**
(in two parts)
Eastbank St. *Bolt* —3B **32**
Eastbourne Gro. *Bolt* —5E **31**
Eastbourne St. *Oldh* —5F **73**
Eastbourne St. *Roch* —4H **27**
Eastbrook Av. *Rad* —3A **50**
Eastburn Av. *M40*
—2G **95** (1F **7**)
Eastbury Ct. *Salf* —4F **81**

E. Central Dri. *Swint* —4H **79**
Eastchurch Clo. *Farn* —2F **63**
Eastcombe Av. *Salf* —4F **81**
Eastcote Av. *Open* —5G **97**
Eastcote Rd. *Stoc* —4H **127**
Eastcote Wlk. *Farn* —6G **47**
Eastcourt Wlk. *M13*
—1G **109** (6F **11**)
East Cres. *Mid* —2H **69**
Eastdale Pl. *Alt* —4F **133**
EAST DIDSBURY STATION. *BR*
—2G **137**
E. Downs Rd. *Bow* —3E **145**
E. Downs Rd. *Chea H* —2B **150**
East Dri. *M21* —6F **107**
East Dri. *Bury* —3F **51**
East Dri. *Marp* —2D **154**
East Dri. *Salf* —6C **80**
East Dri. *Swint* —4H **79**
Easterdale. *Oldh* —3G **73**
Eastern Av. *Clif* —6B **66**
Eastern By-Pass. *M11* —3E **97**
(in two parts)
Eastern Circ. *M19* —3C **126**
Eastfield. *Salf* —1E **93**
Eastfield Av. *M40* —2A **96**
Eastfield Av. *Mid* —2A **70**
Eastfields. *Rad* —2F **49**
Eastford Sq. *M40* —1G **95**
E. Garth Wlk. *M9* —6G **69**
Eastgate. *Whitw* —2C **14**
Eastgate St. *Ash L* —4G **99**
E. Gate St. *Roch* —3H **27**
E. Grange Av. *M11* —2E **97**
East Gro. *M13* —2G **109**
Eastgrove Av. *Bolt* —5C **18**
Eastham Av. *M14* —6F **109**
Eastham Av. *Bury* —5E **23**
Eastham Way. *Hand* —2H **159**
Eastham Way. *L Hul* —4D **62**
Easthaven Av. *M11* —2E **97**
E. Hill St. *Oldh* —3E **73**
Eastholme Dri. *M19* —2D **126**
Easthope Clo. *M20* —2F **125**
E. Lancashire Rd. *Wor & Swint*
—5A **76**
Eastlands Rd. *M9* —4F **69**
East Lea. *Dent* —4G **113**
Eastleigh Av. *Salf* —3A **82**
Eastleigh Dri. *M40*
—2H **95** (1G **7**)
Eastleigh Gro. *Bolt* —5A **32**
Eastleigh Rd. *H Grn* —4F **149**
Eastleigh Rd. *P'wch* —6A **68**
(in two parts)
E. Lynn Dri. *Wor* —6A **64**
E. Meade. *M21* —2H **123**
East Meade. *Bolt* —5A **46**
E. Meade. *P'wch* —1H **81**
E. Meade. *Swint* —5E **79**
East Moor. *Mos C* —4C **76**
Eastmoor Dri. *M40* —6D **84**
Eastmoor Gro. *Bolt* —5F **45**
E. Newton St. *M4*
—2G **95** (2F **7**)
Eastnor Clo. *M15*
—1B **108** (6C **8**)
Easton Clo. *Mid* —3C **70**
Easton Dri. *Chea* —6C **138**
Easton Rd. *Droy* —3G **97**
E. Ordsall La. *Salf*
—4B **94** (6C **4**)
E. Over. *Rom* —3G **141**
Eastpark Clo. *M13*
—1G **109** (5F **11**)
E. Philip St. *Salf* —2C **94** (1F **5**)
East Rd. *C'brk* —5G **89**
East Rd. *Gort* —4D **110**
East Rd. *Long* —4C **110**
East Rd. *Man A* —1A **158**
East Rd. *Stret* —3B **106**

Eskdale Ho. *M13* —3A **110**
Eskdale M. *G'fld* —4F **61**
Eskdale Ter. *Stal* —1E **101**
Eskrick St. *Bolt* —4H **31**
Eskrigge Clo. *M8* —3B **82**
Esmond Rd. *M8* —4C **82**
Esmont Dri. *Mid* —4G **53**
Esplanade, The. *Roch* —4G **27**
Essex Av. *M20* —5F **125**
Essex Av. *Bury* —4A **38**
Essex Av. *Droy* —2A **98**
Essex Av. *Stoc* —3D **138**
Essex Clo. *Fail* —6F **85**
Essex Clo. *Shaw* —6D **42**
Essex Dri. *Bury* —5D **36**
Essex Gdns. *Cad* —5A **118**
Essex Pl. *Clif* —1F **79**
Essex Rd. *M18* —3H **111**
Essex Rd. *Stoc* —5C **128**
Essex St. *M2* —4D **94** (6H 5)
Essex St. *Roch* —5H **27**
Essex Wlk. *M15* —2B **108**
Essex Way. *M15* —2B **108**
Essingdon St. *Bolt* —3H **45**
(in two parts)
Essington Wlk. *Dent* —6E **113**
Est. South St. *Oldh* —5D **72**
Estate St. *Oldh* —5D **72**
Estate St. S. *Oldh* —5D **72**
Estate Wlk. *Oldh* —5D **72**
Esther St. *L'boro* —4D **16**
Esther St. *Oldh* —2H **73**
Estonfield Dri. *Urm* —5H **105**
Eston St. *M13* —3H **109**
Eswick St. *M11* —4E **97**
Etchells Rd. *H Grn* —4H **149**
Etchells St. *Stoc* —2H **139**
Etchell St. *M40* —6E **83**
Ethel Av. *M9* —4F **69**
Ethel Av. *Pen* —3H **79**
Ethel Ct. *Roch* —5B **28**
Ethel St. *Bolt* —1H **45**
Ethel St. *Oldh* —6D **72**
Ethel St. *Roch* —5B **28**
Ethel St. *Whitw* —3H **15**
Ethel Ter. *M19* —6C **110**
Etherly Clo. *Irl* —5E **103**
Etherow Av. *Rom* —1C **142**
Etherow Gro. *M40* —1F **85**
Etherow Way. *Had* —2G **117**
Etherstone St. *M8* —3E **83**
Ethrow Ind. Est. *Holl* —3F **117**
Eton Av. *Oldh* —6C **72**
Eton Clo. *M16* —2B **108**
Eton Clo. *Roch* —5D **26**
Eton Ct. *M16* —2B **108**
Eton Hill Rd. *Rad* —3A **50**
Eton Way N. *Rad* —2A **50**
Eton Way S. *Rad* —2A **50**
Etropway. *M22* —2B **148**
Etruria Clo. *M13* —2H **109**
Ettington Clo. *Bury* —2G **35**
Ettrick Clo. *Open* —5F **97**
Euclid Clo. *M11* —4A **96**
Europa Bus. Pk. *Stoc* —5D **138**
Europa Ga. *Traf P* —2D **106**
Europa Trad. Est. *Rad* —2B **64**
Europa Way. *Rad* —2A **64**
Europa Way. *Stoc* —5D **138**
Europa Way. *Traf P* —2D **106**
Eustace St. *Bolt* —4C **46**
Eustace St. *Chad* —6H **55**
Euston Av. *M9* —6A **70**
Euxton Clo. *Bury* —4G **35**
Evans Clo. *M20* —6E **125**
Evans Rd. *Ecc* —4C **90**
Evans St. *Ash L* —1B **100**
Evans St. *Mid* —1B **70**
Evans St. *Oldh* —1D **72**
Evans St. *Salf* —2C **94** (2F 5)
Evan St. *M40* —6G **83**

Evanton Wlk. *M9* —4G **83**
(off Nethervale Dri.)
Eva Rd. *Stoc* —4C **138**
Eva St. *M14* —4G **109**
Eva St. *Roch* —1A **28**
Evelyn St. *M14* —1H **125**
Evelyn St. *Oldh* —6F **57**
Evening St. *Fail* —3F **85**
Evenley Clo. *M11* —6F **97**
Everall Bldgs. *Rytn* —3B **56**
Everard Clo. *Wor* —3E **77**
Everard St. *Salf* —6A **94** (3B 8)
Everbrom Rd. *Bolt* —5E **45**
Everdingen Wlk. *Oldh* —4H **57**
Everest Av. *Ash L* —6F **87**
Everest Clo. *Hyde* —3E **115**
Everest Rd. *Hyde* —3E **115**
Everest St. *Roch* —3G **41**
Everett Ct. *Manx* —3F **125**
Everett Rd. *M20* —3E **125**
Everglade. *Oldh* —2E **87**
Evergreen Wlk. *Sale* —3E **121**
Everitt St. *Bolt* —3A **32**
Everleigh Clo. *Bolt* —6A **20**
Everleigh Dri. *M8* —5B **82**
Eversden Ct. *Salf* —1C **94**
Eversley Clo. *Sale* —1B **134**
Eversley Rd. *M20* —6E **125**
Everson M. *Upperm* —1F **61**
Everton Rd. *Oldh* —5B **72**
Everton Rd. *Stoc* —5H **111**
Everton St. *Swint* —3E **79**
Every St. *M4* —4H **95** (6G 7)
Every St. *Bury* —1D **36**
Every St. *Ram* —3F **13**
Evesham Av. *M23* —4D **134**
Evesham Av. *Stoc* —6D **127**
Evesham Clo. *Bolt* —1H **45**
Evesham Clo. *Mid* —4B **70**
Evesham Dri. *Farn* —5D **46**
Evesham Gro. *Ash L* —4G **87**
Evesham Gro. *Sale* —5E **123**
Evesham Rd. *M9* —1A **84**
Evesham Rd. *Chea* —6C **138**
Evesham Rd. *Mid* —4A **70**
Evesham Wlk. *Bolt* —2H **45**
Evesham Wlk. *Mid* —4B **70**
Evesham Wlk. *Oldh* —4C **72**
Eveside Clo. *Chea H* —1D **150**
Eve St. *Oldh* —1D **86**
Evington Av. *Open* —6A **98**
Ewan St. *M18* —1F **111**
Ewart Av. *Salf* —4G **93**
Ewart St. *Bolt* —3A **32**
Ewhurst Av. *Swint* —5D **78**
Ewing Clo. *M8* —2C **82**
Ewood. *Oldh* —3E **87**
Ewood Dri. *Bury* —5G **35**
Exbourne Rd. *M22* —4A **148**
Exbridge Wlk. *M40* —1F **97**
Exbury. *Roch* —3G **27**
(off Spotland Rd.)
Exbury St. *M14* —2H **125**
Excalibur Way. *Irl* —2C **118**
Exchange Quay. *Salf* —1G **107**
Exchange Ga. *M2*
        —4D **94** (5H 5)
Exchange St. *Bolt* —6B **32**
Exchange St. *Eden* —2A **12**
Exchange St. *Oldh* —2F **73**
Exchange St. *Stoc* —2G **139**
Exeter Av. *Bolt* —3D **32**
Exeter Av. *Dent* —6F **113**
Exeter Av. *Ecc* —1A **92**
Exeter Av. *Farn* —6B **46**
Exeter Av. *Rad* —2D **48**
Exeter Clo. *Chea H* —5B **150**
Exeter Clo. *Duk* —1B **114**
Exeter Ct. *Mid* —6H **53**
Exeter Dri. *Ash L* —4H **87**
Exeter Dri. *Irl* —5F **103**

Exeter Gro. *Roch* —6H **27**
Exeter Rd. *Stoc* —4C **128**
Exeter Rd. *Urm* —3F **105**
Exeter St. *Roch* —6A **28**
Exeter Wlk. *Bram* —6H **151**
Exford Clo. *M40* —2H **95** (1G 7)
Exford Clo. *Stoc* —3H **127**
Exford Dri. *Bolt* —1A **48**
Exford Wlk. *M40*
        —2H **95** (2G 7)
Exhall Clo. *L Hul* —3C **62**
Exit Rd. E. *Man A* —6H **147**
Exit Rd. W. *Man A* —6H **147**
Exmoor Clo. *Ash L* —4G **87**
Exmoor Wlk. *M23* —2G **147**
Exmouth Av. *Stoc* —4C **128**
Exmouth Pl. *Roch* —1H **41**
Exmouth Rd. *Sale* —4F **121**
Exmouth Sq. *Roch* —2G **41**
Exmouth St. *Roch* —1H **41**
Exmouth Wlk. *M16* —4D **108**
Express Trad. Est. *Farn* —3G **63**
Exton Wlk. *M16* —3C **108**
Eyam Clo. *Glos* —5F **117**
(off Eyam La.)
Eyam Fold. *Glos* —5G **117**
(off Langsett La.)
Eyam Gdns. *Glos* —5G **117**
(off Eyam M.)
Eyam Grn. *Glos* —5F **117**
(off Eyam La.)
Eyam Gro. *Glos* —5F **117**
(off Eyam La.)
Eyam Gro. *Stoc* —6D **140**
Eyam La. *Glos* —5F **117**
Eyam M. *Glos* —5G **117**
Eyam Rd. *Haz G* —5E **153**
Eyebrook Rd. *Bow* —3C **144**
Eynford Av. *Stoc* —3B **128**
Eyre St. *M15* —2E **109**
Eyres Way. *Bred* —6C **128**

F aber St. *M4* —2E **95** (1B 6)
Factory Brow. *Mid* —2E **69**
Factory La. *M9* —2E **83**
Factory La. *Dis* —6H **155**
Factory La. *Salf* —4B **94** (5C 4)
Factory St. *Mid* —1H **69**
Factory St. *Rad* —4H **49**
Factory St. *Ram* —2E **13**
Failsworth Ind. Est. *Fail* —5C **84**
Failsworth Rd. *Fail* —4H **85**
FAILSWORTH STATION. *BR*
        —3E **85**
Fairacres. *Bolt* —2G **33**
Fairacres Rd. *H Lane* —5C **154**
Fairbank Av. *M14* —3F **109**
Fairbank Dri. *Mid* —5F **53**
Fairbottom St. *Oldh* —2D **72**
Fairbottom Wlk. *Droy* —5A **98**
Fairbourne Av. *Ald E* —6E **167**
Fairbourne Av. *Wilm* —5C **166**
Fairbourne Dri. *Tim* —2B **134**
Fairbourne Dri. *Wilm* —5C **166**
Fairbourne Rd. *M19* —6E **111**
Fairbourne Rd. *Dent* —5E **113**
Fairbrook Dri. *Salf* —3E **93**
Fairbrother St. *Salf*
        —6A **94** (3A 8)
Fairclough St. *M11* —3C **96**
Fairclough St. *Bolt* —3B **46**
Fairfax Av. *M20* —5F **125**
Fairfax Av. *Tim* —5A **134**
Fairfax Clo. *Marp* —4B **142**
Fairfax Dri. *L'boro* —6D **16**
Fairfax Dri. *Wilm* —5C **166**
Fairfax Rd. *P'wch* —4E **67**
Fairfield Av. *Bred* —5G **129**
Fairfield Av. *Chea H* —3B **150**

Fairfield Av. *Droy* —5A **98**
Fairfield Av. *M13* —3H **109**
Fairfield Ct. *Droy* —5A **98**
Fairfield Gdns. *Ald E* —4G **167**
Fairfield Rd. *M11* —6G **97**
Fairfield Rd. *Cad* —4A **118**
Fairfield Rd. *Droy* —5G **97**
Fairfield Rd. *Farn* —2E **63**
Fairfield Rd. *Mid* —6G **53**
Fairfield Rd. *Tim* —6C **134**
Fairfields. *Eger* —3D **18**
Fairfields. *Oldh* —1C **86**
Fairfield Sq. *Droy* —5A **98**
FAIRFIELD STATION. *BR*
        —6A **98**
Fairfield St. *M1 & M12*
        —5F **95** (1C 10)
Fairfield St. *Salf* —6B **80**
Fairfield View. *Aud* —6A **98**
Fairford Clo. *Stoc* —4H **127**
Fairford Dri. *Bolt* —2A **46**
Fairford Way. *Stoc* —4H **127**
Fairford Way. *Wilm* —2G **167**
Fairham Wlk. *M4*
        —4H **95** (6H 7)
Fairhaven Av. *M21* —1H **123**
Fairhaven Av. *W'fld* —2B **66**
Fairhaven Clo. *Bram* —5H **151**
Fairhaven Clo. *W'fld* —2B **66**
Fairhaven Rd. *Bolt* —2B **32**
Fairhaven St. *M12* —1B **110**
Fairhills Rd. *Irl* —1D **118**
Fairholme Av. *Urm* —6E **105**
Fairholme Rd. *M20* —3G **125**
Fairholme Rd. *Stoc* —6E **127**
Fairhope Av. *Salf* —1B **92**
Fairhurst Dri. *Wor* —1B **76**
Fairisle Clo. *M11* —4B **96**
Fairland Pl. *Bolt* —2D **44**
Fairlands Pl. *Roch* —3H **41**
Fairlands Rd. *Bury* —4F **23**
Fairlands Rd. *Sale* —1H **133**
Fairlands St. *Roch* —3H **41**
Fairlands View. *Roch* —3H **41**
Fairlawn. *Stoc* —6F **127**
Fairlawn Clo. *M14* —3E **109**
Fairlea. *Dent* —5G **113**
Fairlea Av. *M20* —1G **137**
Fairlee Av. *Aud* —4C **98**
Fairleigh Av. *Salf* —2C **92**
Fairless Rd. *Ecc* —4F **91**
Fairlie Av. *Bolt* —2D **44**
Fairlie Dri. *Tim* —3B **134**
Fairman Clo. *M16* —4D **108**
Fairmead Rd. *M23* —2A **136**
Fairmile Dri. *M20* —3G **137**
Fairmount Av. *Bolt* —3B **32**
Fairmount Rd. *Swint* —5B **78**
Fairoak Ct. *Bolt* —2H **45**
Fair Oak Rd. *M19* —4B **126**
Fairstead Wlk. *Open* —6H **97**
Fair St. *M1* —4G **95** (6E 7)
Fair St. *Bolt* —5G **45**
Fair St. *Pen* —2G **79**
Fairthorne Gro. *Ash L* —4F **99**
Fair View. *L'boro* —2G **17**
Fairview Av. *M19* —5B **110**
Fairview Av. *Dent* —6A **112**
Fairview Clo. *Chad* —1E **71**
Fairview Clo. *Marp* —4D **142**
Fairview Clo. *Roch* —1G **25**
Fairview Dri. *Marp* —4D **142**
Fairview Rd. *Dent* —3A **112**
Fairview Rd. *Tim* —6C **134**
Fairway. *Bram* —1F **161**
Fairway. *Droy* —5A **98**
Fairway. *Gat* —1E **149**
Fairway. *Miln* —5G **29**
Fairway. *Pen* —4A **80**
Fairway. *P'wch* —1H **81**

Flexbury Wlk. *M40* —6D **84**
Flint Clo. *M11* —3D **96**
Flint Clo. *Haz G* —4C **152**
Flint Gro. *Cad* —3A **118**
Flint St. *Bury* —2D **36**
Flint St. *Droy* —3B **98**
Flint St. *Oldh* —1G **73**
Flint St. *Stoc* —3G **139**
Flitcroft Ct. *Bolt* —3B **46**
Flixton Rd. *Urm* —1A **120**
(Carrington)
Flixton Rd. *Urm* —6B **104**
(Flixton)
FLIXTON STATION. *BR*
—6B **104**
Flixton Wlk. *M13* —2H **109**
Floatshall Rd. *M23* —5F **135**
Floats Rd. *Rnd I* —6E **135**
(in two parts)
Flora Dri. *Salf* —1B **94**
Floral Ct. *Salf* —5H **81**
Flora St. *Bolt* —3H **45**
Flora St. *Oldh* —2C **72**
Florence Av. *Bolt* —1B **32**
Florence Ct. *Stoc* —5D **138**
Florence Pk. Ct. *Manx* —5G **125**
Florence St. *Bolt* —3H **45**
Florence St. *Droy* —5B **98**
Florence St. *Ecc* —4D **90**
Florence St. *Fail* —3F **85**
Florence St. *Roch* —5B **28**
Florence St. *Sale* —3B **122**
Florence St. *Stoc* —1G **139**
Florence Way. *Holl* —2F **117**
Florida St. *Oldh* —4C **72**
Florist St. *Stoc* —4G **139**
Flowery Bank. *Oldh* —5F **73**
Flowery Field. *Stoc* —1A **152**
FLOWERY FIELD STATION. *BR*
—2B **114**
Floyd Av. *M21* —3A **124**
Floyer Rd. *M9* —5G **69**
Flynn Ct. *Salf* —1E **93**
Foden La. *Woodf* —4F **161**
Foden Wlk. *Wilm* —5H **159**
Fogg La. *Bolt* —3F **47**
Fog La. *M20 & M19* —5F **125**
Fold Av. *Droy* —3B **98**
Fold Cres. *C'brk* —5H **89**
Fold Gdns. *Roch* —6B **14**
Fold Grn. *Chad* —3G **71**
Fold M. *Haz G* —2E **153**
Folds Rd. *Bolt* —5C **32**
Fold St. *M40* —3A **84**
Fold St. *Bury* —3B **36**
Fold St. *Farn* —1G **63**
Fold St. *Heyw* —2G **39**
Fold, The. *M9* —6F **69**
Fold, The. *Rytn* —3E **57**
Fold, The. *Urm* —4C **104**
Fold View. *Eger* —2C **18**
Fold View. *Oldh* —1E **87**
Foleshill Av. *M9* —4F **83**
Foley Gdns. *Heyw* —6G **39**
Foley Wlk. *M22* —5C **148**
Foliage Cres. *Stoc* —4B **128**
Foliage Gdns. *Stoc* —4C **128**
Foliage Rd. *Stoc* —5B **128**
Folkestone Rd. *M11* —3F **97**
Folkestone Rd. E. *M11* —3F **97**
Folkestone Rd. W. *M11* —2E **97**
Follows St. *M18* —1F **111**
Folly La. *Swint* —6D **78**
Folly Wlk. *Roch* —2H **27**
Fonthill Gro. *Sale* —2H **133**
Fontwell Clo. *M16* —4A **108**
Fontwell La. *Oldh* —6E **57**
Fontwell Rd. *L Lev* —5A **48**
Fontwell Wlk. *M40* —1D **84**
Foot Mill Cres. *Roch* —1F **27**

Foot Wood Cres. *Roch* —1F **27**
Forber Cres. *M18* —4F **111**
Forbes Clo. *Sale* —1D **134**
Forbes Clo. *Stoc* —3B **140**
Forbes Pk. *Bram* —6F **151**
Forbes Rd. *Stoc* —2B **140**
Forbes St. *Bred* —5F **129**
Fordbank Rd. *M20* —1E **137**
Fordel Wlk. *Salf* —1C **94**
Ford Gdns. *Roch* —5D **26**
Ford Gro. *Mot* —3C **116**
Fordham Gro. *Bolt* —5G **31**
Ford La. *N'den & Did* —2C **136**
(in two parts)
Ford La. *Salf* —1G **93**
Ford Lodge. *Manx* —1F **137**
Ford's La. *Bram* —1F **161**
Ford St. *M12* —6H **95** (4G **11**)
Ford St. *Duk* —1A **114**
Ford St. *Roch* —4A **28**
Ford St. *Salf* —6G **81**
(Charlestown)
Ford St. *Salf* —3B **94** (4D **4**)
(Salford)
Ford St. *Stoc* —2F **139**
Ford St. *Stone* —1A **64**
Ford Way. *Mot* —3C **116**
Foreland Clo. *M40* —6F **83**
Forest Clo. *Duk* —1A **114**
Forest Dri. *Sale* —1G **133**
Forest Dri. *Tim* —5H **133**
Forester Dri. *Stal* —4E **101**
Forester Hill Av. *Bolt* —4B **46**
(in two parts)
Forester Hill Clo. *Bolt* —4B **46**
Forest Gdns. *Part* —6B **118**
Forest Range. *M19* —6C **110**
Forest Rd. *Bolt* —2F **31**
Forest St. *Ash L* —1A **100**
Forest St. *Ecc* —1C **90**
Forest St. *Oldh* —6D **72**
Forest View. *Roch* —1F **27**
Forest Way. *Brom X* —4G **19**
Forfar St. *Bolt* —6C **18**
Formby Av. *M21* —2B **124**
Formby Dri. *H Grn* —5F **149**
Formby Rd. *Salf* —5C **80**
Forrester Dri. *Shaw* —5H **43**
Forrester Ho. *M12* —1C **110**
(off Blackwin St.)
Forrester St. *Wor* —3A **78**
Forrest Rd. *Dent* —6H **113**
Forshaw Av. *M18* —1H **111**
Forshaw St. *Dent* —3D **112**
Forston Wlk. *M8* —5D **82**
Forsythia Wlk. *Part* —6C **118**
Forsyth St. *Roch* —1A **26**
Fortescue Rd. *Stoc* —4D **140**
Fortgate Wlk. *M13*
—1H **109** (6H **11**)
Forth Pl. *Rad* —2F **49**
Forth Rd. *Rad* —2F **49**
Forton Av. *Bolt* —6G **33**
Fortran Clo. *Salf* —4G **93**
Fort Rd. *P'wch* —1H **81**
Fortrose Av. *M40* —6D **68**
Fortuna Gro. *M19* —1B **126**
Fortune St. *Bolt* —2D **46**
Fortyacre Dri. *Bred* —6E **129**
Forum Gro. *Salf* —4A **82**
Fosbrook Av. *M20* —5G **125**
Foscarn Dri. *M23* —6H **135**
Fossgill Av. *Bolt* —6G **19**
Foster Ct. *Bury* —1H **37**
Foster La. *Bolt* —4H **33**
Foster St. *Dent* —4F **113**
Foster St. *Oldh* —2G **73**
Foster St. *Rad* —4F **49**
Foster St. *Salf* —3D **92**

Foster Ter. *Bolt* —4A **32**
(off Barnwood Dri.)
Fotherby Dri. *M9* —6F **69**
Foulds Av. *Bury* —3G **35**
Foundry La. *M4* —3F **95** (4C **6**)
Foundry Rd. *Traf P* —3D **106**
Foundry St. *Bolt* —2B **46**
(Bolton)
Foundry St. *Bolt* —4A **48**
(Little Lever)
Foundry St. *Bury* —3D **36**
Foundry St. *Duk* —5A **100**
(in two parts)
Foundry St. *Heyw* —3E **39**
Foundry St. *Oldh* —3C **72**
Foundry St. *Rad* —4G **49**
Fountain Av. *Hale* —3B **146**
Fountain Pl. *Poy* —3D **162**
Fountain Pl. *W'fld* —2D **66**
Fountains Av. *Bolt* —4E **33**
Fountains Clo. *Poy* —4D **162**
Fountain Sq. *Dis* —1G **165**
Fountains Rd. *Chea H & Bram*
—1D **160**
Fountains Rd. *Stret* —4H **105**
Fountain St. *M2* —4E **95** (6A **6**)
Fountain St. *Ash L* —1C **100**
Fountain St. *Bury* —3E **37**
Fountain St. *Ecc* —5F **91**
Fountain St. *Elt* —3A **36**
Fountain St. *Hyde* —4D **114**
Fountain St. *Mid* —1H **69**
Fountain St. *Oldh* —2C **72**
Fountain St. N. *Bury* —3E **37**
Fountains Wlk. *Chad* —4G **71**
Fountains Wlk. *Duk* —1A **114**
Fouracres. *M23* —6G **135**
Fouracres Rd. *M23* —6F **135**
Four Lanes. *Mot* —3C **116**
Four Lanes Way. *Roch* —2G **25**
Fourth Av. *M11* —2E **97**
Fourth Av. *Bolt* —6F **31**
Fourth Av. *Bury* —1H **37**
Fourth Av. *C'brk* —5G **89**
Fourth Av. *Chad* —4G **71**
Fourth Av. *L Lev* —3H **47**
Fourth Av. *Oldh* —2A **86**
Fourth Av. *Swint* —6D **78**
Fourth Av. *Traf P* —1C **106**
Fourth St. *Bolt* —1D **30**
Fourways. *Traf P* —1A **106**
Fourways Wlk. *M40* —1B **84**
Four Yards. *M2* —4D **94** (6H **5**)
Fovant Cres. *Stoc* —6G **111**
Fowey Wlk. *M23* —6G **135**
Fowey Wlk. *Hyde* —4A **116**
Fowler Av. *M18* —6H **97**
Fowler St. *Oldh* —6A **72**
Fownhope Av. *Sale* —6H **121**
Fownhope Rd. *Sale* —6H **121**
Foxall Clo. *Mid* —2E **69**
Foxall St. *Mid* —2E **69**
Fox Bank Ct. *Stoc* —3F **139**
Foxbank St. *M13* —3A **110**
Fox Bench Clo. *Chea H*
—1E **161**
Foxbench Wlk. *M21* —2B **124**
Fox Clo. *Tim* —5H **133**
Foxcroft St. *L'boro* —4D **16**
Foxdale St. *M11* —4E **97**
Foxdenton Dri. *Urm* —4H **105**
Foxdenton La. *Mid & Chad*
—3E **71**
Foxdenton Wlk. *Dent* —6E **113**
Foxendale Wlk. *Bolt* —2B **46**
Foxfield Clo. *Bury* —6B **22**
Foxfield Dri. *Oldh* —2A **86**
Foxfield Rd. *M23* —2F **147**
Foxford Wlk. *M22* —3C **148**
Foxglove Ct. *Roch* —6D **14**

Foxglove Dri. *B'hth* —3D **132**
Foxglove Dri. *Bury* —2H **37**
Foxglove La. *Stal* —2E **101**
Foxglove Wlk. *Part* —6D **118**
Foxhall Rd. *Dent* —3D **112**
Foxhall Rd. *Tim* —5G **133**
Foxham Wlk. *Salf* —5A **82**
Foxhill. *Shaw* —5C **42**
Foxhill Chase. *Stoc* —6G **141**
Foxhill Dri. *Stal* —5G **101**
Foxhill Rd. *Ecc* —4B **90**
Fox Hill Rd. *Roch* —5D **40**
Foxholes Clo. *Roch* —2A **28**
Foxholes Rd. *Hyde* —1A **130**
Foxholes Rd. *Roch* —2A **28**
Foxlair Rd. *M22* —2H **147**
Foxland Rd. *Gat* —1F **149**
Foxley Clo. *Droy* —5G **97**
Foxley Gro. *Bolt* —1H **45**
Foxley Wlk. *M12* —2C **110**
Fox Platt Rd. *Moss* —2D **88**
Fox Platt Ter. *Moss* —3E **89**
Fox St. *Bury* —2D **36**
Fox St. *Ecc* —3H **91**
Fox St. *Heyw* —3E **39**
Fox St. *Miln* —5E **29**
(Milnrow)
Fox St. *Miln* —3B **28**
(Rochdale)
Fox St. *Oldh* —1A **86**
Fox St. *Stoc* —3F **139**
Foxton St. *Mid* —2E **69**
Foxton Wlk. *M23* —3G **147**
Foxwell Wlk. *M8* —5D **82**
Foxwood Dri. *Moss* —1F **89**
Foxwood Gdns. *M19* —4A **126**
Foynes Clo. *M40* —6F **83**
Framingham Rd. *Sale* —6A **122**
Framley Rd. *M21* —2D **124**
Frampton Clo. *Mid* —2B **70**
Fram St. *M9* —3H **83**
Fram St. *Salf* —3E **93**
Frances Av. *Gat* —5E **137**
Francesca Wlk. *M18* —1E **111**
Frances St. *Bolt* —3H **31**
Frances St. *Chea* —5A **138**
Frances St. *Hyde* —4A **114**
Frances St. *Oldh* —6E **57**
(in two parts)
Frances St. *Roch* —5B **16**
Frances St. *Stoc* —3G **139**
Frances St. W. *Hyde* —4A **114**
Francis Av. *Ecc* —3G **91**
Francis Av. *Wor* —1H **77**
Francis Rd. *M20* —4G **125**
Francis Rd. *Irl* —1D **118**
Francis St. *M3* —2D **94** (1H **5**)
Francis St. *M13*
—1F **109** (5D **10**)
Francis St. *Ast* —3A **76**
Francis St. *Cad* —4C **118**
Francis St. *Dent* —1H **129**
Francis St. *Ecc* —2F **91**
Francis St. *Fail* —4F **85**
Francis St. *Farn* —6E **47**
Francis Ter. *Duk* —4A **100**
(off Astley St.)
Francis Thompson Dri. *Ash L*
—2H **99**
Frandley Wlk. *M13*
—6F **95** (3D **10**)
Frankby Clo. *Pen* —4A **80**
Frank Cowin Ct. *Salf* —1B **94**
Frankford Av. *Bolt* —3G **31**
Frankford Sq. *Bolt* —3G **31**
Frank Hulme Ho. *Stret* —6E **107**
Frankland Clo. *M11* —3D **96**
Franklin Av. *Droy* —4A **98**
Franklin Rd. *M18* —1G **111**
Franklin St. *Ecc* —2F **91**
Franklin St. *Oldh* —1C **72**

Gisburn Av. *Bolt* —3C **30**
Gisburn Dri. *Bury* —2E **35**
Gisburn Dri. *Roch* —2G **41**
Gisburne Av. *M40* —1D **84**
Gissing Wlk. *M9* —5F **83**
Givendale Dri. *M8* —1C **82**
Glade Brow. *Grot* —3D **74**
Gladeside Ct. *M22* —1A **148**
Gladeside Rd. *M22* —1A **148**
Glade St. *Bolt* —6G **31**
Glade, The. *Bolt* —4H **31**
Glade, The. *Stoc* —2C **106**
Gladstone Clo. *M15* —3C **108**
Gladstone Clo. *Bolt* —3A **32**
Gladstone Ct. *Farn* —6E **47**
Gladstone Cres. *Roch* —2F **41**
Gladstone Gro. *Stoc* —6C **126**
Gladstone Ho. *Roch* —3A **16**
Gladstone Rd. *Alt* —5F **133**
Gladstone Rd. *Ecc* —3G **91**
Gladstone Rd. *Farn* —6E **47**
Gladstone Rd. *Urm* —5G **105**
Gladstone St. *Bolt* —3A **32**
Gladstone St. *Bury* —2F **37**
Gladstone St. *Had* —3H **117**
Gladstone St. *Oldh* —3F **73**
Gladstone St. *Pen* —3G **79**
Gladstone St. *Stoc* —1C **152**
Gladstone Ter. Rd. *G'fld*
 —5E **61**
Gladville Dri. *Chea* —5C **138**
Gladwyn Av. *M20* —5C **124**
Gladys St. *M16* —3A **108**
Gladys St. *Bolt* —5F **47**
Glaisdale. *Oldh* —3H **73**
Glaisdale Clo. *Bolt* —3D **32**
Glaisdale St. *Bolt* —3D **32**
Glaister La. *Bolt* —4F **33**
Glamis Av. *M11* —2D **96**
Glamis Av. *Heyw* —6G **39**
Glamis Av. *Stret* —5A **106**
Glandale Ct. *Oldh* —5D **72**
Glandon Dri. *Chea H* —5E **151**
Glanford Av. *M9* —6G **68**
Glanton Wlk. *M40* —2D **84**
Glanvor Rd. *Stoc* —3E **139**
Glasshouse St. *M4*
 —2G **95** (2E **7**)
Glasson Wlk. *Chad* —3G **71**
Glass St. *Farn* —2G **63**
Glastonbury. Roch —3G **27**
 (off Spotland Rd.)
Glastonbury Av. *Chea H*
 —1D **160**
Glastonbury Av. *Hale* —3B **146**
Glastonbury Dri. *Poy* —3D **162**
Glastonbury Gdns. *Rad* —2E **49**
Glastonbury Rd. *Stret* —4H **105**
Glaswen Gro. *Stoc* —5H **127**
Glazebrook Clo. *Heyw* —4E **39**
Glazebrook La. *G'brk* —4A **118**
Glazebury Dri. *M23* —6H **135**
Glazedale Av. *Rytn* —3A **56**
Glaze Wlk. *W'fld* —5G **51**
Gleave Clo. *Alt* —1G **145**
Gleaves Av. *Bolt* —1A **34**
Gleaves Rd. *Ecc* —4G **91**
Gleave St. Bolt —5B **32**
 (off Bark St.)
Gleave St. *Sale* —3B **122**
Glebe Ho. Mid —5A **54**
 (off Rochdale Rd.)
Glebeland Rd. *Bolt* —2F **45**
Glebelands Rd. *M23* —5F **135**
Glebelands Rd. *P'wch* —4B **67**
Glebelands Rd. *Sale* —3G **121**
Glebelands Rd. E. *P'wch*
 —4F **67**
Glebe La. *Oldh* —3A **58**
Glebe Rd. *Urm* —5F **105**

Glebe St. *Ash L* —2A **100**
Glebe St. *Aud* —3F **113**
Glebe St. *Bolt* —1C **46**
Glebe St. *Chad* —6G **71**
Glebe St. *Rad* —4H **49**
Glebe St. *Shaw* —6F **43**
Glebe St. *Stoc* —2A **140**
Gleden St. *M40* —3A **96**
 (in two parts)
Gledhall St. *Stal* —3E **101**
Gledhill Av. *Salf* —6G **93**
Gledhill Clo. *Shaw* —4E **43**
Gledhill St. *M20* —2F **125**
Gledhill Way. *Brom X* —2E **19**
Glemsford Clo. *M40* —5B **84**
Glenarm Wlk. *M22* —3C **148**
Glenart. *Ecc* —2G **91**
Glen Av. *M9* —2G **83**
Glen Av. *Bolt* —2F **45**
Glen Av. *Kear* —3B **64**
Glen Av. *Sale* —3A **122**
Glen Av. *Swint* —3D **78**
Glen Av. *Wor* —3A **78**
Glenavon Dri. *Roch* —6D **14**
Glenavon Dri. *Shaw* —5D **42**
Glenbarry Clo. *M13*
 —1F **109** (6D **10**)
Glenbarry St. *M12*
 —5H **95** (2H **11**)
Glenbeck Rd. *W'fld* —6C **50**
Glenboro Av. *Bury* —3H **35**
Glen Bott St. *Bolt* —3H **31**
Glenbourne Pk. *Bram* —2F **161**
Glenbrook Gdns. *Farn* —5F **47**
Glenbrook Rd. *M9* —4C **68**
Glenburn St. *Bolt* —4H **45**
Glenby Av. *M22* —2D **148**
Glenby Est. *Chad* —3A **72**
Glencar Dri. *M40* —1D **84**
Glencastle Rd. *M18* —2E **111**
Glencoe. *Bolt* —6D **32**
Glencoe Clo. *Heyw* —4B **38**
Glencoe Dri. *Bolt* —1H **47**
Glencoe Dri. *Sale* —1E **133**
Glencoe Pl. *Roch* —4F **27**
Glencoe St. *Oldh* —1A **86**
Glencoyne Dri. *Bolt* —5B **18**
Glencross Av. *M21* —5G **107**
Glendale. *Clif* —1H **79**
Glendale Av. *M19* —3B **126**
Glendale Av. *Bury* —4D **50**
Glendale Clo. *Heyw* —3F **39**
Glendale Clo. *Wor* —4B **76**
Glendale Dri. *Bolt* —1D **44**
Glendale Rd. *Ecc* —2A **92**
Glendale Rd. *Wor* —4B **76**
Glendene Av. *Bram* —2F **161**
Glendene Av. *Droy* —2C **98**
Glenden Foot. *Roch* —1F **27**
Glendevon Clo. *Bolt* —2D **44**
Glendevon Pl. *W'fld* —2F **67**
Glendinning St. *Salf* —3E **93**
Glendon Cres. *Ash L* —4F **87**
Glendore. *Salf* —3C **92**
Glendower Dri. *M40* —6E **83**
Gleneagles. *Bolt* —4D **44**
Gleneagles Av. *M11* —3E **97**
Gleneagles Av. *Heyw* —5F **39**
Gleneagles Clo. *Bram* —6H **151**
Gleneagles Clo. *Wilm* —1G **167**
Gleneagles Rd. *H Grn* —4G **149**
Gleneagles Rd. *Urm* —3A **104**
Gleneagles Way. *Ram* —4D **12**
Glenfield. *Alt* —1D **144**
Glenfield Clo. *Oldh* —3H **73**
Glenfield Dri. *Poy* —4D **162**
Glenfield Rd. *Stoc* —5F **127**
Glenfield Sq. *Farn* —5D **46**
Glenfyne Rd. *Salf* —6B **80**
Glen Gdns. *Roch* —6F **15**

Glengarth. *Upperm* —2F **61**
Glengarth Dri. *Los & Bolt*
 —1A **44**
Glen Gro. *Mid* —2C **70**
Glen Gro. *Rytn* —2B **56**
Glenham Ct. *M15* —3C **108**
Glenhaven Av. *Urm* —5E **105**
Glenholme Rd. *Bram* —6F **151**
Glenhurst Rd. *M19* —4A **126**
Glenilla Av. *Wor* —4G **77**
Glenlea Dri. *M20* —3F **137**
Glenluce Wlk. *Bolt* —2C **44**
Glenmay Ct. *Stret* —5C **106**
Glen Maye. *Sale* —5C **122**
Glenmere Clo. *P'wch* —3D **66**
Glenmere Rd. *M20* —3G **137**
Glenmoor Rd. *Stoc* —3A **140**
Glenmore Av. *M20* —5C **124**
Glenmore Av. *Farn* —5C **46**
Glenmore Clo. *Bolt* —2C **44**
Glenmore Clo. *Roch* —6A **26**
Glenmore Dri. *M8* —4D **82**
Glenmore Dri. *Fail* —3H **85**
Glenmore Gro. *Duk* —5A **100**
Glenmore Rd. *Ram* —1H **21**
Glenmore St. *Bury* —4C **36**
Glenolden St. *M11* —3F **97**
Glenpark Wlk. *M9* —4G **83**
 (off Orpington Rd.)
Glenridding Clo. *Oldh* —6E **57**
Glenridge Clo. *Bolt* —3B **32**
Glen Rise. *Tim* —6A **134**
Glen Rd. *Oldh* —3G **73**
Glen Royd. *Roch* —2E **27**
Glenroy Wlk. *M9* —4G **69**
Glensdale Dri. *M40* —2E **85**
Glenshee Dri. *Bolt* —2D **44**
Glenside Av. *M18* —4F **111**
Glenside Dri. *Bolt* —5B **46**
Glenside Dri. *Woodl* —4H **129**
Glenside Gdns. *Fail* —4H **85**
Glenside Gro. *Wor* —5G **63**
Glen St. *Salf* —6G **93**
Glen, The. *Bolt* —6C **30**
Glen, The. *Mid* —3B **70**
Glenthorn Av. *M9* —3F **69**
Glenthorne Dri. *Ash L* —1G **99**
Glenthorne St. *Bolt* —4A **32**
Glenthorn Gro. *Sale* —6B **122**
Glentress M. *Bolt* —5E **31**
Glentrool M. *Bolt* —6E **31**
Glent View. *Stal* —1E **101**
Glentwood. *Hale* —4G **145**
Glen View. *Whitw* —3G **15**
Glen View. *Rytn* —2B **56**
Glen View. *Whitw* —3G **15**
Glenville Wlk. *Stal* —4E **101**
Glenville Way. *Dent* —5G **113**
Glenwood Av. *Hyde* —2B **114**
Glenwood Dri. *M9* —4G **83**
Glenwood Dri. *Mid* —5C **54**
Glenwood Gro. *Stoc* —2B **152**
Glenwyn Av. *M9* —5G **69**
Globe Ind. Est. *Aud* —4H **49**
Globe La. *Duk* —6G **99**
Globe La. *Eger* —1B **18**
Globe La. Ind. Est. *Duk*
 —1H **113**
Globe Sq. *Duk* —6G **99**
Glodwick. *Oldh* —4F **73**
Glodwick Rd. *Oldh* —4F **73**
Glossop Rd. *Glos* —6F **117**
Glossop Rd. *Marp B & Charl*
 —3F **143**
Glossop Ter. *M40* —6D **70**
Gloster St. *Bolt* —6C **32**
Gloucester Av. *M19* —1D **126**
Gloucester Av. *Heyw* —5E **39**
Gloucester Av. *Marp* —5D **142**
Gloucester Av. *Roch* —5B **16**
Gloucester Av. *W'fld* —1E **67**
Gloucester Clo. *Ash L* —3H **87**

Gloucester Dri. *Dig* —3C **60**
Gloucester Dri. *Sale* —5F **121**
Gloucester Ho. *Salf* —5H **81**
Gloucester Pl. *Salf* —2G **93**
Gloucester Rise. *Duk* —6E **101**
Gloucester Rd. *Dent* —5A **112**
Gloucester Rd. *Droy* —2A **98**
Gloucester Rd. *H Grn* —6G **149**
Gloucester Rd. *Hyde* —1C **130**
Gloucester Rd. *Mid* —3A **70**
Gloucester Rd. *Poy* —3D **162**
Gloucester Rd. *Salf* —1C **92**
Gloucester Rd. *Urm* —5F **105**
Gloucester St. *M1*
 —6D **94** (3H **9**)
Gloucester St. *Salf* —1G **93**
 (Pendleton)
Gloucester St. *Salf*
 —5A **94** (2A **8**)
 (Salford)
Gloucester St. *Stoc* —4F **139**
Gloucester St. N. *Oldh* —4A **72**
Gloucester St. S. *Oldh* —4A **72**
Glover Av. *M8* —5D **82**
Glover Ct. *M8* —3B **82**
Glover Field. Salf —5H **81**
 (off Devonshire St.)
Glyn Av. *Hale* —3A **146**
Glyneath Clo. *M11* —4B **96**
Glynis Clo. *Stoc* —5H **139**
Glynis Glo. *Stoc* —5H **139**
Glynne St. *Farn* —1E **63**
Glynn Gdns. *M20* —5B **124**
Glynrene Dri. *Wdly* —2C **78**
Glynwood Pk. *Farn* —6E **47**
G.Mex Cen. *M2* —5D **94** (2G **9**)
G. MEX STATION. *M* —5C **94**
Gnat Bank Fold. *Roch* —6B **26**
Goats Ga. Ter. *W'fld* —5B **50**
Godbert Av. *M21* —4A **124**
Goddard La. *Had* —1H **117**
Goddard Rd. *Had* —3H **117**
Goddard St. *Oldh* —5D **72**
Godfrey Av. *Droy* —2F **97**
Godfrey Range. *M18* —3H **111**
Godfrey Rd. *Salf* —6A **80**
Godlee Dri. *Swint* —4E **79**
Godley Clo. *Open* —5E **97**
GODLEY EAST STATION. *BR*
 —5F **115**
Godley Hill Rd. *Hyde* —4F **115**
GODLEY STATION. *BR*
 —4E **115**
Godley St. *Hyde* —3D **114**
Godmond Hall Dri. *Wor* —6B **76**
Godson St. *Oldh* —6C **56**
Godwin St. *M18* —1G **111**
Goit Pl. *Roch* —4H **27**
Golborne Av. *M20* —2D **124**
Golborne Dri. *Shaw* —5F **43**
Golborne Ho. *Bolt* —5B **32**
Golborne Ho. Shaw —5F **43**
 (off Cowie St.)
Goldbrook Clo. *Heyw* —4G **39**
Goldcraft Clo. *Heyw* —4G **39**
Goldcrest Clo. *M22* —6D **136**
Goldcrest Clo. *Wor* —4D **76**
Goldenhill Av. *M11* —2E **97**
Golden Sq. Ecc —4F **91**
 (off Golden St.)
Golden St. *Ecc* —4F **91**
Golden St. *Shaw* —5H **43**
Goldfinch Dri. *Bury* —6A **24**
Goldfinch Way. *Droy* —2C **98**
Goldie Av. *M22* —3D **148**
Goldrill Av. *Bolt* —5H **33**
Goldrill Gdns. *Bolt* —5H **33**
Goldsmith Av. *Oldh* —3A **58**
Goldsmith Av. *Salf* —3D **92**
Goldsmith Rd. *Stoc* —6F **111**
Goldsmith St. *Bolt* —3H **45**
Goldsmith Way. *Dent* —2G **129**

Gold St. *M1* —4E **95** (6B **6**)
Goldsworthy Rd. *Urm* —4A **104**
Goldwick Wlk. *M23* —2E **135**
Golf Rd. *Hale* —2H **145**
Golf Rd. *Sale* —5F **123**
Golfview Dri. *Ecc* —1F **91**
Gomer Wlk. *M8* —5E **83**
Goodacre. *Hyde* —1F **115**
Gooden Pl. *Farn* —5E **47**
Gooden St. *Heyw* —4G **39**
Goodiers Dri. *Salf* —5G **93**
Goodier St. *M40* —6H **83**
Goodier St. *Sale* —5A **122**
Goodier View. *Hyde* —2D **114**
Good Intent. *Miln* —6G **29**
Goodison Clo. *Bury* —4F **51**
Goodlad St. *Bury* —1H **35**
Goodman St. *M9* —3G **83**
Goodrich. *Roch* —5G **27**
Goodridge Av. *M22* —3A **148**
Goodrington Rd. *Hand*
—4A **160**
Goodshaw Rd. *Wor* —3E **77**
Goodwill Clo. *Swint* —4F **79**
Goodwin Ct. *Chad* —5A **72**
Goodwin St. *Bolt* —5C **32**
Goodwood Av. *M23* —3D **134**
Goodwood Av. *Sale* —5E **121**
Goodwood Clo. *L Lev* —4H **47**
Goodwood Ct. *Salf* —5H **81**
(off Bury New Rd.)
Goodwood Cres. *Tim* —5C **134**
Goodwood Dri. *Oldh* —6F **57**
Goodwood Dri. *Pen* —4H **79**
Goodwood Rd. *Marp* —6C **142**
Goodworth Wlk. *M40* —4A **84**
(off Hanson Rd.)
Goole St. *M11* —5C **96**
Goosecote Hill. *Eger* —1C **18**
Goose Grn. *Alt* —1F **145**
Goosehouse Grn. *Rom*
—6B **130**
Goose La. *Roch* —3H **27**
Goostrey Clo. *Wilm* —6A **160**
Goostrey Av. *M20* —1E **125**
Gorden St. *Roch* —6A **28**
Gorden Ter. *M9* —3G **83**
Gordon Av. *M19* —6D **110**
Gordon Av. *Bolt* —2G **45**
Gordon Av. *Chad* —6G **71**
Gordon Av. *Haz G* —2D **152**
Gordon Av. *Oldh* —3F **73**
Gordon Av. *Sale* —3B **122**
Gordon Pl. *M20* —4F **125**
Gordon Rd. *Ecc* —2F **91**
Gordon Rd. *Swint* —5C **78**
Gordon St. *Abb H* —1G **111**
Gordon St. *Ash L* —1B **100**
Gordon St. *Bury* —1C **36**
Gordon St. *Chad* —5F **71**
Gordon St. *Hyde* —5C **114**
Gordon St. *Lees* —4A **74**
Gordon St. *Miln* —1F **43**
Gordon St. *Old T* —2B **108**
Gordon St. *Salf* —1B **94**
Gordon St. *Shaw* —6G **43**
(in two parts)
Gordon St. *Spring* —3C **74**
Gordon St. *Stal* —4F **101**
Gordon St. *Stoc* —1G **139**
Gordon Way. *Heyw* —4B **38**
Gore Av. *Fail* —3H **85**
Gore Av. *Salf* —3D **92**
Gorebrook Ct. *M12* —3C **110**
Goredale Av. *M18* —4G **111**
Gore Dri. *Salf* —2D **92**
Gorelan Rd. *M18* —2F **111**
Gore St. *M1* —4F **95** (6C **6**)
Gore St. *H Bri* —3G **37**

Gore St. *Salf* —2G **93**
(Pendleton)
Gore St. *Salf* —4C **94** (5E **5**)
(Salford)
Goring Av. *M18* —1F **111**
Gorrells Clo. *Roch* —2D **40**
Gorrell St. *Roch* —6A **28**
Gorrells Way. *Roch* —2D **40**
(in two parts)
Gorrells Way Ind. Est. *Roch*
—2D **40**
Gorse Av. *Droy* —3C **98**
Gorse Av. *Marp* —5C **142**
Gorse Av. *Moss* —2G **89**
Gorse Av. *Oldh* —6G **73**
Gorse Av. *Stret* —4F **107**
Gorse Bank. *Bury* —2G **37**
Gorse Bank Rd. *Haleb* —6C **146**
Gorse Cres. *Stret* —4F **107**
Gorse Dri. *L Hul* —3B **62**
Gorse Dri. *Stret* —4F **107**
Gorse Field Clo. *Rad* —3G **49**
Gorsefield Dri. *Swint* —4F **79**
Gorsefield Hey. *Wilm* —1H **167**
Gorse Hall Clo. *Duk* —6D **100**
Gorse Hall Dri. *Stal* —4D **100**
Gorse Hall Rd. *Duk* —6D **100**
Gorselands. *Chea H* —2D **150**
Gorse La. *Stret* —4F **107**
Gorse Pit. *Bury* —2G **37**
Gorse Rd. *Miln* —5G **29**
Gorse Rd. *Swint* —5E **79**
Gorse Rd. *Wor* —1G **77**
Gorses Mt. *Bolt* —2E **47**
Gorse Sq. *Part* —6B **118**
Gorse St. *Chad* —5F **71**
Gorse St. *Stret* —4E **107**
Gorse, The. *Bow* —5D **144**
Gorseway. *Stoc* —5B **128**
Gorsey Av. *M22* —6A **136**
Gorsey Bank. *L'boro* —2G **17**
Gorsey Bank Rd. *Stoc* —3C **138**
Gorsey Brow. *B'btm* —6C **116**
Gorsey Brow. *Rom* —1G **141**
Gorsey Brow. *Urm* —5H **105**
Gorsey Brow. *Stoc* —2A **140**
Gorsey Clough Dri. *Tot* —6H **21**
Gorsey Clough Wlk. *Tot*
—6H **21**
Gorsey Dri. *M22* —1A **148**
Gorseyfields. *Droy* —5A **98**
Gorsey Hill St. *Heyw* —4F **39**
Gorsey Intakes. *B'btm* —6C **116**
Gorsey La. *Alt* —6D **132**
Gorsey La. *Ash L* —5A **88**
Gorsey Mt. St. *Stoc* —2A **140**
Gorsey Rd. *M22* —1A **148**
Gorsey Rd. *Wilm* —2C **166**
Gorsey Way. *Ash L* —5A **88**
Gorston Wlk. *M22* —5A **148**
Gort Clo. *Bury* —6E **51**
Gorton Cres. *Dent* —5C **112**
Gorton Cross Cen. *M18*
—2F **111**
Gorton Gro. *Wor* —4E **63**
Gorton La. *M12 & M18* —6C **96**
Gorton Rd. *M11 & M12* —5B **96**
Gorton Rd. *Redd* —2H **127**
GORTON STATION. *BR*
—1F **111**
Gorton St. *M40* —1G **95**
Gorton St. *Ash L* —4F **99**
Gorton St. *Bolt* —1C **46**
Gorton St. *Chad* —3H **71**
Gorton St. *Ecc* —4C **90**
Gorton St. *Farn* —2D **62**
Gorton St. *Heyw* —3G **39**
Gorton St. *Salf* —3D **94** (3G **5**)
Gortonvilla Wlk. *M12* —1B **110**
Gort Wlk. *M15* —1C **108** (6F **9**)
(off John Nash Cres.)

Gosforth Clo. *Bury* —6C **22**
Gosforth Clo. *Oldh* —6E **57**
Gosforth Wlk. *M23* —2F **135**
Goshen La. *Bury* —1D **50**
Gosling Clo. *M16* —4D **108**
Gosport Sq. *Salf* —6H **81**
Gosport Wlk. *M8* —5E **83**
(off Smeaton St.)
Goss Hill St. *Oldh* —3G **73**
Gotha Wlk. *M13*
—1G **109** (5E **11**)
Gotherage Clo. *Rom* —1C **142**
Gotherage La. *Rom* —1C **142**
Gothic Clo. *Rom* —1D **142**
Gough St. *Heyw* —3G **39**
Gough St. *Stoc* —2F **139**
Goulden Rd. *M20* —3E **125**
Goulden St. *M4* —3F **95** (3C **6**)
Goulden St. *Salf* —3E **93**
Goulder Rd. *M18* —4G **111**
Gould St. *M4* —2F **95** (2C **6**)
Gould St. *Dent* —4E **113**
Gould St. *Oldh* —1F **73**
Gourham Dri. *Chea H* —3B **150**
Govan St. *M22* —2C **136**
Gowan Dri. *Mid* —6F **53**
Gowanlock's St. *Bolt* —3A **32**
Gowan Rd. *M16* —6C **108**
Gower Av. *Haz G* —2C **152**
Gowerdale Rd. *Stoc* —4C **128**
Gower Rd. *Hyde* —6B **114**
Gower Rd. *Stoc* —5F **127**
Gowers St. *Roch* —3B **28**
Gower St. *Ash L* —2A **100**
Gower St. *Bolt* —5H **31**
Gower St. *Farn* —6E **47**
Gower St. *Oldh* —2E **73**
Gower St. *Pen* —2G **79**
Gowran Pk. *Oldh* —3H **73**
Gowy Clo. *Wilm* —5A **160**
Goya Rise. *Oldh* —3H **57**
Goy Ct. *Nwtwn* —1F **79**
Goyt Av. *Marp* —1D **154**
Goyt Cres. *Bred* —6F **129**
Goyt Cres. *Stoc* —6B **128**
Goyt Rd. *Dis* —2H **165**
Goyt Rd. *Marp* —1D **154**
Goyt Rd. *Stoc* —6B **128**
Goyt Valley. *Rom* —1E **141**
Goyt Valley Rd. *Bred* —6F **129**
Goyt Valley Wlk. *Bred* —6F **129**
Goyt Wlk. *W'fld* —5F **51**
Grace St. *Roch* —1A **28**
Grace Wlk. *M4* —4H **95** (6H **7**)
Gracie Av. *Oldh* —6F **57**
Gradwell St. *Stoc* —3F **139**
Grafton Av. *Ecc* —1A **92**
Grafton Ct. *M15* —2B **108**
Grafton Ct. *Oldh* —3A **58**
(off Grafton St.)
Grafton Ct. *Roch* —5B **28**
Grafton Mall. *Alt* —1F **145**
Graftons, The. *Alt* —1F **145**
Grafton St. *M13* —2F **109**
Grafton St. *Alt* —1F **145**
Grafton St. *Ash L* —3B **100**
(in two parts)
Grafton St. *Bolt* —5H **31**
Grafton St. *Bury* —6D **36**
Grafton St. *Fail* —3G **85**
Grafton St. *Hyde* —4B **114**
Grafton St. *Millb* —2H **101**
Grafton St. *Oldh* —3A **58**
Grafton St. *Roch* —5B **28**
Grafton St. *Stoc* —6G **127**
Graham Cres. *Cad* —5A **118**
Graham Dri. *Dis* —6G **155**
Graham Rd. *Salf* —1C **92**
Graham Rd. *Stoc* —3B **140**
Graham St. *M11* —5C **96**

Graham St. *Ash L* —4F **99**
Graham St. *Bolt* —5B **32**
Grainger Av. *M12* —4C **110**
Grains Rd. *Del* —1C **58**
Grains Rd. *Shaw* —1G **57**
Grain View. *Salf* —5G **93**
Gralam Clo. *Sale* —2E **135**
Grammar School Rd. *Oldh*
—1H **85**
Grampian Clo. *Chad* —4G **71**
Grampian Way. *Shaw* —5D **42**
Granada M. *M16* —6C **108**
Granada Rd. *Dent* —4H **111**
Granary La. *Wor* —6H **77**
Granary Way. *Sale* —1H **133**
Granby Ho. *M1* —5E **95** (2B **10**)
Granby Rd. *Chea H* —5D **150**
Granby Rd. *Stoc* —6B **140**
Granby Rd. *Stret* —6D **106**
Granby Rd. *Swint* —4C **78**
Granby Rd. *Tim* —2B **134**
Granby Row. *M1*
—5E **95** (2B **10**)
Granby St. *Chad* —6G **71**
Granby St. *Tot* —1F **35**
Grandale St. *M14* —4G **109**
Grand Central Sq. *Stoc*
—2G **139**
Grandidge St. *Roch* —6G **27**
Grand Union Way. *Ecc* —5F **91**
Grange Av. *Chea H* —2B **150**
Grange Av. *Dent* —5H **113**
Grange Av. *Ecc* —1F **91**
Grange Av. *Hale* —3A **146**
Grange Av. *Lev* —1B **126**
Grange Av. *L Lev* —4C **48**
Grange Av. *Miln* —1D **42**
Grange Av. *Oldh* —3A **72**
Grange Av. *Stoc* —4F **127**
Grange Av. *Stret* —5D **106**
Grange Av. *Swint* —1D **78**
Grange Av. *Tim* —4B **134**
Grange Av. *Urm* —5A **104**
Grange Clo. *Hyde* —6D **114**
Grange Ct. *Bow* —4E **145**
Grange Ct. *Oldh* —5B **72**
Grange Cres. *Urm* —6E **105**
Grange Dri. *M9* —6H **69**
Grange Dri. *Ecc* —1F **91**
Grangeforth Rd. *M8* —3B **82**
Grange Gro. *W'fld* —1D **66**
Grange La. *M20* —1F **137**
Grange La. *Del* —1H **59**
Grange Mill Wlk. *M40* —4B **84**
Grange Pk. Av. *Ash L* —5B **88**
Grange Pk. Av. *Chea* —6H **137**
Grange Pk. Av. *Wilm* —1D **166**
Grange Pk. Rd. *M9* —6H **69**
Grange Pk. Rd. *Brom X* —5G **19**
Grange Pk. Rd. *Chea* —6H **137**
Grange Pl. *Cad* —4B **118**
Grange Rd. *M21* —5G **107**
Grange Rd. *Bolt* —2F **45**
Grange Rd. *Bow* —4E **145**
Grange Rd. *Bram* —2H **151**
Grange Rd. *Brom X* —4G **19**
Grange Rd. *Bury* —3H **35**
Grange Rd. *Ecc* —1C **90**
Grange Rd. *Farn* —6C **46**
Grange Rd. *Mid* —1D **54**
Grange Rd. *Sale* —5H **121**
Grange Rd. *Tim* —4B **134**
Grange Rd. *Urm* —6E **105**
Grange Rd. *Whitw* —3H **15**
Grange Rd. *Wor* —4A **76**
Grange Rd. N. *Hyde* —5D **114**
Grange Rd. S. *Hyde* —6D **114**
(in two parts)
Granger St. *Swint* —3F **79**
Grange St. *Fail* —5D **84**
Grange St. *Oldh* —2C **72**

Grange St. *Roch* —1H **27**
Grange St. *Salf* —3E **93**
Grange, The. *M14* —4G **109**
Grange, The. *Hyde* —6D **114**
Grange, The. *Oldh* —1F **73**
Grangethorpe Dri. *M19*
    —2A **126**
Grangethorpe Rd. *M14*
    —5G **109**
Grangethorpe Rd. *Urm*
    —6E **105**
Grange Wlk. *Mid* —5G **53**
Grangeway. *Hand* —3H **159**
Grangewood. *Brom X* —4G **19**
Grangewood Dri. *M9* —4F **83**
Granite St. *Oldh* —1F **73**
Gransden Dri. *M8* —5E **83**
Granshaw St. *M40* —2A **96**
Gransmoor Av. *M11* —6H **97**
Gransmoor Rd. *M11* —6H **97**
Grantchester Pl. *Farn* —6B **46**
Grantchester Way. *Bolt* —4G **33**
Grant Clo. *M9* —1F **83**
Grant Ct. *Ram* —2D **12**
Grantham Clo. *Bolt* —4A **32**
Grantham Dri. *Bury* —6D **22**
Grantham Rd. *Stoc* —1E **139**
Grantham St. *M14* —4E **109**
Grantham St. *Oldh* —4E **73**
Grant St. *Farn* —5D **46**
Grant St. *Roch* —3D **40**
Granville Av. *M16* —5A **108**
Granville Av. *Salf* —3A **82**
Granville Clo. *Chad* —2A **72**
Granville Ct. *M16* —4A **108**
Granville Ct. *Miln* —2F **43**
Granville Gdns. *M20* —1E **137**
Granville Rd. *M14* —1G **125**
Granville Rd. *Aud* —4B **98**
Granville Rd. *Bolt* —4G **45**
Granville Rd. *Chea H* —6D **138**
Granville Rd. *Tim* —5C **134**
Granville Rd. *Urm* —4C **105**
Granville Rd. *Wilm* —4C **166**
Granville St. *Ash L* —3B **100**
Granville St. *Chad* —1A **72**
Granville St. *Ecc* —2F **91**
Granville St. *Farn* —5F **47**
Granville St. *Swint* —3F **79**
Granville St. *Wor* —6E **63**
Granville Ter. *Ash L* —3B **100**
Granville Wlk. *Chad* —1A **72**
Grasdene Av. *M9* —6G **69**
Grasmere Av. *Farn* —2B **62**
Grasmere Av. *Heyw* —5F **39**
Grasmere Av. *L Lev* —3A **48**
Grasmere Av. *Stoc* —3G **127**
Grasmere Av. *Urm* —6A **104**
Grasmere Av. *Wdly* —1C **78**
Grasmere Av. *W'fld* —2A **66**
Grasmere Clo. *Stal* —1E **101**
Grasmere Cres. *Bram* —5G **151**
Grasmere Cres. *Ecc* —2D **90**
Grasmere Cres. *H Lane*
    —4C **154**
Grasmere Gro. *Ash L* —1F **99**
Grasmere Rd. *Ald E* —5G **167**
Grasmere Rd. *Gat* —2F **85**
Grasmere Rd. *Oldh* —3G **73**
Grasmere Rd. *Part* —6C **118**
Grasmere Rd. *Rytn* —1A **56**
Grasmere Rd. *Sale* —1C **133**
Grasmere Rd. *Stret* —4D **106**
Grasmere Rd. *Swint* —5F **79**
Grasmere Rd. *Tim* —5C **134**
Grasmere St. *M12* —4D **110**
Grasmere St. *Bolt* —3B **32**
Grasmere St. *Roch* —2H **27**
Grasmere Wlk. *Mid* —5H **53**
Grason Av. *Wilm* —6G **159**
Grasscroft. *Stoc* —3C **128**

Grasscroft Clo. *M14* —5D **108**
Grasscroft Rd. *Stal* —4E **101**
Grassfield Av. *Salf* —5G **81**
Grassholm Dri. *Stoc* —5G **141**
Grassingham Gdns. *Salf*
    —2F **93**
Grassington Av. *M40* —2A **84**
Grassington Ct. *Wals* —1F **35**
Grassington Dri. *Bury* —4H **37**
Grassington Pl. *Bolt* —4C **32**
Grass Mead. *Dent* —1H **129**
Grassmoor Cres. *Glos* —5F **117**
Grathome Wlk. *Bolt* —3A **46**
Gratrix Av. *Salf* —6H **93**
Gratrix La. *Sale* —6F **123**
Gratrix St. *M18* —3G **111**
Gratten Ct. *Wor* —5E **63**
Gravel Bank Rd. *Woodl*
    —3H **123**
Gravel La. *Salf* —3C **94** (4F **5**)
  (in two parts)
Gravel La. *Wilm* —5B **166**
Gravel Walks. *Oldh* —2F **73**
Graver La. *M40* —6D **84**
Graves St. *Rad* —1F **49**
Gray Clo. *Mot* —4B **116**
Gray Ho. *Salf* —5A **32**
  (off Gray St.)
Graymar Rd. *L Hul* —5C **62**
Graymarsh Dri. *Poy* —5E **163**
Grayrigg Wlk. *M9* —4F **83**
Graysands Rd. *Hale* —2H **145**
Grayson Av. *W'fld* —1E **67**
Grayson Rd. *L Hul* —5D **62**
Grayson Way. *G'fld* —3F **61**
Gray St. *Bolt* —5A **32**
Gray St. N. *Bolt* —5B **32**
Graythorpe Wlk. *Salf* —4G **93**
Graythorp Wlk. *M14* —4F **109**
Graythwaite Rd. *Bolt* —3D **30**
Greame St. *M14* —4D **108**
Gt. Ancoats St. *M4*
    —3F **95** (4C **6**)
Gt. Arbor Way. *Mid* —6H **53**
Gt. Bent Clo. *Roch* —5B **16**
Gt. Bridgewater St. *M1*
    —5C **94** (2F **9**)
Gt. Cheetham St. E. *Salf & M8*
    —5A **82**
Gt. Cheetham St. W. *Salf*
    —6G **81**
Gt. Clowes St. *Salf* —5G **81**
Gt. Ducie St. *M3* —2D **94** (1G **5**)
Gt. Eaves Rd. *Ram* —2E **13**
Gt. Egerton St. *Stoc* —2G **139**
Greatfield Rd. *M22* —2H **147**
Gt. Flatt. *Roch* —2D **26**
Gt. Gable Clo. *Oldh* —1E **73**
Gt. Gates Clo. *Roch* —1G **41**
Gt. Gates Rd. *Roch* —2G **41**
Gt. George St. *Roch* —5H **27**
Gt. George St. *Salf*
    —3B **94** (4C **4**)
Gt. Hall Clo. *Rad* —3G **49**
Gt. Heaton Clo. *Mid* —2E **69**
Gt. Holme. *Bolt* —3B **46**
Gt. Howarth. *Roch* —6H **15**
Gt. Howarth Rd. *Roch* —5A **16**
Gt. Jackson St. *M15*
    —6C **94** (3E **9**)
Gt. John St. *M3* —5C **94** (1E **9**)
Gt. Jones St. *M12* —1C **110**
Great Lee. *Roch* —6D **14**
Gt. Lee Wlk. *Roch* —6D **14**
Gt. Marlborough St. *M1*
    —6E **95** (3A **10**)
Gt. Marld Clo. *Bolt* —3D **30**
Gt. Meadow. *Shaw* —4C **42**
Gt. Moor St. *Bolt* —1B **46**
Gt. Moor St. *Stoc* —6B **140**
Gt. Newton St. *M40* —6C **84**

Gt. Norbury St. *Hyde* —4A **114**
Gt. Portwood St. *Stoc* —1H **139**
Gt. Southern St. *M14* —4F **109**
Gt. Stone Clo. *Eger* —1C **18**
Greatstone Clo. *Rad* —4D **48**
Great Stone Rd. *Stret & M16*
    —3F **107**
Gt. Underbank. *Stoc* —2H **139**
Gt. Western St. *M14* —3D **108**
Greave. *Rom* —5B **130**
Greave Av. *Roch* —3D **26**
Greave Fold. *Rom* —5A **130**
Greave Pk. *Upperm* —2F **61**
Greave Rd. *Stoc* —3C **140**
Greaves Av. *Bolt* —1A **34**
Greaves Av. *Fail* —5D **84**
Greaves Rd. *Wilm* —2A **166**
Greaves St. *Lees* —3B **74**
Greaves St. *Moss* —1E **89**
Greaves St. *Oldh* —2D **72**
Greaves St. *Shaw* —6G **43**
Grebe Clo. *Poy* —3B **162**
Grebe Wlk. *Stoc* —1G **153**
Grecian Cres. *Bolt* —3B **46**
Grecian St. *Salf* —6G **81**
Grecian St. N. *Salf* —6G **81**
Grecian Ter. *Salf* —6G **81**
Gredle Clo. *Urm* —5H **105**
Greeba Rd. *Rnd I* —5E **135**
Greek St. *M1* —6F **95** (3C **10**)
Greek St. *Stoc* —3G **139**
Greenacre Clo. *Ram* —2G **13**
Greenacre La. *Wor* —6H **77**
Greenacre Rd. *Swint* —5D **78**
Greenacres Ct. *Roch* —5B **16**
Greenacres Dri. *M19* —3A **126**
Greenacres Rd. *Oldh* —2F **73**
Green Av. *M12* —6G **95** (3F **11**)
Green Av. *Bolt* —1A **46**
Green Av. *L Hul* —4A **62**
Green Av. *Swint* —4F **79**
Green Bank. *Bolt* —2G **33**
Green Bank. *Farn* —6E **47**
Greenbank. *Had* —2H **117**
Green Bank. *Stoc* —2F **127**
Greenbank. *Whitw* —4C **14**
  (off Tonacliffe Rd.)
Greenbank Av. *Gat* —6E **137**
Greenbank Av. *Stoc* —1A **138**
Greenbank Av. *Swint* —5D **78**
Greenbank Av. *Upperm* —6C **60**
Greenbank Cres. *Marp*
    —6D **142**
Greenbank Dri. *L'boro* —6D **16**
Greenbank Rd. *Bolt* —2F **45**
  (in two parts)
Greenbank Rd. *Gat* —6E **137**
Greenbank Rd. *Marp B*
    —2F **143**
Green Bank Rd. *Rad* —2F **49**
Greenbank Rd. *Roch* —1H **27**
Greenbank Rd. *Sale* —4G **121**
Greenbank Rd. *Salf* —2E **93**
Greenbank Ter. *Mid* —6C **54**
Greenbank Ter. *Stoc* —1G **139**
Green Beech Clo. *Marp*
    —4C **142**
Greenbooth Clo. *Duk* —6D **100**
Greenbooth Rd. *Roch* —1H **25**
Green Bri. Clo. *Roch* —1F **41**
Green Bri. La. *G'fld* —4F **61**
Greenbrook Clo. *Bury* —1E **37**
Greenbrook St. *Bury* —1E **37**
Greenbrow Pde. *M23* —1G **147**
Greenbrow Rd. *M23* —6G **135**
Greenburn Dri. *Bolt* —3G **33**
Green Clo. *Gat* —5E **137**
Greencourt Dri. *L Hul* —5B **62**
Green Courts. *Bow* —2D **144**
Greencourts Bus. Pk. *M22*
    —5E **149**

Green Croft. *Rom* —6B **130**
Green Croft La. *Eden* —2B **12**
Greencroft Rd. *Ecc* —1D **90**
Greendale Dri. *M9* —6G **69**
Greendale Gro. *Dent* —1H **129**
Green Dri. *M19* —6D **110**
Green Dri. *Los* —6A **30**
Green Dri. *Tim* —4A **134**
Green Dri. *Wilm* —5H **159**
Green End. *Dent* —1H **129**
Green End Rd. *M19* —4A **126**
Greenfield Av. *Ecc* —5C **90**
Greenfield Av. *Urm* —5F **105**
Greenfield Clo. *Bury* —4G **35**
Greenfield Clo. *Stoc* —5G **139**
Greenfield Clo. *Tim* —5C **134**
Greenfield Ct. *Heyw* —4F **39**
Greenfield La. *Roch* —1G **41**
Greenfield La. *Shaw* —1F **57**
Greenfield La. *Smal* —6B **16**
Greenfield Rd. *L Hul* —5D **62**
GREENFIELD STATION. *BR*
    —3E **61**
Greenfield St. *Aud* —6D **98**
Greenfield St. *Had* —1H **117**
Greenfield St. *Hyde* —5B **114**
Greenfield St. *Roch* —1G **41**
Greenfield Ter. *Urm* —5A **104**
Green Fold. *M18* —1H **111**
Greenfold Av. *Farn* —2D **62**
Greenford Clo. *Chea H*
    —1D **150**
Greenford Rd. *M8* —4C **82**
Green Gables Clo. *H Grn*
    —4F **149**
Greengate. *M40 & Mid* —6C **70**
Green Ga. *Haleb* —1D **156**
Green Ga. *Hyde* —1B **130**
Greengate. *Salf* —2D **94** (2G **5**)
Greengate Clo. *Roch* —5B **16**
Greengate La. *Bolt* —5H **33**
Greengate La. *P'wch* —5E **67**
Greengate Rd. *Dent* —3G **113**
Greengate St. *Mid* —3D **70**
Greengate St. *Oldh* —3E **73**
  (in three parts)
Greengate W. *Salf*
    —2C **94** (2E **5**)
Greenhalgh Moss La. *Bury*
    —6B **22**
Greenhalgh St. *Fail* —5C **84**
Greenhalgh St. *Stoc* —1G **139**
Greenhalgh Wlk. *M4*
    —3G **95** (4F **7**)
  (off Jackroom Dri.)
Greenhall M. *Wilm* —3E **167**
Greenham Rd. *M23* —1F **135**
Greenhead Fold. *Rom* —2G **141**
Greenhead Wlk. *Bolt* —3A **46**
Greenheys. *Bolt* —2G **33**
Greenheys Cen. *M14* —3E **109**
Greenheys Cres. *G'mnt* —2H **21**
Greenheys La. *M15* —2D **108**
Greenheys La. W. *M15*
    —2C **108**
Greenheys Rd. *L Hul* —3A **62**
Green Hill. *P'wch* —5E **67**
Greenhill Av. *Bolt* —2F **45**
Greenhill Av. *Farn* —2E **63**
Greenhill Av. *Roch* —3G **27**
Greenhill Av. *Sale* —3A **122**
Greenhill Av. *Shaw* —4C **42**
Greenhill Cotts. *Moss* —1F **89**
Greenhill La. *Bolt* —3D **44**
Greenhill Pas. *Oldh* —3E **73**
Green Hill Pl. *Stoc* —4F **139**
Greenhill Rd. *M8* —4C **82**
Greenhill Rd. *Bury* —4G **35**
Green Hill Rd. *Hyde* —4D **114**
Greenhill Rd. *Mid* —2C **70**
Greenhill Rd. *Tim* —5C **134**

Greenhill St. *M15* —2D **108**
Green Hill St. *Stoc* —4F **139**
Greenhill Ter. *Mid* —2D **70**
Green Hill Ter. *Stoc* —4F **139**
Greenhill Terraces. *Oldh*
—3E **73**
Greenhill Wlk. *Dis* —1H **165**
Greenholme Clo. *M40* —2D **84**
Greenhow St. *Droy* —5H **97**
Greenhurst Cres. *Oldh* —1E **87**
Greenhurst La. *Ash L* —5A **88**
Greenhurst Rd. *Ash L* —4H **87**
Green Hythe Rd. *H Grn*
—1G **159**
Greening Rd. *M19* —5D **110**
Greenland Rd. *Bolt & Farn*
—4B **46**
Greenland St. *M8* —4B **82**
Greenland St. *Salf* —3E **93**
Green La. *M18* —1F **111**
Green La. *Ald E* —5F **167**
Green La. *Ash L* —6F **87**
Green La. *Bolt* —4B **46**
Green La. *Cad* —4C **118**
Green La. *Del* —3G **59**
Green La. *Dis* —3H **165**
Green La. *Ecc* —3E **91**
Green La. *Fail* —1G **97**
Green La. *Glos* —6H **117**
Green La. *Had* —3H **117**
Green La. *Haz G* —2D **152**
Green La. *Heyw* —3G **39**
Green La. *Holl* —1F **117**
Green La. *Hyde* —6E **115**
(Godley Green)
Green La. *Hyde* —5E **115**
(Hyde)
Green La. *Kear* —2A **64**
Green La. *Mid* —2D **70**
(Middleton Junction)
Green La. *Mid* —5B **54**
(Middleton)
Green La. *Moss* —5D **74**
Green La. *Oldh* —1B **86**
(Hollins Green)
Green La. *Oldh* —5B **58**
(Top o' th' Meadows)
Green La. *Poy* —3A **164**
Green La. *Roch* —3A **28**
(Rochdale)
Green La. *Roch* —3G **27**
(Town Head)
Green La. *Rom* —2H **141**
Green La. *Sale* —3G **121**
Green La. *Stoc* —6D **126**
Green La. *Tim* —2B **146**
Green La. *W'fld* —6C **50**
Green La. *Wilm* —2E **167**
Green La. N. Ind. Est. *Stoc*
—1F **139**
Green La. N. *Tim* —6B **134**
Greenlaw Ct. *M16* —2A **108**
Greenlea Av. *M18* —4F **111**
Greenleach La. *Wor* —3G **77**
Greenleaf Clo. *Wor* —5B **76**
Greenleas. *Los* —1A **44**
Greenlees St. *Roch* —3H **27**
Green Meadow. *Roch* —5B **16**
Green Meadows. *Marp*
—4D **142**
Green Meadows Dri. *Marp*
—4D **142**
Green Meadow Wlk. *M22*
—4C **148**
Greenmount Clo. *G'mnt*
—1H **21**
Greenmount Ct. *Bolt* —5E **31**
Green Mt. Dri. *G'mnt* —1H **21**
Greenmount Dri. *Heyw* —6H **39**
Greenmount Ho. *Bolt* —6E **31**
Greenmount La. *Bolt* —4D **30**

Greenmount Pk. *Kear* —2A **64**
Greenoak. *Rad* —2C **64**
Greenoak Dri. *Sale* —2C **134**
Greenoak Dri. *Wor* —4E **63**
Greenock Clo. *Bolt* —2C **44**
Greenock Dri. *Heyw* —4B **38**
Green Pk. Clo. *G'mnt* —2H **21**
Greenpark Rd. *M22* —2B **136**
Green Pastures. *Stoc* —2H **137**
Green Rd. *Part* —6C **118**
Greenroyd Av. *Bolt* —3G **33**
Greenroyde. *Roch* —6G **27**
Green & Salter Homes. *Stoc*
—6C **126**
Greenshank Clo. *Roch* —4B **26**
Greenside. *Bolt* —4C **34**
Greenside. *Farn* —6E **47**
Greenside. *Stoc* —2C **138**
Greenside. *Wor* —6A **78**
Greenside Av. *Kear* —3H **63**
Greenside Av. *Oldh* —5H **57**
Greenside Clo. *Duk* —5E **101**
Greenside Clo. *Hawk* —1D **20**
Greenside Ct. *Ecc* —2F **91**
Greenside Cres. *Droy* —3H **97**
Greenside Dri. *G'mnt* —2H **21**
Greenside Dri. *Hale* —4G **145**
Greenside Dri. *Irl* —6D **102**
Greenside La. *Droy* —2G **97**
Greenside Pl. *Dent* —1G **129**
Greenside St. *M11* —5D **96**
Greenside Way. *Mid* —4C **70**
Greenson Dri. *Mid* —2G **69**
Greenstead Av. *M8* —3C **82**
Greens, The. *Whitw* —4G **15**
Greenstone Dri. *Salf* —6D **80**
Green St. *M14* —2H **125**
Green St. *Ald E* —5G **167**
Green St. *Bolt* —6B **32**
Green St. *Bury* —1H **35**
Green St. *Ecc* —5D **90**
Green St. *Eden* —2B **12**
Green St. *Fail* —4E **85**
Green St. *Farn* —6E **47**
Green St. *Hyde* —6C **114**
Green St. *Mid* —6B **54**
Green St. *Oldh* —3B **72**
Green St. *Rad* —4G **49**
(in two parts)
Green St. *Stoc* —5H **139**
Green St. *Stret* —1C **122**
Green St. *Tot* —1F **35**
Green, The. *Chea H* —5B **150**
Green, The. *Clif* —1H **79**
Green, The. *G'mnt* —2H **21**
Green, The. *Hand* —4A **160**
Green, The. *Marp* —2E **155**
Green, The. *Millb* —1H **101**
Green, The. *Oldh* —6E **73**
Green, The. *Part* —5D **118**
Green, The. *Roch* —2C **40**
Green, The. *Stoc* —6E **127**
Green, The. *Tim* —4C **134**
Green, The. *Wor* —6H **77**
Greenthorne Av. *Stoc* —2F **127**
Greenthorn Wlk. *M15* —2D **108**
(off Botham Clo.)
Green Tree Gdns. *Rom*
—1H **141**
Greenvale. *Roch* —3A **26**
Greenvale Cotts. *L'boro* —1H **17**
Greenvale Dri. *Chea* —5G **137**
Greenview Dri. *M20* —3G **137**
Green Villa Pk. *Wilm* —5B **166**
Green Wlk. *M16* —4A **108**
Green Wlk. *Bow* —2C **144**
Green Wlk. *Gat* —5E **137**
Green Wlk. *Mot* —5B **116**
Green Wlk. *Stret* —5B **106**
Green Wlk. *Tim* —4H **133**
Green Walks. *P'wch* —6G **67**

Greenway. *M22* —3C **136**
Greenway. *Alt* —6C **132**
Green Way. *Bolt* —2C **32**
Greenway. *Bram* —1F **161**
Greenway. *Hyde* —6B **114**
Greenway. *Mid* —4H **69**
Green Way. *Mot* —5B **116**
Greenway. *Roch* —4B **40**
Greenway. *Rom* —2C **142**
Greenway. *Shaw* —4D **42**
Greenway. *Wilm* —3E **167**
Greenway Av. *M19* —1D **126**
Greenway Clo. *Bolt* —1C **32**
Greenway Clo. *Bury* —2H **35**
Greenway Clo. *Sale* —6G **123**
Greenway Dri. *Moss* —1D **88**
Greenway Rd. *H Grn* —1G **159**
Greenway Rd. *Tim* —3H **133**
Greenways. *M40* —2D **84**
Greenways. *Ash L* —5D **86**
Greenwich Clo. *M40* —1F **97**
Greenwich Clo. *Roch* —5B **26**
Greenwood Av. *Ash L* —5G **87**
(in two parts)
Greenwood Av. *Clif* —2H **79**
Greenwood Av. *Stoc* —5C **140**
Greenwood Av. *Wor* —5E **63**
Greenwood Clo. *Tim* —6D **134**
Greenwood Clo. *Wor* —4A **76**
Greenwood Dri. *Wilm* —1G **167**
Greenwood Gdns. *Bred*
—6F **129**
Greenwood Pl. *L'boro* —4F **17**
(off Hare Hill Rd.)
Greenwood Rd. *M22* —2H **147**
Greenwoods La. *Bolt* —1H **33**
Greenwood St. *Alt* —1F **145**
Greenwood St. *Bar* —1D **86**
Greenwood St. *Farn* —1F **63**
Greenwood St. *Lees* —4B **74**
Greenwood St. *L'boro* —4F **17**
Greenwood St. *Oldh* —1G **73**
(in two parts)
Greenwood St. *Roch* —4H **27**
Greenwood St. *Salf* —1F **93**
Greenwood Vale. *Bolt* —2H **31**
Greer St. *Open* —5E **97**
Gregge St. *Heyw* —4G **39**
Gregory Av. *Bolt* —5G **33**
Gregory Av. *Rom* —2A **142**
Gregory St. *M12* —1B **110**
Gregory St. *Hyde* —2C **114**
Gregory St. *Oldh* —6A **72**
Gregory Way. *Stoc* —3H **127**
Gregson Field. *Bolt* —3A **46**
(in two parts)
Gregson Rd. *Stoc* —3G **127**
Gregson St. *Oldh* —3D **72**
Greg St. *Stoc* —4G **127**
Grelley Wlk. *M14* —4F **109**
Grendale Av. *Haz G* —4E **153**
Grendale Av. *Stoc* —2B **140**
Grendale Dri. *M16* —2A **108**
Grendon Av. *Oldh* —5C **72**
Grendon St. *Bolt* —4G **45**
Grendon Wlk. *M12* —1C **110**
Grenfell Rd. *M20* —6E **125**
Grenfell St. *Manx* —6E **125**
Grenham Av. *M15*
—1B **108** (5C **8**)
Grenville St. *Stoc* —3F **139**
Grenville Rd. *Haz G* —2C **152**
Grenville St. *Duk* —5A **100**
Grenville St. *Millb* —1H **101**
Grenville St. *Stoc* —3F **139**
Grenville Wlk. *L'boro* —6G **17**
Gresford Clo. *M21* —1G **123**
Gresham Clo. *W'fld* —2B **66**
Gresham Dri. *Oldh* —2A **72**
Gresham St. *Bolt* —2B **32**
Gresham St. *Dent* —3F **113**

Gresham Wlk. *Stoc* —6G **127**
Gresty Av. *M22* —4D **148**
Greswell St. *Dent* —3E **113**
Greta Av. *H Grn* —1G **159**
Gretney Wlk. *M15* —2D **108**
Greton Clo. *M13* —3A **110**
Gretton Clo. *Rytn* —3D **56**
Greville St. *M13* —3A **110**
Grey Clo. *Bred* —5G **129**
Grey Friar Ct. *Salf*
—2C **94** (1E **5**)
Greyfriars Rd. *M22* —3H **147**
Greyhound Dri. *Salf* —6G **81**
Grey Knotts. *Wor* —6C **76**
Greylag Cres. *Wor* —3F **77**
Greylands Clo. *Sale* —5H **121**
Greylands Rd. *M20* —3G **137**
Grey Mare La. *M11* —4B **96**
Greymont Rd. *Bury* —5F **23**
Grey Rd. *Alt* —6D **132**
Greysham Ct. *M16* —5C **108**
Greystoke Av. *M19* —6E **111**
Greystoke Av. *Sale* —6B **122**
Greystoke Av. *Tim* —5D **134**
Greystoke Cres. *W'fld* —5C **50**
Greystoke Dri. *Ald E* —4G **167**
Greystoke Dri. *Bolt* —5B **18**
Greystoke Dri. *Mid* —5F **53**
Greystoke Hall. *Manx* —6D **124**
Greystoke La. *Fail* —5D **84**
Greystoke St. *Stoc* —2A **140**
Greystone Av. *M21* —1D **124**
Greystone Wlk. *Stoc* —2F **127**
Grey St. *M12* —1A **110**
Grey St. *Ash L* —3A **100**
Grey St. *Dent* —4D **112**
Grey St. *Mid* —6H **53**
Grey St. *P'wch* —5G **67**
Grey St. *Rad* —4H **49**
Grey St. *Stal* —4G **101**
Greyswood Av. *M8* —4B **82**
Greytown Clo. *Salf* —6D **80**
Greywood Av. *Bury* —3F **37**
Grierson St. *Bolt* —2A **32**
Grierson Wlk. *M16* —3C **108**
Griffe La. *Bury* —3G **51**
Griffin Clo. *Bury* —1F **37**
Griffin Ct. *Salf* —3C **94** (4E **5**)
Griffin Gro. *M19* —1C **126**
Griffin M. *P'wch* —4E **67**
Griffin Rd. *Fail* —5D **84**
Griffin St. *Salf* —5G **81**
Griffiths Clo. *Salf* —1B **94**
Griffiths St. *M40* —6C **84**
Grimes Cotts. *Roch* —2B **26**
Grimes St. *Roch* —2B **26**
Grime St. *Ram* —5C **12**
Grimscott Clo. *M9* —2H **83**
Grimshaw Av. *Fail* —3G **85**
Grimshaw Clo. *Bred* —5G **129**
Grimshaw La. *M40* —6H **83**
Grimshaw La. *Mid* —1A **70**
Grimshaw St. *Fail* —3E **85**
Grimshaw St. *Stoc* —2A **140**
Grimstead Clo. *M23* —5E **135**
Grindall Av. *M40* —1B **84**
Grindleford Gdns. *Glos*
(off Buxton M.) —5G **117**
Grindleford Gro. *Gam* —5G **117**
(off Edale Cres.)
Grindleford Lea. *Glos* —5G **117**
(off Edale Cres.)
Grindleford Wlk. *M21* —4B **124**
Grindleford Wlk. *Glos* —5G **117**
(off Edale Cres.)
Grindle Grn. *Ecc* —5E **91**
Grindlow Av. *M21* —4B **124**
Grindlow St. *M13* —2A **110**
Grindon Av. *Salf* —4E **81**
Grindrod St. *Rad* —3F **49**
(in two parts)

Grindrod St. *Roch* —2G **27**
Grindsbrook Rd. *Rad* —6F **35**
Gringle St. *M3* —4C **94** (6E **5**)
Grinton Av. *M13* —5A **110**
Grisdale Av. *Bolt* —2G **45**
Grisdale Dri. *Mid* —5G **53**
Grisebeck Way. *Oldh* —2C **72**
Grisedale Av. *Rytn* —5A **42**
Grisedale Ct. *M9* —5A **70**
Grisedale Rd. *Roch* —1B **40**
Gritley Wlk. *M22* —4A **148**
Grizebeck Clo. *M18* —1E **111**
Grizedale Clo. *Bolt* —3D **30**
Grizedale Clo. *C'brk* —4G **89**
Grizedale Rd. *Woodl* —5H **129**
Groby Ct. *Alt* —1E **145**
Groby Pl. *Alt* —6E **133**
Groby Rd. *M21* —1H **123**
Groby Rd. *Alt* —1D **144**
Groby Rd. *Aud* —6E **99**
Groby Rd. N. *Aud* —5D **98**
Groby St. *Oldh* —6E **73**
Groby St. *Stal* —4G **101**
Grogan Dri. *Harp* —3G **83**
Groomsport Dri. *M8* —6A **82**
Groom St. *M1* —6F **95** (3C **10**)
Grosvenor Av. *W'fld* —6C **50**
Grosvenor Clo. *Wilm* —5D **166**
Grosvenor Clo. *Wor* —4E **63**
Grosvenor Ct. *Ash L* —4G **99**
Grosvenor Ct. *Sale* —4H **121**
Grosvenor Ct. *Stret* —3H **81**
Grosvenor Cres. *Hyde* —6A **114**
Grosvenor Dri. *Poy* —4C **162**
Grosvenor Dri. *Wor* —4E **63**
Grosvenor Gdns. *M22* —5C **136**
Grosvenor Gdns. *Salf* —1B **94**
Grosvenor Gdns. *Stal* —4E **101**
Grosvenor Ho. *Sale* —5H **121**
Grosvenor Ho. M. *Crum*
　　　　　—1B **82**
Grosvenor Ind. Est. *Ash L*
　　　　　—4G **99**
Grosvenor Pl. *Ash L* —4G **99**
Grosvenor Rd. *M16* —5B **108**
Grosvenor Rd. *Alt* —6G **133**
Grosvenor Rd. *Chea H* —1E **151**
Grosvenor Rd. *Ecc* —2C **90**
Grosvenor Rd. *Hyde* —6B **114**
Grosvenor Rd. *Marp* —4D **142**
Grosvenor Rd. *Pen* —4H **79**
Grosvenor Rd. *Sale* —4H **121**
Grosvenor Rd. *Stoc* —6C **126**
　(in two parts)
Grosvenor Rd. *Urm* —5E **105**
Grosvenor Rd. *W'fld* —6C **50**
Grosvenor Rd. *Wor* —4E **63**
Grosvenor Sq. *M15*
　　　　　—6E **95** (4A **10**)
Grosvenor Sq. *Sale* —5H **121**
Grosvenor Sq. *Salf* —1B **94**
Grosvenor Sq. *Stal* —4E **101**
Grosvenor St. *M13 & M1*
　　　　　—6E **95** (4B **10**)
Grosvenor St. *Ash L* —4F **99**
　(in two parts)
Grosvenor St. *Bolt* —1C **46**
Grosvenor St. *Bury* —3C **36**
Grosvenor St. *Dent* —3D **112**
Grosvenor St. *Haz G* —2D **152**
Grosvenor St. *Heyw* —4E **39**
Grosvenor St. *Kear* —1G **63**
Grosvenor St. *L Lev* —3A **48**
Grosvenor St. *Pen* —1F **79**
Grosvenor St. *P'wch* —5G **67**
Grosvenor St. *Rad* —3F **49**
Grosvenor St. *Roch* —4C **40**
Grosvenor St. *Stal* —4E **101**
　(in two parts)
Grosvenor St. *Stoc* —3H **139**
Grosvenor St. *Stret* —5D **106**

Grosvenor Way. *Rytn* —5B **56**
Grotton Hollow. *Grot* —3C **74**
Grotton Meadows. *Grot* —4D **74**
Grouse St. *Roch* —2H **27**
Grove Arc. *Wilm* —2E **167**
Grove Av. *Fail* —6E **85**
Grove Av. *Wilm* —2D **166**
Grove Clo. *M14* —4G **109**
Grove Cotts. *Dig* —1D **60**
Grove Ct. *Haz G* —2E **153**
Grove Hill. *Wor* —5B **76**
Grove Ho. *M15* —2F **109**
Grovehurst. *Swint* —5B **78**
Grove La. *M20* —6E **125**
Grove La. *Chea H* —1C **160**
Grove La. *Hale* —2A **146**
Grove La. *Tim* —4H **133**
Grove M. *Wor* —6F **63**
Grove Pk. *Sale* —5H **121**
Grove Rd. *Hale* —2G **145**
Grove Rd. *Mid* —5B **54**
Grove Rd. *Millb* —1H **101**
Grove Rd. *Upperm* —2F **61**
Grove St. *Ash L* —6C **86**
Grove St. *Bolt* —3H **31**
Grove St. *Bury* —1G **37**
Grove St. *Droy* —5H **97**
Grove St. *Duk* —4B **100**
Grove St. *G'fld* —4F **61**
Grove St. *Haz G* —2E **153**
Grove St. *Heyw* —3G **39**
Grove St. *Kear* —1G **63**
Grove St. *Oldh* —2E **73**
　(in two parts)
Grove St. *Roch* —6G **27**
Grove St. *Salf* —6A **82**
Grove St. *Wilm* —2E **167**
Grove Ter. *Oldh* —1A **74**
Grove, The. *M20* —2F **137**
Grove, The. *Alt* —6F **133**
Grove, The. *Bolt* —2D **46**
Grove, The. *Chea H* —1C **160**
Grove, The. *Dob* —6H **59**
Grove, The. *Ecc* —4H **91**
Grove, The. *Had* —3H **117**
Grove, The. *L Lev* —4B **48**
Grove, The. *Sale* —6B **122**
Grove, The. *Shaw* —1E **57**
Grove, The. *Stoc* —4G **139**
Grove, The. *Urm* —6B **104**
Grovewood Clo. *Ash L* —6C **86**
Grundey St. *Haz G* —3G **153**
Grundy Av. *P'wch* —1C **80**
Grundy La. *Bury* —4E **37**
Grundy Rd. *Kear* —2G **63**
Grundy St. *Heyw* —5G **39**
Grundy St. *Oldh* —2E **73**
Grundy St. *Stoc* —1A **138**
Grundy St. *Wor* —6H **63**
Guardian Ct. *Sale* —4A **122**
Guest Rd. *P'wch* —3E **67**
GUIDE BRIDGE STATION. *BR*
　　　　　—5F **99**
Guide La. *Aud* —1F **113**
Guide Post Sq. *M13*
　　　　　—1H **109** (6G **11**)
Guide St. *Salf* —4C **92**
Guido St. *Bolt* —3H **31**
Guido St. *Fail* —4E **85**
Guild Av. *Wor* —1F **77**
Guildford Av. *Chea H* —6C **150**
Guildford Clo. *Stoc* —4B **140**
Guildford Dri. *Ash L* —4G **87**
Guildford Gro. *Mid* —4C **54**
Guildford Rd. *M19* —5D **110**
Guildford Rd. *Bolt* —3F **31**
Guildford Rd. *Duk* —6E **101**
Guildford Rd. *Salf* —1B **92**
Guildford Rd. *Urm* —3G **105**
Guildford St. *Moss* —2F **89**

Guildford St. *Roch* —4A **28**
　(in two parts)
Guildhall Clo. *Man S* —2E **109**
Guild St. *Brom X* —4E **19**
Guilford Rd. *Ecc* —4D **90**
Guiness Ho. *Roch* —5B **28**
Guinness Rd. *Traf P* —5H **91**
Guinness Rd. Trad. Est. *Traf P*
　　　　　—5H **91**
Guiseley Clo. *Bury* —3E **23**
Gullane Clo. *M40* —4C **84**
Gull Clo. *Poy* —4B **162**
Gunderson Ct. *Oldh* —2C **72**
Gunson Ct. *M40* —2G **95** (2F **7**)
Gunson St. *M40* —2G **95** (2F **7**)
Gun St. *M4* —3F **95** (4D **6**)
Gurner Av. *Salf* —6H **93**
Gurney St. *M4* —4H **95** (5H **7**)
Gutter La. *Ram* —2D **12**
Guy Fawkes St. *Salf* —6H **93**
Guy St. *Salf* —4B **82**
Guywood La. *Rom* —6A **130**
Gwelo St. *M11* —3C **96**
Gwenbury Av. *Stoc* —2B **140**
Gwendor Av. *M8* —6B **68**
Gwladys St. *C'brk* —5B **88**
Gwynant Pl. *M20* —2G **125**
Gylden Clo. *Hyde* —1F **115**
Gypsy La. *Stoc* —5C **140**
Gypsy Wlk. *Stoc* —5D **140**

H

Habergham Clo. *Wor* —4E **77**
Hackberry Clo. *B'hth* —3D **132**
Hacken Bri. Rd. *Bolt* —3E **47**
Hacken La. *Bolt* —3E **47**
Hackford Clo. *Bolt* —5G **31**
Hackford Clo. *Bury* —6D **22**
Hacking St. *Bury* —3E **37**
Hacking St. *P'wch* —5E **67**
Hacking St. *Salf* —5A **82**
Hackle St. *M11* —3E **97**
Hackleton Clo. *M4*
　　　　　—4H **95** (5H **7**)
Hackness Rd. *M21* —1F **123**
Hackney Av. *M40* —1F **97**
Hackney Clo. *Rad* —2G **49**
Hackwood Wlk. *M8* —4B **82**
　(off Levenhurst Rd.)
Haddington Dri. *M9* —6G **69**
Haddon Av. *M40* —2F **85**
Haddon Clo. *Bury* —2E **51**
Haddon Clo. *H Lane* —1C **164**
Haddon Grn. *Glos* —5F **117**
　(off Haddon M.)
Haddon Gro. *Sale* —5A **122**
Haddon Gro. *Stoc* —2G **127**
Haddon Gro. *Tim* —4H **133**
Haddon Hall Rd. *Droy* —3G **97**
Haddon Ho. *Salf* —2D **92**
Haddon Lea. *Glos* —5F **117**
　(off Grassmoor Cres.)
Haddon M. *Glos* —5F **117**
Haddon Rd. *M21* —4B **124**
Haddon Rd. *Ecc* —5D **90**
Haddon Rd. *Haz G* —4E **153**
Haddon Rd. *H Grn* —6G **149**
Haddon Rd. *Wor* —5C **78**
Haddon St. *Salf* —6F **81**
Haddon St. *Stret* —3D **106**
Haddon Way. *Dent* —6G **113**
Haddon Way. *Shaw* —5G **43**
Hadfield Av. *Chad* —4H **71**
Hadfield Cres. *Ash L* —6A **88**
Hadfield Rd. *Had* —3G **117**
Hadfields Av. *Holl* —2F **117**
Hadfield St. *M16*
　　　　　—1A **108** (6B **8**)
Hadfield St. *Duk* —6G **99**
Hadfield St. *Oldh* —6C **72**
Hadfield St. *Salf* —5A **82**

Hadfield Ter. *Ash L* —6A **88**
Hadleigh Clo. *Bolt* —5E **19**
Hadley Av. *M13* —5A **110**
Hadley Clo. *Chea H* —4B **150**
Hadley St. *Salf* —6F **81**
Hadlow Grn. *Stoc* —3B **128**
Hadlow Wlk. *M40* —2A **96**
Hadwin St. *Bolt* —4B **32**
Hafton Rd. *Salf* —5F **81**
Hag End Brow. *Bolt* —2E **47**
Haggate. *Rytn* —4A **56**
Haggate Cres. *Rytn* —4A **56**
Hagg Bank La. *Dis* —1H **165**
Hagley Rd. *Salf* —1H **107**
Hags, The. *Bury* —2E **51**
Hague Ho. *Oldh* —4D **72**
Hague Pl. *Stal* —3D **100**
Hague Rd. *M20* —4E **125**
Hague Rd. *B'btm* —6D **117**
Hague St. *M40* —6H **83**
Hague St. *Ash L* —1A **100**
Hague St. *Oldh* —1A **74**
Haig Av. *Cad* —4A **118**
Haig Ct. *Bury* —4H **35**
Haigh Av. *Stoc* —4G **127**
Haigh Hall Clo. *Ram* —5D **12**
Haigh La. *Chad* —6E **55**
Haigh Pk. *Stoc* —4G **127**
Haigh St. *Bolt* —5B **32**
Haigh St. *Roch* —5A **28**
Haig Rd. *Bury* —3H **35**
Haig Rd. *Stret* —4D **106**
Haile Dri. *Wor* —5B **76**
Hailsham Clo. *Bury* —4C **22**
Hail St. *Ram* —5C **12**
Hailwood St. *Roch* —1E **41**
Halbury Wlk. *Bolt* —3B **32**
　(off Ulleswater St.)
Haldene Wlk. *M8* —5B **82**
Haldon Rd. *M20* —4H **125**
Hale Av. *Poy* —5D **162**
Hale Bank Av. *M20* —2D **124**
Hale Ct. *Bow* —2F **145**
Hale Grn. Ct. *Hale* —2A **146**
Hale La. *Fail* —3E **85**
Hale Low Rd. *Hale* —2H **145**
Hale Rd. *Alt & Hale* —2F **145**
Hale Rd. *Haleb* —4B **146**
Hale Rd. *Stoc* —6E **127**
Hales Clo. *Droy* —3H **97**
Halesden Rd. *Stoc* —4F **127**
HALE STATION. *BR* —3F **145**
Halesworth Wlk. *M40* —1G **95**
Haletop. *Civ C* —3B **148**
Hale Wlk. *Chea* —1C **150**
Haley Clo. *Stoc* —1H **127**
Haley St. *M8* —4C **82**
Half Acre. *Rad* —1E **49**
Half Acre Dri. *Roch* —5E **27**
Half Acre Grn. *Wilm* —1E **167**
Half Acre La. *Roch* —5D **26**
Half Acre La. *W'fld* —3F **67**
　(in two parts)
Half Acre M. *Roch* —5D **26**
Halfacre Rd. *M22* —1A **148**
Half Acre Rd. *Roch* —5D **26**
Half Edge La. *Ecc* —2G **91**
Half Moon La. *Stoc* —5D **140**
Half Moon St. *M2*
　　　　　—4D **94** (5H **5**)
Halford Dri. *M40* —3B **84**
Halfpenny Bri. Ind. Est. *Roch*
　　　　　—5A **28**
Half St. *Mid* —6H **53**
Half St. *Salf* —2C **94** (2F **5**)
Halifax Rd. *L'boro & HX6*
　　　　　—4G **17**
Halifax Rd. *Oldh* —2B **58**
Halifax Rd. *Roch* —2B **28**
Halifax St. *Ash L* —1H **99**
Haliwell St. *Bolt* —3H **31**

Hallam Rd. *M40* —6B **84**
Hallam St. *Rad* —3B **50**
Hallam St. *Stoc* —5A **140**
Hallas Gro. *M23* —2H **135**
Hall Av. *M14* —4H **109**
Hall Av. *Heyr* —6E **89**
Hall Av. *Sale* —3G **121**
Hall Av. *Tim* —4H **133**
Hall Bank. *Ecc* —3E **91**
Hallbottom Pl. *Hyde* —2D **114**
Hallbottom St. *Hyde* —2D **114**
Hall Clo. *Mot* —2C **116**
Hall Coppice, The. *Eger* —2B **18**
Hall Cotts. *G'fld* —3F **61**
Hallcroft. *Part* —5D **118**
Hallcroft Gdns. *Miln* —5E **29**
Hall Dri. *Mid* —6H **89**
Hall Dri. *Mot* —2C **116**
Halle Mall. *M4* —3E **95** *(4A 6)*
 (off Arndale Shopping Cen.)
Halle Sq. *M4* —3E **95** *(4A 6)*
 (off Arndale Cen.)
Hall Farm Av. *Urm* —4D **104**
Hall Fold. *Had* —2H **117**
Hall Fold. *Whitw* —1B **14**
Hall Gdns. *Roch* —1E **27**
Hallgate Dri. *H Grn* —3E **149**
Hallgate Rd. *Stoc* —3B **140**
Hall Grn. Clo. *Duk* —4A **100**
Hall Grn. Rd. *Duk* —4A **100**
Hall Gro. *M14* —4H **109**
Hall Gro. *Chea* —5G **137**
Halliday Ct. *L'boro* —5C **16**
Halliday Rd. *M40* —6B **84**
Halliford Rd. *M40* —5A **84**
Hallington Clo. *Bolt* —3A **46**
Hall i' th' Wood. *Bolt* —1C **32**
Hall i' th' Wood La. *Bolt*
 —2D **32**
HALL I' TH' WOOD STATION. *BR*
 —2D **32**
Halliwell Av. *Oldh* —6C **72**
Halliwell Ind. Est. *Bolt* —2H **31**
 (off Rossini St.)
Halliwell La. *M8* —4B **82**
Halliwell Rd. *Bolt* —2G **31**
Halliwell Rd. *P'wch* —2D **80**
Halliwell St. *Chad* —2G **85**
Halliwell St. *Firg* —4E **29**
Halliwell St. *L'boro* —4G **17**
Halliwell St. *Roch* —3G **27**
 (in two parts)
Halliwell St. W. *M8* —4B **82**
Halliwell Wlk. *P'wch* —2D **80**
Hallkirk Wlk. *M40* —1D **84**
Hall La. *M23* —5H **135**
Hall La. *Farn* —5F **47**
 (in two parts)
Hall La. *Part* —5D **118**
Hall La. *Woodl* —3H **129**
Hall Meadow. *Chea H* —4A **150**
Hall Moss La. *Bram* —2D **160**
Hall Moss Rd. *M9* —5A **70**
Hallows Av. *M21* —4A **124**
Hall Rd. *M14* —4H **109**
Hall Rd. *Ash L* —6G **87**
Hall Rd. *Bow* —4E **145**
Hall Rd. *Bram* —4F **151**
Hall Rd. *Hand* —4A **160**
Hall Rd. *Moss* —2E **89**
Hall Rd. *Wilm* —2D **166**
Hallroyd Brow. *Oldh* —1C **72**
Hall's Pl. *Spring* —3B **74**
Hallstead Av. *L Hul* —5A **62**
Hallstead Gro. *L Hul* —5A **62**
Hall St. *M2* —5D **94** *(1H 9)*
Hall St. *Ash L* —3C **100**
Hall St. *Bolt* —5F **47**
 (in two parts)
Hall St. *Bury* —1A **36**
Hall St. *Chea* —5G **137**

Hall St. *Fail* —5D **84**
Hall St. *Heyw* —4G **39**
Hall St. *Hyde* —4H **113**
Hall St. *Mid* —1A **70**
Hall St. *Oldh* —2F **73**
Hall St. *Pen* —1F **79**
Hall St. *Rad* —1F **49**
Hall St. *Rytn* —3B **56**
Hall St. *Stoc* —2A **140**
Hall St. *S'seat* —1C **22**
Hall St. *Wals* —1F **35**
Hall St. *Whitw* —1C **14**
Hallsville Rd. *M19* —6E **111**
Hallsworth Rd. *Ecc* —4C **90**
Hallwood Av. *Salf* —6A **80**
Hallwood Rd. *M23* —5G **135**
Hall Wood Rd. *Hand* —5H **159**
Hallworth Rd. *Roch* —1E **41**
Hallworth Av. *Aud* —4B **98**
Hallworth Rd. *M8* —3D **82**
Halmore Rd. *M40*
 —3H **95** *(3G 7)*
Halsall Clo. *Bury* —5F **23**
Halsall Dri. *Bolt* —5A **46**
Halsbury Clo. *M12* —1A **110**
Halsey Clo. *Chad* —1E **85**
Halsey Wlk. *M8* —4B **82**
Halshaw La. *Kear* —2H **63**
Halsmere Dri. *M9* —6G **69**
Halstead Av. *M21* —2G **123**
Halstead Av. *Salf* —1D **92**
Halstead Dri. *Irl* —6F **103**
Halstead Gro. *Gat* —1D **148**
Halstead St. *Bolt* —6C **32**
Halstead St. *Bury* —6G **23**
Halstead Wlk. *Bury* —6G **23**
Halstock Wlk. *M40* —6F **83**
 (off Carslake Rd.)
Halstone Av. *Wilm* —5B **166**
Halter Clo. *Rad* —2G **49**
Halton Bank. *Salf* —1F **93**
Halton Dri. *Tim* —2B **134**
Halton Flats. *Heyw* —3E **39**
 (off Pitt St.)
Halton Ho. *Salf* —4F **93**
Halton Rd. *M11* —3E **97**
Halton St. *Bolt* —6D **32**
Halton St. *Hyde* —4D **114**
Halvard Av. *Bury* —5F **23**
Halvard Ct. *Bury* —5F **23**
Halvis Gro. *M16* —4H **107**
Hambledon Clo. *Bolt* —2D **44**
Hamble M. *Salf* —4F **81**
Hambleton Clo. *Bury* —4F **35**
Hambleton Dri. *M23* —1G **147**
Hambleton Dri. *Sale* —4F **121**
Hambleton Rd. *H Grn* —5G **149**
Hambleton Wlk. *Sale* —4F **121**
Hambridge Clo. *M8* —4C **82**
Hamel St. *Bolt* —4H **45**
Hamel St. *Hyde* —2D **114**
Hamer Bldgs. *Heyw* —3D **38**
Hamer Clo. *Ash L* —4G **99**
Hamer Ct. *Roch* —2B **28**
Hamer Dri. *M16* —2B **108**
Hamer Hall Cres. *Roch* —1B **28**
Hamer Hill. *M9* —6E **69**
Hamer La. *Roch* —2B **28**
Hamer St. *Rad* —3A **50**
Hamer St. *Ram* —1B **22**
Hamer Ter. *Bury* —6E **13**
 (off Ruby St.)
Hamerton Rd. *M40* —1G **95**
Hamilcar Av. *Ecc* —3G **91**
Hamilton Av. *Cad* —5B **118**
Hamilton Av. *Ecc* —4G **91**
Hamilton Av. *Rytn* —4H **55**
Hamilton Clo. *Bury* —2H **35**
Hamilton Clo. *P'wch* —6E **67**
Hamilton Ct. *L Lev* —4B **48**
Hamilton Ct. *Sale* —5B **122**

Hamilton Cres. *Stoc* —2D **138**
Hamilton Gro. *M16* —2B **108**
Hamilton Ho. *Alt* —6F **133**
Hamilton Lodge. *M14* —4G **109**
Hamilton M. *Ecc* —2D **90**
Hamilton M. *P'wch* —6E **67**
Hamilton Pl. *Ash L* —4F **99**
Hamilton Rd. *M13* —4B **110**
Hamilton Rd. *P'wch* —6E **67**
Hamilton Rd. *W'fld* —1C **66**
Hamilton Sq. *Stoc* —6G **127**
Hamilton St. *Ash L* —4F **99**
Hamilton St. *Bolt* —6C **18**
Hamilton St. *Bury* —1D **36**
Hamilton St. *Chad* —2G **71**
Hamilton St. *Ecc* —2D **90**
Hamilton St. *Oldh* —3E **73**
Hamilton St. *Old T* —2B **108**
Hamilton St. *Salf* —4H **81**
Hamilton St. *Stal* —3D **100**
Hamilton St. *Swint* —2D **78**
Hamilton Way. *Heyw* —4A **38**
Hamlet Dri. *Sale* —3G **121**
Hamlet, The. *Los* —5A **30**
Hammerstone Rd. *M18*
 —1E **111**
Hammett Rd. *M21* —1G **123**
Hammond Av. *Stoc* —4G **127**
Hammond Flats. *Heyw* —3E **39**
 (off Ashton St.)
Hamnet Clo. *Bolt* —6E **19**
Hamnett St. *M11* —4F **97**
Hamnett St. *Hyde* —4B **114**
Hamon Rd. *Alt* —1G **145**
Hampden Ct. *Ecc* —3F **91**
Hampden Cres. *M18* —2E **111**
Hampden Gro. *Ecc* —3F **91**
Hampden Rd. *P'wch* —5F **67**
Hampden Rd. *Sale* —6A **122**
Hampden Rd. *Shaw* —1H **57**
Hampden St. *Heyw* —4F **39**
Hampden St. *Roch* —5H **27**
Hampshire Clo. *Bury* —5E **37**
Hampshire Clo. *Stoc* —4C **128**
Hampshire Rd. *Chad* —4H **71**
Hampshire Rd. *Droy* —2A **98**
Hampshire Rd. *Stoc* —4C **128**
Hampshire St. *Salf* —4H **81**
Hampshire Wlk. *M8* —5D **82**
Hampson Clo. *Ecc* —4D **90**
Hampson Cres. *Hand* —3G **159**
Hampson Fold. *Rad* —3F **49**
Hampson Mill La. *Bury* —2D **50**
Hampson Pl. *Ash L* —5A **88**
Hampson Rd. *Ash L* —5A **88**
Hampson Rd. *Stret* —5C **106**
Hampson St. *M40* —1H **95**
Hampson St. *Droy* —3A **98**
Hampson St. *Ecc* —4D **90**
Hampson St. *Pen* —2G **79**
Hampson St. *Rad* —3G **49**
Hampson St. *Sale* —5D **122**
Hampson St. *Salf*
 —4A **94** *(6B 4)*
Hampson St. *Stoc* —3B **140**
Hampson St. Trad. Est. *Salf*
 —4B **94** *(6C 4)*
Hampstead Av. *Urm* —6A **104**
Hampstead Dri. *Stoc* —6C **140**
Hampstead La. *Stoc* —6C **140**
Hampton Gro. *Bury* —5F **23**
Hampton Gro. *Chea H* —3A **150**
Hampton Gro. *Tim* —2H **133**
Hampton Pl. *M15*
 —1B **108** *(6D 8)*
Hampton Rd. *M21* —6F **107**
Hampton Rd. *Bolt* —4C **46**
Hampton Rd. *Cad* —5B **118**
Hampton Rd. *Fail* —3H **85**
Hampton St. *Urm* —6F **105**
Hampton St. *Oldh* —5B **72**

Hamsell Rd. *M13*
 —6G **95** *(4E 11)*
Hancock Clo. *M14* —4F **109**
Hancock St. *Stret* —1D **122**
Handel Av. *Urm* —5C **104**
Handel M. *Sale* —5C **122**
Handel St. *Bolt* —2H **31**
Handforth By-Pass. *Wilm*
 —3F **167**
Handforth Gro. *M13* —5A **110**
Handforth Rd. *Stoc* —4H **127**
Handforth Rd. *Wilm* —5A **160**
HANDFORTH STATION. *BR*
 —4H **159**
Handle St. *Whitw* —1B **14**
Handley Av. *M14* —6F **109**
Handley Clo. *Stoc* —6E **139**
Handley Rd. *Bram* —2G **151**
Handley St. *Bury* —5D **36**
Handley St. *Roch* —3F **27**
Hands La. *Roch* —4C **26**
Handsworth St. *M12*
 —6H **95** *(3H 11)*
Hanging Birch. *Mid* —2D **68**
Hanging Bri. *M3* —3D **94** *(4H 5)*
 (off Cateaton St.)
Hanging Chaddar La. *Rytn*
 —6A **42**
Hanging Ditch. *M4*
 —3D **94** *(4H 5)*
Hanging Lees Clo. *Miln* —1G **43**
Hankinson Clo. *Part* —6D **118**
Hankinson Way. *Salf* —2G **93**
Hanley Clo. *Dis* —2H **165**
Hanley Clo. *Mid* —4A **70**
Hanlith M. *M19* —1B **126**
Hanlon St. *M8* —2B **82**
Hannah Baldwin Clo. *M11*
 —5B **96**
Hannah St. *M12* —5C **110**
Hannerton Rd. *Shaw* —5H **43**
Hannet Rd. *M22* —3A **148**
Hannington Ct. *Salf* —4F **81**
Hanover Ct. *Bolt* —2F **45**
 (off Greenbank Rd.)
Hanover Ct. *Salf* —4H **81**
Hanover Ct. *Wor* —5B **78**
Hanover Cres. *M14* —3H **109**
Hanover Gdns. *Salf* —3A **82**
Hanover Ho. *Bolt* —4F **45**
Hanover Rd. *B'hth* —4D **132**
Hanover St. *M4* —3E **95** *(3A 6)*
Hanover St. *Bolt* —6A **32**
Hanover St. *L'boro* —4E **17**
Hanover St. *Moss* —1E **89**
Hanover St. *Roch* —3C **40**
Hanover St. *Stal* —3D **100**
Hanover St. N. *Aud* —5E **99**
Hanover St. S. *Aud* —5E **99**
Hanover Ter. *Stoc* —6H **127**
Hansdon Clo. *M8* —5C **82**
Hansen Wlk. *M22* —3A **148**
Hanslope Wlk. *M9* —3G **83**
 (off Swainsthorpe Dri.)
Hanson Clo. *Mid* —6A **54**
Hanson M. *Stoc* —1B **140**
Hanson Rd. *M40* —4A **84**
Hanson St. *Bury* —1D **36**
Hanson St. *Mid* —1B **70**
 (in two parts)
Hanson St. *Oldh* —2G **73**
Hanworth Clo. *M13*
 —6F **95** *(4D 10)*
Hapford Wlk. *M40* —6A **84**
Hapton Av. *Stret* —6D **106**
Hapton Pl. *Stoc* —6G **127**
Hapton St. *M19* —5C **110**
Harbern Clo. *Ecc* —1F **91**
Harborne Wlk. *G'mnt* —2H **21**
Harboro Ct. *Sale* —6H **121**
Harboro Gro. *Sale* —5H **121**

Harboro Rd. *Sale* —4G **121**
Harboro Way. *Sale* —5H **121**
Harbour Farm Rd. *Hyde*
—1C **114**
Harbour La. *Miln* —6F **29**
Harbour La. N. *Miln* —6F **29**
Harbour M. Ct. *Brom X* —3F **19**
Harbourne Av. *Wor* —3E **77**
Harbourne Clo. *Wor* —3E **77**
Harburn Wlk. *M22* —5C **148**
Harbury Cres. *M22* —6A **136**
Harcles Dri. *Ram* —1B **22**
Harcombe Rd. *M20* —3G **125**
Harcourt Av. *Urm* —6H **105**
Harcourt Clo. *Urm* —6H **105**
Harcourt Rd. *Alt* —5F **133**
Harcourt Rd. *Sale* —3A **122**
Harcourt St. *Farn* —5F **47**
Harcourt St. *Oldh* —1F **73**
Harcourt St. *Stoc* —1H **127**
Harcourt St. *Stret* —4E **107**
Harcourt St. *Wor* —4F **63**
Harcourt St. S. *Wor* —4F **63**
Hardberry Pl. *Stoc* —5E **141**
Hardcastle Av. *M21* —3A **124**
Hardcastle Rd. *Stoc* —4F **139**
Hardcastle St. *Bolt* —3B **32**
Hardcastle St. *Oldh* —2D **72**
Harden Dri. *Bolt* —3F **33**
Harden Hills. *Shaw* —5H **43**
Harden Pk. *Ald E* —6D **166**
Hardfield Rd. *Mid* —4A **70**
Hardfield St. *Heyw* —3F **39**
Hardicker St. *M19* —2D **126**
Hardie Av. *Farn* —2D **62**
Harding St. *M4* —4H **95** (6H **7**)
Harding St. *Hyde* —2B **114**
Harding St. *Salf* —1G **93**
(Pendleton)
Harding St. *Salf* —3D **94** (3G **5**)
(Salford)
Harding St. *Stoc* —2B **140**
Hardman Av. *Bred* —6G **129**
Hardman Av. *P'wch* —1H **81**
Hardman Clo. *Rad* —1F **49**
Hardman La. *Fail* —3E **85**
Hardmans. *Brom X* —4D **18**
Hardman's La. *Brom X* —3D **18**
Hardmans M. *W'fld* —3D **66**
Hardman's Rd. *W'fld* —3D **66**
Hardman St. *M3* —4C **94** (6F **5**)
Hardman St. *Bury* —1D **36**
Hardman St. *Chad* —6H **71**
Hardman St. *Fail* —4D **84**
Hardman St. *Farn* —2G **63**
(in two parts)
Hardman St. *Heyw* —3F **39**
Hardman St. *Miln* —6G **29**
Hardman St. *Rad* —1F **49**
Hardman St. *Stoc* —2F **139**
Hardon Gro. *M13* —5B **110**
Hardrush Fold. *Fail* —5G **85**
Hardshaw Clo. *M13*
—1F **109** (5D **10**)
Hardsough La. *Ram* —1A **12**
Hardwick Clo. *H Lane* —1D **164**
Hardwick Clo. *Rad* —2B **48**
Hardwicke Rd. *Poy* —3F **163**
Hardwicke St. *Roch* —1E **41**
Hardwick Rd. *Part* —6E **119**
Hardwick St. *Ash L* —3F **99**
Hardy Av. *M21* —1G **123**
Hardy Dri. *Bram* —6F **151**
Hardy Dri. *Tim* —4H **133**
Hardy Farm. *M21* —3H **123**
Hardy Gro. *Swint* —6D **78**
Hardy Gro. *Wor* —3H **77**
Hardy La. *M21* —3H **123**
Hardy Mill Rd. *Bolt* —1H **33**
Hardy St. *Ash L* —5A **88**

Hardy St. *Ecc* —5D **90**
Hardy St. *Oldh* —4E **73**
Harebell Av. *Wor* —6B **62**
Harebell Clo. *Roch* —6D **14**
Harecastle Av. *Ecc* —5G **91**
Haredale Dri. *M8* —5D **82**
Hare Dri. *Bury* —3F **51**
Harefield Av. *Roch* —6A **28**
Harefield Dri. *M20* —1E **137**
Harefield Dri. *Heyw* —3H **39**
Harefield Dri. *Wilm* —4E **167**
Harefield Rd. *Hand* —3A **160**
Harehill Clo. *M13*
—6F **95** (3D **10**)
Hare Hill Ct. *L'boro* —3F **17**
Hare Hill Rd. *Hyde* —4G **115**
Hare Hill Rd. *L'boro* —3E **17**
Hare Hill Wlk. *Hyde* —5G **115**
Harehill Rd. *Heyw* —5D **38**
Hare St. *M4* —3E **95**
Hare St. *Roch* —6H **27**
Harewood Av. *Roch* —1H **25**
Harewood Av. *Sale* —5F **121**
Harewood Clo. *Roch* —2H **25**
Harewood Ct. *M9* —4C **68**
(off Deanswood Dri.)
Harewood Ct. *Sale* —6C **122**
Harewood Dri. *Roch* —2G **25**
Harewood Dri. *Rytn* —2A **56**
Harewood Gro. *Stoc* —1G **127**
Harewood Rd. *Irl* —5F **103**
Harewood Rd. *Roch* —1G **25**
Harewood Rd. *Shaw* —5G **43**
Harewood Wlk. *Dent* —6G **113**
Harewood Way. *Clif* —1F **79**
Harewood Way. *Roch* —2G **25**
Harford Clo. *Haz G* —4A **152**
Hargate Av. *Roch* —1C **26**
Hargate Clo. *Bury* —1C **22**
Hargate Dri. *Hale* —4A **146**
Hargate Dri. *Irl* —4E **103**
Hargrave Clo. *M9* —3E **69**
Hargreaves Ho. *Bolt* —1A **46**
Hargreaves Rd. *Tim* —5C **134**
Hargreaves St. *M4*
—2E **95** (1B **6**)
Hargreaves St. *Bolt* —3A **32**
Hargreaves St. *Oldh* —2D **72**
(Frank Hill)
Hargreaves St. *Oldh* —3A **72**
(Westwood)
Hargreaves St. *Roch* —1C **40**
Harington Rd. *H Grn* —5H **149**
Harkerside Clo. *M21* —1A **124**
Harkness St. *M12*
—6G **95** (4F **11**)
Harland Dri. *M8* —4D **82**
Harland Way. *Roch* —1C **26**
Harlech Av. *W'fld* —2F **67**
Harlech Clo. *M15* —2E **109**
Harlech Dri. *Haz G* —4C **152**
Harleen Gro. *Stoc* —4D **140**
Harlesden Cres. *Bolt* —2G **45**
Harley Av. *M14* —4A **110**
Harley Av. *Harw* —2G **33**
Harley Ct. *Mid* —6H **53**
Harley Rd. *Mid* —6H **53**
Harley Rd. *Sale* —4B **122**
Harley St. *M11* —5F **97**
Harley St. *Ash L* —2H **99**
Harling Rd. *Shar I* —4B **136**
Harlington Clo. *M23* —4D **134**
Harlow Dri. *M18* —4F **111**
Harlyn Av. *Bram* —6H **151**
Harmer Clo. *M40* —6A **84**
Harmol Gro. *Ash L* —5D **86**
Harmony St. *Oldh* —3E **73**
Harmsworth Dri. *Stoc* —4D **126**
Harmsworth St. *Salf* —3E **93**
Harold Av. *M18* —3H **111**

Harold Av. *Duk* —4B **100**
Haroldene St. *Bolt* —3D **32**
Harold Lees Rd. *Heyw* —2H **39**
Harold Priestnall Clo. *M40*
—5B **84**
Harold St. *M16* —1A **108** (6B **8**)
Harold St. *Bolt* —3H **31**
Harold St. *Fail* —4E **85**
Harold St. *Mid* —1G **69**
Harold St. *Oldh* —2B **72**
Harold St. *P'wch* —5D **66**
Harold St. *Roch* —1C **28**
Harold St. *Stoc* —3B **140**
Haroman Rd. *Stoc* —1H **127**
Harper Fold Rd. *Rad* —4D **48**
Harper Grn. Rd. *Farn* —5D **46**
Harper Pl. *Ash L* —2A **100**
Harper Rd. *Shar I* —4C **136**
Harper's La. *Bolt* —3F **31**
Harper Sq. *Shaw* —6G **43**
Harper St. *Ash L* —2A **100**
Harper St. *Farn* —5D **46**
Harper St. *Oldh* —5C **72**
Harper St. *Roch* —6G **27**
Harper St. *Stoc* —4G **139**
Harpford Clo. *Bolt* —2A **48**
Harpford Dri. *Bolt* —2A **48**
Harp Rd. *Traf P* —5A **92**
Harp St. *M11* —6G **97**
Harp Trad. Est. *Traf P* —5A **92**
Harpurhey District Cen. *M9*
—3G **83**
Harpurhey Rd. *M8 & M9*
—3E **83**
Harridge Av. *Roch* —6C **14**
(in two parts)
Harridge Av. *Stal* —3H **101**
Harridge Bank. *Roch* —1E **27**
Harridge St. *Roch* —6C **14**
Harridge, The. *Roch* —6C **14**
Harrier Clo. *Wor* —3F **77**
Harriet St. *M4* —3G **95** (3F **7**)
Harriet St. *Bolt* —5F **45**
Harriet St. *Roch* —4A **28**
Harriet St. *Wor* —6F **63**
Harriett St. *Cad* —4C **118**
Harringay Rd. *M40* —6B **84**
Harrington Rd. *Alt* —6D **132**
Harrington St. *M18* —2G **111**
Harris Av. *Dent* —4B **112**
Harris Av. *Urm* —2F **105**
Harris Clo. *Dent* —4B **112**
Harris Clo. *Heyw* —4A **38**
Harris Dri. *Bury* —5F **51**
Harris Dri. *Hyde* —3E **115**
Harrison Av. *M19* —5D **110**
Harrison Clo. *Roch* —2B **26**
Harrisons Dri. *Woodl* —4A **130**
Harrison St. *M4* —4H **95** (6G **7**)
Harrison St. *Ecc* —5D **90**
Harrison St. *Hyde* —1D **130**
Harrison St. *L Hul* —5C **62**
Harrison St. *Oldh* —3D **72**
Harrison St. *Salf* —1B **94**
Harrison St. *Stoc* —4H **139**
Harris St. *M8* —1C **94**
Harris St. *Bolt* —1A **46**
Harrod Av. *Stoc* —4G **127**
Harrogate Av. *P'wch* —1H **81**
Harrogate Dri. *Stoc* —1G **127**
Harrogate Rd. *Stoc* —1G **127**
Harrogate Sq. *Bury* —4F **35**
Harroll Ga. *Swint* —4G **79**
Harrop Ct. *Dig* —2D **60**
Harrop Ct. Rd. *Dig* —2D **60**
Harrop Edge La. *Del* —3A **60**
Harrop Edge Rd. *Mot* —3A **116**
Harrop Fold. *Oldh* —2E **87**
Harrop Grn. La. *Dig* —2C **60**
Harrop Rd. *Hale* —3G **145**

Harrop St. *M18* —1H **111**
Harrop St. *Bolt* —3E **45**
Harrop St. *Stal* —3E **101**
Harrop St. *Stoc* —4A **140**
Harrop St. *Wor* —6D **62**
Harrow Av. *M19* —3C **126**
Harrow Av. *Oldh* —6C **72**
Harrow Av. *Roch* —5C **26**
Harrowby Ct. *Farn* —1D **62**
Harrowby Dri. *M40* —6F **83**
Harrowby Fold. *Farn* —1E **63**
Harrowby La. *Farn* —1E **63**
Harrowby Rd. *Bolt* —3D **30**
(Doffcocker)
Harrowby Rd. *Bolt* —4E **45**
(Fernhill Gate)
Harrowby Rd. *Swint* —4E **79**
Harrowby St. *Farn* —1D **62**
Harrow Clo. *Bury* —2D **50**
Harrowdene Wlk. *M9* —3F **83**
Harrow Dri. *Sale* —1A **134**
Harrowgate Clo. *Open* —6G **97**
Harrow M. *Shaw* —6F **43**
Harrow Rd. *Bolt* —5F **31**
Harrow Rd. *Sale* —1A **134**
Harrow St. *M8* —2D **82**
Harrow St. *Roch* —3H **41**
Harrycroft Rd. *Woodl* —4H **129**
Harry Hall Gdns. *Salf* —1A **94**
Harry Rd. *Stoc* —1H **127**
Harry St. *Oldh* —3A **72**
Harry St. *Roch* —2B **40**
Harry St. *Rytn* —5C **56**
Harry Thorneycroft Wlk. *M11*
—5A **96**
Harrytown. *Rom* —1G **141**
Harrywood Rd. *Dent* —2G **129**
Hart Av. *Droy* —3B **98**
Hart Av. *Sale* —5F **123**
Hart Ct. *Moss* —1D **88**
Hart Dri. *Bury* —3F **51**
Harter St. *M1* —5E **95** (1A **10**)
Hartfield Clo. *M13*
—1G **109** (5E **11**)
Hartfield Wlk. *Bolt* —5E **33**
Hartford Av. *Heyw* —2D **38**
Hartford Av. *Stoc* —3F **127**
Hartford Av. *Wilm* —4C **166**
Hartford Clo. *Heyw* —2D **38**
Hartford Gdns. *Tim* —6D **134**
Hartford Grange. *Oldh* —5B **72**
Hartford Ind. Est. *Oldh* —3A **72**
Hartford Rd. *Sale* —1F **133**
Hartford Rd. *Urm* —3G **105**
Hartford Sq. *Oldh* —3A **72**
Hartford St. *Dent* —2E **113**
Hartford Wlk. *M9* —5E **83**
(off Westmere Dri.)
Hart Hill Dri. *Salf* —2D **92**
Harthill St. *M8* —6B **82**
Hartington Clo. *Urm* —5G **105**
Hartington Ct. *Rytn* —3C **56**
Hartington Dri. *M11* —2D **96**
Hartington Dri. *Haz G* —5E **153**
Hartington Rd. *M21* —1H **123**
Hartington Rd. *Alt* —3F **133**
Hartington Rd. *Bolt* —6G **31**
Hartington Rd. *Bram* —1G **161**
Hartington Rd. *Ecc* —2C **90**
Hartington Rd. *H Grn* —5H **149**
Hartington Rd. *H Lane & Dis*
—6C **154**
Hartington Rd. *Stoc* —6D **140**
Hartington St. *M14* —4D **108**
Hartis Av. *Salf* —5A **82**
Hartland Av. *Urm* —5A **106**
Hartland Clo. *Poy* —2D **162**
Hartland Clo. *Stoc* —3C **140**
Hartland Ct. *Bolt* —2A **32**
(off Blackburn Rd.)
Hartland St. *Heyw* —3F **39**

Hartlebury. *Roch* —5G **27**
Hartlepool Clo. *M14* —4F **109**
Hartley Av. *P'wch* —6G **67**
Hartley Gro. *Irl* —3F **103**
Hartley La. *Roch* —1E **41**
Hartley Pl. *Roch* —4D **28**
Hartley Rd. *M21* —6G **107**
Hartley Rd. *Alt* —6E **133**
Hartley St. *M40* —3H **83**
Hartley St. *Firg* —4D **28**
Hartley St. *Heyw* —3F **39**
Hartley St. *L'boro* —4E **17**
Hartley St. *Millb* —2H **101**
Hartley St. *Roch* —2D **26**
Hartley St. *Stoc* —3F **139**
Hartley St. *Ward* —3A **16**
Hartley Ter. *L'boro* —4E **17**
 (off William St.)
Hartley Ter. *Millb* —2H **101**
Hartley Ter. *Roch* —2E **41**
Hart Mill Clo. *Moss* —1D **88**
Harton Av. *M18* —3E **111**
Harton Clo. *Shaw* —1E **57**
Hart Rd. *M14* —5E **109**
Hartshead Av. *Ash L* —5G **87**
Hartshead Av. *Stal* —2E **101**
Hartshead Clo. *M11* —6A **98**
Hartshead Cres. *Fail* —5A **86**
Hartshead Rd. *Ash L* —5G **87**
Hartshead St. *Lees* —3B **74**
Hartshead View. *Hyde* —6D **114**
Hartsop Dri. *Mid* —5E **53**
Hartspring Av. *Swint* —4G **79**
Hart St. *M1* —5E **95** (1B **10**)
 (in two parts)
Hart St. *Alt* —6G **133**
Hart St. *Droy* —3A **98**
Hartswood Clo. *Dent* —3G **113**
Hartswood Rd. *M20* —3H **125**
Hartwell Clo. *M11* —5B **96**
Hartwell Clo. *Bolt* —2E **33**
Harty. *Ecc* —3G **91**
Harvard Clo. *Woodl* —4A **130**
Harvard St. *Roch* —1G **41**
Harvest Clo. *Sale* —6G **123**
Harvest Clo. *Salf* —6C **80**
Harvey Clo. *M11* —5B **96**
Harvey Ct. *L'boro* —3G **17**
Harvey St. *Bolt* —2H **31**
Harvey St. *Bury* —2A **36**
Harvey St. *Roch* —2B **28**
Harvey St. *Stoc* —2H **139**
Harvin Gro. *Dent* —5G **113**
Harvington Wlk. *M15* —2E **109**
 (off Persian Clo.)
Harwich Clo. *M19* —6D **110**
Harwich Clo. *Stoc* —3C **128**
Harwin Clo. *Roch* —6D **14**
Harwood Ct. *Salf* —1H **93**
Harwood Ct. *Stoc* —1A **138**
Harwood Cres. *Tot* —4G **21**
Harwood Dri. *Bury* —4G **35**
Harwood Gdns. *Heyw* —4F **39**
Harwood Gro. *Bolt* —4D **32**
Harwood Meadow. *Bolt* —2H **33**
Harwood Pk. *Heyw* —4F **39**
Harwood Rd. *M19* —3A **126**
Harwood Rd. *Stoc* —1A **138**
Harwood Rd. *Tot* —1C **34**
Harwood St. *Bolt* —5B **32**
Harwood St. *L'boro* —4D **16**
Harwood St. *Stoc* —6F **127**
Harwood Vale. *Bolt* —2G **33**
Harwood Vale Ct. *Bolt* —2G **33**
Harwood Wlk. *Tot* —4G **21**
Haseley Clo. *Poy* —2E **163**
Haseley Clo. *Rad* —2B **48**
Haselhurst Wlk. *M23* —1F **135**
Hasguard Clo. *Bolt* —5D **30**
Haslam Brow. *Bury* —5C **36**
Haslam Ct. *Bolt* —2F **45**

Haslam Hey Clo. *Bury* —3E **35**
Haslam Rd. *Stoc* —5G **139**
Haslam St. *Bolt* —2H **45**
Haslam St. *Bury* —1E **37**
Haslam St. *Mid* —2C **70**
Haslam St. *Roch* —3F **27**
Haslemere Av. *Haleb* —1C **156**
Haslemere Dri. *Chea H* —4C **150**
Haslemere Rd. *M20* —3H **125**
Haslemere Rd. *Urm* —6D **104**
Haslington Rd. *M22* —3C **148**
Hassall Av. *M20* —1D **124**
Hassall St. *Rad* —2C **50**
Hassall St. *Stal* —4F **101**
Hassall Way. *Hand* —2A **160**
Hassop Av. *Salf* —4E **81**
Hassop Clo. *M11* —4A **96**
Hassop Rd. *Stoc* —6A **112**
Hastings Av. *M21* —1G **123**
Hastings Av. *W'fld* —2F **67**
Hastings Clo. *Chea H* —3E **151**
Hastings Clo. *Stoc* —4B **140**
Hastings Clo. *W'fld* —2F **67**
Hastings Ct. *Stoc* —3C **138**
Hastings Dri. *Urm* —4A **104**
Hastings Rd. *Bolt* —5F **31**
Hastings Rd. *Ecc* —1C **90**
Hastings Rd. *P'wch* —4G **67**
Hastings St. *Roch* —6H **27**
Haston Clo. *Stoc* —5H **127**
Hasty La. *Ring* —6E **147**
 (in two parts)
Hatchett Rd. *M22* —4B **148**
Hatchmere Clo. *Chea H*
 —1B **150**
Hatchmere Clo. *Tim* —5D **134**
 (in two parts)
Hateley Rd. *M16* —4G **107**
Hatfield Av. *M19* —3B **126**
Hatfield Rd. *Bolt* —4G **31**
Hathaway Clo. *H Grn* —6F **149**
Hathaway Dri. *Bolt* —6E **19**
Hathaway Gdns. *Bred* —6F **129**
Hathaway Rd. *Bury* —4E **51**
Hatherleigh Wlk. *Bolt* —1H **47**
Hatherley Rd. *M20* —3H **125**
Hatherlow. *Rom* —1G **141**
Hatherlow La. *Haz G* —3D **152**
Hatherop Clo. *Ecc* —4D **90**
Hathersage Av. *Salf* —2D **92**
Hathersage Cres. *Glos* —5G **117**
Hathersage Rd. *M13* —3G **109**
Hathersage St. *Oldh* —3A **72**
Hathersage Way. *Dent* —1G **129**
Hathershaw La. *Oldh* —6D **72**
Hatro Ct. *Urm* —6A **106**
Hattersley Ct. *Hyde* —6H **115**
Hattersley Ind. Est. *Hyde*
 —6H **115**
Hattersley Rd. E. *Hyde* —5A **116**
Hattersley Rd. W. *Hyde*
 —5G **115**
HATTERSLEY STATION. *BR*
 —6G **115**
Hattersley Wlk. *Hyde* —6G **115**
Hatter St. *M4* —3F **95** (3C **6**)
Hatton Av. *Salf* —2B **94** (1C **4**)
Hatton Gro. *Bolt* —6E **19**
Hatton's Ct. *Salf* —3D **94** (3G **5**)
Hattons Ct. *Stret* —4C **106**
Hattons Rd. *Traf P* —1B **106**
Hatton St. *M12* —4C **110**
Hatton St. *Stoc* —1G **139**
Haugh Fold. *Miln* —1G **43**
Haugh Hill Rd. *Oldh* —4A **58**
Haugh La. *Miln* —1G **43**
Haugh Sq. *Miln* —1G **43**
Haughton Clo. *Woodl* —3G **129**
Haughton Dri. *M22* —1B **136**
Haughton Grn. Rd. *Dent*
 —1G **129**

Haughton Hall Rd. *Dent*
 —4F **113**
Haughton St. *Aud* —2F **113**
Haughton St. *Hyde* —6C **114**
Havana Clo. *M11* —4B **96**
 (in two parts)
Haveley Rd. *M22* —6A **136**
Havelock Dri. *Salf*
 —1B **94** (1C **4**)
Havelock St. *Oldh* —4D **72**
Havenbrook Gro. *Ram* —6C **12**
Haven Clo. *Gras* —3F **75**
Haven Clo. *Haz G* —4C **152**
Haven Clo. *Rad* —2D **48**
Haven Dri. *Droy* —2G **97**
Haven La. *Oldh* —5A **58**
Havenscroft Av. *Ecc* —5F **91**
Haven St. *Salf* —3E **93**
Haven, The. *Hale* —2H **145**
Haven, The. *L Lev* —4A **48**
Havercroft Pk. *Bolt* —5B **30**
Haverfield Rd. *M9* —6G **69**
Haverford St. *M12* —1A **110**
Havergate Walks. *Stoc* —1F **153**
Haverhill Gro. *Bolt* —3D **32**
Haversham Rd. *M8* —1A **82**
Havers Rd. *M18* —2G **111**
Haverton Dri. *M22* —3H **147**
Hawarden Av. *M16* —5A **108**
Hawarden Rd. *Alt* —5F **133**
Hawarden St. *Bolt* —6C **18**
Haw Clough La. *G'fld* —3G **61**
Hawdraw Grn. *Stoc* —5E **141**
Hawes Av. *M14* —2A **126**
Hawes Av. *Farn* —1A **62**
Hawes Av. *Swint* —5F **79**
Hawes Clo. *Bury* —6B **22**
Hawes Clo. *Stoc* —5A **140**
Hawes Ct. *Stoc* —6B **140**
Haweswater Clo. *Dent* —5A **112**
Haweswater Cres. *Uns* —2F **51**
Haweswater Dri. *Mid* —5G **53**
Haweswater M. *Mid* —5G **53**
Hawfinch Gro. *Wor* —3F **77**
Hawick Gro. *Heyw* —4A **38**
Hawk Clo. *Bury* —1F **37**
Hawker Av. *Bolt* —4H **45**
Hawkesheath Clo. *Eger* —2D **18**
Hawke St. *Ash L* —2B **100**
Hawke St. *Stal* —4G **101**
Hawk Grn. Clo. *Marp* —2D **154**
Hawk Grn. Rd. *Marp* —2D **154**
Hawkhurst Rd. *M13* —4B **110**
Hawkins St. *Stoc* —5G **127**
Hawkins Way. *L'boro* —6G **17**
Hawk Rd. *Irl* —4E **103**
Hawkshaw Ct. *Salf* —4G **93**
Hawkshaw La. *Hawk* —1D **20**
Hawkshead Dri. *Bolt* —4E **45**
Hawkshead Dri. *Mid* —6G **53**
Hawkshead Dri. *Rytn* —1B **56**
Hawkshead Rd. *M8* —5D **82**
Hawkshead Rd. *Shaw* —5E **43**
Hawksley St. *Oldh* —6A **72**
Hawksmoor Clo. *M15*
 —1C **108** (6F **9**)
Hawksmoor Dri. *Shaw* —5F **43**
Hawkstone Av. *Droy* —2G **97**
Hawkstone Av. *W'fld* —2B **66**
Hawkstone Clo. *Bolt* —2G **33**
Hawkswick Dri. *M23* —1G **135**
Hawk Yd. La. *G'fld* —4H **61**
Hawley Dri. *Haleb* —5B **146**
Hawley Grn. *Roch* —1F **27**
Hawley La. *Haleb* —5B **146**
Hawley St. *M19* —1D **126**
Haworth Av. *Ram* —1B **22**
Haworth Ct. *Rad* —4H **49**
Haworth Dri. *Stret* —4H **105**
Haworth Rd. *M18* —3F **111**
Haworth St. *Oldh* —6C **56**

Haworth St. *Rad* —4H **49**
Haworth St. *Wals* —1E **35**
Haworth Wlk. *Rad* —4H **49**
Hawsworth Clo. *M15* —2F **109**
Hawthorn Av. *Bury* —1A **36**
Hawthorn Av. *Ecc* —2F **91**
Hawthorn Av. *Marp* —5B **142**
Hawthorn Av. *Rad* —6H **49**
Hawthorn Av. *Ram* —3B **12**
 (Edenfield)
Hawthorn Av. *Ram* —1A **22**
 (Ramsbottom)
Hawthorn Av. *Tim* —4H **133**
Hawthorn Av. *Urm* —6H **105**
Hawthorn Av. *Wilm* —2D **166**
Hawthorn Av. *Wor* —2G **77**
Hawthorn Bank. *Bolt* —1G **33**
Hawthorn Bank. *Had* —3H **117**
Hawthorn Clo. *Tim* —4H **133**
Hawthorn Cres. *Oldh* —1D **86**
Hawthorn Cres. *Tot* —4H **21**
Hawthorn Dri. *Cad* —4B **118**
Hawthorn Dri. *Pen* —4A **80**
Hawthorn Dri. *Salf* —1B **92**
Hawthorn Dri. *Stal* —5D **100**
Hawthorne Av. *Farn* —1D **62**
Hawthorne Dri. *Wor* —4A **78**
Hawthorne Gro. *Ash L* —4F **99**
Hawthorne Gro. *Bred* —5E **129**
Hawthorne Gro. *Chad* —1H **71**
Hawthorne Gro. *Holl* —1F **117**
Hawthorne St. *Bolt* —2F **45**
Hawthorne St. *Bolt* —2F **45**
Hawthorn Gro. *Bram* —1E **161**
Hawthorn Gro. *Hyde* —6B **114**
Hawthorn Gro. *Poy* —3A **164**
Hawthorn Gro. *Stoc* —6D **126**
Hawthorn Gro. *Wilm* —2E **167**
Hawthorn La. *M21* —1F **123**
Hawthorn La. *Miln* —1E **43**
Hawthorn La. *Sale* —3F **121**
Hawthorn La. *Wilm* —2D **166**
Hawthorn Lodge. *Stoc*
 —1H **151**
Hawthorn Pk. *Wilm* —2D **166**
Hawthorn Rd. *M40* —2E **85**
Hawthorn Rd. *Dent* —4B **112**
Hawthorn Rd. *Droy* —3C **98**
 (in two parts)
Hawthorn Rd. *Gat* —6E **137**
Hawthorn Rd. *Hale* —2G **145**
Hawthorn Rd. *Kear* —4B **64**
Hawthorn Rd. *Oldh* —1H **85**
Hawthorn Rd. *Roch* —5A **26**
Hawthorn Rd. *Sale* —1D **122**
Hawthorn Rd. *Stoc* —1B **138**
Hawthorn Rd. S. *Droy* —3C **98**
Hawthorns, The. *Aud* —1D **112**
Hawthorn St. *M18* —1F **111**
Hawthorn St. *Aud* —1E **113**
Hawthorn St. *Wilm* —3D **166**
Hawthorn Ter. *Stoc* —6D **126**
Hawthorn Ter. *Wilm* —3D **166**
Hawthorn View. *Wilm* —2D **166**
Hawthorn Wlk. *L'boro* —4D **16**
Hawthorn Wlk. *Part* —6C **118**
Hawthorn Wlk. *Wilm* —2D **166**
Hawthorpe Gro. *Upperm*
 —1F **61**
Haxby Rd. *M18* —4F **111**
Hayburn Rd. *M23* —4H **135**
Hayburn Rd. *Stoc* —3C **140**
Haycock Clo. *Stal* —6H **101**
Hay Croft. *Chea H* —5A **150**
Hayden Ct. *M40* —6F **83**
 (off Sedgeford Rd.)
Haydn Av. *M14* —3F **109**
Haydn St. *Bolt* —3H **31**
Haydock Av. *Sale* —1D **132**

Haydock Dri. *Haz G* —3F **153**
Haydock Dri. *Tim* —6B **134**
Haydock Dri. *Wor* —5D **76**
Haydock La. *Brom X* —2E **19**
(in two parts)
Haydock St. *Bolt* —5B **32**
Haydock Wlk. *Chad* —2A **72**
Haye's Rd. *Cad* —4C **118**
Hayeswater Circ. *Urm* —4E **105**
Hayeswater Rd. *Urm* —4E **105**
Hayfield Av. *Bred* —5G **129**
Hayfield Clo. *M12* —6A **96**
Hayfield Clo. *G'mnt* —2H **21**
Hayfield Clo. *Mid* —4C **54**
Hayfield Clo. *Oldh* —3B **58**
Hayfield Rd. *Bred* —5G **129**
Hayfield Rd. *Salf* —1B **92**
Hayfield St. *Sale* —4A **122**
Hayfield Wlk. *Dent* —1G **129**
Hayfield Wlk. *Tim* —5C **134**
Haygrove Wlk. *M9* —3F **83**
Hayle Rd. *Oldh* —3H **57**
Hayley St. *M13* —3A **110**
Hayling Rd. *Sale* —4G **121**
Haymaker Rise. *Ward* —3B **16**
Haymans Wlk. *M13*
—6F **95** (4D **10**)
Haymarket Clo. *M13* —2G **109**
Haymarket St. *Bury* —3C **36**
Haymarket, The. *Bury* —3D **36**
Haymill Av. *L Hul* —3C **62**
Haymond Clo. *Salf* —5E **81**
Haynes St. *Bolt* —4F **45**
Haynes St. *Roch* —3H **27**
Haysbrook Av. *Wor* —5B **62**
Haysbrook Clo. *Ash L* —4E **87**
Haythorp Av. *M22* —2C **148**
Hayward Av. *L Lev* —4C **48**
Hayward St. *Bury* —2A **36**
Hayward Way. *Mot* —4B **116**
(off Garnett Clo.)
Hazel Av. *M16* —5B **108**
Hazel Av. *Ash L* —5A **88**
Hazel Av. *Bury* —3F **37**
Hazel Av. *Chea* —6A **138**
Hazel Av. *L Hul* —4A **62**
Hazel Av. *Miln* —2E **43**
Hazel Av. *Rad* —1A **64**
Hazel Av. *Ram* —2B **22**
Hazel Av. *Rom* —1B **142**
Hazel Av. *Sale* —6B **122**
Hazel Av. *Swint* —4G **79**
Hazel Av. *Tot* —6H **21**
Hazelbadge Clo. *Poy* —3C **162**
Hazelbadge Rd. *Puy* —3C **162**
Hazelbank Av. *M20* —2F **125**
Hazelbottom Rd. *M8* —4D **82**
Hazel Clo. *Droy* —3C **98**
Hazel Clo. *Marp* —1C **154**
Hazelcroft Gdns. *Ald E*
—6G **167**
Hazel Dene Clo. *Bury* —6D **36**
Hazeldene Rd. *M40* —2F **85**
Hazel Dri. *M22* —5E **149**
Hazel Dri. *Poy* —4F **163**
Hazel Dri. *Stoc* —5D **140**
Hazelfields. *Wor* —4B **78**
Hazel Gro. *Chad* —1H **71**
Hazel Gro. *Farn* —1D **62**
Hazel Gro. *Rad* —1F **65**
Hazel Gro. *Salf* —3C **92**
Hazel Gro. *Urm* —5G **105**
HAZEL GROVE STATION. *BR*
—3D **152**
Hazel Hall La. *Ram* —2B **22**
Hazelhurst Clo. *Bolt* —3A **32**
Hazelhurst Clo. *Ram* —5D **12**
Hazelhurst Dri. *Mid* —3H **53**
Hazelhurst Fold. *Wor* —4C **78**
Hazelhurst M. *Chad* —6F **71**
Hazelhurst Rd. *Ash L* —5B **88**

Hazelhurst Rd. *Stal* —1E **101**
Hazelhurst Rd. *Wor* —5B **78**
Hazel La. *Oldh* —1B **86**
Hazelmere. *Kear* —2A **64**
Hazelmere Av. *Ecc* —1D **90**
Hazel Mt. *Eger* —1C **18**
Hazel Rd. *Alt* —6F **133**
Hazel Rd. *Chea H* —4D **150**
Hazel Rd. *Mid* —5B **54**
Hazel Rd. *W'fld* —1F **67**
Hazel St. *Aud* —1E **113**
Hazel St. *Haz G* —2E **153**
Hazel St. *Ram* —5C **12**
Hazel View. *Marp* —2D **154**
Hazel Wlk. *Part* —6C **118**
Hazelwell. *Sale* —6B **122**
Hazelwood. *Chad* —1E **71**
Hazelwood Av. *Bolt* —2G **33**
Hazelwood Clo. *Hyde* —5E **115**
Hazelwood Ct. *Urm* —4F **105**
Hazelwood Dri. *Aud* —1F **113**
Hazelwood Dri. *Bury* —4F **23**
Hazelwood Rd. *Bolt* —3F **31**
Hazelwood Rd. *Hale* —3G **145**
Hazelwood Rd. *Haz G* —2F **153**
Hazelwood Rd. *Stoc* —1A **152**
Hazelwood Rd. *Wilm* —1F **167**
Headingley Ct. M14 —2H **125**
(off Ladybarn La.)
Headingley Dri. *M16* —4G **107**
Headingley Rd. *M14* —2H **125**
Headingley Way. *Bolt* —4H **45**
Headlands Dri. *P'wch* —1E **81**
Headlands Rd. *Bram* —4H **151**
Headlands St. *Roch* —2G **27**
Heady Hill Ct. *Heyw* —3C **38**
Heady Hill Rd. *Heyw* —3C **38**
Heald Av. *M14* —4F **109**
Heald Clo. *Bow* —3E **145**
Heald Clo. *L'boro* —6E **17**
Heald Clo. *Roch* —6C **14**
Heald Dri. *Bow* —3E **145**
Heald Dri. *Roch* —6C **14**
HEALD GREEN STATION. *BR*
—5E **149**
Heald Gro. *M14* —3F **109**
Heald Gro. *H Grn* —4E **149**
Heald La. *L'boro* —5E **17**
Heald Pl. *M14* —3F **109**
(in two parts)
Heald Rd. *Bow* —3E **145**
Healds Grn. *Chad* —4F **55**
Heald St. *Stoc* —1A **140**
Healdwood Rd. *Woodl* —6A **130**
(in two parts)
Healey Av. *Heyw* —2G **39**
Healey Av. *Roch* —5D **14**
Healey Clo. *M23* —1F **135**
Healey Clo. *Salf* —3G **81**
Healey Dell. *Roch* —5B **14**
Healey Gro. *Whitw* —4C **14**
Healey Hall M. *Roch* —5C **14**
Healey La. *Roch* —6E **15**
Healey Stones. *Roch* —5D **14**
Healey St. *Roch* —5D **28**
Healing St. *Roch* —6A **28**
Heanor Av. *Dent* —1G **129**
Heap Brow. *Bury* —4H **37**
Heape St. *Roch* —4C **40**
Heaplands. *G'mnt* —2H **21**
Heap Rd. *Roch* —1H **25**
Heaps Farm Ct. *Stal* —5H **101**
Heap St. *Bolt* —2A **46**
Heap St. *Bury* —4H **37**
Heap St. *Oldh* —2G **73**
Heap St. *Rad* —4H **49**
Heap St. *W'fld* —2D **66**
Heapworth Av. *Ram* —3D **12**
Heapy Clo. *Bury* —4F **35**
Heath Av. *Ram* —2B **22**
Heath Av. *Salf* —1A **94**

Heath Av. *Urm* —4G **105**
Heathbank Rd. *M9* —4E **69**
Heathbank Rd. *Chea H*
—6B **150**
Heathbank Rd. *Stoc* —4D **138**
Heathcliffe Wlk. *M13* —1G **109**
Heath Clo. *Bolt* —5F **45**
Heathcote Av. *Stoc* —6E **127**
Heathcote Gdns. *Rom* —1C **142**
Heathcote Rd. *M18* —3E **111**
Heath Cotts. *Bolt* —5B **18**
Heath Cres. *Stoc* —6H **139**
Heather Av. *Cad* —3B **118**
Heather Av. *Droy* —3C **98**
Heather Av. *Shaw* —5H **43**
Heather Bank. *Tot* —4C **21**
Heather Brow. *Stal* —5H **101**
Heather Clo. *Heyw* —5F **39**
Heather Clo. *Oldh* —6A **58**
Heather Ct. *Bow* —2D **144**
Heather Dale Dri. *M8* —5C **82**
Heatherfield. *Bolt* —6B **18**
Heatherfield Ct. *Wilm* —1H **167**
Heather Gro. *Droy* —5B **98**
Heather Gro. *Holl* —1F **117**
Heatherlands. *Whitw* —1H **15**
Heather Lea. *Dent* —5G **113**
Heather Rd. *Alt* —4G **145**
Heathersett Dri. *M9* —4F **83**
Heatherside. *Stal* —3H **101**
Heatherside. *Stoc* —6A **112**
Heatherside Av. *Moss* —2G **89**
Heatherside Rd. *Ram* —2D **12**
Heathers, The. *Stoc* —1B **152**
Heather St. *M11* —3D **96**
Heather Wlk. *Part* —6B **118**
Heatherway. *M14* —3F **109**
Heatherway. *Marp* —5C **142**
Heatherway. *Sale* —4F **121**
Heath Farm La. *Part* —6E **119**
Heathfield. *Farn* —6G **47**
Heathfield. *Harw* —1H **33**
Heathfield. *Wilm* —4D **166**
Heathfield. *Wor* —6H **77**
Heathfield Av. *Dent* —5D **112**
Heathfield Av. *Gat* —6F **137**
Heathfield Av. *Stoc* —4E **127**
Heathfield Clo. *Sale* —5F **123**
Heathfield Dri. *Bolt* —5F **45**
Heathfield Dri. *Swint* —4G **79**
Heathfield Dri. *Tyl* —2A **76**
Heathfield Rd. *Bury & W'fld*
—4D **50**
Heathfield Rd. *Stoc* —5H **139**
Heathfield Sq. *Upperm* —1G **61**
Heathfields Rd. *Upperm*
—1G **61**
Heathfield St. *M40* —6B **84**
Heath Gdns. *Salf* —1F **93**
Heathland Rd. *Salf* —3F **81**
Heathlands Dri. *P'wch* —2E **81**
Heathland Ter. *Stoc* —4G **139**
Heath Rd. *Hale* —3H **145**
Heath Rd. *Stoc* —5H **139**
Heath Rd. *Tim* —3H **133**
Heath Rd. *Ward* —3A **16**
Heathrow Heights. *Rom*
—2G **141**
Heathside Gro. *Wor* —6G **63**
Heathside Pk. Rd. *Stoc*
—3B **138**
Heathside Rd. *M20* —4G **125**
Heathside Rd. *Stoc* —4C **138**
Heath St. *M8* —4B **82**
Heath St. *Roch* —5F **27**
Heath, The. *Ash L* —4E **87**
Heath, The. *Mid* —3B **70**
Heath View. *Alt* —2F **145**
Heath View. *Salf* —3E **81**
Heathway Av. *M11* —3F **97**
Heathwood. *Upperm* —1G **61**

Heathwood Rd. *M19* —5A **126**
Heatley Clo. *Dent* —5B **112**
Heatley Way. *Hand* —3H **159**
Heaton Av. *Bolt* —4D **30**
Heaton Av. *Brad* —6A **20**
Heaton Av. *Bram* —2F **151**
Heaton Av. *Farn* —1E **63**
Heaton Av. *L Lev* —3A **48**
HEATON CHAPEL STATION. *BR*
—4E **127**
Heaton Clo. *Bury* —2E **51**
Heaton Ct. *M9* —6C **68**
Heaton Ct. *Bolt* —6D **30**
Heaton Ct. *Bury* —6C **36**
Heaton Ct. *Sale* —6C **122**
Heaton Ct. *Stoc* —5D **128**
Heaton Ct. Gdns. *Bolt* —6C **30**
Heaton Dri. *Bury* —2E **51**
Heaton Fold. *Bury* —5C **36**
Heaton Grange Dri. *Bolt* —6E **31**
Heaton La. *Stoc* —2G **139**
Heaton Moor Rd. *Stoc*
—6D **126**
Heaton Pk. Rd. *M9* —4C **68**
Heaton Pk. Rd. W. *M9* —4C **68**
HEATON PARK STATION. *M*
—5G **67**
Heaton Pl. *Stoc* —1A **138**
Heaton Rd. *M20* —2G **125**
Heaton Rd. *Brad F* —2B **48**
Heaton Rd. *Los* —2A **44**
Heaton Rd. *Stoc* —6E **127**
Heaton St. *Dent* —4D **112**
Heaton St. *Mid* —2D **68**
Heaton St. *Miln* —6G **29**
Heaton St. *P'wch* —5F **67**
Heaton St. *Salf* —4A **82**
Heaton Towers. Stoc —1G **139**
(off Wilkinson Rd.)
Heaviley Gro. *Stoc* —5A **140**
Hebble Butt Clo. *Miln* —5E **29**
Hebble Clo. *Bolt* —6F **19**
Hebburn Dri. *Bury* —6C **22**
Hebburn Wlk. *M14* —3F **109**
Hebden Av. *Bred* —5G **129**
Hebden Av. *Salf* —2C **92**
Hebden Ct. *Bolt* —5A **32**
Hebden Wlk. M15 —2D **108**
(off Arnott Cres.)
Heber Pl. L'boro —4F **17**
(off Victoria St.)
Heber St. *Rad* —4G **49**
Hebron St. *Rytn* —4E **57**
Hector Av. *Roch* —3B **28**
Hector Rd. *M13* —4B **110**
Heddon Clo. *Stoc* —6A **126**
Heddon Wlk. M8 —5E **83**
(off Smedley Rd.)
Hedgehog Ho. *Salf* —5F **93**
Hedgelands Wlk. *Sale* —4E **121**
Hedge Rows. *Whitw* —4G **15**
Hedges St. *Fail* —3G **85**
Hedley St. *Bolt* —3G **31**
Hedley Wlk. M8 —4B **82**
(off Halliwell La.)
Heginbottom Cres. *Ash L*
—6G **87**
Heights Av. *Roch* —1G **27**
(in three parts)
Heights Clo. *Roch* —1G **27**
Heights La. *Chad* —5F **55**
Heights La. *Del* —1G **59**
Heights La. *Roch* —2G **27**
Helena St. *Salf* —6A **80**
Helen St. *M11* —4D **96**
Helen St. *Ecc* —5D **90**
Helen St. *Farn* —1F **63**
Helen St. *Salf* —6G **81**
Helensville Av. *Salf* —6D **80**
Helga St. *M40* —1H **95**
Helias Clo. *Wor* —6B **62**

Hellidon Clo. *M12*
　　　—1H **109** (5G **11**)
Helmclough Way. *Wor* —3E **77**
Helmet St. *M1* —5G **95** (1F **11**)
Helmsdale. *Wor* —1E **77**
Helmsdale Av. *Bolt* —1D **44**
Helmsdale Clo. *Ram* —5C **12**
Helmshore Av. *Oldh* —5A **58**
Helmshore Ho. *Shaw* —5F **43**
　(off Helmshore Way)
Helmshore Rd. *Holc* —3C **12**
Helmshore Wlk. *M13*
　　　—6F **95** (4D **10**)
Helmshore Way. *Shaw* —5F **43**
Helrose St. *M40* —6C **84**
Helsby Clo. *Spring* —3C **74**
Helsby Gdns. *Bolt* —1B **32**
Helsby Rd. *Sale* —1E **135**
Helsby Wlk. *M12* —5A **96**
Helsby Way. *Hand* —3H **159**
Helston Clo. *Bram* —6H **151**
Helston Clo. *Hyde* —6H **115**
Helston Clo. *Irl* —5F **103**
Helston Dri. *Rytn* —3D **56**
Helston Gro. *H Grn* —5G **149**
Helston Wlk. *Hyde* —6H **115**
Helthorn St. *M40* —6C **84**
Helton Wlk. *Mid* —6D **52**
Helvellyn Dri. *Mid* —5F **53**
Helvellyn Wlk. *Oldh* —6E **57**
Hembury Av. *M19* —3B **126**
Hembury Clo. *Mid* —5B **54**
Hemlock Av. *Oldh* —6C **72**
Hemming Dri. *Ecc* —4G **91**
Hemmington Dri. *M9* —4F **83**
Hemmons Rd. *M12* —5D **110**
Hempcroft Rd. *Tim* —6C **134**
Hempshaw La. *Stoc* —4H **139**
　(in two parts)
Hemsby Clo. *Bolt* —3E **45**
Hemsley St. *M9* —2G **83**
Hemsley St. S. *M9* —3G **83**
Hemswell Clo. *Salf* —1E **93**
Hemsworth Rd. *M18* —4F **111**
Hemsworth Rd. *Bolt* —5H **31**
Henbury Dri. *Woodl* —3H **129**
Henbury Rd. *Hand* —3H **159**
Henbury St. *M14* —4E **109**
Henbury St. *Stoc* —1C **152**
Henderson Av. *Pen* —2F **79**
Henderson St. *M19* —1D **126**
Henderson St. *L'boro* —4E **17**
Henderson St. *Roch* —1B **28**
Henderville St. *L'boro* —3E **17**
Hendham Clo. *Haz G* —3A **152**
Hendham Dri. *Alt* —6D **132**
Hendham Vale. *M9* —4E **83**
Hendham Wlk. *Haz G* —4A **152**
Hendon Dri. *Bury* —2D **50**
Hendon Dri. *Stoc* —4C **138**
Hendon Rd. *M9* —5E **69**
Hendriff Pl. *Roch* —2H **27**
Hendy St. *Boot* —5D **76**
Henfield Wlk. *M22* —2A **148**
Hengist St. *M18* —3F **111**
Hengist St. *Bolt* —6E **33**
Henley Av. *M16* —4H **107**
Henley Av. *Chea H* —3A **150**
Henley Av. *Irl* —3C **118**
Henley Clo. *Bury* —5G **35**
Henley Dri. *Ash L* —1F **99**
Henley Dri. *Tim* —4H **133**
Henley Gro. *Bolt* —4H **45**
Henley Pl. *M19* —3C **126**
Henley St. *Chad* —6G **71**
Henley St. *Oldh* —1B **72**
Henley St. *Roch* —2G **27**
Henley Ter. *Roch* —6G **27**
Henlow Wlk. *M40* —1D **84**
Hennelly St. *Hyde* —3C **114**

Hennicker St. *Wor* —2F **77**
Henniker Rd. *Bolt* —5E **45**
Henniker St. *Swint* —5B **79**
Hennon St. *Bolt* —4H **31**
Henrietta St. *M16* —3A **108**
Henrietta St. *Ash L* —6F **87**
Henrietta St. *Bolt* —3F **45**
Henry Cres. *M16* —2A **108**
Henry Herman St. *Bolt* —4E **45**
　(in two parts)
Henry Lee St. *Bolt* —4G **45**
Henry St. *M4* —3F **95** (4D **6**)
　(in two parts)
Henry St. *Bolt* —1C **46**
Henry St. *Dent* —1H **129**
Henry St. *Droy* —4A **98**
Henry St. *Ecc* —4E **91**
Henry St. *Fail* —4F **85**
Henry St. *Hyde* —5B **114**
Henry St. *L'boro* —6D **16**
Henry St. *Mid* —1H **69**
Henry St. *Old T* —2A **108**
Henry St. *P'wch* —4G **67**
Henry St. *Ram* —2F **13**
Henry St. *Roch* —5H **27**
Henry St. *Stoc* —3B **140**
Henry St. *Ward* —2A **16**
Henshaw Ct. *M16* —3H **107**
Henshaw La. *Chad* —1F **85**
Henshaw St. *Oldh* —2C **72**
Henshaw St. *Stret* —5D **106**
Henshaw Wlk. *M13*
　　　—6F **95** (4D **10**)
Henshaw Wlk. *Bolt* —3A **32**
　(off Madeley Gdns.)
Henson Gro. *Tim* —1A **146**
Henthorn St. *Oldh* —1E **73**
Henthorn St. *Shaw* —1F **57**
Henton Wlk. *M40* —1G **95**
Henwick Hall Av. *Ram* —5D **12**
Henwood Rd. *M20* —5E **125**
Hepburn Ct. *Salf* —1E **93**
Hepley Rd. *Poy* —4G **163**
Hepple Clo. *Stoc* —6A **126**
Heppleton Rd. *M40* —1D **84**
Hepple Wlk. *Ash L* —6C **86**
Heptonstall Wlk. *M18* —2E **111**
Hepton St. *Oldh* —1C **72**
Hepworth St. *Hyde* —2C **130**
Heraldic Ct. *Salf* —6E **81**
Herbert St. *M8* —6B **82**
Herbert St. *Chad* —2H **71**
Herbert St. *Dent* —3G **113**
Herbert St. *Droy* —4H **97**
Herbert St. *L Lev* —4B **48**
Herbert St. *Oldh* —6H **57**
Herbert St. *P'wch* —5D **66**
Herbert St. *Rad* —2F **49**
Herbert St. *Stoc* —4F **139**
Herbert St. *Stret* —5D **106**
Hereford Clo. *Ash L* —4H **87**
Hereford Clo. *Rom* —2G **141**
Hereford Clo. *Shaw* —6D **42**
Hereford Ct. *Stoc* —4C **128**
Hereford Cres. *L Lev* —3A **48**
Hereford Dri. *Bury* —5D **36**
Hereford Dri. *Hand* —4A **160**
Hereford Dri. *P'wch* —6G **67**
Hereford Dri. *Swint* —5F **79**
Hereford Gro. *Urm* —5E **105**
Hereford Rd. *Bolt* —5F **31**
Hereford Rd. *Chea* —1C **150**
Hereford Rd. *Ecc* —6G **79**
Hereford Rd. *Stoc* —4C **128**
Hereford St. *Bolt* —3B **32**
Hereford St. *Oldh* —4H **71**
Hereford St. *Roch* —6A **28**
Hereford St. *Sale* —5B **122**
　(in two parts)
Hereford Wlk. *Dent* —6F **113**
Hereford Wlk. *Rom* —2G **141**

Hereford Way. *Mid* —5C **54**
Hereford Way. *Stal* —6H **101**
Herevale Grange. *Wor* —4D **76**
Herevale Hall Dri. *Ram* —5D **12**
Heristone Av. *Dent* —4E **113**
Heritage Gdns. *M20* —1F **137**
Herle Dri. *M22* —4A **148**
Hermitage Av. *Rom* —1D **142**
Hermitage Ct. *Hale* —2H **145**
Hermitage Gdns. *Rom* —1D **142**
Hermitage Rd. *M8* —2C **82**
Hermitage Rd. *Hale* —2H **145**
Hermon Av. *Oldh* —5C **72**
Herne St. *M11* —6C **96**
Heron Av. *Duk* —6C **100**
Heron Av. *Farn* —1B **62**
Heron Ct. *Salf* —2B **92**
Herondale Rd. *M40* —6B **84**
Heron Dri. *Aud* —4C **98**
Heron Dri. *Irl* —4E **103**
Heron Dri. *Poy* —4A **162**
Heron St. *Hawk I* —5A **72**
Heron St. *Pen* —2G **79**
Heron St. *Stoc* —3F **139**
Heron's Way. *Bolt* —2C **46**
Herries St. *Ash L* —1B **100**
Herristone Rd. *M8* —1C **82**
Herschel St. *M40* —3A **84**
Hersey St. *Salf* —3E **93**
Hersham Wlk. *M9* —2G **83**
　(off Huncote Dri.)
Herston Wlk. *Salf* —5B **82**
Hertford Gro. *Cad* —3A **118**
Hertford Ind. Est. *Ash L*
　　　—4G **99**
Hertford Rd. *M9* —2F **83**
Hertfordshire Pk. Clo. *Shaw*
　　　—5E **43**
Hertford St. *Ash L* —4G **99**
Hesford Av. *M9* —4H **83**
Hesketh Av. *M20* —6E **125**
Hesketh Av. *Bolt* —6D **18**
Hesketh Av. *Shaw* —2E **57**
Hesketh Rd. *Roch* —4C **28**
Hesketh Rd. *Sale* —6H **121**
Hesketh St. *Stoc* —5G **127**
　(in two parts)
Hesketh Wlk. *Farn* —1F **63**
Hesketh Wlk. *Mid* —5G **53**
Hessel St. *Salf* —4D **92**
Hester Wlk. *M15*
　　　—1E **109** (6H **9**)
Heston Av. *M13* —5A **110**
Heston Dri. *Urm* —4E **105**
Heston Gro. *H Grn* —5G **149**
Heswall Av. *M20* —2F **125**
Heswall Dri. *Wals* —6G **21**
Heswall Rd. *Stoc* —6H **111**
Hetherington Wlk. *M12*
　　　—3C **110**
Hetton Av. *M13* —5A **110**
Heversham Av. *Shaw* —6H **43**
Heversham Wlk. *M18* —2E **111**
　(off Beyer Clo.)
Hever Wlk. *M4* —3G **95** (4F **7**)
Hewart Clo. *M40* —6E **83**
Hewart Dri. *Bury* —2G **37**
Hewitt Av. *Dent* —4H **111**
Hewitt St. *M15* —6C **94** (3F **9**)
Hewlett Ct. *Ram* —1A **22**
Hewlett Rd. *M21* —6G **107**
Hewlett St. *Bolt* —6C **32**
Hexham Av. *Bolt* —4D **30**
Hexham Clo. *Sale* —6F **121**
Hexham Clo. *Stoc* —6E **141**
Hexham Rd. *M18* —4E **111**
Hexworth Wlk. *Bram* —3A **152**
Hey Bottom La. *Whitw* —4F **15**
Heybrook. *Roch* —2B **28**
Heybrook Clo. *W'fld* —1G **67**
Heybrook Rd. *M23* —6H **135**

Heybrook St. *Roch* —3B **28**
Heybrook Wlk. *W'fld* —1G **67**
Heybury Clo. *M11* —5B **96**
Hey Cres. *Lees* —2B **74**
Hey Croft. *W'fld* —2A **66**
Heycrofts View. *Eden* —2A **12**
Heyden Bank. *Glos* —5F **117**
　(off Grassmoor Cres.)
Heyden Fold. *Glos* —5F **117**
　(off Grassmoor Cres.)
Heyden Ter. *Glos* —5F **117**
Heyes Av. *Tim* —4B **134**
Heyes Dri. *Tim* —4B **134**
Heyes La. *Ald E* —4G **167**
Heyes La. *Tim* —4B **134**
Heyes Leigh. *Tim* —3B **134**
Hey Flake La. *Del* —1G **59**
Heyford Av. *M40* —1D **84**
Hey Head Cotts. *Bolt* —6D **20**
Hey Head La. *L'boro* —1F **17**
Heyheads New Rd. *C'brk*
　　　—4G **89**
Hey Hill Clo. *Rytn* —2E **57**
Heyland Rd. *M23* —5G **135**
Hey La. *Upperm* —6C **60**
Heyridge Dri. *M22* —2B **136**
Heyrod Hall Est. *Heyr* —1G **101**
Heyrod St. *M1* —5G **95** (1E **11**)
Heyrod St. *C'brk* —6F **89**
Heyrose Wlk. *M15*
　　　—1B **108** (6D **8**)
Heys Av. *M23* —2G **135**
Heys Av. *Rom* —6C **130**
Heys Av. *Wdly* —1C **78**
Heys Clo. N. *Wdly* —1C **78**
Heys Clo. S. *Stoc* —3D **138**
Heyscroft Rd. *M20* —3G **125**
Heyscroft Rd. *Stoc* —1C **138**
Heysham Av. *M20* —2D **124**
Heysham Wlk. *M23* —2E **135**
Heyside. *Rytn* —4E **57**
Heyside Av. *Rytn* —4E **57**
Heyside Clo. *C'brk* —5G **89**
Heyside Way. *Bury* —4D **36**
Heys La. *Heyw* —3C **38**
Heys La. *Rom* —6C **130**
Heys Rd. *Ash L* —2B **100**
Heys Rd. *P'wch* —4E **67**
Heys St. *Bury* —3B **36**
Heys, The. *P'wch* —4F **67**
Heys, The. *Stoc* —6A **112**
Hey St. *Roch* —3B **28**
Heys View. *P'wch* —5F **67**
Hey Top. *G'fld* —6H **61**
Heywood Av. *Aus* —1C **74**
Heywood Av. *Clif* —1H **79**
Heywood Bus. Pk. *Heyw*
　　　—5C **38**
Heywood Clo. *Ald E* —4H **167**
Heywood Ct. *Mid* —2D **68**
Heywood Fold Rd. *Spring*
　　　—2B **74**
Heywood Gdns. *Bolt* —3A **46**
Heywood Gdns. *P'wch* —5F **67**
Heywood Gro. *Sale* —3B **122**
Heywood Hall Rd. *Heyw*
　　　—2F **39**
Heywood Ho. *Oldh* —4D **72**
Heywood Ho. *Salf* —2C **92**
Heywood La. *Aus* —2C **74**
Heywood Old Rd. *Mid & Heyw*
　　　—6C **52**
Heywood Pk. View. *Bolt*
　　　—3A **46**
Heywood Rd. *P'wch* —6F **67**
Heywood Rd. *Roch* —3B **40**
Heywood Rd. *Sale* —6B **122**
Heywood's Hollow. *Bolt*
　　　—2B **32**
Heywood St. *M8* —4C **82**

Heywood St. *Bolt* —5B **32**
Heywood St. *Bury* —4E **37**
Heywood St. *Fail* —4D **84**
Heywood St. *L Lev* —4B **48**
Heywood St. *Oldh* —1A **74**
Heywood St. *Swint* —3E **79**
Heywood Way. *Salf* —2F **93**
Heyworth Av. *Rom* —6B **130**
Heyworth St. *Salf* —4E **93**
Hibbert Av. *Dent* —2E **113**
Hibbert Av. *Hyde* —6C **114**
Hibbert Cres. *Fail* —4B **85**
Hibbert La. *Marp* —6D **142**
Hibbert St. *M14* —4G **109**
Hibbert St. *Bolt* —3B **32**
Hibbert St. *Lees* —2A **74**
Hibbert St. *Stoc* —4G **127**
Hibernia St. *Bolt* —2G **45**
Hibernia Way. *Stret* —2A **106**
Hibson Av. *Roch* —1H **25**
Hibson Clo. *Ward* —3A **16**
Hickenfield Rd. *Hyde* —2D **114**
Hicken Pl. *Hyde* —2D **114**
Hickton Dri. *Alt* —5D **132**
Higginshaw La. *Oldh & Rytn*
　　—5E **57**
Higginshaw Rd. *Oldh* —6D **56**
Higginson Rd. *Stoc* —2G **127**
Higgs Clo. *Oldh* —2H **73**
Higham Clo. *Rytn* —2E **57**
Higham La. *Hyde* —1D **130**
Higham St. *Chea H* —4C **150**
Higham View. *Salf* —2G **93**
Higham Wlk. *M40*
　　—2H **95** (1H **7**)
High Ash Gro. *Aud* —6D **98**
High Av. *Bolt* —5G **33**
High Bank. *M18* —2G **111**
High Bank. *Alt* —6F **133**
High Bank. *Brom X* —4D **18**
High Bank. *Dent* —5B **112**
Highbank. *Swint* —3A **80**
High Bank Av. *Stal* —6H **101**
Highbank Clo. *Cad* —3B **118**
Highbank Cres. *Gras* —4G **75**
High Bank Cres. *P'wch* —6G **67**
Highbank Dri. *M20* —3F **137**
High Bank Gro. *P'wch* —6G **67**
High Bank La. *Los* —6A **30**
Highbank Rd. *Bury* —3D **50**
High Bank Rd. *Droy* —5H **97**
High Bank Rd. *Hyde* —4D **114**
Highbank Rd. *Miln* —1G **43**
High Bank Rd. *Pen* —3H **79**
High Bankside. *Stoc* —2H **139**
High Bank St. *Bolt* —6E **33**
Highbank Trad. Est. *M11*
　　—6F **97**
High Barn Clo. *Roch* —6G **27**
Highbarn Ho. *Rytn* —3C **56**
High Barn La. *Whitw* —1B **14**
　　(Hallford)
High Barn La. *Whitw* —3G **15**
　　(Whitworth)
Highbarn Rd. *Mid* —2A **70**
High Barn Rd. *Rytn* —3D **56**
High Barn St. *Rytn* —3C **56**
High Beeches. *Brad F* —2B **48**
High Bent Av. *Chea H* —1C **160**
High Birch Ter. *Roch* —1B **40**
Highbridge Clo. *Bolt* —1A **48**
High Brindle. *Salf* —1F **93**
Highbrook Gro. *Bolt* —4B **32**
Highbury. *Stoc* —1B **138**
Highbury Av. *Irl* —6E **103**
Highbury Av. *Urm* —5A **104**
Highbury Ct. *P'wch* —4F **67**
Highbury Rd. *M16* —6C **108**
Highbury Rd. *Stoc* —3E **127**
Highbury Way. *Rytn* —2B **56**
Highclere Av. *M8* —5B **82**

Highclere Rd. *M8* —1B **82**
Highcliffe Rd. *M9* —6C **68**
Highclove La. *Wor* —6B **76**
　　(in two parts)
Highcrest Av. *Gat* —6D **136**
Highcroft. *Hyde* —2C **130**
Highcroft Av. *M20* —5C **124**
High Croft Clo. *Duk* —5B **100**
Highcroft Rd. *Rom* —6A **130**
Highcroft Way. *Roch* —5F **15**
Highdales Rd. *M23* —6H **135**
High Down Wlk. M9 —3G **83**
　　(off Roundham Wlk.)
High Elm Dri. *Haleb* —5C **146**
High Elm Rd. *Haleb* —5C **146**
High Elms. *Chea H* —2D **160**
Higher Ainsworth Rd. *Rad*
　　—6E **35**
Higher Ardwick. *M12*
　　—6G **95** (4F **11**)
Higher Arthurs La. *G'fld* —3F **61**
Higher Bank Rd. *L'boro* —6E **17**
Higher Barlow Row. *Stoc*
　　—3H **139**
Higher Barn Rd. *Had* —3G **117**
Higher Bents La. *Bred* —6F **129**
Higher Bri. St. *Bolt* —4B **32**
Higher Bury St. *Stoc* —1F **139**
Higher Calderbrook. *L'boro*
　　—6G **17**
Higher Calderbrook Rd. *L'boro*
　　—6G **17**
Higher Cambridge St. *M15*
　　—1E **109** (5A **10**)
Higher Carr La. *G'fld* —2F **61**
Higher Chatham St. *M15*
　　—1E **109** (5A **10**)
Higher Cleggswood Av. *L'boro*
　　—6E **17**
Higher Crimble. *Roch* —1H **39**
Higher Croft. *Ecc* —5E **91**
Higher Croft. *W'fld* —3A **66**
Higher Crossbank. *Oldh*
　　—1B **74**
Higher Cross La. *Upperm*
　　—2G **61**
Higher Darcy St. *Bolt* —2E **47**
Higher Dean St. *Rad* —4E **49**
Higher Downs. *Alt* —2E **145**
Higher Dunscar. *Eger* —2C **18**
Higher Fold. *Shaw* —2E **57**
Higher Fold La. *Ram* —2G **13**
Higher Fullwood. *Oldh* —3H **57**
Higher Grn. *Ash L* —1A **100**
Higher Grn. *Salf* —1F **93**
Higher Henry St. *Hyde* —6B **114**
Higher Hillgate. *Stoc* —3H **139**
Higher Ho. Clo. *Chad* —5G **71**
Higher Kinders. *G'fld* —3F **61**
Higher La. *Dis* —6H **165**
Higher La. *W'fld* —1C **66**
Higher Lee St. *Oldh* —3B **72**
Higher Lime Rd. *Oldh* —3A **86**
Higher Lodge. *Roch* —1H **25**
Higher Lomax La. *Heyw*
　　—3C **38**
Higher Lydgate Pk. *Gras*
　　—3E **75**
Higher Mkt. St. *Farn* —1G **63**
　　(in two parts)
Higher Ormond St. *M15*
　　(in two parts) —1E **109** (5B **10**)
Higher Pk. *Shaw* —3G **43**
Higher Pit La. *Rad* —5E **35**
Higher Ridings. *Brom X*
　　(in two parts) —3D **18**
Higher Rise. *Shaw* —4E **43**
Higher Rd. *Urm* —5F **105**
Higher Row. *Bury* —2F **37**
Higher Shady La. *Brom X*
　　—4F **19**

Higher Shore Rd. *L'boro*
　　—2C **16**
Higher Summerseat. *Ram*
　　—1B **22**
Higher Swan La. *Bolt* —3H **45**
Higher Tame St. *Stal* —3F **101**
Higher Turf La. *Scout* —1D **74**
Higher Turf Pk. *Rytn* —4C **56**
Higher Wharf St. *Ash L* —3H **99**
Higher Wheat La. *Roch* —2C **28**
Higher Wood St. *Mid* —6H **53**
Higher York St. *M13*
　　—1F **109** (5C **10**)
Highfield. *Manx* —1E **137**
Highfield. *Sale* —6C **122**
Highfield Av. *Bolt* —2A **34**
Highfield Av. *Heyw* —3C **38**
Highfield Av. *Rad* —6A **50**
Highfield Av. *Rom* —1F **141**
Highfield Av. *Sale* —6C **122**
Highfield Av. *Wor* —4B **76**
Highfield Clo. *Hyde* —1D **114**
Highfield Clo. *Stoc* —1H **151**
Highfield Clo. *Stret* —1C **122**
Highfield Ct. *P'wch* —4F **67**
Highfield Cres. *Wilm* —6G **159**
Highfield Dri. *Ecc* —1F **91**
Highfield Dri. *Farn* —1C **62**
Highfield Dri. *Mid* —2H **69**
Highfield Dri. *Moss* —3E **89**
Highfield Dri. *Pen* —4A **80**
Highfield Dri. *Rytn* —5C **56**
Highfield Dri. *Urm* —4E **105**
Highfield Est. *Wilm* —6G **159**
Highfield Gdns. *Holl* —2F **117**
Highfield Ho. *Farn* —1A **62**
Highfield Ho. *Stoc* —6H **139**
Highfield La. *W'fld* —4D **50**
Highfield Pk. *Stoc* —1B **138**
Highfield Pk. *Bred*
　　—5E **129**
Highfield Parkway. *Bram*
　　—3F **161**
Highfield Pl. *M18* —3H **111**
Highfield Pl. *P'wch* —4E **67**
Highfield Range. *M18* —3H **111**
Highfield Rd. *M8* —4B **82**
Highfield Rd. *Bolt* —3F **31**
Highfield Rd. *Bram* —2H **151**
Highfield Rd. *Chea H* —4A **150**
Highfield Rd. *Ecc* —1F **91**
Highfield Rd. *Eden* —3A **12**
Highfield Rd. *Farn* —1A **62**
Highfield Rd. *Hale* —3A **146**
Highfield Rd. *Haz G* —3G **153**
Highfield Rd. *Lev* —6E **111**
Highfield Rd. *L Hul* —4B **62**
Highfield Rd. *Marp* —5D **142**
Highfield Rd. *Mell* —5F **143**
Highfield Rd. *Miln* —5G **29**
Highfield Rd. *Poy* —3A **162**
Highfield Rd. *P'wch* —3E **67**
Highfield Rd. *Roch* —2A **26**
Highfield Rd. *Salf* —2F **93**
Highfield Rd. *Stret* —1C **122**
Highfield Rd. *Tim* —6B **134**
Highfield Rd. Ind. Est. *L Hul*
　　—3B **62**
Highfield St. *Aud* —1F **113**
　　(Audenshaw)
Highfield St. *Aud* —2E **113**
　　(Denton)
Highfield St. *Bred* —6F **129**
Highfield St. *Duk* —4H **101**
Highfield St. *Kear* —3A **64**
Highfield St. *Mid* —1B **70**
Highfield St. *Oldh* —2C **72**
　　(in two parts)
Highfield St. *Stoc* —3E **139**
Highfield St. W. *Duk* —4H **99**
Highfield Ter. *M9* —3F **83**

Highfield Ter. *Ash L* —4D **86**
Highfield Ter. *Oldh* —5H **57**
Highgate. *Bolt* —5A **44**
Highgate Av. *Urm* —3C **104**
Highgate Cres. *M18* —3F **111**
Highgate Dri. *L Hul* —4A **62**
Highgate La. *L Hul* —4A **62**
Highgate La. *Whitw* —3C **14**
Highgate Rd. *Alt* —1D **144**
Highgrove Clo. *Bolt* —1B **32**
Highgrove Ct. *M9* —4B **68**
Highgrove M. *Wilm* —3D **166**
High Gro. Rd. *Gat* —6G **137**
High Gro. Rd. *Gras & G'fld*
　　—4G **75**
Highgrove, The. *Bolt* —4B **30**
High Houses. *Bolt* —5B **18**
High Hurst Clo. *Mid* —1E **69**
Highland Rd. *Brom X* —3F **19**
Highlands. *L'boro* —6E **17**
Highlands. *Rytn* —4A **56**
Highlands Dri. *Stoc* —5F **141**
Highlands Rd. *Roch* —6A **26**
Highlands Rd. *Rytn* —4A **56**
Highlands Rd. *Shaw* —5D **42**
Highlands Rd. *Stoc* —5F **141**
Highlands, The. *Moss* —2D **88**
Highland View. *Moss* —1E **89**
Highland Wlk. *M40* —5D **84**
High La. *M21* —1G **123**
High La. *Woodl* —4H **129**
High Lea. *Ald E* —5H **167**
High Lea. *Gat* —6G **137**
High Lee La. *Oldh* —4D **58**
High Legh Rd. *M11* —5F **97**
High Level Rd. *Roch* —5H **27**
High Meadow. *Brom X* —3F **19**
High Meadow. *Chea H*
　　—5A **150**
Highmeadow. *Rad* —6F **49**
High Meadows. *Rom* —6A **130**
Highmead St. *M18* —2F **111**
Highmead Wlk. *M16* —2B **108**
High Moor Cres. *Oldh* —6A **58**
Highmoor View. *Oldh* —6A **58**
Highmore Dri. *M9* —6G **69**
High Mt. *Bolt* —2G **33**
Highnam Wlk. *M22* —4G **147**
High Peak Rd. *Ash L* —5C **88**
High Peak Rd. *Whitw* —3C **14**
High Peak St. *M40* —5B **84**
High Rid La. *Los* —4A **30**
Highshore Dri. *M8* —4B **82**
High Stile La. *Dob* —5D **60**
High Stile St. *Kear* —2G **63**
Highstone Dri. *M8* —5E **83**
High St. Bury. *Bury* —2F **35**
High St. Hyde, *Hyde* —4D **114**
High St. Lees, *Lees* —3A **74**
High St. Shaw, *Shaw* —1F **57**
High St. Altrincham, *Alt*
　　—1F **145**
High St. Bolton, *Bolt* —3H **45**
High St. Cheadle, *Chea*
　　—5H **137**
High St. Delph, *Del* —3H **59**
High St. Droylesden, *Droy*
　　—4A **98**
High St. Hazel Grove, *Haz G*
　　—3F **153**
High St. Heywood, *Heyw*
　　—3D **38**
High St. Littleborough, *L'boro*
　　—4D **16**
High St. Little Lever, *L Lev*
　　—4B **48**
High St. Manchester, *M4*
　　—4E **95** (5A **6**)
High St. Middleton, *Mid*
　　—5A **54**

High St. Mossley, *Moss* —1F **89**
High St. Oldham, *Oldh* —2D **72**
High St. Rochdale, *Roch*
—3H **27**
High St. Royton, *Rytn* —3B **56**
High St. Stalybridge, *Stal*
—5C **100**
HIGH STREET STATION. *M*
—4E **95**
High St. Stockport, *Stoc*
—2H **139**
High St. Uppermill, *Upperm*
—6B **60**
High St. Worsley, *Wor* —6E **63**
Highthorne Grn. *Rytn* —5A **42**
High View. *P'wch* —6F **67**
High View St. *Bolt* —3G **45**
(Daubhill)
Highview Wlk. *M9* —6G **69**
Highwood. *Roch* —2A **26**
Highwood Clo. *Bolt* —4H **33**
High Wood Fold. *Marp B*
—3G **143**
Highworth Clo. *Bolt* —2A **46**
Highworth Dri. *M40* —1D **84**
Higson Av. *M21* —2H **123**
Higson Av. *Ecc* —5E **91**
Higson Av. *Rom* —1F **141**
Higson St. *Bolt* —6C **32**
Hilary Av. *H Grn* —5H **149**
Hilary Av. *Oldh* —2D **86**
Hilary Clo. *Stoc* —1F **139**
Hilary Gro. *Farn* —2E **63**
Hilary Rd. *M22* —4A **148**
Hilary St. *Roch* —4D **40**
Hilbre Av. *Oldh & Rytn* —5B **56**
Hilbre Av. *Rytn* —5B **56**
Hilbre Rd. *M19* —1B **126**
Hilbre Way. *Hand* —3H **159**
Hilbury Av. *M9* —2F **83**
Hilda Av. *Chea* —6A **138**
Hilda Av. *Tot* —5H **21**
Hilda Gro. *Stoc* —5H **127**
Hilda Rd. *Hyde* —2B **130**
Hilda St. *Heyw* —2F **39**
Hilda St. *Oldh* —2B **72**
(in two parts)
Hilda St. *Stoc* —5H **127**
Hilden St. *Bolt* —1C **46**
Hilditch Clo. *M23* —5H **135**
Hiley Rd. *Ecc* —5B **90**
Hillam Clo. *Urm* —6H **105**
Hillary Av. *Ash L* —6F **87**
Hillary Rd. *Hyde* —2E **115**
Hillbank Clo. *Bolt* —2G **31**
Hillbank St. *Mid* —1D **54**
Hill Barn La. *Dig* —4D **60**
Hillbrook Av. *M40* —1B **84**
Hillbrook Rd. *Bram* —1F **161**
Hillbrook Rd. *Stoc* —3C **140**
Hillbrow Wlk. *M8* —4B **82**
Hillbury Rd. *Bram* —4H **151**
Hill Carr M. *Alt* —1D **144**
Hill Clo. *Oldh* —4G **73**
Hillcote Wlk. *M18* —1D **110**
Hill Cot Rd. *Bolt* —6D **18**
Hill Ct. M. *Rom* —1H **141**
Hillcourt Rd. *M1*
—6E **95** (4B **10**)
Hillcourt Rd. *H Lane* —6C **154**
Hillcourt Rd. *Rom* —5A **130**
Hill Cres. *M9* —6C **68**
Hillcrest. *Hyde* —2D **130**
Hillcrest. *Mid* —4H **53**
Hillcrest. *Salf* —2A **92**
Hillcrest Av. *Heyw* —2C **38**
Hill Crest Av. *Stoc* —1C **138**
Hillcrest Cres. *Heyw* —2C **38**

Hillcrest Dri. *M19* —2E **127**
Hillcrest Dri. *Dent* —6H **113**
Hillcrest Rd. *Ast* —3A **76**
Hillcrest Rd. *Bram* —3H **151**
Hillcrest Rd. *P'wch* —1D **80**
Hillcrest Rd. *Roch* —3D **40**
(in two parts)
Hillcrest Rd. *Stoc* —5C **140**
Hillcroft. *Oldh* —2E **87**
Hill Croft. *Stoc* —5E **141**
Hillcroft Clo. *M8* —3C **82**
Hillcroft Ho. *Salf* —2F **93**
Hillcroft Rd. *Alt* —6C **132**
Hilldale Av. *M9* —5F **69**
Hill Dri. *Hand* —4A **160**
Hillel Ho. *M15* —2E **109**
Hillend. *B'btm* —6C **116**
Hill End. *Rom* —5B **130**
Hillend La. *Mot* —6B **116**
Hillend Pl. *M23* —1G **135**
Hillend Rd. *M23* —1G **135**
Hill End Rd. *Del* —2H **59**
Hill Farm Clo. *Oldh* —6E **73**
Hillfield. *Salf* —3D **92**
Hillfield Clo. *M13* —2H **109**
Hillfield Dri. *Bolt* —4D **32**
Hillfield Dri. *Wor* —4C **76**
Hillfield Wlk. *Bolt* —4D **32**
Hillfoot Wlk. *M15*
—1B **108** (5D **8**)
Hillgate Av. *Salf* —6H **93**
Hillgate St. *Ash L* —1A **100**
Hillhead Wlk. *M8* —5C **82**
(off Barnsdale Dri.)
Hillier St. *M9* —3G **83**
Hillier St. N. *M9* —3G **83**
Hillingdon Clo. *Oldh* —2H **85**
Hillingdon Dri. *M9* —1B **84**
Hillingdon Rd. *Stret* —6E **107**
Hillingdon Rd. *W'fld* —2B **66**
Hillington Rd. *Sale* —5G **121**
Hillington Rd. *Stoc* —3E **139**
Hillkirk St. *M11* —4A **96**
Hill La. *M9* —6F **69**
Hill La. *Marp B* —2H **143**
Hillman Clo. *M40* —6F **83**
Hill Mt. *Duk* —5E **101**
Hill Rise. *Alt* —6C **132**
Hill Rise. *Ram* —5C **12**
Hill Rise. *Rom* —1H **141**
Hillsborough Dri. *Bury* —4F **51**
Hills Ct. *Bury* —1H **35**
Hillsdale Gro. *Bolt* —2G **33**
Hill Side. *Bolt* —6D **30**
Hillside Av. *Brom X* —2F **19**
Hillside Av. *C'brk* —5H **89**
Hillside Av. *Dig* —4B **60**
Hillside Av. *Farn* —2D **62**
Hillside Av. *Grot* —4C **74**
Hillside Av. *Hyde* —3D **130**
Hillside Av. *Oldh* —2G **73**
Hillside Av. *Rytn* —2C **56**
Hillside Av. *Salf* —3E **81**
Hillside Av. *Shaw* —6H **43**
Hillside Av. *W'fld* —5C **50**
Hillside Av. *Wor* —5E **63**
Hillside Clo. *M40* —2A **84**
Hillside Clo. *Bolt* —5B **44**
Hillside Clo. *Brad* —6A **20**
Hillside Clo. *Bram* —6A **152**
Hillside Clo. *Dis* —1H **165**
Hillside Clo. *Had* —4G **117**
Hillside Ct. *Bolt* —6D **30**
Hill Side Ct. *P'wch* —6F **67**
Hillside Cres. *Ash L* —6B **88**
Hillside Cres. *Bury* —5F **23**
Hillside Dri. *Mid* —6B **54**
Hillside Dri. *Pen* —5B **80**
Hillside Gdns. *Marp B* —2F **143**
Hillside Gro. *Marp B* —2F **143**
Hillside Rd. *Hale* —2A **146**

Hillside Rd. *Ram* —4C **12**
Hillside Rd. *Stoc* —4D **140**
Hillside Rd. *Woodl* —4A **130**
Hillside St. *Bolt* —2H **45**
Hillside View. *Dent* —2G **129**
Hillside View. *Miln* —5G **29**
Hillside Way. *Whitw* —4G **15**
Hills La. *Bury* —5G **51**
Hillsley Wlk. *M40*
—2H **95** (1H **7**)
Hillspring Rd. *Spring* —3C **74**
Hillstone Av. *Roch* —5C **14**
Hillstone Clo. *G'mnt* —1H **21**
Hill St. *M20* —2F **125**
Hill St. *Ash L* —3G **99**
Hill St. *B'hth* —3E **133**
Hill St. *Duk* —4H **99**
Hill St. *Heyw* —3E **39**
Hill St. *Mid* —4A **54**
Hill St. *Oldh* —2F **73**
Hill St. *Rad* —6H **49**
(Outwood)
Hill St. *Rad* —3F **49**
(Radcliffe)
Hill St. *Roch* —4A **28**
Hill St. *Rom* —1H **141**
Hill St. *Salf* —5H **81**
(in two parts)
Hill St. *Shaw* —1G **57**
Hill St. *S'seat* —6E **13**
Hill St. *Tot* —1F **35**
Hill Top. *Bolt* —2H **31**
Hill Top. *Chad* —5F **55**
Hill Top. *Hale* —5A **146**
Hilltop. *L Lev* —3A **48**
Hill Top. *Rom* —6H **129**
Hilltop. *Whitw* —4C **14**
Hilltop Av. *M9* —6F **69**
Hill Top Av. *Chea H* —4C **150**
Hill Top Av. *P'wch* —5F **67**
Hilltop Av. *W'fld* —1F **67**
Hill Top Av. *Wilm* —1E **167**
Hilltop Ct. *M8* —1B **82**
Hill Top Ct. *Chea H* —4D **150**
Hill Top Dri. *Hale* —3A **146**
Hill Top Dri. *Marp* —5A **142**
Hill Top Dri. *Roch* —3F **41**
Hilltop Dri. *Rytn* —5C **56**
Hilltop Dri. *Tot* —5G **21**
Hilltop Gro. *W'fld* —1F **67**
Hill Top La. *Del* —2C **58**
Hill Top Rd. *Wor* —5F **63**
Hill View. *Del* —3H **59**
Hill View. *Stal* —1H **115**
Hill View Clo. *Oldh* —5G **57**
Hillview Ct. *Bolt* —1A **32**
Hillview Rd. *Bolt* —1A **32**
Hillview Rd. *Dent* —6A **112**
Hillwood Av. *M8* —6B **68**
Hillyard St. *Bury* —2A **36**
Hilly Croft. *Brom X* —3D **18**
Hilmarton Clo. *Brad* —6A **20**
Hilrose Av. *Urm* —5H **105**
Hilson Ct. *Droy* —4A **98**
Hilton Arc. *Oldh* —2D **72**
Hilton Av. *Urm* —5F **105**
Hilton Bank. *Wor* —6D **62**
Hilton Ct. *Stoc* —3G **139**
Hilton Cres. *Ash L* —6G **87**
Hilton Cres. *P'wch* —1F **81**
Hilton Cres. *Wor* —5D **76**
Hilton Dri. *Cad* —4A **118**
Hilton Dri. *P'wch* —1F **81**
Hilton Fold La. *Mid* —6B **54**
Hilton Gro. *Poy* —3D **162**
Hilton Gro. *Wor* —6D **62**
Hilton La. *P'wch* —2D **80**
Hilton La. *Wor* —6D **62**
Hilton Lodge. *P'wch* —1F **81**

Hilton Rd. *Bram* —3H **151**
Hilton Rd. *Bury* —3D **36**
Hilton Rd. *Dis* —6F **155**
Hilton Rd. *Poy* —2A **164**
(in two parts)
Hiltons Farm Clo. *Aud* —1E **113**
Hilton Sq. *Pen* —3G **79**
Hilton St. *M1* —4F **95** (5C **6**)
Hilton St. *M4 & M1*
—3E **95** (4B **6**)
Hilton St. *Bolt* —6E **33**
Hilton St. *Bury* —1D **36**
Hilton St. *Hyde* —2D **114**
Hilton St. *L Hul* —5C **62**
Hilton St. *Mid* —5H **53**
Hilton St. *Oldh* —1G **73**
Hilton St. *Salf* —5H **81**
Hilton St. *Stoc* —3F **139**
Hilton St. N. *Salf* —5H **81**
Hilton Wlk. *Mid* —1E **69**
(in two parts)
Himley Rd. *M11* —2E **97**
Hincaster Wlk. *M18* —2E **111**
Hinchcliffe St. *Roch* —3F **27**
Hinchcombe Clo. *L Hul* —3C **62**
Hinckley St. *M11* —5B **96**
Hindburn Clo. *W'fld* —6F **51**
Hindburn Dri. *Wor* —3C **76**
Hindburn Wlk. *W'fld* —6F **51**
Hindell Ter. *Del* —3H **59**
(off King St.)
Hinde St. *M40* —3A **84**
Hindhead Wlk. *M40* —1F **97**
Hind Hill St. *Heyw* —4F **39**
Hindle Dri. *Rytn* —4A **56**
Hindle St. *Rad* —4G **49**
Hindle Ter. *Del* —3H **59**
Hindley Av. *M22* —3H **147**
Hindley Clo. *Ash L* —4F **99**
Hindley St. *Ash L* —4F **99**
(in two parts)
Hindley St. *Farn* —1E **63**
Hindley St. *Stoc* —3H **139**
Hindsford Clo. *M23* —2E **135**
Hinds La. *Rad & Bury* —6A **36**
Hind St. *Bolt* —6E **33**
Hinkler Av. *Bolt* —4A **46**
Hinstock Cres. *M18* —2F **111**
Hinton. *Roch* —3G **27**
(off Spotland Rd.)
Hinton Clo. *Roch* —5A **26**
Hinton Gro. *Hyde* —1E **131**
Hinton St. *M4* —2F **95** (2D **6**)
Hinton St. *Oldh* —4D **72**
Hinton St. *Stoc* —2B **140**
Hipley Clo. *Bred* —4G **129**
Hirons La. *Spring* —4C **74**
Hirst Av. *Wor* —4E **63**
Hitchen Clo. *Duk* —6D **100**
Hitchen Dri. *Duk* —6D **100**
Hitchen Wlk. *M13* —2H **109**
Hive St. *Oldh* —1H **85**
Hobart Clo. *Bram* —3H **161**
Hobart St. *M18* —2F **111**
Hobart St. *Bolt* —3H **31**
Hobbs Wlk. *M8* —1A **82**
Hobson Ct. *Aud* —1E **113**
Hobson Cres. *Aud* —1E **113**
Hobson Moor Rd. *Mot* —1B **116**
Hobson St. *M11* —6A **98**
Hobson St. *Fail* —5C **84**
Hobson St. *Oldh* —3D **72**
Hobson St. *Stoc* —5H **111**
Hockenhull Clo. *M22* —3C **148**
Hockley Clo. *Poy* —4G **163**
Hockley Rd. *M23* —5F **135**
Hockley Rd. *Poy* —4G **163**
Hodder Av. *L'boro* —3D **16**
Hodder Bank. *Stoc* —6E **141**
Hodder Sq. *M15*
—1D **108** (6G **9**)

Hodder Way. *W'fld* —1G **67**
(in three parts)
Hoddesdon St. *M8* —4D **82**
Hodge Clough Rd. *Oldh* —3G **57**
Hodge La. *Salf* —4F **93**
Hodge Rd. *Oldh* —4H **57**
Hodge Rd. *Wor* —1F **77**
Hodge St. *M9* —2H **83**
Hodgson Dri. *Tim* —3A **134**
Hodgson St. *M8* —6B **82**
Hodgson St. *Ash L* —3G **99**
Hodnett Av. *Urm* —6A **104**
Hodnet Wlk. *Dent* —6E **113**
Hodson Fold. *Oldh* —2E **87**
Hodson St. *Salf* —3C **94** (3E **5**)
Hogarth Rise. *Oldh* —3G **57**
Hogarth Rd. *Marp B* —3F **143**
Hogarth Rd. *Roch* —2F **41**
Hogarth Wlk. M8 —5E *83*
(off Inwood Wlk.)
Holbeach Clo. *Bury* —6D **22**
Holbeck Av. *Roch* —5D **14**
Holbeck Gro. *M14* —3A **110**
Holbeton Clo. *M8* —6A **82**
Holbeton Clo. *Bram* —2A **152**
Holborn Av. *Fail* —4H **85**
Holborn Av. *Rad* —3D **48**
Holborn Dri. *M8* —6D **82**
Holborn Gdns. *Roch* —6F **27**
Holborn Sq. *Roch* —6F **27**
Holborn St. *Roch* —6F **27**
Holborn St. *Stoc* —2H **139**
Holbrook Av. *L Hul* —3C **62**
Holcombe Av. *Bury* —3H **35**
Holcombe Clo. *Alt* —5D **132**
Holcombe Clo. *Kear* —3A **64**
Holcombe Clo. *Salf* —3G **93**
Holcombe Clo. *Spring* —2C **74**
Holcombe Ct. *Ram* —1H **21**
Holcombe Cres. *Kear* —3A **64**
Holcombe Gdns. *M19* —4A **126**
Holcombe Lee. *Ram* —6C **12**
Holcombe Old Rd. *Holc* —4C **12**
Holcombe Precinct. *Ram*
—6B **12**
Holcombe Rd. *M14* —2A **126**
Holcombe Rd. *L Lev* —4H **47**
Holcombe Rd. *Tot* —3G **21**
Holcombe View Clo. *Oldh*
—5H **57**
Holcombe Village. Bury —3C *12*
(off Moor Rd.)
Holcombe Wlk. *Stoc* —2F **127**
Holden Av. *Bolt* —5C **18**
Holden Av. *Bury* —1A **34**
Holden Av. *Ram* —4C **12**
Holden Clough Dri. *Ash L*
—4F **87**
Holden Fold La. *Rytn* —5A **56**
(in two parts)
Holden Rd. *Salf* —2H **81**
Holden St. *Ash L* —1A **100**
Holden St. *Oldh* —6D **72**
Holden St. *Roch* —1A **28**
Holder Av. *L Lev* —2B **48**
Holderness Dri. *Rytn* —5A **56**
Holdgate Clo. *M15* —2C **108**
Holdness Clo. *M12* —2A **110**
Holdsworth St. *Swint* —4D **78**
Holebottom. *Ash L* —5G **87**
Holehouse Fold. *Rom* —1H **141**
Holford Av. *M14* —5F **109**
Holford Ct. *Aud* —4F **113**
Holford St. *Salf* —1A **94**
Holford Wlk. *Firg* —4D **28**
Holgate St. *Oldh* —6A **58**
Holhouse La. *G'mnt* —1H **21**
Holiday La. *Stoc* —5H **141**
Holker Clo. *M13* —2H **109**
(in two parts)

Holker Clo. *Poy* —3F **163**
Holker Way. *Dent* —6G **113**
Holkham Clo. *M4*
—3G **95** (4F **7**)
Holkham Wlk. *M4*
—3G **95** (4F **7**)
Hollam Wlk. *M16* —3C **108**
Holland Av. *Stal* —3E **101**
Holland Clo. *Del* —3G **59**
Holland Ct. *M8* —1B **82**
Holland Ct. *Rad* —3A **50**
Holland Ct. Stoc —4A *140*
(off Ward St.)
Holland Gro. *Ash L* —5F **87**
Holland Rise. *Roch* —3G **27**
Holland Rd. *M8* —1B **82**
Holland Rd. *Bram* —6G **151**
Holland Rd. *Hyde* —2D **114**
Holland St. *M40* —3H **95** (3G **7**)
Holland St. *Bolt* —1B **32**
Holland St. *Dent* —3C **112**
Holland St. *Heyw* —3F **39**
Holland St. *Hur* —5B **16**
Holland St. *Rad* —3A **50**
Holland St. *Roch* —4G **27**
Holland St. *Salf* —6E **81**
(Charlestown)
Holland St. *Salf* —4G **93**
(Salford)
Holland Wlk. *Salf* —6E **81**
Hollcott Wlk. M8 —6B *82*
(off Stonefield Dri.)
Hollies Ct. *Sale* —5B **122**
Hollies Dri. *Marp* —6E **143**
Hollies La. *Wilm* —1H **167**
Hollies, The. *M20* —6D **124**
Hollies, The. *Bolt* —5H **33**
Hollies, The. *Gat* —6F **137**
Hollies, The. *Stoc* —6D **126**
Hollies, The. *Swint* —5D **78**
Hollin Bank. *Stoc* —2F **127**
Hollin Cres. *G'fld* —5G **75**
Hollin Dri. *Mid* —3G **53**
Holliney Rd. *M22* —4D **148**
Hollinghey Ter. *Holl* —1F **27**
Hollingworth Av. *M40* —1F **85**
Hollingworth Clo. Stoc
(off Mottram Fold) —3H *139*
Hollingworth Dri. *Marp*
—2D **154**
Hollingworth Lake Cvn. Site.
L'boro —2H **29**
Hollingworth Rd. *Bred* —5E **129**
Hollingworth Rd. *L'boro* —6F **17**
Hollingworth St. *Chad* —6H **71**
Hollin Hall St. *Oldh* —2G **73**
Hollin Hey Rd. *Bolt* —2C **30**
Hollinhey Ter. *Holl* —2E **117**
Hollin Ho. *Mid* —5A **54**
Hollinhurst Dri. *Los* —6A **30**
Hollinhurst Rd. *Rad* —5A **50**
Hollin La. *Mid* —2G **53**
Hollin La. *Roch* —5A **26**
Hollin La. *Styal* —1D **158**
Hollins. *Farn* —6H **45**
Hollins Av. Glos —5F **117**
(off Hollins M.)
Hollins Av. *Hyde* —2C **130**
Hollins Av. *Lees* —1B **74**
Hollins Bank. Glos —5F **117**
(off Hollins La.)
Hollins Brook Clo. *Uns* —2F **51**
Hollins Brow. *Bury* —3D **50**
Hollins Clo. *Bury* —3F **51**
Hollins Clo. Glos —5F **117**
(off Hollins La.)
Hollinsclough Clo. *M22*
—6C **136**
Hollinscroft Av. *Tim* —6D **134**
Hollins Fold. Glos —5F **117**
(off Hollins La.)

Hollins Gdns. *Glos* —5F **117**
Hollins Grn. *Mid* —4A **54**
Hollins Grn. Rd. *Marp* —5D **142**
Hollins Gro. *M12* —4C **110**
Hollins Gro. Glos —5F **117**
(off Hollins La.)
Hollins Gro. *Sale* —5A **122**
Hollinshead. *Salf* —5A **82**
Hollins La. *Bury* —2E **51**
Hollins La. *Duk* —5D **100**
Hollins La. *Glos* —5F **117**
Hollins La. *G'fld* —4H **61**
Hollins La. *Marp* —5D **142**
Hollins La. *Marp B* —4F **143**
Hollins La. *Moss* —2F **89**
Hollin's La. *Ram* —4B **12**
Hollins M. *Glos* —5F **117**
Hollins Mt. *Marp B* —3F **143**
Hollins Rd. *Oldh* —1H **85**
Hollins Rd. *Waterh* —1B **74**
Hollins St. *Bolt* —1D **46**
Hollins St. *Spring* —3B **74**
Hollins St. *Stal* —5D **100**
Hollins Ter. *Marp* —5D **142**
Hollins, The. *Marp* —5D **142**
Hollins Wlk. *M22* —3B **148**
Hollins Way. Glos —5F **117**
(off Hollins M.)
Hollinswood Rd. *Bolt* —1D **46**
Hollinswood Rd. *Wor* —5D **76**
Hollinwood Av. *M40 & Chad*
—6D **70**
Hollinwood La. *Marp* —3F **155**
Hollinwood Rd. *Dis* —1H **165**
HOLLINWOOD STATION. *BR*
—1G **85**
Holloway Dri. *Wor* —5D **76**
Hollow End. *Stoc* —2B **128**
Hollow End Towers. *Stoc*
—2B **128**
Hollow Field. *Roch* —2H **25**
Hollowgate. *Swint* —5B **78**
Hollow Meadows. *Rad* —3C **64**
Hollows Farm Av. *Roch* —1F **27**
Hollowspell. *Roch* —6A **16**
Hollows, The. *H Grn* —4G **149**
Hollow Vale Dri. *Stoc* —6H **111**
Hollwood Way. *Stoc* —2F **139**
Holly Av. *Chea* —6H **137**
Holly Av. *Urm* —5D **104**
Holly Av. *Wor* —1G **77**
Holly Bank. *Holl* —2F **117**
Holly Bank. *Rytn* —1B **56**
Holly Bank. *Sale* —6C **122**
Holly Bank Clo. *M15*
—1A **108** (5B **8**)
Holly Bank Cotts. *Part* —5D **118**
Holly Bank Ct. *Chea H* —4C **150**
Holly Bank Dri. *Los* —5A **30**
Holly Bank Ind. Est. *Rad*
—4F **49**
Holly Bank Rise. *Duk* —5D **100**
Holly Bank Rd. *Wilm* —6F **159**
Holly Bank St. *Rad* —4F **49**
Hollybush. *M18* —1G **111**
Holly Clo. *Tim* —5A **134**
Holly Ct. *Hyde* —5E **115**
Holly Ct. *Irl* —4F **103**
Holly Ct. *Manx* —3F **125**
Hollycroft Av. *M22* —5B **136**
Hollycroft Av. *Bolt* —2G **47**
Holly Dene Clo. *Los* —6A **30**
Holly Dene Dri. *Los* —6A **30**
Holly Dri. *Sale* —5A **122**
Hollyedge Dri. *P'wch* —1E **81**
Holly Fold. *W'fld* —6D **50**
Holly Grange. *Bow* —3F **145**
Holly Grange. *Bram* —2H **151**
Holly Gro. *Bolt* —4G **31**
Holly Gro. *Chad* —1H **71**

Holly Gro. *Dent* —4G **113**
Holly Gro. *Farn* —1C **62**
Holly Gro. *Lees* —1A **74**
Holly Gro. *Sale* —5D **122**
Holly Gro. *Stal* —5C **100**
Hollyhedge Av. *M22* —6B **136**
Hollyhedge Ct. Rd. *M22*
—6C **136**
Hollyhedge Rd. *M22 & Gat*
—6A **136**
Hollyhedge Rd. *M23* —6H **135**
Hollyhey Dri. *M23* —1A **136**
Holly Ho. Dri. *Urm* —5B **104**
Hollyhouse Dri. *Woodl*
—4G **129**
Hollyhurst. *Wor* —5B **78**
Holly La. *Oldh* —1A **86**
Holly La. *Styal* —3C **158**
Holly Mill Cres. *Bolt* —1B **32**
Hollymount. *M16* —3H **107**
Hollymount Av. *Stoc* —6C **140**
Hollymount Dri. *Oldh* —4A **58**
Hollymount Dri. *Stoc* —6C **140**
Hollymount Gdns. *Stoc*
—6D **140**
Holly Mt. La. *G'mnt* —2F **21**
Hollymount Rd. *Stoc* —6D **140**
Holly Oak Gdns. *Heyw* —4E **39**
Holly Rd. *Bram* —2G **161**
Holly Rd. *H Lane* —6D **154**
Holly Rd. *Poy* —4E **163**
Holly Rd. *Stoc* —4E **127**
Holly Rd. *Swint* —5D **78**
Holly Rd. *Wilm* —3E **167**
Holly Rd. N. *Wilm* —3D **166**
Holly Rd. S. *Wilm* —4D **166**
Holly St. *M11* —5A **96**
Holly St. *Bolt* —1B **32**
Holly St. *Bury* —3E **37**
Holly St. *Droy* —3F **97**
Holly St. *Roch* —3H **41**
Holly St. *Stoc* —2A **140**
Holly St. *S'seat* —6E **13**
Holly St. *Tot* —5H **21**
Holly St. *Ward* —3A **16**
Hollythorn Av. *Chea H* —6E **151**
Hollythorn M. *Chea H* —6E **151**
Holly View. *M22* —6C **136**
Holly Wlk. *Part* —6B **118**
Holly Way. *M22* —3C **136**
Hollywood. *Bow* —3F **145**
Hollywood Rd. *Bolt* —3F **31**
Hollywood Towers. Stoc
(off East St.) —3F *139*
Holmbrook Wlk. *M8* —6C **82**
Holm Ct. *Salf* —3G **93**
Holmcroft Rd. *M18* —4F **111**
Holmdale Av. *M19* —4A **126**
Holme Av. *Bury* —6C **22**
Holmebrook Wlk. M8 —5C *82*
(off Tamerton Dri.)
Holme Cres. *Rytn* —5A **56**
Holmefield. *Sale* —5B **122**
Holmefield Dri. *Chea H*
—5D **150**
Holme Ho. St. *L'boro* —6H **17**
Holmelyme Ho. *Poy* —4F **163**
Holmepark Gdns. *Wor* —6C **76**
Holme Rd. *M20* —6D **124**
Holmes Cotts. *Bolt* —2G **31**
Holmes Rd. *Roch* —4F **27**
Holmes St. *Bolt* —3C **46**
Holmes St. *Chea* —5A **138**
Holmes St. *Roch* —3F **27**
(Rochdale)
Holmes St. *Roch* —6A **16**
(Smallbridge)
Holmes St. *Stoc* —4B **139**
Holme St. *Hyde* —5B **114**
Holmes Way. *Dent* —2F **129**
Holmeswood Rd. *Bolt* —5H **45**

Kent St. *Roch* —5H **27**
Kent St. *Salf* —1B **94**
Kentucky St. *Oldh* —3G **73**
Kent Wlk. *Heyw* —4C **38**
Kentwell Clo. *Duk* —6H **99**
Kenwick Dri. *M40* —1E **85**
Kenwood Av. *M19* —3B **126**
Kenwood Av. *Bram* —2F **161**
Kenwood Av. *Gat* —5E **137**
Kenwood Av. *Hale* —3H **145**
Kenwood Clo. *Stret* —5E **107**
Kenwood Ct. *Stret* —6E **107**
Kenwood La. *Wor* —6H **77**
Kenwood Rd. *Bolt* —2F **31**
Kenwood Rd. *Oldh* —6A **56**
Kenwood Rd. *Stoc* —5G **111**
Kenwood Rd. *Stret* —6E **107**
Kenworthy Av. *Ash L* —6H **87**
Kenworthy Gdns. *Upperm*
—1F **61**
Kenworthy La. *M22* —1B **136**
Kenworthy St. *Roch* —4C **28**
Kenworthy St. *Stal* —4E **101**
(in two parts)
Kenworthy Ter. *Roch* —4C **28**
Kenwright St. *M4*
—3E **95** (3B **6**)
Kenwyn St. *M40* —2A **96**
Kenyon Av. *Duk* —6C **100**
Kenyon Av. *Oldh* —6D **72**
Kenyon Av. *Sale* —1E **135**
Kenyon Clo. *Hyde* —2D **114**
Kenyon Fold. *Roch* —6A **26**
Kenyon Gro. *L Hul* —5A **62**
Kenyon La. *M40* —3A **84**
Kenyon La. *Mid* —1C **70**
Kenyon La. *P'wch* —5G **67**
Kenyon Rd. *Brad F* —2B **48**
Kenyon St. *M18* —1G **111**
Kenyon St. *Ash L* —2G **99**
Kenyon St. *Bury* —2E **37**
Kenyon St. *Duk* —5H **99**
Kenyon St. *Heyw* —3E **39**
Kenyon St. *Rad* —4H **49**
Kenyon St. *Ram* —2E **13**
Kenyon Ter. *L Hul* —6A **62**
Kenyon Way. *L Hul* —5A **62**
Kenyon Way. *Tot* —6H **21**
Keppel Rd. *M21* —6H **107**
Keppel St. *Ash L* —2A **100**
Kepwick Dri. *M22* —4C **148**
Kerenhappuch St. *Ram* —3D **12**
(off Buchanan St.)
Kerfield Wlk. *M13*
—6F **95** (4D **10**)
Kertoot Clo. *M22* —3C **136**
Kermoor Av. *Bolt* —5C **18**
Kerne Gro. *M23* —2G **135**
Kerrera Dri. *Salf* —4D **92**
Kerridge Dri. *Bred* —5F **129**
Kerridge Wlk. *M16* —4D **108**
(off Peachey Clo.)
Kerrier Clo. *Ecc* —3A **92**
Kerris Clo. *M22* —4C **148**
Kerr St. *M9* —6F **69**
Kerry Gro. *Bolt* —5D **32**
Kerry Wlk. *M23* —2F **147**
Kersal Av. *L Hul* —5D **62**
Kersal Av. *Pen* —3A **80**
Kersal Bank. *Salf* —3G **81**
Kersal Bar. *Salf* —2G **81**
Kersal Clo. *P'wch* —2E **81**
Kersal Crag. *Salf* —2G **81**
Kersal Dri. *Tim* —4C **134**
Kersal Gdns. *Salf* —2G **81**
Kersal Hall Av. *Salf* —3E **81**
Kersal Vale Ct. *Salf* —3E **81**
Kersal Vale Rd. *Salf* —2D **80**
Kersal View. *Salf* —1F **93**
Kersal Way. *Salf* —4F **81**

Kersh Av. *M19* —1D **126**
Kershaw Av. *L Lev* —3A **48**
Kershaw Av. *P'wch* —1D **80**
Kershaw Av. *Sale* —1E **135**
Kershaw Dri. *Chad* —6D **70**
Kershaw Gro. *Aud* —5B **98**
Kershaw La. *Aud* —5B **98**
Kershaw Pas. *L'boro* —5C **16**
Kershaw Rd. *Fail* —4F **85**
Kershaw St. *Ash L* —5F **99**
Kershaw St. *Bolt* —2H **45**
(Bolton)
Kershaw St. *Bolt* —6G **19**
(Bradshaw Chapel)
Kershaw St. *Bury* —3E **37**
Kershaw St. *Droy* —4H **97**
Kershaw St. *Heyw* —3D **38**
Kershaw St. *Oldh* —1G **73**
Kershaw St. *Roch* —3H **27**
Kershaw St. *Rytn* —2B **56**
Kershaw St. *Shaw* —6F **43**
(in two parts)
Kershaw St. E. *Shaw* —6F **43**
Kershaw Wlk. *M12*
—1H **109** (6H **11**)
Kershope Gro. *Salf* —5G **93**
Kersley St. *Oldh* —3E **73**
Kerswell Wlk. *M40* —5A **84**
Kerwin Wlk. *Open* —5C **96**
Kerwood Dri. *Rytn* —4C **56**
Kesteven Rd. *M9* —4F **83**
Keston Av. *M9* —6A **70**
Keston Av. *Droy* —4G **97**
Keston Cres. *Stoc* —3B **128**
Keston Rd. *Oldh* —6G **57**
Kestor St. *Bolt* —5C **32**
(in two parts)
Kestrel Av. *Aud* —4C **98**
Kestrel Av. *Clif* —1H **79**
Kestrel Av. *Farn* —2B **62**
Kestrel Av. *L Hul* —4C **62**
Kestrel Av. *Oldh* —4G **73**
Kestrel Clo. *Marp* —2E **155**
Kestrel Clo. *W'fld* —3E **67**
Kestrel Dri. *Bury* —1F **37**
Kestrel Dri. *Irl* —4E **103**
Kestrel Ho. *Traf P* —5H **91**
Kestrel M. *Roch* —4B **26**
Kestrel Rd. *Traf P* —5H **91**
Kestrel St. *Bolt* —5C **32**
Kestrel Wlk. *M12* —1C **110**
Keswick Av. *Ash L* —6D **86**
Keswick Av. *Chad* —2G **71**
Keswick Av. *Dent* —3D **112**
Keswick Av. *Gat* —2F **149**
Keswick Av. *Hyde* —3A **114**
Keswick Av. *Oldh* —5E **73**
Keswick Av. *Urm* —6A **104**
Keswick Clo. *M13* —2H **109**
Keswick Clo. *Cad* —4B **118**
Keswick Clo. *Mid* —5F **53**
Keswick Clo. *Stal* —1E **101**
Keswick Ct. *Mid* —5F **53**
Keswick Dri. *Bram* —2E **161**
Keswick Dri. *Bury* —6B **36**
Keswick Gro. *Salf* —2F **93**
Keswick Rd. *H Lane* —5C **154**
Keswick Rd. *Stoc* —2F **127**
Keswick Rd. *Stret* —4C **106**
Keswick Rd. *Tim* —5D **134**
Keswick Rd. *Wor* —1H **77**
Keswick St. *Bolt* —3B **32**
Keswick St. *Roch* —3B **40**
Kesworthy Clo. *Hyde* —5A **116**
Ketley Wlk. *M22* —2D **148**
Kettering Rd. *M19* —5D **110**
Kettleshulme Wlk. *Wilm*
—6A **160**
Kettleshulme Way. *Poy*
—5F **163**
Kettlewell Wlk. *M18* —2E **111**

Ketton Clo. *M11* —6G **97**
Keverlow La. *Oldh* —1G **87**
Kevin Av. *Rytn* —5C **56**
Kevin Ct. *Stoc* —1B **152**
Kevin St. *M19* —1D **126**
Kew Av. *Hyde* —6C **114**
Kew Dri. *Chea H* —3A **150**
Kew Rd. *Urm* —3C **104**
Kew Gdns. *M40* —2A **84**
Kew Rd. *Fail* —3G **85**
Kew Rd. *Oldh* —3F **73**
(in two parts)
Kew Rd. *Roch* —2G **41**
Key Ct. *Dent* —1G **129**
Keyhaven Wlk. *M40* —6E **83**
Keymer St. *M11* —3A **96**
Keynsham Rd. *M11* —2D **96**
Keystone Clo. *Salf* —1E **93**
Key West Clo. *M11* —4B **96**
Keyworth Wlk. *M40* —1A **96**
Khartoum St. *M11* —3F **97**
Khartoum St. *M16* —3B **108**
Kibbles Brow. *Brom X* —3F **19**
Kibboth Crew. *Ram* —2D **12**
Kibworth Clo. *W'fld* —5B **66**
Kibworth Wlk. *M9* —4G **69**
(off Brockford Dri.)
Kidacre Wlk. *M40* —4A **84**
Kidderminster Way. *Chad*
—6F **55**
Kidnall Wlk. *M9* —2H **83**
Kid St. *Mid* —6H **53**
Kiel Clo. *Ecc* —5G **91**
Kielder Hill. *Mid* —3H **53**
Kielder Sq. *Salf* —4F **93**
Kilbride Av. *Bolt* —1H **47**
Kilburn Av. *M9* —3F **69**
Kilburn Clo. *H Grn* —6F **149**
Kilburn Rd. *Rad* —3D **48**
Kilburn Rd. *Stoc* —4E **139**
Kilburn St. *Oldh* —6G **57**
Kildale Clo. *Bolt* —3C **44**
Kildare Cres. *Roch* —3F **41**
Kildare Rd. *M21* —1B **124**
Kildare Rd. *Swint* —4E **79**
Kildare St. *Farn* —2E **63**
Kildonan Dri. *Bolt* —1D **44**
Killer St. *Ram* —2E **13**
Killon St. *Bury* —4E **37**
Kilmaine Dri. *Bolt* —2C **44**
Kilmarsh Wlk. *M8* —4B **82**
Kilmington Dri. *M8* —5B **82**
Kilmory Dri. *Bolt* —1H **47**
Kiln Bank. *Whitw* —3G **15**
(off Tong End)
Kiln Bank La. *Whitw* —3G **15**
Kiln Brow. *Brom X* —3G **19**
Kiln Croft. *Rom* —2F **141**
Kiln Croft La. *Chea H* —3A **160**
Kilner Clo. *Bury* —3F **51**
Kilnerdeyne Ter. *Roch* —5G **27**
Kilner Wlk. *M40* —1G **95**
Kilnfield. *Brom X* —3D **18**
Kiln Hill Clo. *Chad* —5F **55**
Kiln Hill La. *Chad* —5F **55**
Kilnhurst Wlk. *Bolt* —5H **31**
Kiln La. *Had* —2H **117**
Kiln La. *Miln* —5F **29**
Kiln Mt. *Miln* —5F **29**
Kilnsey Wlk. *M18* —2E **111**
Kilnside Dri. *M9* —4F **83**
Kiln St. *L Lev* —4A **48**
Kiln St. *Ram* —4D **12**
Kilnwick Clo. *M18* —4D **110**
Kilsby Clo. *Farn* —5D **46**
Kilsby Clo. *Los* —1B **44**
Kilsby Wlk. *M40* —1H **95**
Kilton Wlk. *M40* —1G **95**
Kilvert Dri. *Sale* —4H **121**
Kilvert St. *Traf P* —2F **107**
Kilworth Av. *Sale* —6H **121**

Kilworth Dri. *Los* —2B **44**
Kilworth St. *Roch* —1D **40**
Kimberley Av. *Rom* —1H **141**
Kimberley Rd. *Bolt* —6C **18**
Kimberley St. *Oldh* —6A **72**
Kimberley St. *Salf* —4A **82**
Kimberley St. *Stoc* —4G **139**
Kimberley Wlk. *M15*
—6B **94** (4D **8**)
Kimble Clo. *G'mnt* —1H **21**
Kimbolton Clo. *M12* —6C **96**
Kinburn Rd. *M19* —1H **137**
Kinbury Wlk. *M40* —1G **95**
Kincardine Rd. *M13*
—6F **95** (4C **10**)
Kincraig Clo. *M11* —5D **96**
Kincraig Clo. *Bolt* —3C **44**
Kinder Av. *Ash L* —5C **88**
Kinder Av. *Oldh* —4H **73**
Kinder Ct. *Stoc* —4G **139**
Kinder Dri. *Marp* —5E **143**
Kinder Fold. *Stal* —1H **115**
Kinder Gro. *Rom* —1C **142**
Kinder Ho. *Salf* —2D **92**
Kinders Cres. *G'fld* —4F **61**
Kinders La. *G'fld* —4F **61**
Kinders M. *G'fld* —4F **61**
Kinder St. *Stal* —3E **101**
Kinder St. *Stoc* —4G **139**
Kinderton Av. *M20* —2F **125**
Kinder Way. *Mid* —5H **53**
Kinder Way. *Mot* —4B **116**
Kineton Wlk. *M13*
—1G **109** (6F **11**)
(off Lauderdale Cres.)
King Albert St. *Shaw* —6F **43**
Kingcombe Wlk. *M9* —3G **83**
King Edward Rd. *Hyde*
—2C **130**
King Edward St. *M19* —6D **110**
King Edward St. *Ecc* —3E **91**
King Edward St. *Salf* —5H **93**
Kingfisher Av. *Aud* —4C **98**
Kingfisher Clo. *M12* —2A **110**
Kingfisher Ct. *Salf* —5D **92**
Kingfisher Dri. *Bury* —1F **37**
Kingfisher Dri. *Farn* —2B **62**
Kingfisher M. *Marp* —5E **143**
Kingfisher Rd. *Stoc* —1F **153**
King George Rd. *Hyde* —6C **114**
Kingham Dri. *M4*
—3G **95** (3F **7**)
Kingholm Gdns. *Bolt* —4H **31**
King La. *Oldh* —3A **58**
Kingmoor Av. *Rad* —3H **49**
Kings Acre. *Bow* —4C **144**
Kings Av. *M8* —3C **82**
Kings Av. *Gat* —1E **149**
Kings Av. *W'fld* —5C **50**
Kingsbridge Av. *Bolt* —4D **34**
Kingsbridge Av. *Hyde* —5G **115**
Kingsbridge Clo. *Marp* —4C **142**
Kingsbridge Rd. *M9* —4E **83**
Kingsbridge Rd. *Duk* —6H **99**
Kingsbridge Rd. *Oldh* —4F **73**
Kingsbridge Wlk. *Hyde*
—5G **115**
Kingsbrook Rd. *M16* —1C **124**
Kingsbury Av. *Bolt* —4E **31**
Kingsbury Ct. *Bolt* —4E **31**
Kingsbury Ct. Lodge. *Bolt*
—4E **31**
Kingsbury Rd. *M11* —3E **97**
Kingscliffe St. *M9* —3G **83**
King's Clo. *M18* —1H **111**
Kings Clo. *Bram* —3H **151**
Kings Clo. *P'wch* —4G **67**
King's Clo. *Wilm* —3D **166**
Kings Ct. *Alt* —1F **145**
Kingscourt Av. *Bolt* —3G **31**
King's Cres. *M16* —4H **107**

Knob Hall Gdns. *M23* —2F **147**
Knole Av. *Poy* —3F **163**
Knoll St. *Roch* —2B **40**
Knoll St. *Salf* —4H **81**
Knoll, The. *Alt* —6D **132**
Knoll, The. *Moss* —2D **88**
Knoll, The. *Shaw* —1H **57**
Knott Fold. *Hyde* —1B **130**
Knott Hill La. *Del* —4G **59**
Knott La. *Bolt* —3D **30**
Knott La. *Hyde* —1B **130**
Knott Lanes. *Oldh* —3D **86**
Knott St. *Ash L* —4F **99**
Knott St. *Salf* —4D **92**
Knowe Av. *M22* —4B **148**
Knowl Clo. *Dent* —5A **112**
Knowl Clo. *Ram* —5E **13**
Knowldale Way. *M12* —2A **110**
Knowle Av. *Ash L* —1F **99**
Knowle Dri. *P'wch* —4D **81**
Knowle Grn. *Hand* —4G **159**
Knowle Pk. *Hand* —4G **159**
Knowle Rd. *Mell* —5G **143**
Knowles Ct. *Salf* —2A **92**
Knowles Edge St. *Bolt* —3G **31**
Knowles La. *Lees* —4B **74**
Knowles Pl. *M15*
   —1E **109** (5H **9**)
Knowles St. *Rad* —3G **49**
Knowl Hill Dri. *Roch* —1A **26**
Knowl Rd. *Roch* —4D **28**
Knowl Rd. *Shaw* —1G **57**
Knowls, The. *Oldh* —2A **86**
Knowl St. *Oldh* —1A **86**
Knowl St. *Stal* —3F **101**
Knowl Syke St. *Ward* —2A **16**
Knowl Top La. *Upperm* —2H **61**
Knowl View. *L'boro* —1F **29**
Knowl View. *Tot* —5A **22**
Knowsley. *Spring* —2C **74**
Knowsley Av. *Salf* —5H **93**
Knowsley Av. *Spring* —2C **74**
Knowsley Av. *Urm* —3E **105**
Knowsley Cres. *Stoc* —3B **140**
Knowsley Dri. *Spring* —2C **74**
Knowsley Dri. *Swint* —5D **78**
Knowsley Grange. *Bolt* —6B **44**
Knowsley Grn. *Salf* —5H **93**
  (off Knowsley Av.)
Knowsley Grn. *Spring* —2C **74**
Knowsley Rd. *Ain* —4C **34**
Knowsley Rd. *Bolt* —3F **31**
Knowsley Rd. *Haz G* —5F **153**
Knowsley Rd. *Stoc* —3B **140**
Knowsley Rd. *W'fld* —1D **66**
Knowsley St. *M8* —1D **94**
Knowsley St. *Bolt* —5B **32**
Knowsley St. *Bury* —4C **36**
Knowsley St. *Roch* —3G **27**
Knowsley Ter. *Spring* —2C **74**
Knowsley Ter. *Stoc* —3B **140**
Knutsford Av. *M16* —3B **108**
Knutsford Av. *Sale* —5E **123**
Knutsford Av. *Stoc* —2F **127**
Knutsford Rd. *M18* —2E **111**
Knutsford Rd. *Wilm* —6A **166**
Knutsford St. *Salf* —3E **93**
Knutsford View. *Haleb* —5C **146**
Knutshaw Cres. *Bolt* —5B **44**
Knypersley Av. *Stoc* —4C **140**
Kranj Way. *Oldh* —2D **72**
Krokus Sq. *Chad* —2G **71**
Kyle Ct. *Haz G* —4F **153**
Kylemore Av. *Bolt* —2F **45**
Kyle Rd. *Haz G* —4F **153**
Kynder St. *Dent* —4F **113**

Labtec St. *Pen* —2H **79**
Laburnum Av. *Ash L* —5G **87**
Laburnum Av. *Aud* —4C **98**
Laburnum Av. *Chad* —6H **55**
Laburnum Av. *Ecc* —5C **90**
Laburnum Av. *Fail* —5F **85**
Laburnum Av. *Hyde* —1B **130**
Laburnum Av. *Shaw* —1F **57**
Laburnum Av. *Stal & Duk*
   —5D **100**
Laburnum Av. *Swint* —5E **79**
Laburnum Av. *Tot* —4H **21**
Laburnum Av. *W'fld* —2D **66**
Laburnum Ct. *Tot* —4H **21**
Laburnum Dri. *Bury* —6E **51**
Laburnum Gro. *P'wch* —3E **67**
Laburnum Gro. *Tyl* —2A **76**
Laburnum Ho. *Shaw* —1F **57**
Laburnum La. *Hale* —5G **145**
Laburnum La. *Miln* —2E **43**
Laburnum Lodge. *Bolt* —5H **33**
Laburnum Pk. *Bolt* —6F **19**
Laburnum Rd. *Cad* —4B **118**
Laburnum Rd. *Dent* —4H **111**
Laburnum Rd. *Farn* —1D **62**
Laburnum Rd. *Mid* —1C **70**
Laburnum Rd. *Oldh* —3A **86**
Laburnum Rd. *Urm* —3D **104**
Laburnum Rd. *Wor* —1G **77**
Laburnum St. *Bolt* —5H **31**
Laburnum St. *Salf* —3F **93**
Laburnum Ter. *Roch* —1E **41**
Laburnum Vs. *Oldh* —2E **87**
Laburnum Vs. *Urm* —5G **105**
  (off Cavendish Rd.)
Laburnum Wlk. *Sale* —4E **121**
Laburnum Way. *L'boro* —4D **16**
Laburnum Way. *Stoc* —3B **138**
Lacey Av. *Wilm* —6F **159**
Lacey Clo. *Wilm* —6F **159**
Lacey Ct. *Wilm* —6F **159**
Lacey Grn. *Wilm* —1E **167**
Lacey Gro. *Wilm* —6G **159**
Lackford Dri. *M40*
   —1G **95** (1F **7**)
Lacrosse Av. *Oldh* —5A **72**
Lacy Gro. *Stret* —6D **106**
Lacy St. *Stoc* —3H **139**
Lacy St. *Stret* —6D **106**
Lacy Wlk. *M12* —5A **96**
Ladbrooke Clo. *Ash L* —1A **100**
Ladbrooke Rd. *Ash L* —6F **87**
Ladcastle Rd. *G'fld* —3E **61**
Ladhill La. *G'fld* —4F **61**
Ladybarn Ct. *Manx* —2H **125**
  (off Ladybarn Shopping Cen.)
Ladybarn Cres. *M14* —2H **125**
Ladybarn Cres. *Bram* —1H **161**
Ladybarn La. *M14* —1H **125**
Ladybarn Rd. *M14* —1H **125**
Ladybarn Shopping Cen. *Manx*
   —2H **125**
Ladybower. *Chea H* —2E **151**
Ladybridge Av. *Wor* —3E **77**
Lady Bri. Brow. *Bolt* —6D **30**
Lady Bri. La. *Bolt* —6D **30**
Ladybridge Rise. *Chea H*
   —2D **150**
Ladybridge Rd. *Chea H*
   —3D **150**
Ladybrook Av. *Tim* —3B **134**
Ladybrook Gro. *Wilm* —5H **159**
Ladybrook Rd. *Bram* —4E **151**
Ladyfield St. *Wilm* —2E **167**
Ladyfield Ter. *Wilm* —2F **167**
Lady Harriet Wlk. *Wor* —6E **63**
Ladyhill View. *Wor* —3E **77**
Ladyhouse Clo. *Miln* —6G **29**
Lady Ho. Fold. *Miln* —1D **42**
  (off Ashfield La.)
Ladyhouse La. *Miln* —1D **42**
  (in two parts)
Lady Kelvin Rd. *Alt* —5E **133**

Ladylands Av. *M11* —3E **97**
Ladymere Dri. *Wor* —3D **76**
Lady Rd. *Lees* —3A **74**
Ladys Clo. *Poy* —3E **163**
Ladyshore Clo. *Salf* —3F **93**
Ladyshore Rd. *L Lev* —5C **48**
Lady's Incline. *Poy* —3E **163**
Ladysmith Av. *Bury* —6G **23**
Ladysmith Dri. *Ash L* —6B **88**
Ladysmith Rd. *M20* —6G **125**
Ladysmith Rd. *Ash L* —6B **88**
Ladysmith Rd. *Stal* —1E **101**
Ladysmith St. *Oldh* —6A **72**
Ladysmith St. *Stoc* —4G **139**
Ladysmith, The. *Ash L* —6B **88**
Ladythorn Av. *Marp* —6E **143**
Ladythorn Cres. *Bram* —1H **161**
Ladythorne Av. *P'wch* —1E **81**
Ladythorne Ct. *P'wch* —1E **81**
Ladythorne Dri. *P'wch* —1E **81**
Ladythorn Gro. *Bram* —6H **151**
Ladythorn Rd. *Bram* —6G **151**
Ladywell Av. *L Hul* —5C **62**
Ladywell Clo. *Haz G* —3A **152**
Ladywell Gro. *L Hul* —4C **62**
Ladywell Trad. Est. *Salf* —3B **92**
Lagan Wlk. *M22* —3B **148**
Lagos Clo. *M14* —3E **109**
Laindon Rd. *M14* —3A **110**
Lake Bank. *L'boro* —6E **17**
Lake Dri. *Mid* —2H **69**
Lakeland Ct. *Mid* —5F **53**
Lakeland Cres. *Bury* —1C **50**
Lakelands Dri. *Bolt* —2D **44**
Lakenheath Dri. *Bolt* —5D **18**
Lake Rd. *Dent* —3F **113**
Lake Rd. *Stal* —1D **100**
Lake Rd. *Traf P* —6C **92**
Lakeside. *Bury* —2D **50**
Lakeside. *Duk* —5H **99**
Lake Side. *L'boro* —1G **29**
Lakeside Av. *Ash L* —1F **99**
Lakeside Av. *Bolt* —5C **46**
Lakeside Av. *Wor* —4F **63**
Lakeside Clo. *M18* —1H **111**
Lakeside Dri. *Poy* —2E **163**
Lakeside Grn. *Stoc* —5C **140**
Lakeside Way. *Bury* —4D **36**
Lakes Rd. *Duk* —5A **100**
Lakes Rd. *Marp* —5E **143**
Lake St. *Bolt* —2B **46**
Lake St. *Stoc* —6B **140**
Lakeswood Ct. *Stoc* —5B **126**
Lake View. *M9* —1A **84**
Lake View. *L'boro* —2D **16**
Lakin St. *M40* —4A **84**
Laleham Grn. *Bram* —2F **151**
Lamb Clo. *M12* —2B **110**
Lamb Ct. *Salf* —3C **94** (4E **5**)
Lamberton Dri. *M23* —5E **135**
Lambert St. *Ash L* —4F **99**
Lambeth Av. *Fail* —3H **85**
Lambeth Gro. *Woodl* —4G **129**
Lambeth Rd. *M40* —1E **97**
Lambeth Rd. *Stoc* —1H **127**
Lambeth Ter. *Roch* —6F **27**
Lamb La. *Salf* —3C **94** (4E **5**)
Lambourn Clo. *Bolt* —2A **46**
Lambourn Clo. *Poy* —3D **162**
Lambourne Clo. *M22* —5B **148**
Lambourne Gro. *Miln* —6E **29**
Lambourn Rd. *Urm* —3H **103**
Lambrook Wlk. *M40* —1F **97**
Lambs Fold. *Stoc* —4F **127**
Lambton Rd. *M21* —1B **124**
Lambton Rd. *Wor* —5C **78**
Lambton St. *Bolt* —5G **45**
Lambton St. *Ecc* —1D **90**

Lamburn Av. *M40* —1D **84**
Lamb Wlk. *Dent* —2G **129**
Lamorna Clo. *Salf* —3F **81**
Lamphey Clo. *Bolt* —5B **30**
Lamport Clo. *M1*
   —6F **95** (3C **10**)
Lamport Ct. *M1* —6F **95** (3C **10**)
  (off Lamport Clo.)
Lampson St. *M8* —1C **94**
Lamsholme Clo. *M19* —5C **110**
Lanark Av. *M22* —3B **136**
Lanark Clo. *Haz G* —3G **153**
Lanark Clo. *Heyw* —4B **38**
Lanbury Dri. *M8* —4B **82**
Lancashire Ct. *Oldh* —4A **72**
Lancashire Hill. *Stoc* —6G **127**
Lancashire St. *M40* —6H **83**
Lancaster Av. *Fail* —4E **85**
Lancaster Av. *Farn* —6B **46**
Lancaster Av. *Mid* —2C **70**
Lancaster Av. *Ram* —5C **12**
Lancaster Av. *Stal* —2E **101**
Lancaster Av. *Urm* —4G **105**
Lancaster Av. *W'fld* —2E **67**
Lancaster Clo. *Bolt* —6C **32**
Lancaster Clo. *Haz G* —5D **152**
Lancaster Clo. *Rom* —2G **141**
Lancaster Ct. *M19* —1B **126**
Lancaster Ct. *M40* —1E **97**
Lancaster Dri. *Bury* —3F **23**
Lancaster Dri. *L Lev* —3B **48**
Lancaster Dri. *P'wch* —1G **81**
Lancaster Ho. *Salf* —3G **81**
Lancaster Ho. *Stoc* —3G **139**
  (off York St.)
Lancaster Rd. *M20* —6E **125**
Lancaster Rd. *Cad* —4A **118**
Lancaster Rd. *Dent* —6F **113**
Lancaster Rd. *Droy* —4H **97**
Lancaster Rd. *Salf* —5H **79**
Lancaster Rd. *Wilm* —6A **160**
Lancaster Sq. *Rytn* —2B **56**
Lancaster St. *Chad* —5G **71**
Lancaster St. *Moss* —2D **88**
Lancaster St. *Rad* —4E **49**
Lancaster St. *Stoc* —1A **140**
Lancaster Ter. *Bolt* —3A **32**
  (off Boardman St.)
Lancaster Ter. *Roch* —1H **25**
Lancaster Wlk. *Bolt* —3A **32**
Lancastrian Ho. *P'wch* —2G **81**
Lancelot Rd. *M22* —3D **148**
Lancelyn Dri. *Wilm* —1G **167**
Lanchester Dri. *Bolt* —2H **45**
Lanchester St. *M40* —2A **96**
Lancing Av. *M20* —6H **125**
Lancing Wlk. *Chad* —3G **71**
Landcross Rd. *M14* —6G **109**
Landells Wlk. *M40* —6A **84**
Lander Gro. *M9* —6H **69**
Landfall Wlk. *M8* —6A **82**
Landfield Dri. *M8* —4B **82**
Land La. *Wilm* —3F **167**
Landmark Ct. *Bolt* —4E **31**
  (off Bk. Markland Hill La. E.)
Landor Ct. *Dent* —4H **111**
Landore Clo. *Rad* —3H **49**
Landos Ct. *M40* —2G **95** (2F **7**)
Landos Rd. *M40* —2G **95** (2F **7**)
Landrace Dri. *Wor* —5D **76**
Landsberg Rd. *Fail* —3H **85**
Landsberg Ter. *Fail* —3H **85**
Landsdowne Dri. *Wor* —2E **77**
Landseer Dri. *Marp B* —4F **143**
Landseer St. *Oldh* —4E **73**
Lands End Rd. *Mid* —2D **68**
Landstead Dri. *M40* —3A **96**
Lane Brow. *Grot* —4D **74**
Lane Dri. *Grot* —4D **74**
Lane End. *Ecc* —4H **91**
Lane End. *Heyw* —5H **39**

Lane End Clo. *Fail* —5G **85**
Lane End Rd. *M19* —5H **125**
Lane Ends. *Rom* —6B **130**
Lanegate. *Hyde* —1B **130**
Lane Head Rd. *Oldh* —5B **74**
Lanesfield Wlk. *M8* —3E **83**
(off Crescent Rd.)
Laneside Av. *Shaw* —6H **43**
Laneside Clo. *L'boro* —3E **17**
Laneside Dri. *Bram* —4A **152**
Laneside Rd. *M20* —3G **137**
Laneside Wlk. *Miln* —4F **29**
Lane, The. *Bolt* —6B **30**
Langcliffe Wlk. *M18* —2E **111**
Langcroft Dri. *M40* —6C **84**
Langdale Av. *M19* —1D **126**
Langdale Av. *Oldh* —5B **72**
Langdale Av. *Roch* —5A **42**
Langdale Clo. *Dent* —6E **113**
Langdale Clo. *Gat* —2G **149**
Langdale Clo. *H Lane* —5C **154**
Langdale Clo. *Tim* —6G **133**
Langdale Ct. *M8* —5D **82**
Langdale Dri. *Bury* —4E **51**
Langdale Dri. *Mid* —4H **53**
Langdale Dri. *Wor* —2H **77**
Langdale Rd. *M14* —3H **109**
Langdale Rd. *Bram* —2E **161**
Langdale Rd. *Part* —6C **118**
Langdale Rd. *Sale* —2G **133**
Langdale Rd. *Stoc* —3E **127**
Langdale Rd. *Stret* —4C **106**
Langdale Rd. *Woodl* —4H **129**
Langdale St. *Bolt* —4A **46**
Langdale St. *Farn* —2E **63**
Langdale Ter. *Stal* —1E **101**
Langden Clo. *Shaw* —5E **43**
Langdon Clo. *Bolt* —4H **31**
Langfield Av. *M16* —4B **108**
Langfield Cres. *Droy* —3C **98**
Langfield Wlk. *Salf* —3F **93**
Langford Dri. *Irl* —6E **103**
Langford Gdns. *Bolt* —3A **46**
Langford Rd. *M20* —3E **125**
Langford Rd. *Stoc* —5E **127**
Langford St. *Dent* —4F **113**
Langham Clo. *Bolt* —5E **19**
Langham Ct. *Manx* —5D **124**
Langham Ct. *Stret* —3A **106**
Langham Gro. *Tim* —3B **134**
Langham Rd. *Bow* —3D **144**
Langham Rd. *Oldh* —5C **72**
Langham Rd. *Salf* —3F **93**
Langham Rd. *Stoc* —2D **138**
Langham St. *Ash L* —6E **87**
(in two parts)
Langham St. Ind. Est. *Ash L*
—6E **87**
Langholm Dri. *Bolt* —1H **47**
Langholme Clo. *M15*
—6B **94** (4D **8**)
Langholme Pl. *Ecc* —3D **90**
(in two parts)
Langholme Way. *Heyw* —4B **38**
Langland Clo. *M9* —5G **69**
Langland Clo. *Lev* —6F **111**
Langley Av. *Grot* —4D **74**
Langley Av. *Haz G* —4B **152**
Langley Av. *Mid* —3G **53**
Langley Av. *P'wch* —3F **67**
Langley Clo. *Urm* —5G **105**
Langley Ct. *Salf* —2A **82**
Langley Cres. *P'wch* —3F **67**
Langley Dri. *Bolt* —2G **45**
Langley Dri. *Hand* —4A **160**
Langley Dri. *Wor* —5B **76**
Langley Gdns. *P'wch* —3F **67**
Langley Ga. *P'wch* —3F **67**
Langley Gro. *P'wch* —3F **67**
Langley Hall Rd. *P'wch* —3F **67**
Langley Ho. *Mid* —4A **54**

Langley La. *Heyw & Mid*
—3E **53**
Langley Rd. *M14* —6G **109**
Langley Rd. *Pen & Salf* —3D **80**
Langley Rd. *P'wch* —4E **67**
Langley Rd. *Sale* —6G **121**
Langley Rd. S. *Salf* —5D **80**
Langness St. *M11* —4E **97**
Lango St. *M16* —3A **108**
Langport Av. *M12* —1A **110**
Langroyd Wlk. *M8* —4B **82**
(off Highshore Dri.)
Langsett Av. *Glos* —6F **117**
(off Langsett La.)
Langsett Av. *Salf* —2C **92**
Langsett Grn. *Glos* —6F **117**
(off Langsett La.)
Langsett Gro. *Glos* —6F **117**
(off Langsett La.)
Langsett La. *Glos* —6F **117**
Langsett Lea. *Glos* —6F **117**
(off Langsett La.)
Langsett Ter. *Glos* —6F **117**
Langshaw Rd. *Bolt* —2G **45**
Langshaw St. *M16* —3A **108**
Langshaw St. *Salf* —4F **93**
Langshaw Wlk. *Bolt* —2G **45**
Langside Av. *M9* —5G **69**
Langside Dri. *Bolt* —3C **44**
Langston Grn. *Haz G* —4A **152**
Langston St. *M3*
—2D **94** (1G **5**)
Langthorne St. *M19* —1D **126**
Langthorne Wlk. *Bolt* —1H **45**
Langton Clo. *Fail* —3A **86**
Langton St. *Heyw* —2F **39**
Langton St. *Mid* —1A **70**
Langton St. *Salf* —3E **93**
Langton Ter. *Roch* —1E **41**
Langtree Clo. *Wor* —3D **76**
Langworthy Av. *L Hul* —4D **62**
Langworthy Rd. *M40* —4A **84**
Langworthy Rd. *Salf* —1F **93**
Lanhill Dri. *M8* —5E **83**
Lankro Way. *Ecc* —4H **91**
Lanreath Wlk. *M8* —5D **82**
(off Geneva Wlk.)
Lansbury Ho. *M16* —4B **108**
Lansdale Gdns. *M19* —4A **126**
Lansdale St. *Ecc* —5C **90**
Lansdale St. *Farn* —1G **63**
Lansdale St. *Wor* —4F **63**
Lansdown Clo. *Chea H*
—6E **151**
Lansdowne Av. *Aud* —4C **98**
Lansdowne Av. *Rom* —1B **142**
Lansdowne Clo. *Bolt* —4D **32**
Lansdowne Ct. *Chad* —3H **71**
Lansdowne Ho. *Manx* —1F **137**
Lansdowne Rd. *M8* —2C **82**
Lansdowne Rd. *Bolt* —3D **32**
Lansdowne Rd. *B'hth* —5F **133**
Lansdowne Rd. *Chad* —3A **122**
Lansdowne Rd. *Ecc* —2F **91**
Lansdowne Rd. *Sale* —3A **122**
Lansdowne Rd. *Urm* —1A **120**
Lansdowne Rd. N. *Urm*
—6A **104**
Lansdowne St. *Roch* —4E **27**
Lapford St. *M11* —6F **97**
Lapwing Clo. *Roch* —4A **26**
Lapwing Clo. *Stal* —1E **101**
Lapwing Ct. *Manx* —4E **125**
Lapwing La. *M20* —4E **125**
Lapwing La. *Stoc* —2B **128**
Larch Av. *Chea H* —4C **150**
Larch Av. *Rad* —6H **49**
Larch Av. *Stret* —6D **106**
Larch Av. *Swin* —5C **78**
Larch Clo. *M23* —3C **134**
Larch Clo. *Fail* —5F **85**

Larch Clo. *Marp* —6C **142**
Larch Clo. *Poy* —4F **163**
Larch Ct. *Salf* —2G **93**
Larches, The. *Moss* —2F **89**
Larch Gro. *Chad* —1H **71**
Larch Gro. *Lees* —1A **74**
Larch Gro. *Wdly* —1B **78**
Larch Rd. *Dent* —4G **113**
Larch Rd. *Ecc* —1C **90**
Larch Rd. *Part* —6C **118**
Larch St. *Bury* —3F **37**
Larch St. *Oldh* —4B **72**
Larchview Rd. *Mid* —1C **70**
Larchway. *Bram* —6E **151**
Larchway. *Firg* —4D **28**
Larchway. *H Lane* —6D **154**
Larchwood. *Chad* —1E **71**
Larchwood Av. *M9* —4H **83**
Larchwood Clo. *Sale* —5E **121**
Larchwood Dri. *Wilm* —1H **167**
Larchwood St. *Bolt* —3B **32**
Larden Wlk. *M8* —5B **82**
Large Pl. *Newt H* —6C **84**
Largs Wlk. *M23* —5F **135**
Larkfield Av. *L Hul* —4B **62**
Larkfield Clo. *Ash L* —4F **87**
Larkfield Gro. *Bolt* —5D **32**
Larkfield Gro. *L Hul* —4B **62**
Larkfield M. *L Hul* —4B **62**
Lark Hill. *Farn* —2F **63**
Larkhill. *Stal* —6C **88**
Lark Hill. *Stoc* —3E **139**
Larkhill Clo. *Tim* —5B **134**
Lark Hill Ct. *Mid* —1A **70**
Lark Hill La. *Dob* —3A **60**
Larkhill Pl. *Roch* —1G **27**
Larkhill Rd. *Chea H* —6E **139**
Lark Hill Rd. *Dob* —5H **59**
Lark Hill Rd. *Stoc* —3F **139**
Larkhill View. *Chea H* —6E **139**
Larkhill Wlk. *M8* —5D **82**
Larkside Av. *Wor* —6G **63**
Larks Rise. *Droy* —2D **98**
Lark St. *Bolt* —5B **32**
Lark St. *Farn* —2F **63**
Lark St. *Oldh* —4H **57**
Lark St. *Rad* —4D **48**
Larkswood Dri. *Stoc* —6F **141**
Larkwood Clo. *C'brk* —4G **89**
Larmuth Av. *M21* —3A **124**
Larne Av. *Stoc* —4D **138**
Larne Av. *Stret* —5C **106**
Larne St. *M11* —5C **96**
Larwood Av. *Stoc* —2C **138**
Lascar Av. *Salf* —5G **93**
Lashbrook Clo. *M40* —1H **95**
Lassell Fold. *Hyde* —1H **131**
Lassell St. *M11* —6H **97**
(in two parts)
Lassington Av. *Open* —5F **97**
Lastingham St. *M40* —5C **84**
Latchford St. *Ash L* —1G **99**
Latchmere Rd. *M14* —1G **125**
Latham Clo. *Bred P* —4F **129**
Latham St. *M11* —6H **97**
Latham St. *Bolt* —3B **32**
Lathbury Rd. *M9 & M40*
—4F **83**
Lathom Gro. *Sale* —6E **123**
Lathom Hall Av. *Spring* —2C **74**
Lathom Rd. *M20* —2H **125**
Lathom Rd. *Irl* —1D **118**
Lathom St. *Bury* —1E **37**
Latimer St. *Oldh* —3E **73**
Latins St. *Roch* —5G **27**
Latrigg Cres. *Mid* —5E **53**
Latrobe St. *Droy* —5A **98**
Lauderdale Cres. *M13*
—1G **109** (5F **11**)
Launceston Clo. *Bram* —6H **151**

Launceston Rd. *Rad* —2C **48**
Laundry St. *Salf* —1F **93**
Laura St. *Bury* —1C **22**
Laureate's Pl. *Spring* —2D **74**
Laurel Av. *M14* —5E **109**
Laurel Av. *Chad* —1D **70**
Laurel Av. *Chea* —6H **137**
Laurel Bank. *Hyde* —1A **130**
Laurel Bank. *Stal* —5F **101**
Laurel Ct. *Roch* —5B **28**
Laurel Ct. *Stoc* —5D **126**
Laurel Dri. *L Hul* —5C **62**
Laurel Dri. *Tim* —1B **146**
Laurel End La. *Heat M* —6C **126**
Laurel Grn. *Dent* —5G **113**
Laurel Gro. *M20* —3F **125**
Laurel Gro. *Salf* —3C **92**
Laurel Rd. *Stoc* —5D **126**
Laurels Dri. *L'boro* —6D **16**
Laurels, The. *Moss* —2F **89**
Laurel St. *Bolt* —6G **31**
Laurel St. *Bury* —3F **37**
Laurel St. *Mid* —1D **70**
Laurel St. *Oldh* —3F **73**
Laurel St. *Stoc* —1G **139**
Laurel St. *Tot* —5H **21**
Laurel Way. *Bram* —5E **151**
Laurel Wlk. *Part* —6C **118**
Laurence Clo. *M12* —1D **110**
Laurence Lowry Ct. *Pen* —2F **79**
Lauria Ter. *Ain* —4D **34**
Laurie Pl. *Roch* —2H **27**
Lausanne Rd. *M20* —2F **125**
Lausanne Rd. *Bram* —2G **151**
Lavender Clo. *M23* —2E **135**
Lavender Clo. *Sale* —4E **121**
Lavender Rd. *Farn* —6C **46**
Lavender Rd. *Oldh* —5A **74**
Lavender Wlk. *Part* —6C **118**
Lavenham Av. *M11* —4F **97**
Lavenham Clo. *Bury* —4D **50**
Lavenham Clo. *Haz G* —5E **153**
Laverton Clo. *Bury* —4A **38**
Lavington Av. *Chea* —5C **138**
Lavington Gro. *M18* —3F **111**
Lavinia St. *M8* —3E **83**
Lavinia St. *Ecc* —3D **90**
Lavister Av. *M19* —6H **125**
Lawefield Cres. *Clif* —4D **64**
Lawfield Ct. *Bram* —3F **151**
Lawflat. *Ward* —4A **16**
Lawler Av. *Salf* —1H **107**
Lawnbank Clo. *Mid* —6G **53**
Lawn Closes. *Oldh* —6G **73**
Lawn Dri. *Swint* —4E **79**
Lawn Dri. *Tim* —5G **133**
Lawnfold. *Had* —3G **117**
Lawngreen Av. *M21* —2G **123**
Lawnhurst Ind. Est. *Stoc*
—6D **138**
Lawns, The. *Wilm* —5B **166**
Lawn St. *Bolt* —4G **31**
Lawnswood. *Roch* —2C **40**
Lawnswood Dri. *Swint* —5G **79**
Lawnswood Pk. Rd. *Swint*
—5G **79**
Lawnswood Wlk. *M12* —2A **110**
Lawrence Clo. *Roch* —2C **26**
Lawrence Pl. *Poy* —5D **162**
Lawrence Rd. *Alt* —5E **133**
Lawrence Rd. *Haz G* —2E **153**
Lawrence Rd. *Urm* —4A **104**
Lawrence St. *Bury* —3D **50**
Lawrence St. *Stoc* —2G **139**
Lawrie Av. *Ram* —4D **12**
Lawson Av. *Gat* —6F **137**
Lawson Clo. *Mid* —3A **54**
Lawson Clo. *Wor* —4C **78**
Lawson Dri. *Tim* —5A **134**

Lawson Gro. *Sale* —3A **122**
Lawson Rd. *Bolt* —3G **31**
Lawson St. *M9* —1E **83**
Lawson St. *Bolt* —1A **32**
Lawson Wlk. *Dent* —1G **129**
Laws Ter. *L'boro* —4D **16**
Law St. *Roch* —1C **40**
Lawton Av. *Bram* —5G **151**
Lawton Clo. *Rom* —2F **141**
Lawton Moor Rd. *M23* —2G **135**
Lawton Rd. *Stoc* —5E **127**
Lawton Sq. *Del* —3G **59**
Lawton St. *Del* —3G **59**
Lawton St. *Droy* —3B **98**
Lawton St. *Hyde* —6F **97**
Lawton St. *Open* —6F **97**
Lawton St. *Roch* —2A **28**
Lawton St. *Stal* —4F **101**
Laxfield Dri. *Urm* —3H **103**
Laxford Gro. *Bolt* —1C **44**
Layard St. *Ash L* —2G **99**
Laycock Av. *Millb* —1H **101**
Laycock Cres. *Fail* —4F **85**
Laycock Dri. *Duk* —6E **101**
Laycock Gro. *Fail* —4F **85**
Laycock St. *Roch* —6A **16**
Laycock Way. *Dent* —1F **129**
Layfield Clo. *Tot* —3F **21**
Laystall St. *M1* —4F **95** (5D **6**)
Laythe Barn Clo. *Miln* —5E **29**
Layton Av. *Hyde* —5H **113**
Layton Clo. *Stoc* —3A **140**
Layton Dri. *Kear* —3H **63**
Layton St. *Rom* —6A **130**
Lazenby Wlk. *M13* —3B **110**
Leabank St. *M19* —6C **110**
Leabrook Dri. *M40* —3E **85**
Leaburn Dri. *M19* —5A **126**
Leach Clo. *Roch* —6A **16**
Leach M. *P'wch* —5D **80**
Leach's Pas. *L'boro* —5D **16**
Leach St. *M18* —1D **110**
Leach St. *Bolt* —2A **46**
Leach St. *Farn* —6G **47**
Leach St. *Miln* —6F **29**
Leach St. *Oldh* —1A **74**
Leach St. *P'wch* —5D **66**
Leach St. *Roch* —5B **28**
Leach St. *Shaw* —1G **57**
Leach Wlk. *Oldh* —1A **74**
Leaconfield Dri. *Wor* —4H **77**
Lea Ct. *Stoc* —5D **126**
Leacroft Av. *Bolt* —2F **47**
Leacroft Rd. *M21* —4B **124**
Leadale Rise. *Spring* —3C **74**
Leader Williams Rd. *Irl*
—6D **102**
Lea Dri. *M9* —6H **69**
Leafield Av. *M20* —5H **125**
Lea Field Clo. *Rad* —4E **49**
Leafield Dri. *Chea H* —1B **160**
Leafield Dri. *Wor* —5C **76**
Leafield Rd. *Dis* —1G **165**
Leaford Av. *Dent* —3D **112**
Leaford Clo. *Dent* —3D **112**
Leaf St. *Bolt* —2E **47**
Leaf St. *Hulme* —1C **94** (4G **9**)
Leaf St. *Stoc* —2G **127**
Leaf Ter. *Roch* —5D **14**
Leagate. *Urm* —6G **105**
Lea Ga. Clo. *Bolt* —6H **19**
League St. *Roch* —6A **28**
Leaholm Clo. *M40* —6D **84**
Leah St. *L'boro* —4F **17**
Leak St. *M16* —1A **108** (5B **8**)
Leamington Av. *M20* —5D **124**
Leamington Av. *Bury* —3E **23**

Leamington Ct. *Stoc* —2G **127**
Leamington Rd. *Ecc* —2D **90**
Leamington Rd. *Stoc* —2G **127**
(in two parts)
Leamington Rd. *Urm* —4D **104**
Leamington St. *Oldh* —1H **73**
Leamington St. *Roch* —3G **27**
Leamore Wlk. *M9* —5G **69**
(off Leconfield Dri.)
Lea Mt. Dri. *Bury* —1H **37**
Leam St. *Ash L* —1B **100**
Leander Clo. *M9* —1G **83**
Leander Dri. *Roch* —4D **40**
Lea Rd. *H Grn* —4F **149**
Lea Rd. *Stoc* —5D **126**
Leaside Av. *Chad* —5G **55**
Leaside Clo. *Roch* —1F **27**
Leaside Dri. *M20* —4H **125**
Leaside Gro. *Wor* —6G **63**
Leas, The. *Hale* —2C **146**
Lea St. *Fail* —4E **85**
Leaton Av. *M23* —5G **135**
Leavengreave Ct. *Whitw*
—1H **15**
Lea View. *Rytn* —4A **56**
Leaway Clo. *M13* —3G **109**
Lecester Rd. *M8* —5D **82**
Lechlade St. *Chad* —1G **85**
Leckenby Clo. *Wor* —5C **76**
Leconfield Dri. *M9* —5G **69**
Leconfield Rd. *Ecc* —1B **90**
Lecturers Clo. *Bolt* —2B **46**
Ledbrooke Clo. *Salf* —5H **93**
Ledburn Clo. *M15*
—1B **108** (5D **8**)
Ledbury Av. *Urm* —4E **105**
Ledbury Clo. *Mid* —3A **70**
Ledbury Wlk. *M9* —6E **69**
Leddy Wlk. *M16* —3D **108**
Ledge Ley. *Chea H* —5A **150**
Ledsham Av. *M9* —4C **68**
Ledson Rd. *Rnd I* —6E **135**
Ledward La. *Bow* —3D **144**
Lee Av. *Bolt* —4H **45**
Lee Av. *B'hth* —4D **132**
Leech Av. *Ash L* —6A **88**
Leech Brook Av. *Aud* —1E **113**
Leech Brook Clo. *M34* —1E **113**
Leech St. *Hyde* —4D **114**
Leech St. *Stal* —4E **101**
Lee Clo. *Irl* —5D **102**
Lee Cres. *Stret* —4E **107**
Lee Cross. *Dig* —3D **60**
Lee Dale Clo. *Dent* —5G **113**
Leedale St. *M12* —5C **110**
Leeds Clo. *Bury* —4F **51**
Leefields. *Upperm* —1F **61**
Leefields Clo. *Upperm* —1F **61**
Lee Ga. *Bolt* —6H **19**
Leegate Clo. *Stoc* —5B **126**
Leegate Gdns. *Stoc* —5B **126**
Leegate Rd. *Stoc* —5B **126**
Leegrange Rd. *M9* —2G **83**
Lee Gro. *Farn* —1B **62**
Leek St. *Rad* —4E **49**
Leemans Hill St. *Tot* —6A **22**
Lees Av. *Dent* —5E **113**
Leesbrook Pk. *Oldh* —3H **73**
Lees Gro. *Oldh* —4H **73**
Lees Hall Cres. *M14* —1H **125**
Lees Ho. *Lees* —2A **74**
Lee Side. *Dig* —4D **60**
(in two parts)
Leeside. *Stoc* —2C **138**
Lees New Rd. *Oldh* —6A **74**
Lees Rd. *Ash L & Oldh* —5H **87**
Lees Rd. *Bram* —2F **161**
Lees Rd. *Moss* —6D **74**
Lees Rd. *Oldh* —2E **73**
Lees Sq. *Ash L* —2A **100**
Lees St. *Ash L* —1H **99**

Lees St. *Droy* —3B **98**
Lees St. *Mid* —2D **70**
Lees St. *Moss* —1E **89**
Lees St. *Oldh* —3E **87**
Lees St. *Open & Abb H* —6F **97**
Lees St. *Pen* —2F **79**
Lees St. *Shaw* —6F **43**
(in two parts)
Lees St. *Stal* —3E **101**
Lees St. Enterprise Trad. Est.
Abb H —1G **111**
Leestone Rd. *Shar I* —5C **136**
Lee St. *Bury* —3F **23**
Lee St. *L'boro* —3F **17**
Lee St. *Mid* —4H **53**
Lee St. *Oldh* —3B **72**
Lee St. *Stoc* —2H **139**
Lee St. *Upperm* —1F **61**
Leesway Dri. *Dent* —5G **113**
Leeswood Av. *M21* —3A **124**
Leewood. *Clif* —5D **64**
Left Bank. *Salf* —4C **94**
Le Gendre St. *Bolt* —4D **32**
(in two parts)
Legh Ct. *Sale* —6D **122**
Legh Dri. *Aud* —4B **98**
Legh Dri. *Woodl* —3H **129**
Leghorn Wlk. *M11* —4B **96**
(off Yeoman Wlk.)
Legh Rd. *Dis* —1E **165**
Legh Rd. *Sale* —6E **123**
Legh Rd. *Salf* —3H **81**
Legh St. *Ecc* —4E **91**
Legh St. *Salf* —4H **81**
Legion Gro. *Salf* —5A **82**
Legwood Ct. *Urm* —5E **105**
Leicester Av. *Dent* —6F **113**
Leicester Av. *Droy* —2H **97**
Leicester Av. *Salf* —3B **82**
Leicester Av. *Tim* —3A **134**
Leicester Ct. *Salf* —2A **82**
Leicester Rd. *Fail* —6G **85**
Leicester Rd. *Hale* —3G **145**
Leicester Rd. *Sale* —4B **122**
Leicester Rd. *Salf* —5A **82**
Leicester Rd. *W'fld* —6B **50**
Leicester St. *Ash L* —1H **99**
Leicester St. *Oldh* —3F **73**
Leicester St. *Roch* —6A **28**
Leicester St. *Stoc* —5H **111**
Leicester Wlk. *Salf* —5A **82**
Leigh Av. *Marp* —6C **142**
Leigh Av. *Swint* —6D **78**
Leighbrook Rd. *M14* —1F **125**
Leigh Clo. *Tot* —4G **21**
Leigh Fold. *Hyde* —2C **114**
Leigh La. *Bury* —2G **35**
Leigh Rd. *Hale* —3G **145**
Leigh Rd. *Wilm* —4A **166**
Leigh Rd. *Wor* —5C **76**
Leighs Cotts. *Tim* —1B **146**
Leigh St. *Farn* —1F **63**
Leigh St. *Hyde* —5C **114**
Leigh St. *Roch* —4D **28**
Leigh St. *Wals* —1F **35**
Leighton Av. *Bolt* —5F **31**
Leighton Av. *L'boro* —1F **29**
Leighton Dri. *Marp B* —3G **143**
Leighton Rd. *M16* —3A **108**
Leighton St. *M40* —3A **84**
Leinster Rd. *Swint* —4E **79**
Leinster St. *Farn* —1E **63**
Leith Av. *Sale* —5E **123**
Leith Rd. *Sale* —5E **123**
Le Mans Cres. *Bolt* —6B **32**
Lemnos St. *Oldh* —2E **73**
Lena St. *M1* —4F **95** (6C **6**)
Lena St. *Bolt* —3B **32**
Len Cox Wlk. *M4*
—3F **95** (3B **6**)

Leng Rd. *M40* —6D **84**
Lenham Av. *Ecc* —3D **90**
Lenham Clo. *Stoc* —3B **128**
Lenham Gdns. *Bolt* —1G **47**
Lenham Towers. *Stoc* —3B **128**
Lenham Wlk. *M22* —5B **148**
Lennie Rd. *Urm* —6F **91**
Lennox Gdns. *Bolt* —2D **44**
Lennox St. *Ash L* —2A **100**
Lennox St. *Aud* —1E **113**
Lennox Wlk. *Heyw* —4B **38**
Lenora St. *Bolt* —3F **45**
Lenten Gro. *Heyw* —6G **39**
Lenthall Wlk. *M8* —4B **82**
(off Lanbury Dri.)
Lentmead Dri. *M40* —2A **84**
Lenton Gdns. *M22* —6C **136**
Leominster Dri. *M22* —2C **148**
Leominster Rd. *Mid* —3B **70**
Leonardin Clo. *Shaw* —5D **42**
Leonard St. *Bolt* —4A **46**
Leonard St. *Roch* —4C **40**
Leonard Way. *Shaw* —4D **56**
Leopold Av. *M20* —3E **125**
Leopold St. *Roch* —4F **27**
Lepp Cres. *Bury* —5C **22**
Lepton Wlk. *M9* —5G **69**
Leroy Dri. *M9* —1G **83**
Lerryn Dri. *Bram* —4F **151**
Lesley Rd. *Stret* —6A **106**
Leslie Av. *Bury* —4D **50**
Leslie Av. *Chad* —5H **71**
Leslie Gro. *Tim* —5A **134**
Leslie Hough Way. *Salf* —1H **93**
Leslie St. *M14* —4F **109**
Leslie St. *Bolt* —4D **32**
Lester Rd. *L Hul* —5A **62**
Lester St. *Stret* —5D **106**
Letchford St. *Roch* —6A **28**
Letchworth St. *M14* —4F **109**
Letcombe Ct. *Salf* —4F **81**
Letham St. *Oldh* —1D **86**
Levedale Rd. *M9* —5G **69**
Leven Clo. *Kear* —5B **64**
Levenhurst Rd. *M8* —4B **82**
Levens Clo. *Gat* —2F **149**
Levens Dri. *Bolt* —4G **33**
Levenshulme Rd. *M18* —3F **111**
LEVENSHULME STATION. *BR*
—6C **110**
Levenshulme Trad. Est. *M19*
—5E **111**
Levens Rd. *Haz G* —3C **152**
Levens St. *M40* —4A **84**
Levens St. *Salf* —6F **81**
Levens Wlk. *Chad* —4G **71**
Leven Wlk. *W'fld* —1G **67**
Lever Av. *Clif* —1H **79**
Lever Bri. Pl. *Bolt* —2E **47**
Lever Chambers. *Bolt* —1B **46**
Lever Dri. *Bolt* —2A **46**
Lever Edge La. *Bolt* —5G **45**
Leverett Clo. *Alt* —6C **132**
Lever Gdns. *L Lev* —3A **48**
Lever Gro. *Bolt* —2C **46**
Lever Hall Rd. *Bolt* —6F **33**
Leverhulme Av. *Bolt* —4C **46**
Lever Pl. *M15* —2C **108**
Lever St. *M1* —4E **95** (5B **6**)
Lever St. *Bolt* —3A **46**
(in two parts)
Lever St. *Bury* —2D **36**
Lever St. *Haz G* —3D **152**
Lever St. *Heyw* —2F **39**
Lever St. *L Lev* —3A **48**
Lever St. *Mid* —6A **54**
Lever St. *Rad* —2F **49**
Lever Wlk. *Mid* —2H **69**
Levington Dri. *Oldh* —3E **87**
Levi St. *Bolt* —4D **30**

Lewes Av. Dent —6F 113
Lewes Wlk. Chad —3H 71
Lewis Av. M9 —2G 83
Lewis Av. Urm —2F 105
Lewis Dri. Heyw —4B 38
Lewisham Av. M40 —1D 96
Lewisham Clo. Rytn —1A 56
Lewis Rd. Droy —3G 97
Lewis Rd. Stoc —6H 111
Lewis St. M40 —2H 95 (1H 7)
(in two parts)
Lewis St. Ecc —4F 91
Lewis St. Heyw —2G 39
Lewis St. Hyde —4C 114
Lewis St. Shaw —2F 57
Lewtas St. Ecc —4G 91
Lexton Av. M8 —1D 82
Leybourne Av. M19 —5D 110
Leybourne M. Salf —5A 82
Leybourne St. Bolt —3A 32
Leybrook Rd. M22 —2A 148
Leyburn Av. Rytn —3B 56
Leyburn Av. Stret —4C 106
Leyburn Av. Urm —6C 104
Leyburn Clo. W'fld —1C 66
Leyburne Rd. Stoc —5D 140
Leyburn Gro. Farn —6F 47
Leyburn Gro. Rom —1A 142
Leyburn Ho. M13 —3H 109
Leyburn Rd. M40 —1C 84
Leycett Dri. M23 —2G 135
Leyden Wlk. M23 —1G 147
Ley Dri. Heyw —6G 39
Leyfield Av. Rom —1A 142
Leyfield Ct. Rom —1A 142
Leyfield Rd. Miln —5D 28
Ley Hey Av. Marp —4D 142
Ley Hey Rd. Marp —4D 142
Leyland Av. M20 —6H 125
Leyland Av. Gat —5F 137
Leyland Av. Irl —3F 103
Leyland St. Bury —3D 50
Ley La. Marp B —2G 143
Leys Rd. Tim —3G 133
Leyton Av. M40 —4B 84
Leyton Clo. Farn —6C 46
Leyton Dri. Bury —2D 50
Leyton St. Roch —1H 27
Leywell Dri. Oldh —4H 57
Library La. Oldh —1B 72
Library Wlk. M2 —4D 94 (6H 5)
Libra St. Bolt —3H 31
Lichens Cres. Oldh —6E 73
Lichfield Av. Ash L —3H 87
Lichfield Av. Bolt —3D 32
Lichfield Av. Hale —2C 146
Lichfield Av. Stoc —2G 127
Lichfield Clo. Farn —6C 46
Lichfield Clo. Rad —2D 48
Lichfield Dri. M8 —4D 82
Lichfield Dri. Bury —1B 36
Lichfield Dri. Chad —6G 55
Lichfield Dri. P'wch —1G 81
Lichfield Dri. Swint —5F 79
Lichfield Rd. Ecc —1H 91
Lichfield Rd. Rad —2D 48
Lichfield Rd. Urm —3F 105
Lichfield St. Salf —6E 81
Lichfield Ter. Roch —1A 42
Lichfield Wlk. Rom —2G 141
Lidbrook Wlk. M12 —1A 110
Liddington Hall Dri. Ram
—5D 12
Lidgate Gro. M20 —6E 125
Lidgate Gro. Farn —1E 63
Lidgett Clo. L Hul —4E 63
Lidiard St. M8 —2C 82
Liffey Av. M22 —2C 148
Lifton Av. M40 —1A 96
Light Alders La. Dis —6E 155
Lightbirches La. Moss —1D 88

Lightborne Rd. Sale —5F 121
Lightbounds Rd. Bolt —2D 30
Lightbourne Av. Swint —4F 79
Lightbowne Rd. M40 —5A 84
Lightburn Av. L'boro —5C 16
Lightburne Av. Bolt —6F 31
Lightfoot Wlk. M11 —4B 96
Lighthorne Av. Stoc —4B 138
Lighthorne Gro. Stoc —4B 138
Lighthorne Rd. Stoc —4B 138
Lighthouse. L'boro —6G 17
Light Oaks Rd. Salf —1B 92
Lightowlers La. L'boro —2H 17
Lightshaw La. Leigh —1F 93
Lightwood. Wor —3D 76
Lightwood Clo. Farn —6G 47
Lignum Av. Chad —1H 71
Lilac Av. Bury —6B 36
Lilac Av. Hyde —1B 130
Lilac Av. Miln —2E 43
Lilac Av. Swint —3G 79
Lilac St. Salf —3G 93
Lilac Gro. M40 —2A 84
Lilac Gro. Chad —1H 71
Lilac Gro. P'wch —3E 67
Lilac La. Oldh —1B 86
Lilac Rd. Hale —2A 146
Lilac Rd. Roch —3F 41
Lilac St. Stoc —5H 139
Lilac View Clo. Shaw —1G 57
Lilac Wlk. Part —6C 118
Lila St. M9 —4H 83
Lilburn Clo. Ram —5E 13
Liley St. Roch —4A 28
Lilford Clo. M12 —1C 110
Lilian St. M16 —3A 108
Lillian Gro. Stoc —1H 127
Lilly St. Bolt —5H 31
Lilly St. Hyde —1D 130
Lilmore Av. M40 —5C 84
Lilstock Wlk. M9 —6G 69
Lily Av. Farn —6D 46
Lily Clo. Stoc —6F 139
Lily Hill St. W'fld —5C 50
Lily La. M9 —4H 83
Lily La. Ash L —5F 87
Lily Lanes. Ash L —3A 88
Lily St. Ecc —4D 90
Lily St. Mid —1C 70
Lily St. Miln —5F 29
Lily St. Oldh —6C 56
Lily St. Rytn —3D 56
Lily Thomas Ct. M11 —6F 97
Lima St. Bury —2F 37
Lime Av. Swint —5C 78
Lime Av. Urm —5D 104
Lime Av. W'fld —2D 66
Lime Bank St. M12
—5H 95 (2H 11)
Limebrook Clo. Open —6G 97
Lime Clo. Duk —1B 114
Lime Clo. Salf —2G 93
Lime Cres. M16 —3H 107
Lime Ditch Rd. Fail —2G 85
Limefield. Mid —1G 69
Limefield. Roch —4E 29
Limefield Av. Farn —6F 47
Limefield Brow. Bury —4F 23
Limefield Clo. Bolt —1F 31
Limefield Ct. Salf —2H 81
Limefield Rd. Bolt —1F 31
Limefield Rd. Bury —4F 23
Limefield Rd. Rad —4D 48
Limefield Rd. Salf —2H 81
Limefield Ter. M19 —6C 110
Lime Gdns. Duk —5H 99
Lime Gdns. Mid —1G 69
Lime Ga. Oldh —1A 86
Lime Grn. Oldh —2B 86
Lime Grn. Rd. Oldh —3A 86
Lime Gro. M15 —2F 109

Lime Gro. M16 —3H 107
Lime Gro. Ash L —6G 87
Lime Gro. Bury —4F 23
Lime Gro. Chea —5H 137
Lime Gro. Dent —3F 113
Lime Gro. Heyw —2E 39
Lime Gro. L'boro —3D 16
Lime Gro. P'wch —3E 67
Lime Gro. Ram —2F 13
Lime Gro. Rytn —1B 56
Lime Gro. Stal —5C 100
Lime Gro. Tim —4B 134
Lime Gro. Wor —2F 77
Limehurst Av. M20 —1D 124
Limehurst Av. Ash L —5E 87
Limehurst Rd. Ash L —5E 87
Limekiln La. M12
—5H 95 (2H 11)
Lime Kiln La. Marp —6E 143
Lime La. Oldh & Fail —2A 86
(in two parts)
Lime Pl. Duk —5H 99
Lime Rd. Stret —6D 106
Limerston Dri. M40 —6H 83
Limesdale Clo. Brad F —2B 48
Limeside Rd. Oldh —1A 86
Limestead Av. M8 —3C 82
Limes, The. Moss —2D 88
(Fox Platt)
Limes, The. Moss —2G 89
(Mossley)
Lime St. M40 —2H 95 (1H 7)
Lime St. Bred —5E 129
Lime St. Bury —5F 23
Lime St. Chad —6A 56
Lime St. Duk —5H 99
(in two parts)
Lime St. Ecc —4F 91
Lime St. Farn —1G 63
Lime St. Roch —1C 40
Lime Tree Clo. Urm —6G 105
Lime Tree Gro. Fail —4H 85
Limetrees Rd. Mid —1H 69
Limetree Wlk. M11 —4B 96
Lime Wlk. Part —6B 118
Lime Wlk. Wilm —6H 159
Limley Gro. M21 —2A 124
Linacre Av. Bolt —5A 46
Linby St. M15 —6C 94 (4E 9)
Lincoln Av. M19 —6D 110
Lincoln Av. Cad —5A 118
Lincoln Av. Dent —6F 113
Lincoln Av. Droy —2A 98
Lincoln Av. H Grn —5F 149
Lincoln Av. L Lev —5A 48
Lincoln Av. Stret —4H 105
Lincoln Clo. Ash L —3H 87
Lincoln Clo. Roch —5A 28
Lincoln Ct. M40 —1D 96
Lincoln Ct. Salf —2A 82
Lincoln Dri. Bury —5D 36
Lincoln Dri. L'boro —5D 16
Lincoln Dri. P'wch —1G 81
Lincoln Dri. Tim —6B 134
Lincoln Grn. Stoc —3B 128
Lincoln Gro. M13 —2G 109
Lincoln Gro. Bolt —1H 33
Lincoln Gro. Sale —5E 123
Lincoln Leach Ct. Roch —6H 27
Lincoln Mill Enterprise Cen.
Bolt —1G 45
Lincoln Minshull Clo. M23
—1F 135
Lincoln Rise. Stoc —2G 141
Lincoln Rd. Bolt —5F 31
Lincoln Rd. Fail —5G 85
Lincoln Rd. Mid —4C 70
Lincoln Rd. Swint —4E 79
Lincoln Rd. Wilm —6A 160
Lincoln Sq. M2 —4D 94 (6G 5)
(off Brazennose St.)

Lincoln St. M13 —3B 110
Lincoln St. Bolt —4B 32
Lincoln St. Ecc —4E 91
Lincoln St. Oldh —4H 71
Lincoln St. Roch —5A 28
Lincoln Towers. Stoc —3H 139
Lincoln Wlk. Heyw —3C 38
Lincombe Rd. M22 —5A 148
Lincroft St. M14 —3E 109
Linda Dri. Haz G —3D 152
Lindale. Hyde —2A 114
Lindale Av. M40 —1D 84
Lindale Av. Bolt —5D 30
Lindale Av. Bury —4E 51
Lindale Av. Chad —3G 71
Lindale Av. Rytn —5A 42
Lindale Av. Urm —4B 104
Lindale Clo. Wor —4A 76
Lindale Dri. Mid —4G 53
Lindale Rise. Shaw —6H 43
Lindale Rd. Wor —4A 76
Lindbury Av. Stoc —4C 140
Linden Av. Alt —6G 133
Linden Av. Aud —6D 98
Linden Av. L Lev —2A 48
Linden Av. Oldh —1H 73
Linden Av. Ram —3F 13
Linden Av. Sale —5H 121
Linden Av. Salf —5C 80
Linden Clo. Dent —4G 113
Linden Clo. Ram —3A 12
Linden Dri. Salf —5G 93
Linden Dri. E. Salf —5H 93
Linden Gro. M14 —1H 125
Linden Gro. Bram —3F 161
Linden Gro. Cad —4B 118
Linden Gro. Salf —5G 93
Linden Gro. Stoc —1B 152
Linden Lea. Sale —1B 134
Linden M. Wor —5B 76
Linden Pk. M19 —1B 126
Linden Rd. M20 —5B 125
Linden Rd. Chea H —2C 150
Linden Rd. Dent —4G 113
Linden Rd. Stal —6H 101
Linden Rd. Wor —5B 76
Linden St. Swint —4D 78
Linden Wlk. Bolt —6F 19
Linden Way. Droy —5G 97
Linden Way. H Lane —6E 155
Lindenwood. Chad —1E 71
Lindeth Av. M18 —3F 111
Lindfield Dri. Bolt —4A 32
Lindfield Est. N. Wilm —3D 166
Lindfield Est. S. Wilm —3D 166
Lindfield Rd. Stoc —6H 111
Lindinis Av. Salf —3G 93
Lindisfarne. Roch —3G 27
(off Spotland Rd.)
Lindisfarne Clo. Sale —2B 134
Lindisfarne Dri. Poy —3D 162
Lindisfarne Pl. Bolt —3E 33
Lindisfarne Rd. Ash L —6C 86
Lindley Gro. Stoc —6F 139
Lindley St. Kear —3A 64
Lindley St. L Lev —4B 48
Lindley Wood Rd. M14
—1A 126
Lindon Av. Dent —5D 112
Lindop Rd. Hale —4H 145
Lindow Clo. Bury —5B 22
Lindow Ct. Wilm —1B 166
Lindow Fold Dri. Wilm —5A 166
Lindow La. Wilm —2B 166
Lindow Pde. Wilm —3C 166
Lindow Rd. M16 —4A 108
Lindow St. Sale —6F 123
Lindrick Av. W'fld —3B 66
Lindrick Clo. M40 —4C 84
Lindrick Ter. Bolt —2H 45
Lindsay Av. M19 —6B 110

Lomax St. *Rad* —5G **49**
Lomax St. *Roch* —2H **27**
Lombard Clo. *Bred* —5F **129**
Lombard Gro. *M14* —1G **125**
Lombard St. *Oldh* —2C **72**
Lombard St. *Roch* —3F **27**
Lombardy Ct. *Salf* —2G **93**
Lomond Av. *Hale* —2A **146**
Lomond Av. *Stret* —4D **106**
Lomond Clo. *Stoc* —2A **152**
Lomond Dri. *Bury* —1H **35**
Lomond Lodge. *M8* —1B **82**
Lomond Pl. *Bolt* —1C **44**
Lomond Rd. *M22 & H Grn*
—3D **148**
Lomond Ter. *Roch* —1A **42**
London Pl. *Stoc* —2H **139**
London Rd. *M1* —4F **95** (1C **10**)
London Rd. *Ald E* —5G **167**
London Rd. A'ton & Poy
—6C **162**
London Rd. *Haz G* —2D **152**
London Rd. *Oldh* —6F **57**
London Rd. N. *Poy* —3E **163**
London Rd. S. *Poy* —5D **162**
London Sq. *Stoc* —2H **139**
London St. *Bolt* —3A **46**
London St. *Salf* —1H **93**
London St. *W'fld* —2D **66**
Longacres Dri. *Whitw* —4H **15**
Longacres La. *Whitw* —3H **15**
Longacres Rd. *Haleb* —6C **146**
Longacre St. *M1* —4G **95** (6E **7**)
Longbow Ct. *Salf* —6H **81**
Longbridge Rd. *Traf P* —1A **106**
Long Causeway. *Farn* —2F **63**
Longcliffe Wlk. *Bolt* —3B **32**
Longcrag Wlk. M15 —2E **109**
(off Botham Clo.)
Longcroft Dri. *Alt* —1D **144**
Longcroft Gro. *M23* —4F **135**
Longcroft Gro. *Aud* —5B **98**
Long Croft La. *Chea H* —5A **150**
Longdale Clo. *Rytn* —3A **56**
Longdale Dri. *Mot* —4C **116**
Longdale Gdns. *Mot* —4C **116**
Longdell Wlk. M9 —3G **83**
(off Moston La.)
Longden Av. *Oldh* —4A **58**
Longden Ct. *Bram* —2G **161**
Longden Rd. *M12* —5C **110**
Longden St. *Bolt* —5G **31**
Longfellow Av. *Bolt* —4F **45**
Longfellow Cres. *Oldh* —3H **57**
Longfellow St. *Salf* —1A **94**
Longfellow Wlk. *Dent* —2G **129**
Longfield. *Bury* —6G **23**
Longfield Av. *H Grn* —6G **149**
Longfield Av. *Tim* —5C **134**
Longfield Av. *Urm* —6E **105**
Longfield Cen. *P'wch* —4E **67**
Longfield Clo. *Hyde* —1C **114**
Longfield Cotts. Urm —5D **104**
(off Stamford Rd.)
Longfield Cres. *Oldh* —6G **57**
Longfield Dri. *Urm* —5D **104**
Longfield Gdns. *Cad* —5B **118**
Longfield Pk. *Shaw* —1E **57**
Longfield Rd. *M23* —3F **135**
Longfield Rd. *Bolt* —5E **45**
Longfield Rd. *Roch* —3E **27**
Longfield Rd. *Shaw* —1E **57**
Longford Av. *Bolt* —3G **31**
Longford Av. *Stret* —5E **107**
Longford Clo. *Stret* —4E **107**
Longford Cotts. *Stret* —5F **107**
Longford Ho. *M21* —6F **107**
Longford Pl. *M14* —3A **110**
Longford Rd. *M21* —6G **107**
Longford Rd. *Stoc* —6H **111**
Longford Rd. *Stret* —4D **106**

Longford Rd. W. *M19 & Stoc*
—6F **111**
Longford St. *M18* —1F **111**
Longford St. *Heyw* —3F **39**
Longford Trad. Est. *Stret*
—4D **106**
Long Grain Pl. *Stoc* —6D **140**
Longham Clo. *M11* —4A **96**
Longham Clo. *Bram* —4E **151**
Long Hey. *Hale* —2A **146**
Longhey Rd. *M22* —6B **136**
Long Hill. *Roch* —1D **40**
Longhill Wlk. *M40* —5A **84**
Longhirst Clo. *Bolt* —2F **31**
Longhope Rd. *M22* —2H **147**
Longhurst La. *Mell* —5F **143**
Longhurst Rd. *M9* —5D **68**
Long La. *SK12* —3H **165**
Long La. *Bolt* —2F **47**
Long La. *Bury* —4E **23**
Long La. *Chad* —6F **71**
Long La. *Dob* —5A **60**
(Dobcross)
Long La. *Dob* —3H **61**
(Tunstead)
Long Levens Rd. *M22* —3A **148**
Longley Dri. *Wor* —5B **78**
Longley La. *Shar I & Gat*
—3B **136**
Longley Rd. *Wor* —1F **77**
Longley St. *Oldh* —3D **72**
Longley St. *Shaw* —2F **57**
Long Marl Dri. *Chea* —4B **160**
Longmead Av. *Haz G* —3D **152**
Longmeade Gdns. *Wilm*
—3F **167**
Long Meadow. *Brom X* —4G **19**
Longmeadow. *Chea* —6E **151**
Long Meadow. *Hyde* —1D **114**
Longmeadow Gro. *Dent*
—5E **113**
Long Meadow Pas. *Hyde*
—4B **114**
Longmead Rd. *Salf* —6B **80**
Longmead Way. *Mid* —6B **54**
Longmere Av. *M22* —2B **148**
Long Millgate. *M3*
—3D **94** (3H **5**)
Longnor Grn. Glos —5F **117**
(off Longnor M.)
Longnor M. *Glos* —5F **117**
Longnor Rd. *Haz G* —5E **153**
Longnor Rd. *H Grn* —5H **149**
Longport Av. *M20* —2D **124**
Longridge. *Brom X* —3G **19**
Longridge Av. *Stal* —1E **101**
Longridge Cres. *Bolt* —3D **30**
Longridge Dri. *Bury* —5G **35**
Longridge Dri. *Heyw* —3B **38**
Longridge Pl. *M4*
—3D **94** (4H **5**)
Long Row. *C'brk* —4H **89**
Long Row. *Poy* —4F **163**
Long Rushes. *Shaw* —5D **42**
Longshaw Av. *Pen* —2F **79**
Longshaw Dri. *Wor* —5C **62**
Longshaw Ford Rd. *Bolt*
—1D **30**
Longshut La. *Stoc* —4H **139**
Longshut La. W. *Stoc* —4H **139**
Long Sides Rd. *Haleb* —6C **146**
Longsight. *Bolt* —6A **20**
Longsight Ind. Est. *Long*
—3B **110**
Longsight La. *Chea H* —3B **160**
Longsight La. *Harw* —2F **33**
Longsight Rd. *M18* —4D **110**
Longsight Rd. *Ram* —6C **12**
Longsight St. *Stoc* —1F **139**
Longsons, The. *Stoc* —6H **127**
Longson St. *Bolt* —4C **32**

Long St. *M18* —1G **111**
Long St. *Mid* —6A **54**
(in two parts)
Long St. *Swint* —4F **79**
Longthwaite Clo. *Mid* —5F **53**
Longton Av. *M20* —4E **125**
Longton Rd. *M9* —4E **69**
Longton Rd. *Salf* —6A **80**
Longton St. *Bury* —3D **50**
Longtown Gdns. Bolt —3A **32**
(off Gladstone St.)
Longview Dri. *Wdly* —2C **78**
Long Wlk. *Part* —6B **118**
Longwall Av. *Wor* —3D **76**
(in two parts)
Longwood Av. *Stoc* —5B **140**
Longwood Clo. *Rom* —6C **130**
Longwood Rd. *M22* —2C **148**
Long Wood Rd. *Traf P* —1B **106**
Long Wood Rd. Est. *Traf P*
—1B **106**
Longworth Clo. *Urm* —6A **104**
Longworth Clough. *Eger*
—1B **18**
Longworth La. *Eger* —3B **18**
Longworth Rd. *Eger* —1A **18**
Longworth St. *M3*
—5C **94** (1F **9**)
Longworth St. *Bolt* —6E **33**
Lonsdale Av. *Roch* —6B **28**
Lonsdale Av. *Stoc* —4H **111**
Lonsdale Av. *Swint* —6D **78**
Lonsdale Av. *Urm* —3D **104**
Lonsdale Gro. *Farn* —1E **63**
Lonsdale Rd. *M19* —5D **110**
Lonsdale Rd. *Bolt* —5F **31**
Lonsdale Rd. *Oldh* —1A **86**
Lonsdale St. *M40* —5C **84**
Lonsdale St. *Bury* —3A **36**
Loom St. *M4* —3F **95** (4D **6**)
Loonies Ct. *Stoc* —2H **139**
Lord Byron Sq. *Salf* —4F **93**
Lord Derby Rd. *Hyde* —3C **130**
Lord Kitchener Ct. *Sale*
—3B **122**
Lord La. *Droy* —1G **97**
Lord La. *Fail* —4F **85**
Lord Napier Dri. *Salf* —6H **93**
Lord North St. *M40* —1A **96**
Lord's Av. *Salf* —3D **92**
Lordsfield Av. *Ash L* —1H **99**
Lordsmead St. *M15*
—1B **108** (5D **8**)
Lord's Stile La. *Brom X* —4F **19**
Lords St. *Cad* —3A **118**
Lord St. *M3 & M4* —1D **94**
Lord St. *Ash L* —1H **99**
Lord St. *Bury* —3D **36**
Lord St. *Dent* —3A **112**
Lord St. *Duk & Stal* —5D **100**
Lord St. *H Bri* —3G **37**
Lord St. *Holl* —3F **117**
Lord St. *Kear* —1G **63**
Lord St. *L'boro* —4G **17**
Lord St. *L Lev* —4B **48**
Lord St. *Mid* —6A **54**
Lord St. *Oldh* —1D **72**
(in three parts)
Lord St. *Rad* —4G **49**
Lord St. *Salf* —1A **94**
Lord St. *Stoc* —2H **139**
Lord St. *W'fld* —6C **50**
Loreto Wlk. M15 —2D **108**
(off Moss Side Shopping Cen.)
Loretto Rd. *Urm* —6H **105**
Lorgill Clo. *Stoc* —1H **151**
Loring St. *M40* —6C **84**
Lorland Rd. *Stoc* —4D **138**
Lorna Gro. *Gat* —5D **136**
Lorna Rd. *Chea H* —3D **150**

Lorne Av. *Rytn* —4H **55**
Lorne Gro. *Stoc* —5G **139**
Lorne Gro. *Urm* —5G **105**
Lorne Rd. *M14* —1G **125**
Lorne St. *M13* —2G **109**
Lorne St. *Bolt* —6B **32**
Lorne St. *Ecc* —5D **90**
Lorne St. *Farn* —5E **47**
Lorne St. *Heyw* —4F **39**
Lorne St. *Moss* —2E **89**
Lorne St. *Oldh* —5C **72**
Lorne St. *Roch* —6H **15**
Lorne Way. *Heyw* —4B **38**
Lorraine Clo. *Heyw* —5G **39**
Lorraine Rd. *Tim* —6A **134**
Lorton Clo. *Mid* —5E **53**
Lorton Clo. *Wor* —5B **76**
Lorton Gro. *Bolt* —5H **33**
Lostock Av. *M19* —6D **110**
Lostock Av. *Haz G* —4B **152**
Lostock Av. *Poy* —3B **162**
Lostock Av. *Sale* —5E **123**
Lostock Av. *Urm* —4D **104**
Lostock Clo. *Heyw* —2D **38**
Lostock Ct. *Hand* —3H **159**
Lostock Ct. *Stret* —3H **105**
Lostock Dene. *Los* —5A **30**
Lostock Dri. *Bury* —6F **23**
Lostock Gro. *Stret* —4B **106**
Lostock Hall Rd. *Poy* —4B **162**
Lostock Junct. La. *Los* —1A **44**
Lostock Rd. *Hand* —3H **159**
Lostock Rd. *Poy* —5D **162**
Lostock Rd. *Salf* —3E **93**
Lostock Rd. *Urm* —3E **105**
LOSTOCK STATION. *BR*
—1A **44**
Lostock St. *M40* —2H **95** (2G **7**)
Lostock Wlk. *W'fld* —5G **51**
Lothian Av. *Ecc* —2D **90**
Lottery St. *Stoc* —2F **139**
Lottie St. *Pen* —3G **79**
Loughborough Clo. *Sale*
—6F **121**
Loughfield. *Urm* —5C **104**
Loughrigg Av. *Rytn* —5A **42**
Louisa St. *M11* —5F **97**
Louisa St. *Bolt* —3A **32**
Louisa St. *Wor* —5F **63**
Louis Av. *Bury* —1D **36**
Louise Clo. *Roch* —6H **15**
Louise Gdns. *Roch* —6A **16**
Louise St. *Roch* —6H **15**
(in three parts)
Louis St. *Ram* —1A **12**
Louvaine Av. *Bolt* —1D **30**
Louvaine Clo. *M18* —1G **111**
Lovalle St. *Bolt* —4G **31**
Lovat Rd. *Bolt* —6A **34**
Love La. *Ram* —4B **12**
Love La. *Stoc* —1G **139**
Lovell Ct. *M8* —1B **82**
Lovell Dri. *Hyde* —3D **114**
Lovers La. *Gras* —3E **75**
Lovers Wlk. *Alt* —1G **145**
Lovett Wlk. *M22* —3C **136**
Low Bank. *Roch* —6A **16**
Lowbrook La. *Oldh* —6B **58**
(in two parts)
Lowcock St. *Salf* —1C **94**
Lowcroft Cres. *Chad* —1F **71**
Low Crompton Rd. *Rytn*
—1B **56**
Lowcross Rd. *M40* —5A **84**
Lowe Grn. *Rytn* —2C **56**
Lwr. Albion St. *M1*
—5F **95** (2D **10**)
Lwr. Alma St. *Duk* —4H **99**
Lwr. Bamford Clo. *Mid* —5A **54**
Lwr. Bank. *Dent* —2F **113**
Lwr. Bank Clo. *Had* —4H **117**

Malmesbury Rd. *Chea H*
—1D **160**
Malpas Clo. *Chea* —1C **150**
Malpas Clo. *Wilm* —6A **160**
Malpas Dri. *Tim* —2G **133**
Malpas St. *M12* —1C **110**
Malpas St. *Oldh* —2D **72**
Malpas Wlk. *M16* —2B **108**
Malsham Rd. *M23* —1F **135**
Malta Clo. *Mid* —1D **70**
Malta St. *M4* —4H **95** (6G **7**)
Malta St. *Oldh* —3H **73**
Maltby Dri. *Bolt* —4G **45**
Maltby Rd. *M23* —5F **135**
Malton Av. *M21* —1H **123**
Malton Av. *Bolt* —3E **45**
Malton Av. *W'fld* —5D **50**
Malton Clo. *Chad* —6F **55**
Malton Clo. *W'fld* —5D **50**
Malton Dri. *Alt* —5C **132**
Malton Dri. *Haz G* —6D **152**
Malton Rd. *Stoc* —5C **126**
Malton Rd. *Wor* —4A **76**
Malton St. *Oldh* —4B **72**
Malt St. *M15* —6B **94** (4C **8**)
Malus Ct. *Salf* —2G **93**
Malvern Av. *Ash L* —4G **87**
Malvern Av. *Bolt* —4E **31**
Malvern Av. *Bury* —6F **23**
Malvern Av. *Droy* —3C **98**
Malvern Av. *Gat* —6D **136**
Malvern Av. *Urm* —4D **104**
Malvern Clo. *Farn* —1B **62**
Malvern Clo. *Miln* —4G **29**
Malvern Clo. *Pen* —5B **80**
Malvern Clo. *P'wch* —4G **67**
Malvern Clo. *Rytn* —4A **56**
Malvern Clo. *Shaw* —6D **42**
Malvern Clo. *Stoc* —6F **127**
Malvern Dri. *Alt* —6D **132**
Malvern Dri. *Pen* —5B **80**
Malvern Gro. *M20* —3E **125**
Malvern Gro. *Salf* —2C **92**
Malvern Gro. *Wor* —6F **63**
Malvern Rd. *Mid* —4H **69**
Malvern Row. *M15*
—1B **108** (6B **8**)
Malvern St. *M15*
—1B **108** (6C **8**)
Malvern St. *Oldh* —4B **72**
Malvern St. E. *Roch* —4E **27**
Malvern St. W. *Roch* —4E **27**
Manby Rd. *M18* —3D **110**
Manby Sq. *M18* —3D **110**
Mancentral Trad. Est. *Salf*
—4B **94** (6D **4**)
Manchester Airport Eastern.
Hand —1H **159**
MANCHESTER AIRPORT
STATION. *BR* —6H **147**
Manchester Ind. Cen. *M3*
—5B **94** (1D **8**)
Manchester International
Airport. *Man A* —2H **157**
Manchester International Bus.
Cen. *M22* —6E **149**
Manchester New Rd. *Mid*
—4G **69**
Manchester New Rd. *Part*
—5D **118**
Manchester Old Rd. *Bury*
—4C **36**
Manchester Old Rd. *Mid*
—2D **68**
Manchester Rd. *Aud & Ash L*
—6A **98**
Manchester Rd. *Bolt* —1C **46**
Manchester Rd. *Bury & P'wch*
—4C **36**
Manchester Rd. *Car* —5D **118**
Manchester Rd. *Chea* —3H **137**

Manchester Rd. *Cheq & Over H*
—6A **44**
Manchester Rd. *Chor H &*
Whal R —1G **123**
(in two parts)
Manchester Rd. *Dent* —3A **112**
Manchester Rd. *Droy* —4G **97**
Manchester Rd. *Farn* —1G **63**
Manchester Rd. *G'fld* —5H **75**
Manchester Rd. *Hawk I & Old*
—1H **85**
Manchester Rd. *Heyw* —3E **53**
Manchester Rd. *Holl & Tin*
—1G **117**
Manchester Rd. *Hyde* —4H **113**
Manchester Rd. *Kear & Clif*
—3A **64**
Manchester Rd. *Moss* —5E **89**
Manchester Rd. *Ram & Bury*
—3G **13**
Manchester Rd. *Rix* —6A **118**
Manchester Rd. *Roch* —2C **40**
Manchester Rd. *Shaw* —2E **57**
Manchester Rd. *Stoc* —3E **127**
Manchester Rd. *Swint* —4G **79**
Manchester Rd. *W Tim*
—5F **133**
Manchester Rd. *Wilm* —2E **167**
Manchester Rd. *Wor & Wdly*
—1F **77**
Manchester Rd. E. *L Hul*
—5C **62**
Manchester Rd. N. *Dent*
—3C **112**
Manchester Rd. S. *Aud*
—3C **112**
Manchester Rd. W. *L Hul*
—3A **62**
Manchester Science Pk. M15
(off Lloyd St. N.)   —2E **109**
Manchester St. *M16* —2A **108**
Manchester St. *Heyw* —3F **39**
Manchester St. *Oldh* —4B **72**
Manchet St. *Roch* —4B **40**
Mancroft Av. *Bolt* —3H **45**
Mancroft Wlk. *M1*
—6F **95** (3C **10**)
Mancunian Rd. *Dent* —1G **129**
Mancunian Way. *M15, M1 &*
M12 —6C **94** (4E **9**)
(in two parts)
Mandalay Gdns. *Marp* —4B **142**
Mandarin Grn. *B'hth* —3D **132**
Mandarin Wlk. *Salf* —2G **93**
Mandeville St. *M19* —1D **126**
Mandley Av. *M40* —1D **84**
Mandley Clo. *L Lev* —2A **48**
Mandley Pk. Av. *Salf* —4A **82**
Mandon Clo. *Rad* —2E **49**
Manesty Clo. *Mid* —5E **53**
Mangle St. *M1* —4F **95** (5C **6**)
Mango Pl. *Salf* —3G **93**
Manifold Dri. *H Lane* —1D **164**
Manifold St. *Salf* —6F **81**
Manilla Wlk. *M11* —4B **96**
Manipur St. *M11* —5B **96**
Manley Av. *Clif* —5E **65**
Manley Clo. *Bury* —1C **22**
Manley Clo. *Stoc* —5E **139**
Manley Gro. *Bram* —1G **161**
Manley Gro. *Mot* —4B **116**
Manley Rd. *M21 & M16*
—6A **108**
Manley Rd. *Oldh* —5C **72**
Manley Rd. *Roch* —2C **40**
(in two parts)
Manley Rd. *Sale* —2G **133**
Manley Row. *W'houg* —6A **44**
Manley St. *Salf* —5H **81**
Manley Ter. *Bolt* —1A **32**
Manley Way. *Mot* —4C **116**

Manningham Rd. *Bolt* —2F **45**
Mannington Dri. *M9* —4E **83**
Mannock St. *Oldh* —3B **72**
Manor Av. *M16* —5B **108**
Manor Av. *L Lev* —4C **48**
Manor Av. *Sale* —4F **121**
Manor Av. *Urm* —6F **105**
Manor Clo. *Chad* —1A **72**
Manor Clo. *Chea H* —5E **151**
Manor Clo. *Dent* —5H **113**
Manor Clo. *Gras* —3G **75**
Manor Clo. *Wilm* —1B **166**
Manor Ct. *Bolt* —1F **33**
Manor Ct. *Sale* —4F **121**
Manor Ct. *Stret* —6B **106**
Manordale Wlk. *M40* —5F **83**
Manor Dri. *M21* —5B **124**
Manor Dri. *Rytn* —4C **56**
Manor Farm Clo. *Ash L* —5D **86**
Manor Farm Rise. *Oldh* —2H **73**
Manorfield Clo. *Bolt* —4E **31**
Manor Gdns. *Wilm* —2G **167**
Manor Ga. Rd. *Bolt* —5H **33**
Manor Heath. *Salf* —3G **81**
Manor Hill Rd. *Marp* —4D **142**
Manorial Dri. *L Hul* —3A **62**
Manor Ind. Est. *Stret* —1C **122**
Manor Lodge. *Swint* —3B **80**
Manor Pk. *Urm* —6F **105**
Manor Rd. *Alt* —1G **145**
Manor Rd. *Aud* —6B **98**
Manor Rd. *Chea H & Bram*
—4E **151**
Manor Rd. *Dent* —5H **113**
Manor Rd. *Droy* —4G **97**
Manor Rd. *Hyde* —2D **114**
Manor Rd. *Lev* —5D **110**
Manor Rd. *Marp* —4D **142**
Manor Rd. *Mid* —3H **69**
Manor Rd. *Oldh* —5G **73**
Manor Rd. *Sale* —4B **122**
Manor Rd. *Shaw* —1D **92**
Manor Rd. *Shaw* —6E **43**
Manor Rd. *Stoc* —5C **128**
Manor Rd. *Stret* —6B **106**
Manor Rd. *Swint* —5F **79**
Manor Rd. *Wilm* —1B **166**
Manor Rd. *Woodl* —4H **129**
Manor Wlk. *Aud* —6F **99**
Manor Yd. Upperm —1F 61
(off High St. Uppermill)
Manse, The. *Moss* —3E **89**
Mansfield Av. *M9* —5F **69**
Mansfield Av. *Dent* —2D **112**
Mansfield Av. *Ram* —1B **22**
Mansfield Clo. *Ash L* —4F **99**
Mansfield Clo. *Dent* —2D **112**
Mansfield Cres. *Dent* —3D **112**
Mansfield Dri. *M9* —5F **69**
Mansfield Gro. *Bolt* —4F **31**
Mansfield Rd. *M9* —5F **69**
Mansfield Rd. *Hyde* —6C **114**
Mansfield Rd. *Moss* —2G **89**
Mansfield Rd. *Oldh* —4F **73**
Mansfield Rd. *Roch* —4A **26**
Mansfield Rd. *Urm* —6D **104**
Mansfield St. *Ash L* —5E **99**
Mansfield View. *Moss* —2G **89**

Mansford Dri. *M40* —6H **83**
Manshaw Cres. *Aud* —6A **98**
Manshaw Rd. *M11* —6A **98**
Mansion Av. *W'fld* —4C **50**
Mansion Ho., The. *B'hth*
—4F **133**
Manson Av. *M15*
—6B **94** (4C **8**)
Manstead Wlk. *M40* —3A **96**
Manston Dri. *Chea H* —3C **150**
Manswood Dri. *M8* —4C **82**
Mantell Wlk. *M40* —6A **84**
Manton Av. *M9* —6B **70**
Manton Av. *Dent* —4A **112**
Manton Clo. *Salf* —5B **82**
Manvers St. *Stoc* —6G **127**
Manwaring St. *Fail* —3E **85**
Maple Av. *M21* —1H **123**
Maple Av. *Bolt* —4F **31**
Maple Av. *Bury* —2F **37**
Maple Av. *Chea H* —3B **150**
Maple Av. *Dent* —4B **98**
(Audenshaw)
Maple Av. *Dent* —4E **113**
(Denton)
Maple Av. *Ecc* —1C **90**
Maple Av. *Marp* —1D **154**
Maple Av. *Poy* —4F **163**
Maple Av. *Stal* —5D **100**
Maple Av. *Stret* —6D **106**
Maple Av. *W'fld* —2D **66**
Maple Bank. *Bow* —2D **144**
Maple Clo. *Chad* —6H **55**
Maple Clo. *Kear* —4H **63**
Maple Clo. *Mid* —1D **70**
Maple Clo. *Sale* —5E **121**
Maple Clo. *Salf* —2F **93**
Maple Clo. *Shaw* —5D **42**
Maple Clo. *Stoc* —5B **140**
Maple Croft. *Stoc* —3B **140**
Maple Dri. *Tim* —6E **135**
Maplefield Dri. *Wor* —4D **76**
Maple Gro. *M40* —1F **85**
Maple Gro. *Fail* —6E **85**
Maple Gro. *P'wch* —3E **67**
Maple Gro. *Ram* —4F **13**
Maple Gro. *Tot* —6A **22**
Maple Gro. *Wor* —3F **77**
Maple Rd. *M23* —3C **134**
Maple Rd. *Ald E* —6E **167**
Maple Rd. *Bram* —2G **161**
Maple Rd. *Chad* —6H **55**
Maple Rd. *Farn* —1C **62**
Maple Rd. *Part* —6C **118**
Maple Rd. *Swint* —5E **79**
Maple Rd. W. *M23* —3C **134**
Maple St. *Bolt* —6G **19**
Maple St. *Oldh* —6A **72**
Maple St. *Roch* —5F **27**
Maple Wlk. *M23* —3C **134**
Maplewood Gdns. *Bolt* —4A **32**
Maplewood Ho. *Bolt* —3A **32**
Maplewood Rd. *Wilm* —1H **167**
Mapley Av. *M22* —3B **136**
Maplin Clo. *M13*
—6G **95** (4E **11**)
Maplin Dri. *Stoc* —6G **141**
Mapperton Wlk. *M16* —4D **108**
Marble St. *M2* —4E **95** (5A **6**)
(in two parts)
Marble St. *Oldh* —1F **73**
Marbury Av. *M14* —6F **109**
Marbury Clo. *Urm* —4H **103**
Marbury Dri. *Tim* —2G **133**
Marbury Rd. *Stoc* —3F **127**
Marbury Rd. *Wilm* —6F **159**
Marcer Rd. *M40* —3H **95** (3H **7**)
March Av. *Stoc* —1D **138**
Marchbank Dri. *Gat* —5G **137**
March Dri. *Bury* —6D **22**
Marches Clo. *Rytn* —3F **57**

Marsh Fold La.—Meadow Bank

Marsh Fold La. *Bolt* —5G **31**
Marsh La. *Farn* —1C **62**
Marsh La. *L Lev* —3B **48**
Marsh Rd. *L Hul* —5D **62**
Marsh Rd. *L Lev* —3A **48**
Marsh St. *Bolt* —3A **32**
Marsh St. *Wor* —1H **77**
Marsland Av. *Tim* —3B **134**
Marsland Clo. *Dent* —4B **112**
Marsland Rd. *Marp* —4C **142**
Marsland Rd. *Sale* —6A **122**
Marsland Rd. *Tim* —5B **134**
Marsland St. *Haz G* —3D **152**
Marsland St. *Stoc* —6H **127**
 (in two parts)
Marsland St. N. *Salf* —4B **82**
Marsland St. S. *Salf* —4B **82**
Marsland Ter. *Stoc* —3B **140**
Mars St. *Oldh* —2A **72**
Marston Clo. *Fail* —5A **86**
Marston Clo. *W'fld* —1G **67**
Marston Dri. *Irl* —5F **103**
Marston Rd. *Salf* —3A **82**
Marston Rd. *Stret* —5E **107**
Marston St. *M40* —6F **83**
Marsworth Dri. *M4*
 —3G **95** (4F **7**)
Martens Rd. *Irl* —4C **118**
Marthall Dri. *Sale* —1E **135**
Marthall Way. *Hand* —2A **160**
Martham Dri. *Stoc* —6G **141**
Martha's Ter. *Roch* —6A **16**
Martha St. *Bolt* —3H **45**
Martha St. *Oldh* —1B **72**
Martin Av. *Farn* —2B **62**
Martin Av. *L Lev* —4C **48**
Martin Av. *Oldh* —3G **73**
Martin Clo. *Dent* —2F **113**
Martin Clo. *Stoc* —6G **141**
Martindale Clo. *Rytn* —2C **56**
Martindale Cres. *M12* —1A **110**
Martindale Cres. *Mid* —4F **53**
Martindale Gdns. *Bolt* —3A **32**
Martin Dri. *Irl* —3E **103**
Martin Fields. *Roch* —2B **26**
Martingale Clo. *Rad* —2G **49**
Martingale Way. *Droy* —2D **98**
Martin Gro. *Kear* —2H **63**
Martin Ho. *M14* —4H **109**
Martin La. *Roch* —2D **26**
Martin Rd. *Clif* —1H **79**
Martinsclough. *Los* —1A **44**
Martinscroft Rd. *M23* —6H **135**
Martin St. *Aud* —6F **99**
Martin St. *Bury* —2H **37**
Martin St. *Hyde* —5C **114**
Martin St. *Salf* —3D **92**
Martlesham Wlk. *M4*
 —3E **95** (4B **6**)
Martlet Av. *Dis* —1G **165**
Martlet Clo. *M14* —6F **109**
Martlett Av. *Roch* —4A **26**
Martock Av. *M22* —2C **148**
Marton Av. *M20* —1G **137**
Marton Av. *Bolt* —5E **33**
Marton Grange. *P'wch* —1H **81**
Marton Grn. *Stoc* —5F **139**
Marton Gro. *Stoc* —3G **127**
Marton Pl. *Sale* —5A **122**
Marton Way. *Hand* —2A **160**
Marvic Ct. *M13* —4A **110**
Marwood Clo. *Alt* —5D **132**
Marwood Clo. *Rad* —1A **64**
Marwood Dri. *M23* —2F **147**
Mary Anne Clo. *Ash L* —5E **87**
Maryfield Ct. *M16* —1C **124**
Mary France St. *M15*
 —1C **108** (5E **9**)
Maryland Av. *Bolt* —6F **33**
Marylon Dri. *M22* —3C **136**
Mary St. *M3* —2D **94** (1G **5**)

Mary St. *Bury* —5F **23**
Mary St. *Chea* —5H **137**
Mary St. *Dent* —3G **113**
Mary St. *Droy* —3B **98**
Mary St. *Duk* —4H **99**
Mary St. *Farn* —2F **63**
Mary St. *Heyw* —3E **39**
Mary St. *Hyde* —4B **114**
Mary St. *Ram* —4D **12**
Mary St. *Roch* —5B **16**
Masboro St. *M8* —4B **82**
Masbury Clo. *Bolt* —4C **18**
Masefield Av. *P'wch* —6D **66**
Masefield Av. *Rad* —3E **49**
Masefield Clo. *Duk* —6F **101**
Masefield Cres. *Droy* —4A **98**
Masefield Dri. *Farn* —2D **62**
 (in two parts)
Masefield Dri. *Stoc* —1C **138**
Masefield Gro. *Stoc* —6G **111**
Masefield Rd. *Droy* —4A **98**
Masefield Rd. *L Lev* —3B **48**
Masefield Rd. *Oldh* —5F **57**
Mason Gdns. *Bolt* —1A **46**
Mason Row. *Eger* —1B **18**
Mason St. *M4* —3F **95** (3C **6**)
Mason St. *Bury* —3E **37**
Mason St. *Heyw* —3D **38**
Mason St. *Roch* —4H **27**
Massey Av. *Ash L* —5G **87**
Massey Av. *Fail* —3H **85**
Massey Croft. *Whitw* —1C **14**
Massey Rd. *Alt* —1G **145**
Massey Rd. *Sale* —5E **123**
Massey St. *Ald E* —5G **167**
Massey St. *Bury* —2E **37**
Massey St. *Salf* —3A **94** (5B **4**)
Massey Wlk. *M22* —4D **148**
Massie St. *Chea* —5H **137**
Matham Wlk. *M15*
 —1E **109** (5A **10**)
 (off Chevril Clo.)
Mather Av. *Ecc* —3G **91**
Mather Av. *P'wch* —1G **81**
Mather Av. *W'fld* —5D **50**
Mather Clo. *W'fld* —6D **50**
Mather Fold Rd. *Wor* —2D **76**
Mather Rd. *Bury* —4F **23**
Mather Rd. *Ecc* —3G **91**
Mather St. *Bolt* —1A **46**
Mather St. *Fail* —4E **85**
Mather St. *Kear* —1G **63**
Mather St. *Rad* —4G **49**
Mather Way. *Salf* —2G **93**
Matley Clo. *Hyde* —2F **115**
Matley Gro. *Stoc* —3C **128**
Matley La. *Hyde & Mat*
 —2F **115**
Matley Pk. La. *Stal* —1H **115**
Matlock Av. *M20* —3D **124**
Matlock Av. *Ash L* —5B **88**
Matlock Av. *Dent* —1G **129**
Matlock Av. *Salf* —4E **81**
Matlock Av. *Urm* —1D **120**
Matlock Bank. *Glos* —6G **117**
 (off Riber Bank)
Matlock Clo. *Farn* —6G **47**
Matlock Clo. *Sale* —5C **122**
Matlock Dri. *Haz G* —5E **153**
Matlock Gdns. *Glos* —6G **117**
 (off Riber Bank)
Matlock La. *Glos* —6G **117**
 (off Riber Bank)
Matlock M. *Alt* —6G **133**
Matlock Pl. *Glos* —6G **117**
 (off Riber Bank)
Matlock Rd. *H Grn* —6G **149**
Matlock Rd. *Stoc* —6A **112**
Matlock Rd. *Stret* —4A **106**
Matlock St. *Ecc* —5E **91**
Matson Wlk. *M22* —3G **147**

Matt Busby Clo. *Pen* —4H **79**
Matterdale Ter. *Stal* —1E **101**
Matthew Clo. *Oldh* —5F **73**
Matthew Moss La. *Roch*
 —1B **40**
Matthews Av. *Kear* —2H **63**
Matthews La. *M12 & M19*
 —5C **110**
Matthew's St. *M12* —6B **96**
Matthew St. *Marp* —5E **143**
Matthias Ct. *Salf* —2B **94** (2D **4**)
Mattison St. *M11* —6G **97**
Maudsley St. *Bury* —4C **36**
Maud St. *Bolt* —6G **19**
Maud St. *Roch* —1A **28**
Mauldeth Clo. *Stoc* —6C **126**
Mauldeth Ct. *Stoc* —6C **126**
Mauldeth Rd. *Burn & Stoc*
 —4B **126**
Mauldeth Rd. *Wthtn & Burn*
 —2G **125**
MAULDETH ROAD STATION.
 BR —3A **126**
Mauldeth Rd. W. *Chor H &
 Wthtn* —3A **124**
Maunby Gdns. *L Hul* —6E **63**
Maureen Av. *M8* —3C **82**
Maurice Clo. *Duk* —5C **100**
Maurice Dri. *Salf* —1F **93**
Maurice Pariser Wlk. *M8*
 —4B **82**
Maurice Rd. *Roch* —5H **27**
Maurice St. *Salf* —1F **93**
Maveen Ct. *Stoc* —1A **152**
Maveen Gro. *Stoc* —1A **152**
Mavis Gro. *Miln* —5G **29**
Mavis St. *Roch* —4C **40**
Mavson St. *M13*
 —6G **95** (4E **11**)
Mawdsley Dri. *M8* —3E **83**
Mawdsley St. *Bolt* —6B **32**
Maxton Ho. *Farn* —1A **62**
Maxwell Av. *Stoc* —6C **140**
Maxwell St. *Bolt* —1A **32**
Maxwell St. *Bury* —2F **37**
Max Woosnam Wlk. *M14*
 —4E **109**
Mayall St. *Moss* —2E **89**
Mayall St. E. *Oldh* —2G **73**
Mayan Av. *Salf* —3B **94** (3D **4**)
May Av. *Chea H* —1D **160**
May Av. *Stoc* —1D **138**
Maybank St. *Bolt* —2H **45**
Mayberth Av. *M8* —1C **82**
Maybreck Clo. *Bolt* —2G **45**
Maybrook Wlk. *M9* —3F **83**
Mayburn Clo. *Mid* —6C **54**
Maybury St. *M18* —1G **111**
Maycroft. *Stoc* —3B **128**
Maycroft Av. *M20* —4G **125**
May Dri. *M19* —3B **126**
Mayering Ct. *Stoc* —5E **127**
Mayer St. *Stoc* —4C **140**
Mayes Gdns. *M4*
 —4H **95** (6G **7**)
Mayes St. *M4* —3E **95** (3A **6**)
 (in two parts)
Mayfair Av. *Rad* —3D **48**
Mayfair Av. *Salf* —2B **92**
Mayfair Av. *Urm* —5D **104**
Mayfair Av. *W'fld* —2D **66**
Mayfair Clo. *Duk* —5E **101**
Mayfair Ct. *Tim* —5B **134**
Mayfair Cres. *Fail* —3H **85**
Mayfair Dri. *Irl* —5E **103**
Mayfair Dri. *Rytn* —5B **56**
Mayfair Dri. *Sale* —1G **133**
Mayfair Gdns. *Roch* —6F **27**
Mayfair Gro. *W'fld* —2E **67**
Mayfair Pk. *M20* —6D **124**
Mayfair Rd. *M22* —2C **148**

Mayfield. *Bolt* —6H **19**
Mayfield. *Rad* —5E **49**
Mayfield Av. *Bolt* —4D **46**
Mayfield Av. *Dent* —2G **129**
Mayfield Av. *Farn* —2E **63**
Mayfield Av. *Sale* —5E **123**
Mayfield Av. *Spring* —2C **74**
Mayfield Av. *Stoc* —4H **127**
Mayfield Av. *Stret* —6B **106**
Mayfield Av. *Swint* —5C **78**
Mayfield Av. *Wor* —6F **63**
Mayfield Clo. *Ram* —1A **22**
Mayfield Clo. *Tim* —5B **134**
Mayfield Gro. *M18* —3H **111**
Mayfield Gro. *Stoc* —3H **127**
Mayfield Gro. *Wilm* —4B **166**
Mayfield Mans. *M16* —4C **108**
Mayfield Rd. *M16* —4C **108**
Mayfield Rd. *Bram* —3G **161**
Mayfield Rd. *Marp B* —2F **143**
Mayfield Rd. *Oldh* —6F **57**
Mayfield Rd. *Ram* —1A **22**
Mayfield Rd. *Salf* —2F **81**
Mayfield Rd. *Tim* —5B **134**
Mayfield St. *Aud* —2E **113**
Mayfield St. *Roch* —2B **28**
 (in two parts)
Mayfield Ter. *Roch* —2B **28**
Mayfield Ter. *Sale* —5A **122**
Mayflower Av. *Salf* —5G **93**
Mayford Rd. *M19* —5C **110**
Maygate. *Oldh* —1B **72**
May Gro. *M19* —1D **126**
Mayhill Dri. *Salf* —1A **92**
Mayhill Dri. *Wor* —3A **78**
Mayhurst Av. *M21* —5B **124**
Mayorlowe Av. *Stoc* —5C **128**
Mayor's Rd. *Alt* —1G **145**
Mayor St. *Bolt* —1H **45**
Mayor St. *Bury* —2A **36**
Mayor St. *Chad* —2A **72**
Mayo St. *M12* —5H **95** (2G **11**)
May Pl. *L'boro* —5C **16**
May Pl. *Roch* —1G **41**
 (off Oldham Rd.)
Maypool Dri. *Stoc* —3H **127**
May M16* —4B **108**
May Rd. *Chea H* —1D **160**
May Rd. *Pen* —5H **79**
Maysmith M. *Salf* —5H **81**
May St. *M40* —6C **84**
 (in two parts)
May St. *Bolt* —6C **32**
May St. *Ecc* —1E **91**
May St. *Heyw* —5G **39**
 (in two parts)
May St. *Oldh* —5A **72**
May St. *Rad* —4G **49**
Mayton St. *M11* —5C **96**
Mayville Dri. *M20* —4F **125**
May Wlk. *Part* —6C **118**
Maywood. *Wilm* —5B **166**
Maywood Av. *M20* —3F **137**
Maze St. *Bolt* —2E **47**
Meachin Av. *M21* —3A **124**
Meade Clo. *Urm* —5E **105**
Meade Gro. *M13* —4B **110**
Meade Hill Rd. *P'wch* —6A **68**
Meade, The. *M21* —2H **123**
Meade, The. *Bolt* —5A **46**
Meade, The. *Wilm* —1F **167**
Meadfoot Av. *P'wch* —6G **67**
Meadfoot Rd. *M18* —1F **111**
Meadland Gro. *Bolt* —1B **32**
Meadon Av. *Clif* —2H **79**
Meadow Av. *Hale* —2B **146**
Meadow Av. *Hyde* —6C **114**
Meadow Bank. *M21* —2G **123**
Meadowbank. *Ash L* —5E **87**
Meadow Bank. *Bred* —6F **129**
Meadow Bank. *Holl* —1F **117**

Mercury Way. *Urm* —2H **105**
Mere Av. *Droy* —5G **97**
Mere Av. *Mid* —3A **70**
Mere Av. *Salf* —3E **93**
Mere Av. *Stoc* —6E **139**
Mere Bank Clo. *Wor* —6E **63**
Mere Clo. *Dent* —4B **112**
Mere Clo. *Sale* —6F **123**
Mere Clo. *Uns* —2F **51**
Mereclough Av. *Wor* —2H **77**
Meredew Av. *Swint* —5E **79**
Meredith St. *M14* —2H **125**
Meredith St. *Bolt* —4B **46**
Mere Dri. *Stoc* —7F **125**
Mere Dri. *Clif* —1G **79**
Merefield Av. *Roch* —6G **27**
Merefield Rd. *Tim* —6C **134**
Merefield St. *Roch* —6G **27**
Merefield Ter. *Roch* —6G **27**
Mere Fold. *Wor* —6D **62**
Mere Gdns. *Bolt* —5A **32**
Merehall Clo. *Bolt* —5A **32**
Merehall Dri. *Bolt* —4A **32**
Merehall St. *Bolt* —4H **31**
Mereland Av. *M20* —5G **125**
Mere La. *Roch* —6H **27**
Merepool Clo. *Marp* —4B **142**
Mere Side. *Stal* —1D **100**
(in four parts)
Mereside Clo. *Chea H* —1B **150**
Mereside Gro. *Wor* —6G **63**
Mereside Wlk. *M15*
—1B **108** (6D **8**)
Mere St. *Roch* —5H **27**
(in three parts)
Mere, The. *Ash L* —5A **88**
Mere, The. *Chea H* —1B **150**
Mere Wlk. *Bolt* —5A **32**
Merewood Av. *M22* —5B **136**
Meriden Clo. *Rad* —1F **49**
Meriden Gro. *Los* —1B **44**
Merinall Clo. *Roch* —4C **28**
Meriton Rd. *Hand* —3G **159**
Meriton Wlk. *M18* —3D **110**
Merlewood. *Ram* —2B **12**
Merlewood Av. *M19* —2E **127**
Merlewood Av. *Dent* —4B **98**
Merlewood Av. *Upperm* —1F **61**
Merlewood Dri. *Swint* —5C **78**
Merlin Clo. *L'boro* —1G **29**
Merlin Clo. *Oldh* —3E **87**
(in two parts)
Merlin Clo. *Stoc* —5G **141**
Merlin Dri. *Clif* —1H **79**
Merlin Gro. *Bolt* —4F **31**
(in two parts)
Merlin Rd. *Irl* —3E **103**
Merlin Rd. *Miln* —5F **29**
Merlyn Av. *M20* —5G **125**
Merlyn Av. *Dent* —5E **113**
Merlyn Av. *Sale* —3C **122**
Merlyn Ct. *Manx* —5E **125**
Merrick Av. *M22* —1C **148**
Merrick St. *Heyw* —4G **39**
Merridale, The. *Hale* —5A **146**
Merridge Wlk. *M8* —5B **82**
Merrill St. *M4* —4H **95** (5H **7**)
Merriman Hall. *Roch* —1B **28**
Merriman St. *M16* —3C **108**
Merrion St. *Farn* —5E **47**
Merrow Wlk. *M1*
—6F **95** (3C **10**)
(off Grosvenor St.)
Merrybent Clo. *Stoc* —6D **140**
Merry Bower Rd. *Salf* —3A **82**
Merrydale Av. *Ecc* —1G **91**
Mersey Bank. *Had* —2H **117**
Merseybank Av. *M21* —4A **124**
Mersey Bank Rd. *Had* —3H **117**
Mersey Clo. *W'fld* —6F **51**
Mersey Cres. *M20* —6B **124**

Mersey Dri. *Part* —5E **119**
Mersey Dri. *W'fld* —6F **51**
Mersey Ho. *Stoc* —4C **138**
Mersey Ind. Est. *Stoc* —2A **138**
Mersey Meadows. *M20*
—6D **124**
Mersey Rd. *M20* —6D **124**
Mersey Rd. *Heat M* —1B **138**
(in two parts)
Mersey Rd. *Sale* —3B **122**
Mersey Rd. N. *Fail* —2G **85**
Mersey Sq. *Stoc* —2G **139**
Mersey Sq. *W'fld* —6F **51**
Mersey St. *Open* —6G **97**
Mersey St. *Stoc* —1A **140**
Mersey View. *Urm* —1A **120**
Merseyway. *Stoc* —2G **139**
Merston Dri. *M20* —3G **137**
Mersy Ct. *Sale* —4E **123**
Mersy St. *Stoc* —2H **139**
Merton Av. *Bred* —5G **129**
Merton Av. *Haz G* —5F **153**
Merton Av. *Oldh* —6B **72**
Merton Clo. *Bolt* —2G **45**
Merton Dri. *Droy* —4G **97**
Merton Gro. *Chad* —6D **70**
Merton Gro. *Tim* —5B **134**
Merton Rd. *Poy* —3B **162**
Merton Rd. *P'wch* —4G **67**
Merton Rd. *Sale* —3A **122**
Merton Rd. *Stoc* —4D **138**
Merton St. *Bury* —2B **36**
Merton Wlk. *M9* —4G **83**
(off Trongate Wlk.)
Merville Av. *M40* —2H **83**
Mervyn Rd. *Salf* —5E **81**
Merwell Rd. *Urm* —6A **104**
Merwood Av. *H Grn* —5H **149**
Merwood Gro. *M14* —3A **110**
Mesne Lea Gro. *Wor* —3G **77**
Mesne Lea Rd. *Wor* —2G **77**
Metcalfe St. *Miln* —4D **28**
Metcalfe Ter. *Ain* —4D **34**
Metcalf M. *Upperm* —1F **61**
Metfield Pl. *Bolt* —5G **31**
Metfield Wlk. *M40* —1D **84**
Methuen St. *M12* —4D **110**
Methwold St. *Bolt* —3A **46**
Metroplex Bus. Pk. *Salf* —5E **93**
Metropolitan Ho. *Oldh* —3D **72**
Mevagissey Wlk. *Oldh* —1G **73**
Mews, The. *M40* —2A **96**
Mews, The. *Bolt* —5F **31**
Mews, The. *Gat* —6F **137**
Mews, The. *P'wch* —6F **67**
Mews, The. *Sale* —6C **122**
Mews, The. *Wor* —5G **77**
Meyer St. *Stoc* —5H **139**
Meyrick Rd. *Salf* —2G **93**
Miall St. *Roch* —5H **27**
Micawber Rd. *Poy* —5E **163**
Michaels Hey Pde. *M23*
—3C **134**
Michael St. *Mid* —1H **69**
Michigan Av. *Salf* —5F **93**
Mickleby Wlk. *M40*
—2H **95** (2G **7**)
Micklehurst Av. *M20* —5C **124**
Micklehurst Grn. *Stoc* —6E **141**
Micklehurst Rd. *Moss* —3F **89**
Midbrook Wlk. *M22* —4H **147**
Middlebourne St. *Salf* —3E **93**
Middlebrook Dri. *Los* —1A **44**
Middle Calderbrook. *L'boro*
—6G **17**
Middlefell St. *Farn* —5F **47**
Middlefield. *Oldh* —3E **87**
Middle Field. *Roch* —2A **26**
Middlefields. *Chea H* —1D **150**
Middlegate. *M40* —6D **70**
Middle Ga. *Oldh* —1C **86**

Middle Grn. *Ash L* —1A **100**
Middleham St. *M14* —5E **109**
Middle Hill. *Roch* —5F **15**
Middle Hillgate. *Stoc* —3H **139**
Middle Holly Gro. *Dig* —4C **60**
Middlesex Dri. *Bury* —5D **36**
Middlesex Rd. *M9* —1F **83**
Middlesex Rd. *Stoc* —3B **128**
Middlesex Wlk. *Oldh* —3B **72**
Middlestone Dri. *M9* —4F **83**
Middle St. *Whitw* —4G **15**
Middleton Av. *Fail* —4F **85**
Middleton Clo. *Rad* —6F **35**
Middleton Gdns. *Mid* —1H **69**
Middleton Old Rd. *M9* —6F **69**
Middleton Rd. *M8 & Mid*
(in two parts) —2B **82**
Middleton Rd. *Chad* —6E **55**
Middleton Rd. *Heyw* —5G **39**
Middleton Rd. *Rytn* —4H **55**
Middleton Rd. *Stoc* —5H **111**
Middleton View. *Mid* —1B **70**
Middleton Way. *Mid* —1H **69**
Middleway. *Grot* —4D **74**
Middlewich Wlk. *M18* —2E **111**
Middlewood Dri. *Stoc* —2C **138**
Middle Wood La. *Roch* —3C **16**
Middlewood Rd. *H Lane*
—6B **154**
Middlewood Rd. *Poy* —4G **163**
MIDDLEWOOD STATION. *BR*
—1B **164**
Middlewood St. *Salf*
—4A **94** (6B **4**)
Middlewood View. *H Lane*
—5B **154**
Middlewood Way. *Mac*
—6H **163**
Middlewood Wlk. *M9* —4F **83**
Midfield Ct. *Salf* —4A **82**
Midford Av. *Ecc* —3D **90**
Midford Dri. *Bolt* —4C **18**
Midford Wlk. *M8* —5C **82**
Midge Hall Dri. *Roch* —5C **26**
Midgley Av. *M18* —1G **111**
Midgley Dri. *Roch* —3A **42**
Midgley Gro. *Ash L* —1C **100**
Midgley St. *Swint* —5D **78**
Midgrove. *Del* —3H **59**
Midgrove La. *Del* —4H **59**
Midhurst Av. *M40* —1D **96**
Midhurst Clo. *Bolt* —4A **32**
Midhurst Clo. *Chea H* —5B **150**
Midhurst St. *Roch* —6H **27**
Midhurst Way. *Chad* —3H **71**
Midland Cotts. *Haz G* —4A **154**
Midland Rd. *Bram* —1G **151**
Midland Rd. *Stoc* —5H **111**
Midland St. *M12*
—6H **95** (3H **11**)
Midland Ter. *Hale* —3F **145**
Midland Wlk. *Bram* —2G **151**
(in two parts)
Midlothian St. *M11* —3D **96**
Midmoor Wlk. *M9* —5G **69**
(off Levedale Rd.)
Midville Rd. *M11* —2E **97**
Midway. *Chea H* —2D **160**
Midway. *Poy* —5D **162**
Midwood Hall. *Salf* —2F **93**
(off Sutton Dwellings)
Milan St. *Salf* —5A **82**
Milburne Rd. *Bury* —5F **23**
Milburn Av. *M23* —1H **135**
Milburn Dri. *Bolt* —5H **33**
Milbury Dri. *L'boro* —1G **29**
Milden Clo. *Manx* —5G **125**
Mildred Av. *Grot* —4D **74**
Mildred Av. *P'wch* —1G **81**
Mildred Av. *Rytn* —5C **56**

Mildred St. *Salf* —6G **81**
Mile End La. *Stoc* —6B **140**
Mile La. *Bury* —4F **35**
MILES PLATTING STATION. *BR*
—6G **83**
Miles St. *M12* —6C **96**
Miles St. *Farn* —1E **63**
Miles St. *Hyde* —5D **114**
Miles St. *Oldh* —1F **73**
Milford Av. *Oldh* —1A **86**
Milford Brow. *Lees* —2A **74**
Milford Cres. *L'boro* —3F **17**
Milford Dri. *M19* —2D **126**
Milford Gro. *Stoc* —4C **140**
Milford Rd. *Bolt* —4A **46**
Milford Rd. *Harw* —1H **33**
Milford St. *M9* —5D **68**
Milford St. *Roch* —2H **27**
Milford St. *Salf* —3E **93**
Milkstone Pl. *Roch* —5H **27**
Milkstone Rd. *Roch* —5H **27**
(in two parts)
Milk St. *M2* —4E **95** (5A **6**)
Milk St. *Hyde* —5B **114**
Milk St. *Oldh* —2G **73**
Milk St. *Ram* —4D **12**
Milk St. *Roch* —5H **27**
Milkwood Gro. *M18* —3F **111**
Millais St. *M40* —3A **84**
Millard St. *Chad* —2G **71**
Millard Wlk. *M18* —3F **111**
Millbank Ct. *Heyw* —3D **38**
Millbank St. *M1* —4G **95** (6E **7**)
Millbank St. *Heyw* —3D **38**
Millbeck Ct. *Mid* —5F **53**
Millbeck Gro. *Bolt* —3A **46**
Millbeck Rd. *Mid* —5F **53**
Millbeck St. *M15*
—1E **109** (6A **10**)
Millbrae Gdns. *Shaw* —6D **42**
Millbrook Av. *Dent* —5D **112**
Millbrook Bank. *Roch* —2C **15**
Millbrook Clo. *Shaw* —1H **57**
Millbrook Fold. *Haz G* —5F **153**
Millbrook Gro. *Wilm* —6H **159**
Millbrook Ho. *Farn* —1G **63**
Mill Brook Ind. Est. *M23*
—5E **135**
Millbrook Rd. *M23* —2G **147**
Millbrook St. *Stoc* —3H **139**
Millbrook Towers. *Stoc*
—3H **139**
Mill Brow. *M9* —1E **83**
Mill Brow. *Ash L* —2G **87**
Mill Brow. *Chad* —5G **71**
Mill Brow. *Marp B* —3H **143**
Mill Brow. *Wor* —5H **77**
Mill Brow Rd. *Marp B* —3H **143**
Millbrow Ter. *Oldh* —5G **55**
Mill Ct. *Urm* —5G **105**
Millcrest Clo. *Wor* —6B **76**
Mill Croft. *Bolt* —5H **31**
Millcroft. *Shaw* —1G **57**
Mill Croft Clo. *Roch* —1G **25**
Millcroft La. *Del* —1H **59**
Millerhouse. *Shaw* —2F **57**
Miller Meadow Clo. *Shaw*
—5G **43**
Miller Rd. *Oldh* —6C **72**
Millers Brook Clo. *Heyw* —2F **39**
Millers Clo. *Sale* —6G **123**
Miller's Ct. *Salf* —3A **92**
Millers St. *Ecc* —3E **91**
Miller St. *M4* —3E **95** (3A **6**)
Miller St. *Ash L* —1H **99**
Miller St. *Bury* —1C **22**
Miller St. *Heyw* —3F **39**
Miller St. *Rad* —1F **49**
Millet St. *Ram* —2F **13**
Millett St. *Bury* —3B **36**
Millett Ter. *Bury* —4C **24**

Money Ash Rd. *Alt* —2F **145**
Monfa Av. *Stoc* —1A **152**
Monica Av. *M8* —6B **68**
Monica Ct. *Ecc* —2H **91**
Monica Gro. *M19* —1B **126**
Monks Clo. *M8* —1D **82**
Monks Clo. *Miln* —5E **29**
Monk's Ct. *Salf* —3B **92**
Monksdale Av. *Urm* —5D **104**
Monks Hall Gro. *Ecc* —2H **91**
Monks La. *Bolt* —3F **33**
Monkswood. *Oldh* —2C **72**
Monkton Av. *M18* —3E **111**
Monkwood Dri. *M9* —3G **83**
Monmouth Av. *Bury* —6F **23**
Monmouth Av. *Sale* —4H **121**
Monmouth Rd. *Chea H*
　　　　　　　—4D **150**
Monmouth St. *M18* —1G **111**
Monmouth St. *Mid* —1C **70**
Monmouth St. *Oldh* —4A **72**
Monmouth St. *Roch* —5H **27**
Monroe Clo. *Salf* —1E **93**
Monsal Av. *Salf* —4E **81**
Monsal Av. *Stoc* —4D **140**
Monsall Clo. *Bury* —5E **51**
Monsall Rd. *M40* —5G **83**
Monsall St. *M40* —6F **83**
Monsall St. *Oldh* —6C **72**
Mons Av. *Roch* —3E **27**
Montague Ct. *Sale* —5C **122**
Montague Ho. *Stoc* —3F **139**
　　(off East St.)
Montague Rd. *M16* —2G **107**
Montague Rd. *Ash L* —3B **100**
Montague Rd. *Sale* —5B **122**
Montague St. *Bolt* —4F **45**
Montague Way. *Stal* —3E **101**
Montagu Rd. *Stoc* —4D **140**
Montagu St. *Comp* —1F **143**
Montana Sq. *M11* —6G **97**
Montcliffe Cres. *M16* —6D **108**
Monteagle St. *M9* —5D **68**
Montford St. *Salf* —4F **93**
　　(in two parts)
Montgomery. *Roch* —5G **27**
Montgomery Dri. *Bury* —5F **51**
Montgomery Ho. *M16* —5D **108**
Montgomery Ho. *Oldh* —2H **85**
Montgomery Rd. *M13* —5B **110**
Montgomery St. *Oldh* —1H **85**
Montgomery Way. *Rad* —2C **48**
Monton Av. *Ecc* —2G **91**
Montondale. *Ecc* —2E **91**
Monton Fields Rd. *Ecc* —2E **91**
Monton Grn. *Ecc* —1E **91**
Monton La. *Ecc* —3G **91**
Montonmill Gdns. *Ecc* —2E **91**
Monton Rd. *Ecc* —2F **91**
　　(in two parts)
Monton Rd. *Stoc* —5C **128**
Monton St. *M14* —3E **109**
　　(in two parts)
Monton St. *Bolt* —4A **46**
Monton St. *Rad* —4F **49**
Montpellior Rd. *M22* —3B **148**
Montreal St. *M19* —6D **110**
Montreal St. *Oldh* —5D **72**
Montrose. *Ecc* —3G **91**
　　(off Monton La.)
Montrose Av. *M20* —4E **125**
Montrose Av. *Bolt* —4G **33**
Montrose Av. *Duk* —6A **100**
Montrose Av. *Ram* —1A **22**
Montrose Av. *Stoc* —2A **152**
Montrose Av. *Stret* —5B **106**
Montrose Dri. *Brom X* —4F **19**
Montrose Gdns. *Rytn* —3D **56**
Montrose St. *Roch* —4C **40**
Montserrat Brow. *Bolt* —3B **30**
Montserrat Rd. *Bolt* —3C **30**

Monyash Ct. *Glos* —6F **117**
　　(off Monyash M.)
Monyash Gro. *Glos* —6F **117**
　　(off Monyash M.)
Monyash Lea. *Glos* —6F **117**
　　(off Monyash M.)
Monyash M. *Glos* —6F **117**
Monyash Pl. *Glos* —6F **117**
　　(off Monyash M.)
Monyash Way. *Glos* —6G **117**
　　(off Ashford M.)
Moon Gro. *M14* —4H **109**
Moon St. *Oldh* —2A **72**
Moor Bank La. *Miln* —1B **42**
Moorby Av. *M19* —5A **126**
Moorby St. *Oldh* —1E **73**
Moorby Wlk. *Bolt* —2B **46**
Moor Clo. *Rad* —2E **49**
Moorclose St. *Mid* —1C **70**
Moorclose Wlk. *M9* —4F **83**
　　(off Heathersett Dri.)
Moorcock Av. *Pen* —3H **79**
Moor Cres. *Dig* —3C **60**
Moorcroft. *Ram* —3A **12**
Moorcroft. *Roch* —2F **41**
Moorcroft Dri. *M19* —5B **126**
Moorcroft Rd. *M23* —2F **135**
Moorcroft Sq. *Hyde* —1C **114**
Moorcroft St. *Droy* —4A **98**
Moorcroft St. *Oldh* —1A **86**
Moorcroft Wlk. *M19* —5A **126**
Moordale Av. *Oldh* —6A **58**
Moordale St. *M20* —4E **125**
Moordown Clo. *M8* —5D **82**
Moor Edge Rd. *Moss* —1H **89**
Mooredge Ter. *Rytn* —5C **56**
Moore Ho. *Ecc* —5F **91**
Moore St. *Roch* —4H **27**
Moore Wlk. *Dent* —2G **129**
Moorfield. *Mos C* —4B **76**
Moorfield. *Salf* —2G **81**
Moorfield. *Wor* —3H **77**
Moorfield Av. *M20 & M19*
　　　　　　　—2G **125**
Moorfield Av. *Dent* —6G **113**
Moorfield Av. *L'boro* —2E **17**
Moorfield Av. *Stal* —6H **101**
Moorfield Chase. *Farn* —2F **63**
Moorfield Clo. *Ecc* —4F **91**
Moorfield Clo. *Irl* —4F **103**
Moorfield Clo. *Swint* —5D **78**
Moorfield Dri. *Hyde* —2C **114**
Moorfield Dri. *Wilm* —4B **166**
Moorfield Gro. *Bolt* —4D **32**
Moorfield Gro. *Sale* —6C **122**
Moorfield Gro. *Stoc* —5D **126**
Moorfield Hamlet. *Shaw*
　　　　　　　—6D **42**
Moorfield Heights. *C'brk*
　　　　　　　—4G **89**
Moorfield Pde. *Irl* —4F **103**
Moorfield Pl. *Roch* —2G **27**
Moorfield Rd. *M20* —5D **124**
Moorfield Rd. *Irl* —4F **103**
Moorfield Rd. *Oldh* —1H **85**
Moorfield Rd. *Salf* —1D **92**
Moorfield St. *M20* —5C **78**
Moorfield St. *Holl* —1F **117**
Moorfield St. *Manx* —2F **125**
　　(in two parts)
Moorfield St. *Shaw* —6F **43**
Moorfield Ter. *C'brk* —4G **89**
Moorfield Ter. *Holl* —2F **117**
Moorfield View. *L'boro* —3E **17**
Moorfield Wlk. *Urm* —5F **105**
Moorgate. *Bolt* —6H **19**
Moorgate. *Bury* —2D **36**
Moorgate Av. *M20* —2D **124**

Moorgate Av. *Roch* —4C **26**
Moorgate Ct. *Bolt* —4D **32**
Moorgate Dri. *C'brk* —5G **89**
Moor Ga. La. *L'boro* —2C **16**
Moorgate M. *C'brk* —4G **89**
Moorgate Retail Pk. *Bury*
　　　　　　　—2E **37**
Moorgate Rd. *C'brk* —4G **89**
Moorgate Rd. *Rad* —5E **35**
Moorgate St. *Upperm* —1F **61**
Moorhead St. *M4*
　　　　　　　—2F **95** (2D 6)
Moorhey Rd. *L Hul* —3B **62**
Moorhey St. *Oldh* —3F **73**
Moor Hill. *Roch* —2B **26**
Moorhill Ct. *Salf* —2G **81**
Moorhouse Fold. *Miln* —5E **29**
Moorings, The. *Moss* —6G **75**
Moorings, The. *Wor* —6A **78**
Moorland Av. *M8* —1B **82**
Moorland Av. *Del* —4H **59**
Moorland Av. *Droy* —4G **97**
Moorland Av. *Miln* —5G **29**
Moorland Av. *Roch* —3B **26**
Moorland Av. *Sale* —6C **122**
Moorland Av. *Whitw* —2C **14**
Moorland Cres. *Whitw* —2C **14**
Moorland Dri. *Chea H* —5B **150**
Moorland Dri. *L Hul* —3B **62**
Moorland Gro. *Bolt* —3E **31**
Moorland Rd. *M20* —6F **125**
Moorland Rd. *C'brk* —6G **89**
Moorland Rd. *Stoc* —1B **152**
　　(in two parts)
Moorlands Av. *Urm* —4D **104**
Moorlands Cres. *Moss* —2F **89**
Moorlands Dri. *Moss* —6G **75**
Moorland St. *L'boro* —2G **17**
Moorland St. *Roch* —2G **27**
Moorland St. *Shaw* —6F **43**
Moorlands View. *Bolt* —5E **45**
Moorland Ter. *Roch* —2C **26**
Moor La. *M23* —1G **135**
Moor La. *Bolt* —1A **46**
Moor La. *Dob* —5C **60**
Moor La. *Roch* —1B **26**
Moor La. *Salf* —3D **80**
Moor La. *Urm* —4C **104**
Moor La. *Wilm* —4A **166**
Moor La. *Woodf* —3F **161**
Moor Nook. *Sale* —6D **122**
Moor Pk. Av. *Roch* —3B **40**
Moor Pk. Rd. *M20* —2G **137**
Moor Rd. *M23* —2E **135**
Moor Rd. *Holc* —3C **12**
Moor Rd. *L'boro* —6G **17**
Moorsbrook Gro. *Wilm*
　　　　　　　—6A **160**
Moorsholme Av. *M40* —4A **84**
Moorside. *L'boro* —3H **17**
Moorside. *Roch* —2F **41**
Moorside Av. *Ain* —4D **34**
Moorside Av. *Bolt* —3E **31**
　　(in two parts)
Moorside Av. *Droy* —2C **98**
Moorside Av. *Farn* —2D **62**
Moorside Av. *Oldh* —3B **58**
Moorside Ct. *Dent* —3G **113**
Moorside Ct. *Sale* —5B **122**
Moorside Cres. *Droy* —3C **98**
Moorside Ho. *Tim* —4C **134**
Moorside La. *Dent* —3G **113**
　　(in two parts)
Moorside Lodge. *Swint* —3D **78**
Moorside Rd. *M8* —2C **82**
Moorside Rd. *Moss* —2G **89**
Moorside Rd. *Salf* —2G **81**
Moorside Rd. *Stoc* —1C **138**
Moorside Rd. *Swint* —4C **78**
Moorside Rd. *Tot* —5G **21**
Moorside Rd. *Urm* —4A **104**

Moorside St. *Droy* —3B **98**
Moor St. *Bury* —2D **36**
Moor St. *Ecc* —4D **90**
Moor St. *Heyw* —3D **38**
Moor St. *Oldh* —2F **73**
Moor St. *Shaw* —1E **57**
Moor St. *Swint* —4F **79**
Moors View. *Ram* —3D **12**
Moorton Av. *M19* —2B **126**
Moorton Pk. *M19* —2B **126**
Moortop Clo. *M9* —4E **69**
Moor Top Pl. *Stoc* —6D **126**
Moor View Clo. *Roch* —1B **26**
Moorville Rd. *Salf* —6A **80**
Moor Way. *Hawk* —1D **20**
Moorway. *Wilm* —4B **166**
Moorway Dri. *M9* —5A **70**
Moorwood Dri. *Sale* —6G **121**
Mora Av. *Chad* —6H **55**
Moran Clo. *Wilm* —5A **160**
Moran Wlk. *M15*
　　　　　　　—1D **108** (6H 9)
Morar Dri. *Bolt* —6A **34**
Morar Rd. *Duk* —6B **100**
Mora St. *M9* —3H **83**
Moravian Clo. *Duk* —4A **100**
Moravian Field. *Droy* —5A **98**
Moray Clo. *Ram* —5C **12**
Moray Rd. *Chad* —5G **71**
Moray Wlk. *Oldh* —5D **72**
Morbourne Clo. *M12* —1A **110**
Morden Av. *M11* —3E **97**
Morecombe Clo. *M40* —5B **84**
Moresby Dri. *M20* —3F **137**
Morestead Wlk. *M40*
　　　　　　　—2G **95** (1F 7)
Moreton Av. *Bram* —2G **161**
Moreton Av. *Sale* —6G **121**
Moreton Av. *Stret* —5D **106**
Moreton Av. *W'fld* —6D **50**
Moreton Clo. *Duk* —1B **114**
Moreton Dri. *Bury* —2H **35**
Moreton Dri. *Hand* —4A **160**
Moreton Dri. *Poy* —3F **163**
Moreton La. *Stoc* —4C **140**
Moreton St. *Chad* —1F **71**
Moreton Wlk. *Stoc* —4C **140**
Moreton Way. *Mot* —4D **116**
Morgan Pas. *Fail* —4E **85**
Morgan Pl. *Stoc* —5H **127**
Morgan St. *L'boro* —4F **17**
Morillon Rd. *Irl* —3E **103**
Morland Rd. *M16* —3A **108**
Morley Av. *M14* —6E **109**
Morley Av. *Swint* —5E **79**
Morley Grn. Rd. *Wilm* —5A **158**
Morley Ho. *Salf* —2F **93**
　　(off Sutton Dwellings)
Morley Rd. *Rad* —3D **48**
Morley St. *Bolt* —1H **45**
Morley St. *Bury* —1D **36**
Morley St. *Oldh* —6A **58**
Morley St. *Roch* —2B **28**
Morley St. *W'fld* —1D **66**
Morley Way. *G'fld* —4F **61**
Morna Wlk. *M12*
　　　　　　　—5H **95** (1H 11)
Morningside Clo. *Droy* —5A **98**
Morningside Clo. *Roch* —5B **28**
Morningside Dri. *M20* —3G **137**
Mornington Av. *Chea* —1H **149**
Mornington Ct. *Oldh* —1C **72**
Mornington Cres. *M14* —1E **125**
Mornington Rd. *Bolt* —5F **31**
Mornington Rd. *Chea* —1H **149**
Mornington Rd. *Roch* —3F **41**
Mornington Rd. *Sale* —4D **122**
Morpeth Clo. *Ash L* —1E **99**
Morpeth St. *Swint* —5E **79**

Morpeth Wlk. *M12* —2A **110**
Morrell Rd. *M22* —3B **136**
Morris Fold Dri. *Los* —1A **44**
Morris Grn. *Bolt* —5G **45**
Morris Grn. Bus. Pk. *Bolt*
　—3G **45**
Morris Grn. La. *Bolt* —4G **45**
Morris Grn. St. *Bolt* —5G **45**
Morris Gro. *Urm* —1A **120**
Morrison St. *Bolt* —4A **46**
Morrison Wlk. M40 —6A *84*
(off Eldridge Dri.)
Morris St. *Bolt* —6C **32**
Morris St. *Manx* —2F **125**
Morris St. *Oldh* —4E **73**
Morris St. *Rad* —2C **50**
Morrowfield Av. *M8* —4B **82**
Morrwell Rd. *M22* —3C **136**
Morse Rd. *M40* —6B **84**
Mortar St. *Oldh* —1G **73**
(in two parts)
Mort Ct. *Bolt* —2G **31**
Mortfield Gdns. *Bolt* —5H **31**
Mortfield La. *Bolt* —5H **31**
(in two parts)
Mort Fold. *L Hul* —4C **62**
Mortimer Av. *M9* —5G **69**
Mortimer St. *Oldh* —6E **57**
Mortlake Clo. *Wor* —6B **62**
Mortlake Dri. *M40* —6B **84**
Mort La. *Tyl* —2A **76**
Morton St. *Bolt* —6C **32**
Morton St. *Fail* —4C **84**
Morton St. *Mid* —5A **54**
Morton St. *Rad* —5H **49**
Morton St. *Roch* —4A **28**
Morton St. *Stoc* —5G **127**
Morton Ter. *Woodl* —4H **129**
Mort St. *Farn* —1D **62**
Morven Av. *Haz G* —2F **153**
Morven Dri. *M23* —6G **135**
Morven Gro. *Bolt* —6H **33**
Morville Rd. *M21* —6B **108**
Morville Rd. *Salf* —6A **80**
Morville St. *M1* —5G **95** (1E **11**)
Moschatel Wlk. *Part* —6E **119**
Moscow Rd. *Stoc* —4F **139**
Moscow Rd. E. *Stoc* —4F **139**
Mosedale Clo. *M23* —5E **135**
Mosedale Rd. *Mid* —5F **53**
Moseldene Rd. *Stoc* —6D **140**
Moseley Ct. *M19* —6B **110**
Moseley Grange. *Chea H*
　—2B **150**
Moseley Rd. *Chea H* —2B **150**
Moseley Rd. *Fall & Lev*
　—1H **125**
Moseley St. *Stoc* —3G **139**
MOSES GATE STATION. *BR*
　—5E **47**
Mosley Arc. M1 —4E *95* (6B *6*)
(off Piccadilly Plaza)
Mosley Av. *Bury* —6F **23**
Mosley Av. *Ram* —1B **22**
Mosley Clo. *Tim* —4H **133**
Mosley Comn. Rd. *Tyl & Wor*
　—3A **76**
Mosley Rd. *Tim* —5B **134**
Mosley Rd. *Traf P* —1C **106**
Mosley St. *M2* —4E **95** (1H **9**)
Mosley St. *Rad* —2F **49**
MOSLEY STREET STATION. *M*
　—4E **95**
Mossack Av. *M22* —4B **148**
Moss Av. *Roch* —5C **28**
Moss Bank. *M8* —3C **82**
Moss Bank. *Bram* —2E **161**
Moss Bank. *Shaw* —1F **57**
Moss Bank Av. *Droy* —3C **98**
Moss Bank Clo. *Bolt* —1H **31**
Mossbank Clo. *Had* —3G **117**

Moss Bank Ct. *Droy* —3C **98**
Mossbank Gro. *Heyw* —2E **39**
Moss Bank Gro. *Wdly* —1D **78**
Moss Bank Rd. *Wdly* —1D **78**
Moss Bank Trad. Est. *Wor*
　—5G **63**
Moss Bank Way. *Bolt* —4C **30**
Mossbray Av. *M19* —5H **125**
Moss Bri. Rd. *Roch* —6B **28**
Mossbrook Dri. *L Hul* —3A **62**
Moss Brook Rd. *M9* —4G **83**
Moss Clo. *Rad* —2D **48**
Mossclough Ct. *M9* —4G **83**
Moss Colliery Rd. *Clif* —6E **65**
Mosscot Clo. *M13*
　—6F **95** (3D **10**)
Moss Croft Clo. *Urm* —4A **104**
Mossdale Av. *Bolt* —6B **30**
Mossdale Rd. *M23* —2F **135**
Mossdale Rd. *Sale* —2G **133**
Mossdown Rd. *Rytn* —4E **57**
Mossfield Clo. *Bury* —1G **37**
Mossfield Clo. *Stoc* —1D **138**
Mossfield Ct. *Bolt* —5A **32**
Mossfield Dri. *M9* —5A **70**
Mossfield Grn. *Ecc* —3G **103**
Mossfield Rd. *Farn* —1D **62**
Mossfield Rd. *Kear* —4H **63**
Mossfield Rd. *Swint* —1E **79**
Mossfield Rd. *Tim* —5D **134**
Moss Ga. Rd. *Shaw* —5D **42**
(in two parts)
Moss Grange Av. *M16* —3B **108**
Moss Grn. *Car* —3B **120**
Moss Gro. *Shaw* —4C **42**
Moss Gro. Ct. M15 —3C *108*
(off Moss La. W.)
Mossgrove Rd. *Tim* —4H **133**
Mossgrove St. *Oldh* —1B **86**
Mosshall Clo. *M15*
　—1B **108** (6D **8**)
Moss Hall Rd. *Bury & Heyw*
　—4H **37**
Moss Hey Dri. *M23* —2A **136**
Moss Hey St. *Shaw* —1F **57**
Moss Ho. La. *Wor* —6B **76**
Moss Ind. Est. *Roch* —6B **28**
Mossland Clo. *Heyw* —5F **39**
Mossland Gro. *Bolt* —5B **44**
Moss La. *Ald E* —5H **167**
Moss La. *Alt & Tim* —1F **145**
Moss La. *Ash L* —1D **98**
(in two parts)
Moss La. *Bolt* —2E **31**
Moss La. *Bram* —2D **160**
Moss La. *Cad* —4B **118**
Moss La. *Kear* —4B **64**
Moss La. *Mid* —4H **69**
(in two parts)
Moss La. *Part & Lymm*
　—6D **118**
Moss La. *Roch* —5A **28**
Moss La. *Rytn* —4E **57**
Moss La. *Sale* —6F **121**
(Ashton upon Mersey)
Moss La. *Sale* —1E **133**
(Woodhouses)
Moss La. *Styal* —3B **158**
Moss La. *Tim* —4H **133**
Moss La. *Urm* —2F **105**
Moss La. *Wdly* —1D **78**
Moss La. *W'fld* —1D **66**
Moss La. *Whitw* —1B **14**
Moss La. *Wor* —5G **63**
(in two parts)
Moss La. E. *M16 & M14*
　—3C **108**
Moss La. Ind. Est. *W'fld*
　—6D **50**
Moss Lane Trad. Est. *W'fld*
　—6E **51**

Moss La. W. *M15* —3B **108**
Moss Lea. *Bolt* —1H **31**
Mosslee Av. *M8* —6B **68**
Mossley Rd. *Ash L* —2A **100**
Mossley Rd. *Gras* —5F **75**
MOSSLEY STATION. *BR*
　—2E **89**
Moss Lynn. *Spring* —2C **74**
Moss Mnr. *Sale* —6G **121**
Moss Meadow Rd. *Salf* —1C **92**
Mossmere Rd. *Chea H* —1C **150**
Moss Mill St. *Roch* —6B **28**
Moss Nook Ind. Area. *M22*
　—5D **148**
Moss Pk. Rd. *Stret* —5A **106**
Moss Pl. *Bury* —5C **36**
Moss Pl. *Droy* —4B **98**
Moss Rd. *Ald E* —4H **167**
Moss Rd. *Cad* —5A **102**
Moss Rd. *Kear* —2G **63**
(in two parts)
Moss Rd. *Sale* —5D **120**
Moss Rd. *Stret* —3C **106**
Moss Rose. *Ald E* —4H **167**
Moss Row. *Bury* —4D **36**
Moss Row. *Roch* —2H **25**
Moss Shaw Way. *Rad* —2D **48**
Moss Side. *Bury* —6A **22**
Moss Side Cres. *M15* —2E **109**
Moss Side Enterprise Est. *M15*
　—2D **108**
Moss Side La. *Miln* —6C **28**
Moss Side Rd. *Cad* —3B **118**
Moss St. *Bury* —3C **36**
Moss St. *Dent* —4B **98**
Moss St. *Droy* —3B **98**
Moss St. *Farn* —6G **47**
Moss St. *Heyw* —3E **39**
Moss St. *Holl* —2F **117**
Moss St. *Oldh* —1A **74**
Moss St. *Roch* —5B **28**
Moss St. *Salf* —6H **81**
Moss St. *Stoc* —2F **139**
Moss St. *S'seat* —1D **22**
Moss St. E. *Ash L* —2H **99**
Moss St. W. *Ash L* —3F **99**
Moss Ter. *Ash L* —3G **99**
Moss Ter. *Roch* —5B **28**
Moss Ter. *Wilm* —8B **160**
Moss, The. *Mid* —3D **70**
Moss Vale Cres. *Stret* —3H **105**
Moss Vale Rd. *Stret* —4H **105**
Moss Vale Rd. *Urm* —5G **105**
Moss View Rd. *Bolt* —5G **33**
Moss View Rd. *Part* —6E **119**
Mossway. *Mid* —4H **69**
Moss Way. *Sale* —5G **121**
Mosswood Pk. *M20* —3F **137**
Mosswood Rd. *Wilm* —6A **160**
Moston Bk. Av. *M9* —4G **83**
Moston La. *M9* —3F **83**
Moston La. *M40* —3A **84**
Moston La. E. *M40* —1E **85**
Moston Rd. *Mid* —3D **70**
MOSTON STATION. *BR*
　—1D **84**
Moston St. *Salf* —4B **82**
Moston St. *Stoc* —2H **127**
Mostyn Av. *M14* —1A **126**
Mostyn Av. *Bury* —6F **23**
Mostyn Av. *Chea H* —3A **150**
Mostyn Rd. *Haz G* —4B **152**
Mostyn St. *Stal & Duk* —5D **100**
Motcombe Farm Rd. *H Grn*
　—4F **149**
Motcombe Gro. *H Grn* —2E **149**
Motcombe Rd. *H Grn* —3E **149**
Motherwell Av. *M19* —6C **110**
Motlow Wlk. *M23* —3D **134**
Motor St. *M3* —4D **94** (5G **5**)
Mottershead Av. *L Lev* —3A **48**

Mottershead Rd. *M22* —2H **147**
Mottram Av. *M21* —4A **124**
Mottram Clo. *Chea* —6C **138**
Mottram Dri. *Tim* —6A **134**
Mottram Fold. *Mot* —4C **116**
Mottram Fold. *Stoc* —3H **139**
Mottram Moor. *Mot* —3C **116**
Mottram Old Rd. *Hyde* —1D **130**
Mottram Old Rd. *Stal* —4G **101**
Mottram Rd. *Ald E* —5H **167**
Mottram Rd. *B'btm* —6B **116**
Mottram Rd. *Hyde* —5C **114**
Mottram Rd. *Sale* —6E **123**
Mottram Rd. *Stal* —3F **101**
Mottram St. *Stoc* —3H **139**
Mottram Towers. *Stoc* —3H **139**
Mottram Way. Stoc —3H *139*
(off Mottram Fold)
Mough La. *Chad* —6D **70**
Mouldsworth Av. *M20* —2E **125**
Mouldsworth Av. *Stoc* —3F **127**
Moulton St. *M8* —1C **94**
Moulton St. Precinct. *M8*
　—1C **94**
Mountain Ash. *Roch* —6B **14**
Mountain Ash Clo. *Roch*
　—6B **14**
Mountain Ash Clo. *Sale*
　—4E **121**
Mountain Gro. *Wor* —5E **63**
Mountain St. *M40* —1F **97**
Mountain St. *Moss* —2E **89**
Mountain St. *Stoc* —1A **140**
Mountain St. *Wor* —5E **63**
Mount Av. *L'boro* —2E **17**
Mount Av. *Roch* —5C **16**
Mountbatten Av. *Duk* —6D **100**
Mountbatten Clo. *Bury* —5F **51**
Mountbatten St. *M18* —2E **111**
Mt. Carmel Ct. Salf
　—6A *94* (3A *8*)
(off Mt. Carmel Cres.)
Mt. Carmel Cres. *Salf*
　—6A *94* (3A *8*)
Mount Clo. *Ash L* —4G **99**
Mount Dri. *Marp* —6D **142**
Mount Dri. *Urm* —5H **105**
Mountfield. *P'wch* —5F **67**
Mountfield Rd. *Bram* —2G **161**
Mountfield Rd. *Stoc* —4E **139**
Mountfield Wlk. M11 —4B *96*
(off Hopedale Clo.)
Mountfield Wlk. *Bolt* —4A **32**
(in two parts)
Mount Fold. *Mid* —2A **70**
Mountford Av. *M8* —1B **82**
Mount Gro. *Gat* —5D **136**
Mountheath Ind. Est. *P'wch*
　—2F **81**
Mount La. *Dob* —6G **59**
Mount Pl. *Roch* —3G **27**
Mt. Pleasant. *Bolt* —2E **47**
Mt. Pleasant. *Comp* —6F **131**
Mt. Pleasant. *Haz G* —2D **152**
Mt. Pleasant. *Mid* —1E **69**
(in two parts)
Mt. Pleasant. *Nan* —6H **13**
Mt. Pleasant. *P'wch* —1A **68**
Mt. Pleasant. *Rad* —3G **49**
Mt. Pleasant. *Stoc* —5G **141**
Mt. Pleasant. *Wilm* —6F **159**
Mt. Pleasant. *Woodl* —4H **129**
Mt. Pleasant Rd. *Dent* —5F **113**
Mt. Pleasant Rd. *Farn* —1B **62**
Mt. Pleasant St. *Ash L* —1A **100**
(in two parts)
Mt. Pleasant St. *Aud* —6F **99**
(in two parts)
Mt. Pleasant St. *Oldh* —2F **73**
Mt. Pleasant Wlk. *Rad* —3G **49**
(in two parts)

Neston Av. *Sale* —1E **135**
Neston Clo. *Shaw* —6H **43**
Neston Gro. *Stoc* —6F **139**
Neston Rd. *Roch* —1A **42**
Neston Rd. *Wals* —1F **35**
Neston St. *M11* —6H **97**
Neston Way. *Hand* —4H **159**
Neswick Wlk. *M23* —1F **155**
Netherbury Clo. *M18* —4E **111**
Nethercroft Ct. *Alt* —6E **133**
Nethercroft Rd. *Tim* —6C **134**
Netherfield Clo. *Oldh* —5A **72**
Netherfield Rd. *Bolt* —5H **45**
Netherfields. *Ald E* —6G **167**
Netherhey La. *Rytn* —5A **56**
Nether Hey St. *Oldh* —4F **73**
  (in two parts)
Nether Ho. Rd. *Shaw* —6E **43**
Netherlees. *Lees* —4H **73**
Netherlow Ct. *Hyde* —5C **114**
Nether St. *M12* —5G **95** (2E 11)
Nether St. *Hyde* —1D **130**
Netherton Gro. *Farn* —5D **46**
Netherton Rd. *M14* —6E **109**
Nethervale Dri. *M9* —4G **83**
Netherwood Rd. *M22* —4A **136**
Netley Av. *Roch* —6F **15**
Netley Gdns. *Rad* —3E **49**
Netley Gro. *Oldh* —5G **73**
Netley Rd. *M23* —1G **147**
Nettlebarn Rd. *M22* —6A **136**
Nettleford Rd. *M16 & M21*
  —1C **124**
Nettleton Gro. *M9* —2H **83**
Nevada St. *Bolt* —4A **32**
Nevendon Dri. *M23* —1F **147**
Nevile Ct. *Salf* —3F **81**
Nevile Rd. *Salf* —3F **81**
Neville Cardus Wlk. *M14*
  —5G **109**
Neville Clo. *Bolt* —5A **32**
Neville Dri. *Irl* —3E **103**
Neville St. *Chad* —2A **72**
Neville St. *Haz G* —2D **152**
Neville St. *Shaw* —6F **43**
Nevill Rd. *Bram* —3G **151**
Nevin Av. *Chea H* —4A **150**
Nevin Clo. *Bram* —5A **152**
Nevin Clo. *Oldh* —1H **85**
Nevin Rd. *M40* —2D **84**
Nevis Gro. *Bolt* —6B **18**
Nevis St. *Roch* —3G **41**
New Allen St. *M40*
  —2G **95** (1E 7)
Newall Rd. *M23* —2F **147**
Newall St. *L'boro* —3F **17**
Newark Av. *M14* —4F **109**
Newark Av. *Rad* —2C **48**
Newark Pk. Way. *Rytn* —6A **42**
Newark Rd. *Clif* —1H **79**
Newark Rd. *Roch* —6F **15**
Newark Rd. *Stoc* —4H **127**
Newark Sq. *Roch* —6F **15**
New Bailey St. *Salf*
  —4C **94** (5E 5)
Newbank Chase. *Chad* —1G **71**
New Bank St. *M12* —1A **110**
New Bank St. *Had* —2H **117**
Newbank Tower. *Salf*
  —2C **94** (1E 5)
New Barn Clo. *Shaw* —6E **43**
New Barn La. *Roch* —6G **27**
New Barn Rd. *Oldh* —1E **87**
New Barn St. *Bolt* —4F **31**
New Barn St. *Roch* —6A **28**
Newbarn St. *Shaw* —6E **43**
New Barton St. *Salf* —6A **80**
Newbeck St. *M4* —3E **95** (3B 6)
New Beech Rd. *Stoc* —1A **138**
  (in two parts)
Newberry Gro. *Stoc* —6F **139**

Newbold Clo. *M15*
  —1D **108** (5H 9)
Newbold Moss. *Roch* —3B **28**
Newbold St. *Bury* —3A **36**
Newbold St. *Roch* —3C **28**
Newboult Rd. *Chea* —5A **138**
Newbourne Clo. *Haz G*
  —2D **152**
Newbreak Clo. *Oldh* —1H **73**
Newbreak St. *Oldh* —1H **73**
Newbridge Gdns. *Bolt* —1G **33**
New Bri. La. *Stoc* —2A **140**
New Bri. St. *Salf* —3D **94** (3G 5)
Newbridge View. *Moss* —3F **89**
New Briggs Fold. *Eger* —1C **18**
New Brighton Cotts. *Whitw*
  (off Ruth St.) —4H **15**
New Broad La. *Roch* —2A **42**
Newbrook Av. *M21* —5B **124**
New Buildings Pl. *Roch* —3H **27**
Newburn Av. *M9* —5H **69**
Newbury Av. *Sale* —5E **121**
Newbury Clo. *Chea H* —1C **160**
Newbury Ct. *Tim* —4H **133**
Newbury Dri. *Ecc* —2D **90**
Newbury Dri. *Urm* —2E **105**
Newbury Gro. *Heyw* —5E **39**
Newbury Pl. *Salf* —4H **81**
Newbury Rd. *H Grn* —6G **149**
Newbury Rd. *L Lev* —4H **47**
Newbury Wlk. *M9* —4F **83**
  (off Ravelston Dri.)
Newbury Wlk. *Bolt* —4A **32**
Newbury Wlk. *Chad* —2A **72**
  (off Kempton Way)
Newby Dri. *B'hth* —5F **133**
Newby Dri. *Gat* —6E **137**
Newby Dri. *Mid* —4H **53**
Newby Dri. *Sale* —6D **122**
Newby Dri. *Haz G* —2C **152**
Newby Dri. *Stoc* —1E **139**
Newby Rd. Ind. Est. *Haz G*
  —3C **152**
Newcastle St. *M15*
  (in two parts) —6D **94** (4H 9)
Newcastle Wlk. *Dent* —6G **113**
New Cateaton St. *Bury* —2D **36**
Newchurch. *Oldh* —3E **87**
New Church Ct. *Rad* —4H **49**
New Church Rd. *Bolt* —3D **30**
Newchurch St. *M11* —5B **96**
New Church St. *Rad* —4G **49**
Newchurch St. *Roch* —4C **40**
New Church Wlk. *Rad* —4H **49**
New City Rd. *Wor* —3C **76**
Newcliffe Rd. *M9* —5H **69**
New Coin St. *Rytn* —4B **56**
Newcombe Clo. *M11* —4B **96**
Newcombe Ct. *Sale* —5H **121**
Newcombe Dri. *L Hul* —3B **62**
Newcombe Rd. *Ram* —2A **22**
Newcombe St. *M3*
  —2D **94** (1H 5)
New Ct. Dri. *Eger* —1B **18**
Newcroft. *Fail* —5H **85**
Newcroft Cres. *Urm* —6H **105**
Newcroft Dri. *Stoc* —5F **139**
Newcroft Dri. *Urm* —6A **106**
Newcroft Rd. *Urm* —6H **105**
New Cross. *M4* —3F **95** (4C 6)
New Cross St. *Rad* —4H **49**
New Cross St. *Salf* —3C **92**
New Cross St. *Swint* —4G **79**
Newdale Rd. *M12* —5D **110**
Newearth Rd. *Wor* —3D **76**
New Earth St. *Moss* —1F **89**
New Earth St. *Oldh* —4G **73**
New Elizabeth St. *M8* —6C **82**
New Ellesmere App. *Wor*
  —5F **63**

Newell Ter. *Roch* —2G **27**
New Elm Rd. *M3*
  —5B **94** (2D 8)
Newfield Clo. *Rad* —4E **49**
Newfield Clo. *Roch* —3C **28**
Newfield Head La. *Miln* —6H **29**
Newfield View. *Miln* —5G **29**
  (in three parts)
New Forest Rd. *M23* —3C **134**
Newgate. *Roch* —4G **27**
Newgate Dri. *L Hul* —3B **62**
Newgate Rd. *Sale* —1E **133**
Newgate Rd. *Wilm* —2A **166**
Newgate St. *M4* —3E **95** (3B 6)
New George St. *M4*
  —3E **95** (3B 6)
New George St. *Bury* —2A **36**
New Grn. *Bolt* —5A **20**
Newhall Av. *Brad F* —1B **48**
New Hall Av. *Ecc* —6C **90**
New Hall Av. *H Grn* —6F **149**
New Hall Av. *Salf* —3H **81**
New Hall Dri. *M23* —1G **135**
New Hall La. *Bolt* —4E **31**
New Hall Pl. *Bolt* —5E **31**
New Hall Rd. *Bury* —1A **38**
New Hall Rd. *Sale* —5F **123**
New Hall Rd. *Salf* —3H **81**
Newhall Rd. *Stoc* —5A **112**
Newham Av. *M11* —3D **96**
Newhaven Av. *M11* —6H **97**
Newhaven Bus. Pk. *Ecc* —5G **91**
Newhaven Clo. *Bury* —4C **22**
Newhaven Wlk. *Bolt* —4D **32**
New Herbert St. *Salf* —6A **80**
Newhey Av. *M22* —6B **136**
New Hey St. *Sale* —4B **122**
Newhey Rd. *M22* —1B **148**
Newhey Rd. *Chea* —5A **138**
Newhey Rd. *Miln* —6G **29**
  (in two parts)
NEWHEY STATION. *BR* —1F **43**
New Heys Way. *Bolt* —5H **19**
New Holder St. *Bolt* —6A **32**
Newholme Ct. *Stret* —5E **107**
Newholme Gdns. *Wor* —5E **63**
Newholme Rd. *M20* —4D **124**
Newhouse Clo. *Ward* —3A **16**
Newhouse Cres. *Roch* —3A **26**
Newhouse Rd. *Heyw* —5F **39**
Newhouse St. *Ward* —3A **16**
Newick Wlk. *M9* —5G **69**
  (off Levedale Rd.)
Newington Av. *M8* —6B **68**
Newington Ct. *Bow* —2D **144**
Newington Dri. *Bolt* —4B **32**
Newington Dri. *Bury* —4G **35**
Newington Wlk. *Bolt* —4B **32**
  (in two parts)
New Inn Yd. *Roch* —5C **16**
New Islington. *M4*
  —3G **95** (4E 7)
New Kings Head Yd. *Salf*
  (off Chapel St.) —3D **94** (3G 5)
Newlands. *Fail* —1G **97**
Newlands Av. *Bolt* —4H **33**
Newlands Av. *Bram* —5H **151**
Newlands Av. *Chea H* —6C **150**
Newlands Av. *Ecc* —5B **90**
Newlands Av. *Irl* —5D **102**
Newlands Av. *Roch* —6F **15**
Newlands Av. *W'fld* —6C **50**
Newlands Clo. *Chea H* —6C **150**
Newlands Clo. *Roch* —6F **15**
Newlands Dri. *M20* —3G **137**
Newlands Dri. *Had* —3H **117**
Newlands Dri. *Pen* —5A **80**
Newlands Dri. *P'wch* —4E **67**
Newlands Dri. *Wilm* —4B **166**
Newlands Rd. *M23* —3E **135**
Newlands Rd. *Chea* —5H **137**

Newland St. *M8* —2D **82**
Newlands Wlk. *Mid* —4G **53**
  (in two parts)
New La. *Bolt* —4F **33**
New La. *Ecc* —4D **90**
New La. *Mid* —6A **54**
New La. *Rytn* —3B **56**
New Lawns. *Stoc* —6A **112**
New Lees St. *Ash L* —6H **87**
  (in two parts)
Newlyn Av. *Stal* —2H **101**
Newlyn Clo. *Haz G* —4D **152**
Newlyn Dri. *Bred* —5G **129**
Newlyn Dri. *Sale* —1C **134**
Newlyn St. *M14* —5F **109**
Newman St. *Ash L* —2G **99**
Newman St. *Hyde* —4C **114**
Newman St. *Roch* —6A **16**
New Market. *M2* —4D **94** (5H 5)
Newmarket Clo. *Sale* —1D **132**
Newmarket Gro. *Ash L* —6C **86**
New Market La. *M2*
  —4D **94** (5H 5)
Newmarket M. *Salf* —5H **81**
Newmarket Rd. *Ash L* —6C **86**
Newmarket Rd. *L Lev* —5A **48**
New Meadow. *Los* —6A **30**
New Mill. *Roch* —1C **28**
New Mill St. *L'boro* —4E **17**
Newmill Wlk. *M8* —5B **82**
  (off Alderford Pde.)
New Moor La. *Haz G* —2D **152**
New Moss Rd. *Cad* —3B **118**
New Mount St. *M4*
  —2E **95** (2B 6)
Newnham St. *Bolt* —1A **32**
New Park Rd. *Salf* —6H **93**
Newpark Wlk. *M8* —5C **82**
  (off Wellside Wlk.)
Newport Av. *Stoc* —2G **127**
Newport M. *Farn* —2F **63**
Newport Rd. *M21* —6G **107**
Newport Rd. *Bolt* —4C **46**
Newport Rd. *Dent* —1H **129**
Newport St. *M14* —4F **109**
Newport St. *Bolt* —6B **32**
  (in two parts)
Newport St. *Farn* —2F **63**
Newport St. *Mid* —6C **54**
Newport St. *Oldh* —4B **72**
Newport St. *Salf* —3E **93**
Newport St. *Tot* —6A **22**
Newquay Av. *Bolt* —4D **34**
Newquay Av. *Stoc* —2G **127**
Newquay Dri. *Bram* —6H **151**
New Quay St. *Salf*
  —4C **94** (6E 5)
New Radcliffe St. *Oldh* —2C **72**
New Ridd Rise. *Hyde* —1B **130**
New Riven Ct. *L Lev* —4A **48**
New Rd. *L'boro* —5C **16**
New Rd. *Oldh* —5C **72**
New Rd. *Rad* —5H **49**
New Rd. *Tin* —1H **117**
New Royd Av. *Lees* —1B **74**
New Royd Rd. *Oldh* —1A **74**
Newry Rd. *Ecc* —5G **91**
Newry St. *Bolt* —2H **31**
Newry Wlk. *M9* —6D **68**
Newsham Clo. *Bolt* —2H **45**
Newsham Wlk. *M12* —4D **110**
Newshaw La. *Had* —4H **117**
Newsholme St. *M8* —4B **82**
New Springs. *Bolt* —1F **31**
Newstead. *Roch* —3G **27**
  (off Spotland Rd.)
Newstead Av. *M20* —4H **125**
Newstead Av. *Ash L* —4G **87**
Newstead Clo. *Poy* —2D **162**
Newstead Dri. *Bolt* —5E **45**
Newstead Gro. *Bred* —6E **129**

Newstead Rd. *Urm* —4G **105**
Newstead Ter. *Tim* —4H **133**
New St. *M40* —1A **96**
New St. *Alt* —1E **145**
New St. *Bolt* —1A **46**
New St. *Droy* —5A **98**
New St. *Ecc* —4E **91**
New St. *Lees* —3A **74**
New St. *L'boro* —5D **16**
New St. *Miln* —6G **29**
New St. *Pen* —2G **79**
New St. *Rad* —5H **49**
New St. *Roch* —1G **27**
New St. *Stal* —5E **101**
New St. *Tot* —5H **21**
New St. *Upperm* —1F **61**
New St. *Wilm* —4B **166**
New Tempest Rd. *Los* —3A **44**
New Ter. *Wilm* —1E **167**
New Thomas St. *Salf* —1G **93**
Newton Av. *Long* —3A **110**
Newton Av. *Wthtn* —3E **125**
Newton Bus. Pk. *Hyde* —2E **115**
Newton Cres. *Mid* —5F **53**
Newtondale Av. *Rytn* —3A **56**
Newton Dri. *G'mnt* —2A **22**
NEWTON FOR HYDE STATION.
   BR —3D **114**
New Tong Field. *Brom X*
   —4D **18**
Newton Hall Ct. *Hyde* —2A **114**
Newton Hall Rd. *Hyde* —2A **114**
Newton M. *P'wch* —5G **67**
Newton Moor Ind. Est. *Hyde*
   —2C **114**
Newtonmore Wlk. *Open*
   —4D **96**
Newton Rd. *Alt* —4G **133**
Newton Rd. *Fail* —6E **85**
Newton Rd. *Mid* —2D **68**
Newton Rd. *Urm* —5E **105**
Newton Rd. *Wilm* —6E **159**
Newton St. *M1* —4F **95** (5C **6**)
Newton St. *Ash L* —2A **100**
Newton St. *Bolt* —3A **32**
Newton St. *Bury* —5F **23**
Newton St. *Droy* —2C **98**
Newton St. *Fail* —5C **84**
Newton St. *Hyde* —3B **114**
Newton St. *Roch* —6A **28**
Newton St. *Stal* —3D **100**
Newton St. *Stoc* —3G **139**
Newton St. *Stret* —6D **106**
Newton Ter. *Bolt* —3A **32**
Newton Ter. *Duk* —4H **99**
Newton Wlk. *Bolt* —3A **32**
Newton Wood Rd. *Duk*
   —1H **113**
Newtown Av. *Dent* —5F **113**
Newtown Clo. *M11* —5D **96**
Newtown Clo. *Pen* —1F **79**
Newtown St. *P'wch* —5G **67**
Newtown St. *P'wch* —5G **67**
Newtown St. *Shaw* —1F **57**
New Union St. *M4*
   —3G **95** (4E **7**)
New Vernon St. *Bury* —1D **36**
New Viaduct St. *M11 & M40*
   —3A **96**
Newville Dri. *M20* —4H **125**
New Wakefield St. *M1*
   —6E **95** (3A **10**)
New Way. *Whitw* —4G **15**
New Welcome St. *M15*
   —1D **108** (5G **9**)
New York Av. *Man A* —6H **147**
New York St. *Heyw* —3G **38**
New Zealand Rd. *Stoc* —2A **140**
Neyland Clo. *Bolt* —6D **33**
Ney St. *Ash L* —5D **86**
Niagara St. *Stoc* —5A **140**

Nicholas Croft. *M4*
   —3E **95** (4B **6**)
Nicholas Owen Clo. *M11*
   —5E **97**
Nicholas Rd. *Oldh* —5C **73**
Nicholas St. *M1* —4E **95** (6A **6**)
Nicholas St. *Bolt* —5C **32**
Nicholls St. *M12*
   —1H **109** (5G **11**)
Nicholls St. *Salf* —2H **93**
Nicholson Rd. *Hyde* —2A **114**
Nicholson Sq. *Duk* —5H **99**
Nicholson St. *Lees* —3A **74**
Nicholson St. *Roch* —6H **27**
Nicholson St. *Stoc* —1G **139**
Nicker Brow. *Dob* —5A **60**
   (in two parts)
Nickleby Rd. *Poy* —4D **162**
Nick Rd. La. *Ward* —2F **15**
Nico Ditch. *M19* —5E **111**
Nicolas Rd. *M21* —6F **107**
Nicola St. *Eger* —3C **18**
Nield Rd. *Dent* —4F **113**
Nields Brow. *Bow* —3E **145**
Nield St. *Moss* —1D **88**
Nields Way. *Rom* —1H **155**
Nigel Rd. *M9* —4H **83**
Nigher Moss Av. *Roch* —4C **28**
Nightingale Clo. *Wilm* —6F **159**
Nightingale Dri. *Aud* —3C **98**
Nightingale St. *M3*
   —2D **94** (2G **5**)
Nightingale Wlk. *Bolt* —4B **46**
Nile St. *Ash L* —5F **99**
Nile St. *Bolt* —2B **46**
Nile St. *Oldh* —1C **72**
Nile St. *Roch* —3A **28**
Nile Ter. *Salf* —6H **81**
Nimble Nook. *Chad* —4G **71**
Nina Dri. *M40* —6C **70**
Nine Acre Ct. *Salf* —6H **93**
Nine Acres Dri. *Salf* —6H **93**
Ninehouse La. *Bolt* —3B **46**
Ninfield Rd. *M23* —1H **147**
Ninian Ct. *Mid* —6H **53**
Ninian Gdns. *Wor* —6F **63**
Ninth Av. *Oldh* —2B **86**
Nipper La. *W'fld* —5C **50**
Nisbet Av. *M22* —2C **148**
Niven St. *M12* —6G **95** (3E **11**)
Nixon Rd. *Bolt* —4G **45**
Nixon Rd. S. *Bolt* —4G **45**
Nixon St. *Fail* —4E **85**
Nixon St. *Roch* —2B **40**
Nixon St. *Stoc* —3G **139**
Nobel St. *M40* —5C **84**
Noble Meadow. *Roch* —4B **16**
Noble St. *Bolt* —2A **46**
Noble St. *Oldh* —5D **72**
Noel Dri. *Sale* —5D **122**
Nolan St. *M9* —3G **83**
Nole St. *Bolt* —6A **32**
Nona St. *Salf* —3E **93**
Nook Cotts. *Spring* —1C **74**
Nook Farm Av. *Roch* —6F **15**
Nook Fields. *Bolt* —2G **33**
Nook La. *Ash L* —5H **87**
Nook Side. *Roch* —6F **15**
Nook Ter. *Roch* —6F **15**
Nook, The. *Bury* —4H **37**
Nook, The. *Ecc* —2C **90**
Nook, The. *Wor* —3H **77**
Noon Sun Clo. *G'fld* —5E **61**
Noon Sun St. *Roch* —2H **27**
   (in two parts)
Norah St. *Chad* —1H **85**
Norbet Wlk. *M9* —4G **83**
Norbreck Av. *M21* —2H **123**
Norbreck Av. *Chea* —5C **138**
Norbreck Gdns. *Bolt* —5E **33**
Norbreck Pl. *Bolt* —5E **33**

Norbreck St. *Bolt* —5E **33**
Norburn Rd. *M13* —5B **110**
Norbury Av. *Gras* —3E **75**
Norbury Av. *Hyde* —5B **114**
Norbury Av. *Marp* —5C **142**
Norbury Av. *Sale* —5H **121**
Norbury Av. *Salf* —6B **80**
Norbury Cres. *Haz G* —3D **152**
Norbury Dri. *Marp* —5C **142**
Norbury Gro. *Bolt* —1C **32**
Norbury Gro. *Haz G* —3D **152**
Norbury Gro. *Pen* —2F **79**
Norbury Hollow Rd. *Haz G &*
   Poy —5H **153**
Norbury Ho. *Oldh* —4F **73**
Norbury La. *Oldh* —6H **73**
Norbury M. *Marp* —5C **142**
Norbury Sq. *M40* —1A **96**
Norbury St. *Roch* —1H **41**
Norbury St. *Salf* —5A **82**
Norbury St. *Stoc* —2H **139**
Norcliffe Wlk. *M18* —3D **110**
Norcot Wlk. *M15*
   —1B **108** (5D **8**)
Norcross Clo. *Stoc* —6D **140**
Nordale Pk. *Roch* —1A **26**
Nordek Clo. *Rytn* —2B **56**
Nordek Dri. *Rytn* —2B **56**
Norden Av. *M20* —3E **125**
Norden Clo. *Roch* —1G **25**
Norden Ct. *Bolt* —3A **46**
Norden Rd. *Roch* —6H **25**
Nordens Dri. *Chad* —6F **55**
Nordens Rd. *Chad* —1F **71**
Nordens St. *Chad* —1G **71**
Norden Way. *Roch* —1G **25**
Noreen Av. *P'wch* —4F **67**
Norfield Clo. *Duk* —5A **100**
Norfolk Av. *M18* —3E **111**
Norfolk Av. *Dent* —4H **111**
Norfolk Av. *Droy* —2H **97**
Norfolk Av. *Heyw* —3C **38**
Norfolk Av. *Stoc* —3E **127**
Norfolk Av. *W'fld* —1E **67**
Norfolk Clo. *Cad* —4A **118**
Norfolk Clo. *L'boro* —6G **17**
Norfolk Clo. *L Lev* —3B **48**
Norfolk Clo. *Shaw* —6D **42**
Norfolk Cres. *Fail* —5E **85**
Norfolk Dri. *Farn* —6F **47**
Norfolk Gdns. *Urm* —4H **103**
Norfolk Ho. *Sale* —5C **122**
Norfolk Ho. *Salf* —2A **82**
Norfolk M. *M18* —3E **111**
Norfolk St. *M2* —4D **94** (5A **6**)
Norfolk St. *Hyde* —5B **114**
Norfolk St. *Oldh* —5H **71**
   (in two parts)
Norfolk St. *Roch* —5G **27**
Norfolk St. *Salf* —6E **81**
Norfolk St. *Wor* —3F **63**
Norfolk Way. *Rytn* —5B **56**
Norford Way. *Roch* —3A **26**
Norgate St. *M20* —6F **125**
Norlan Av. *Aud* —6E **99**
Norland Wlk. *M40* —6H **83**
Norleigh Rd. *M22* —3B **136**
Norley Av. *Stret* —4F **107**
Norley Clo. *Chad* —5H **55**
Norley Dri. *M19* —6E **111**
Norley Dri. *Sale* —5E **123**
Norman Av. *Haz G* —2C **152**
Normanby Chase. *Alt* —1D **144**
Normanby Gro. *Swint* —2E **79**
Normanby Rd. *Wor* —2E **77**
Normanby St. *M14* —3E **109**
Normanby St. *Bolt* —5F **45**
Normanby St. *Swint* —2E **79**
Norman Clo. *Mid* —6C **54**
Normandale Av. *Bolt* —4E **31**

Normandy Cres. *Rad* —4F **49**
Norman Gro. *M12* —3B **110**
Norman Gro. *Stoc* —2G **127**
Norman Rd. *M14* —5G **109**
Norman Rd. *Alt* —5E **133**
Norman Rd. *Ash L* —5G **87**
Norman Rd. *Roch* —5F **27**
Norman Rd. *Sale* —5B **122**
Norman Rd. *Salf* —4A **82**
Norman Rd. *Stal* —3D **100**
Norman Rd. *Stoc* —6D **126**
Norman Rd. W. *M9* —4H **83**
Norman's Pl. *Alt* —1F **145**
Norman St. *M12* —2D **110**
Norman St. *Bolt* —4B **46**
Norman St. *Bury* —1F **37**
Norman St. *Fail* —2G **85**
Norman St. *Hyde* —5C **114**
Norman St. *Mid* —2B **70**
Norman St. *Oldh* —1D **72**
Normanton Av. *Salf* —2C **92**
Normanton Dri. *M9* —6G **69**
Normanton Rd. *Stoc* —4C **138**
Norman Weall Ct. *Mid* —5A **54**
Normington St. *Oldh* —2G **73**
Norreys Av. *Urm* —4A **104**
Norreys St. *Roch* —3A **28**
Norris Av. *Stoc* —2E **139**
Norris Bank Ter. *Stoc* —2E **139**
Norris Hill Dri. *Stoc* —1E **139**
Norris Rd. *Sale* —1B **134**
Norris Rd. *W'houg* —6A **44**
Norris St. *Bolt* —2A **46**
Norris St. *Farn* —2E **63**
Norris St. *L Lev* —4A **48**
Norris Towers. *Stoc* —1G **139**
   (off Wilkinson Rd.)
Northallerton Rd. *Salf* —5E **81**
Northampton Rd. *M40* —5G **83**
Northampton Wlk. *Dent*
   —6G **113**
Northampton Way. *Dent*
   —6G **113**
North Av. *M19* —2B **126**
North Av. *Farn* —1C **62**
North Av. *G'fld* —4F **61**
North Av. *G'mnt* —2H **21**
North Av. *Stal* —2E **101**
North Av. *Uns* —3F **51**
Northavon Clo. *Ecc* —4A **92**
   (off Kearton Dri.)
Northbank Gdns. *M19* —3A **126**
Northbank Ind. Est. *Irl* —3C **118**
Northbank Wlk. *M20* —6B **124**
N. Blackfield La. *Salf* —3G **81**
Northbourne St. *Salf* —3E **93**
Northbrook Av. *M8* —5B **68**
N. Brook Rd. *Had* —3G **117**
N. Broughton St. *Salf*
   —3C **94** (4E **5**)
North Circ. *W'fld* —3E **67**
N. Clifden La. *Salf* —5A **82**
Northcliffe Rd. *Stoc* —3C **140**
North Clo. *Tin* —1H **117**
Northcombe Rd. *Stoc* —6G **139**
Northcote Rd. *Bram* —6H **151**
Northcote St. *Rad* —5G **49**
North Cres. *M11* —2F **97**
N. Croft. *Oldh* —6E **73**
Northdale Rd. *M9* —4D **68**
N. Dean St. *Pen* —2G **79**
Northdene Dri. *Roch* —5B **26**
Northdown Av. *M15*
   —1B **108** (5C **8**)
Northdown Av. *Woodl* —4A **130**
N. Downs Rd. *Chea H* —2B **150**
N. Downs Rd. *Shaw* —5D **42**
North Dri. *Aud* —4C **98**
North Dri. *Swint* —4H **79**
Northenden Pde. *M22* —2B **136**
Northenden Rd. *Gat* —5E **137**

Northenden Rd. *Sale* —4B **122**
Northenden View. *M20*
(off South Rd.) —1F **137**
N. End Rd. *Stal* —3F **101**
Northen Gro. *M20* —5D **124**
Northerly Cres. *M40* —6D **70**
Northern Av. *Clif* —6A **66**
Northern Gro. *Bolt* —4G **31**
Northfield Av. *M40* —1F **85**
Northfield Dri. *Wilm* —1G **167**
Northfield Rd. *M40* —1F **85**
Northfield Rd. *Bury* —3F **23**
Northfield St. *Bolt* —2G **45**
Northfleet Rd. *Ecc* —4B **90**
North Ga. *Oldh* —1C **86**
Northgate. *Whitw* —2C **14**
Northgate La. *Oldh* —3A **58**
Northgate Rd. *Stoc* —3E **139**
N. George St. *Salf*
—2B **94** (2C **4**)
Northgraves Dri. *Salf* —5A **82**
North Gro. *M13* —2H **109**
North Gro. *Urm* —6E **105**
North Gro. *Wor* —6E **63**
N. Harvey St. *Stoc* —2H **139**
N. Hill St. *Salf* —2B **94** (2D **4**)
Northland Rd. *M9* —6A **70**
Northland Rd. *Bolt* —5D **18**
Northlands. *Rad* —2E **49**
North La. *Roch* —3H **27**
Northleach Clo. *Bury* —2G **35**
Northleigh Dri. *P'wch* —6H **67**
Northleigh Rd. *M16* —4H **107**
N. Lonsdale St. *Stret* —4E **107**
North Mkt. La. *M2*
—4E **95** (5A **6**)
N. Meade. *M21* —2H **123**
Northmoor M. *Oldh* —1C **72**
Northmoor Rd. *M12* —3C **110**
N. Nook. *Oldh* —1C **74**
Northolme Gdns. *M19* —4A **126**
Northolt Ct. *M11* —3F **97**
Northolt Dri. *Bolt* —1F **33**
Northolt Rd. *M23* —2F **135**
North Pde. *M3* —4D **94** (5G **5**)
North Pde. *Miln* —1G **43**
North Pde. *Sale* —1D **134**
N. Park Rd. *Bram* —3F **151**
N. Phoebe St. *Salf* —5H **93**
North Pl. *Stoc* —2H **139**
Northridge Rd. *M9* —3F **69**
North Rise. *G'fld* —4F **61**
North Rd. *M11* —3D **96**
North Rd. *Aud* —4C **98**
North Rd. *Car* —5H **119**
North Rd. *Hale* —5A **146**
North Rd. *Man A* —1A **158**
North Rd. *P'wch* —4D **66**
North Rd. *Stal* —3F **101**
North Rd. *Traf P* —2C **106**
Northside Av. *Urm* —6B **104**
N. Star Dri. *Salf* —4B **94** (5D **4**)
Northstead Av. *Dent* —5H **113**
North St. *M8* —6C **82**
North St. *Ash L* —5D **88** [*corrected?*]
North St. *Heyw* —3D **38**
North St. *Mid* —5A **54**
North St. *Rad* —3A **50**
North St. *Roch* —3A **28**
North St. *Rytn* —3B **56**
(in two parts)
North St. *Whitw* —4G **15**
Northumberland Av. *Ash L*
—1H **99**
Northumberland Clo. *M16*
—2A **108**
Northumberland Cres. *M16*
—2A **108**
Northumberland Rd. *M16*
—3A **108**

Northumberland Rd. *Stoc*
—2B **128**
Northumberland St. *Salf*
—4H **81**
Northumbria St. *Bolt* —2G **45**
Northurst Dri. *M8* —6B **68**
N. Vale Rd. *Tim* —5H **133**
North View. *Bury* —1B **22**
North View. *Moss* —2G **89**
North View. *W'fld* —5C **50**
North View. *Whitw* —3H **15**
N. View Clo. *Lyd* —4E **75**
N. Vine St. *M15*
—1D **108** (5G **9**)
Northward Rd. *Wilm* —3C **166**
Northway. *M40* —1F **85**
Northway. *Alt* —5G **133**
North Way. *Bolt* —1D **32**
Northway. *Droy* —5A **98**
Northway. *Ecc* —3H **91**
North Way. *Stoc* —3C **128**
N. Western St. *M1* & *M12*
—5G **95** (1E **11**)
N. Western St. *Lev* —1C **126**
Northwold Dri. *M9* —6B **70**
Northwold Dri. *Bolt* —5C **30**
Northwood. *Bolt* —1F **33**
Northwood Cres. *Bolt* —2G **45**
Northwood Gro. *Sale* —5B **122**
N. Woodley. *Rad* —1A **66**
Northworth Dri. *M9* —6B **70**
Norton Av. *M12* —4D **110**
Norton Av. *Dent* —4A **112**
Norton Av. *Sale* —3F **121**
Norton Av. *Urm* —3F **105**
Norton Grange. *P'wch* —6H **67**
Norton Gro. *Stoc* —2D **138**
Norton Rd. *Roch* —6F **15**
Norton Rd. *Wor* —4A **76**
Norton St. *M1* —4G **95** (6E **7**)
Norton St. *Bolt* —2B **32**
Norton St. *Mile P* —1A **96**
Norton St. *Old T* —3A **108**
Norton St. *Salf* —4A **82**
(Hightown)
Norton St. *Salf* —3D **94** (3G **5**)
(Salford)
Norview Dri. *M20* —4F **137**
Norville Av. *M40* —6D **70**
Norway Gro. *Stoc* —5H **127**
Norway St. *M11* —5A **96**
Norway St. *Bolt* —3H **31**
Norway St. *Salf* —3E **93**
Norway St. *Stret* —4E **107**
Norweb Way. *Chad* —1G **71**
Norwell Rd. *M22* —6C **136**
Norwich Av. *Chad* —6G **55**
Norwich Av. *Dent* —6F **113**
Norwich Av. *Roch* —4C **26**
Norwich Clo. *Ash L* —4H **87**
Norwich Clo. *Duk* —6E **101**
Norwich Dri. *Bury* —2B **36**
Norwich Rd. *Stret* —4H **105**
Norwich St. *Roch* —6A **28**
Norwick Clo. *Bolt* —3C **44**
Norwood. *P'wch* —1F **81**
Norwood Av. *M20* —5H **125**
Norwood Av. *Bram* —2E **161**
Norwood Av. *Chea H* —2C **150**
Norwood Av. *H Lane* —6B **154**
Norwood Av. *Salf* —3G **81**
Norwood Clo. *Shaw* —5E **43**
Norwood Clo. *Wor* —3G **77**
Norwood Ct. *Stret* —6E **107**
Norwood Cres. *Rytn* —5C **56**
Norwood Dri. *Swint* —4C **78**
Norwood Dri. *Tim* —6D **134**
Norwood Gro. *Bolt* —5G **31**
Norwood Gro. *Rytn* —5C **56**
Norwood Pk. *Alt* —1E **145**
Norwood Rd. *Gat* —5F **137**

Norwood Rd. *Stoc* —1B **152**
Norwood Rd. *Stret* —6E **107**
Nottingham Av. *Stoc* —3C **128**
Nottingham Clo. *Stoc* —3C **128**
Nottingham Dri. *Ash L* —4F **87**
Nottingham Dri. *Bolt* —4A **32**
Nottingham Dri. *Fail* —6G **85**
Nottingham Ter. *Stoc* —3C **128**
Nottingham Way. *Dent*
—6G **113**
Nova Scotia St. *Fail* —3F **85**
Nowell Ct. *Mid* —4A **54**
Nowell Ho. *Mid* —4A **54**
Nowell Rd. *Mid* —4A **54**
Nudger Clo. *Dob* —5H **59**
Nudger Grn. *Dob* —5H **59**
Nuffield Ho. *Bolt* —4F **31**
Nuffield Rd. *M22* —1C **148**
Nugent Rd. *Bolt* —4A **46**
Nugget St. *Oldh* —3F **73**
Nuneaton Dri. *M40*
—2H **95** (1G **7**)
Nuneham Av. *M20* —2G **125**
Nunfield Clo. *M40* —1B **84**
Nunnery Rd. *Bolt* —3F **45**
Nunthorpe Dri. *M8* —3E **83**
Nursery Av. *Hale* —5G **145**
Nursery Brow. *Rad* —1H **65**
Nursery Clo. *Sale* —5D **122**
Nursery Dri. *Poy* —3D **162**
Nursery La. *Stoc* —4C **138**
Nursery La. *Wilm* —3C **166**
Nursery Rd. *Chea H* —4B **150**
Nursery Rd. *Fail* —4G **85**
Nursery Rd. *Hyde* —4A **114**
Nursery Rd. *P'wch* —3E **67**
Nursery Rd. *Stoc* —6E **127**
Nursery Rd. *Urm* —3C **104**
Nursery St. *M40* —1D **108**
Nursery St. *Salf* —1F **93**
Nuthatch Av. *Wor* —3F **77**
Nuthurst Rd. *M40* —2C **84**
Nutsford Vale. *M18* —3C **110**
Nut St. *Bolt* —3H **31**
Nuttall Av. *L Lev* —4C **48**
Nuttall Av. *W'fld* —1D **66**
Nuttall Clo. *Ram* —4E **13**
Nuttall Hall Rd. *Ram* —5F **13**
Nuttall La. *Ram* —4D **12**
Nuttall M. *W'fld* —1D **66**
Nuttall Rd. *Ram* —5E **13**
Nuttall Sq. *Bury* —2D **50**
Nuttall St. *M11* —6C **96**
Nuttall St. *M16* —2A **108**
Nuttall St. *Bury* —4E **37**
Nuttall St. *Cad* —3C **118**
Nuttall St. *Oldh* —5F **73**
Nutt La. *P'wch* —1A **68**

Oadby Clo. *M12* —2C **110**
Oak Av. *M21* —1H **123**
Oak Av. *Cad* —4B **118**
Oak Av. *Chea H* —3C **150**
Oak Av. *L Lev* —4B **48**
Oak Av. *Mid* —2A **70**
Oak Av. *Ram* —1A **22**
Oak Av. *Rom* —1A **142**
Oak Av. *Rytn* —1B **56**
Oak Av. *Stoc* —1D **138**
Oak Av. *W'fld* —2D **66**
Oak Av. *Wilm* —4C **166**
Oak Bank. *P'wch* —2D **80**
Oak Bank Av. *M9* —2H **83**
Oakbank Av. *Chad* —1E **71**
Oak Bank Clo. *W'fld* —1F **67**
Oakbank Dri. *Bolt* —5B **18**
Oak Barton. *Los* —3A **44**
Oakcliffe Rd. *Roch* —5A **16**
Oak Clo. *Mot* —3C **116**
Oak Clo. *Whitw* —1H **15**

Oak Clo. *Wilm* —3C **166**
Oak Coppice. *Bolt* —6E **31**
Oak Cotts. *Styal* —3D **158**
Oak Ct. *Bred* —5G **129**
Oak Croft. *Stal* —6H **101**
Oak Croft. *Stal* —5H **101** [*corrected?*]
Oakcroft Clo. *Stal* —5H **101**
Oakdale. *Bolt* —1F **33**
Oakdale Clo. *W'fld* —1B **66**
Oakdale Ct. *Alt* —6H **133**
Oakdale Ct. *Del* —4G **59**
Oakdale Dri. *M20* —2G **137**
Oakdale Dri. *H Grn* —3F **149**
Oakdean Ct. *Wilm* —6F **159**
Oakdene. *Swint* —5B **78**
Oakdene Av. *H Grn* —6F **149**
Oakdene Av. *Stoc* —4F **127**
Oakdene Cres. *Marp* —4D **142**
Oakdene Gdns. *Marp* —4D **142**
Oakdene Rd. *Marp* —4D **142**
Oakdene Rd. *Mid* —1C **70**
Oakdene Rd. *Tim* —3B **134**
Oakdene St. *M9* —3H **83**
Oak Dri. *M14* —6H **109**
Oak Dri. *Bram* —6E **151**
Oak Dri. *Dent* —3A **112**
Oak Dri. *Marp* —5B **142**
Oaken Bank Rd. *Heyw* & *Mid*
—2H **53**
Oakenbottom Rd. *Bolt* —6F **33**
Oaken Bri. *Stoc* —6G **127**
Oaken Clough. *Ash L* —5D **86**
Oakenclough. *Oldh* —2C **72**
Oakenclough Clo. *Wilm*
—5H **159**
Oaken Clough Dri. *Ash L*
—5E **87**
Oakenclough Dri. *Bolt* —3D **30**
Oakenholme Wlk. *M18* —2E **111**
(off Beyer Clo.)
Oakenrod Hill. *Roch* —4F **27**
Oakenshaw Av. *Whitw* —3C **14**
Oakenshaw View. *Whitw*
—3C **14**
Oaken St. *Ash L* —5E **87**
Oaker Av. *M20* —5C **124**
Oakes St. *Kear* —2H **63**
Oakfield. *Duk* —1C **114**
Oakfield. *P'wch* —6H **67**
Oakfield. *Sale* —4A **122**
Oakfield Av. *C'brk* —5G **89**
Oakfield Av. *Chea* —5A **138**
Oakfield Av. *Droy* —4H **97**
Oakfield Av. *Firs* —4G **107**
Oakfield Av. *Whal R* —4B **108**
Oakfield Clo. *Ald E* —6E **167**
Oakfield Ct. *Tim* —5G **133**
Oakfield Dri. *L Hul* —4A **62**
Oakfield Gro. *M18* —3F **111**
Oakfield Gro. *Farn* —3E **63**
Oakfield M. *Sale* —5A **122**
Oakfield M. *Stoc* —6H **139**
Oakfield Rd. *M20* —6E **125**
Oakfield Rd. *Alt* —6G **133**
Oakfield Rd. *Had* —4G **117**
Oakfield Rd. *Hyde* —2C **114**
Oakfield Rd. *Poy* —3E **163**
Oakfield Rd. *Stoc* —6H **139**
Oakfield St. *M8* —5C **82**
Oakfield St. *Alt* —6G **133**
Oakfield Ter. *Roch* —3E **27**
Oakfield Trad. Est. *Alt* —6G **133**
Oakfold Av. *Ash L* —5H **87**
Oakford Av. *M40*
—2G **95** (1E **7**)
Oakford Wlk. *Bolt* —3G **45**
Oak Gates. *Eger* —2C **18**
Oak Gro. *Ash L* —5H **87**
Oak Gro. *Chea* —6A **138**
Oak Gro. *Ecc* —4D **90**
Oak Gro. *Poy* —3D **162**
Oak Gro. *Urm* —5G **105**

Oakham Clo. *Bury* —6D **22**
Oakham M. *Salf* —2G **81**
Oakhampton Clo. *Rad* —2C **48**
Oakham Rd. *Dent* —6G **113**
Oak Hill. *L'boro* —4D **16**
Oakhill Clo. *Bolt* —6A **34**
Oakhill Way. *M8* —4B **82**
Oakhill Trad. Est. *Wor* —4E **63**
Oakhouse Dri. *M21* —2H **123**
Oakhurst Chase. *Ald E* —4G **167**
Oakhurst Dri. *Stoc* —6D **138**
Oakington Av. *M14* —4F **109**
Oakland Av. *M16* —3G **107**
Oakland Av. *M19* —5A **126**
Oakland Av. *Salf* —1A **92**
Oakland Av. *Stoc* —5C **140**
Oakland Cotts. *Salf* —3F **81**
Oakland Ct. *Poy* —3D **162**
Oakland Gro. *Bolt* —3E **31**
Oakland Ho. *M16* —2G **107**
Oaklands. *Bolt* —6A **30**
Oaklands. *Los* —5A **30**
Oaklands. *Wilm* —2G **167**
Oaklands Av. *Chea H* —3C **150**
Oaklands Av. *Marp B* —3G **143**
Oaklands Clo. *Wilm* —6A **160**
Oaklands Dri. *Haz G* —4E **153**
Oaklands Dri. *P'wch* —5F **67**
Oaklands Dri. *Sale* —4A **122**
Oaklands Pk. *Gras* —4H **75**
Oaklands Rd. *G'fld & Oldh*
—4H **75**
Oaklands Rd. *Hyde* —5E **115**
Oaklands Rd. *Ram* —3A **12**
Oaklands Rd. *Rytn* —5C **56**
Oaklands Rd. *Salf* —4E **81**
Oaklands Rd. *Swint* —5D **78**
Oakland Ter. *Roch* —4C **40**
Oak La. *W'fld* —1F **67**
Oak La. *Wilm* —3C **166**
Oak Lea Av. *Wilm* —4D **166**
Oaklea Rd. *Sale* —3G **121**
Oakleigh. *Stoc* —1H **151**
Oakleigh Av. *M19* —2B **126**
Oakleigh Av. *Bolt* —5C **46**
Oakleigh Av. *Tim* —4A **134**
Oakleigh Ct. *Tim* —4C **134**
Oakley Clo. *M40* —6C **84**
Oakley Clo. *Rad* —1G **65**
Oakley Pk. *Bolt* —6D **30**
Oakley St. *L'boro* —6G **17**
Oakley St. *Salf* —3D **92**
Oakley Vs. *Stoc* —6D **126**
Oak Lodge. *Bram* —6H **151**
Oakmere Av. *Ecc* —1E **91**
Oakmere Clo. *M22* —1B **148**
Oakmere Rd. *Chea H* —1B **150**
Oakmere Rd. *Hand* —2H **167**
Oak M. *Wilm* —6G **159**
Oakmoor Dri. *Salf* —3E **81**
Oakmoor Rd. *M23* —5G **135**
Oakridge Wlk. *M9* —4F **83**
Oak Rd. *M20* —4F **125**
Oak Rd. *Chea* —5A **138**
Oak Rd. *Fail* —5F **85**
Oak Rd. *Hale* —2G **145**
Oak Rd. *Oldh* —1A **86**
Oak Rd. *Part* —6B **118**
Oak Rd. *Sale* —5D **122**
Oak Rd. *Salf* —5G **81**
Oaks Av. *Bolt* —1E **33**
Oaksey Wlk. *Salf* —4F **81**
Oakshaw Dri. *Roch* —2C **26**
Oakside Clo. *Chea* —5H **137**
Oaks La. *Bolt* —6F **19**
Oaks, The. *H Grn* —3E **149**
Oaks, The. *Hyde* —4E **115**
Oak St. *M24* —3E **95** (4B 6)
(in two parts)
Oak St. *Aud* —1F **113**

Oak St. *Ecc* —4F **91**
Oak St. *Haz G* —2D **152**
Oak St. *Heyw* —2D **38**
Oak St. *Hyde* —3C **114**
Oak St. *L'boro* —4G **17**
Oak St. *Mid* —2D **70**
Oak St. *Miln* —1F **43**
Oak St. *Pen* —2G **79**
Oak St. *Rad* —6A **50**
Oak St. *Ram* —4D **12**
Oak St. *Roch* —4H **27**
Oak St. *Shaw* —6G **43**
Oak St. *S'bri* —6D **16**
Oak St. *Stoc* —3D **138**
Oak St. *Whitw* —1H **15**
Oaksworth M. *Gat* —6F **137**
Oak Ter. *L'boro* —5H **17**
Oak Tree Clo. *Stoc* —3D **140**
Oak Tree Ct. *Chea* —6H **137**
Oak Tree Cres. *Stal* —5E **101**
Oak Tree Dri. *Duk* —6D **100**
Oak View. *Whitw* —1H **15**
Oak View Rd. *G'fld* —4F **61**
Oakville Dri. *Salf* —1A **92**
Oakville Ter. *M40* —2H **83**
Oakway. *Manx* —3G **137**
Oakway. *Mid* —3H **53**
Oakwell Dri. *Bury* —4F **51**
Oakwell Dri. *Salf* —2A **82**
Oakwood. *Chad* —2E **71**
Oakwood. *Sale* —5E **121**
Oakwood Av. *M40* —2D **84**
Oakwood Av. *Aud* —6E **99**
Oakwood Av. *Clif* —5E **65**
Oakwood Av. *Gat* —6E **137**
Oakwood Av. *Wilm* —3B **166**
Oakwood Av. *Wor* —1H **77**
Oakwood Clo. *Bury* —2H **35**
Oakwood Ct. *Bow* —5D **144**
Oakwood Dri. *Bolt* —5D **30**
Oakwood Dri. *Salf* —6H **79**
Oakwood Dri. *Wor* —1H **77**
Oakwood Ho. *M21* —1A **124**
Oakwood La. *Bow* —5D **144**
Oakwood Rd. *Dis* —1H **165**
Oakwood Rd. *Rom* —1A **142**
Oakworth Croft. *Oldh* —3B **58**
Oakworth St. *M9* —1E **83**
Oatlands. *Ald E* —6H **167**
Oatlands Rd. *M22* —3A **148**
Oat St. *Stoc* —4A **140**
Oats Wlk. *M13* —3G **109**
Oban Av. *M40* —1D **96**
Oban Av. *Oldh* —6F **57**
Oban Cres. *Stoc* —5F **151**
Oban Dri. *Sale* —6E **123**
Oban Gro. *Bolt* —6C **18**
Oban St. *Bolt* —2H **31**
Oberlin St. *Oldh* —2H **73**
Oberlin St. *Roch* —6F **27**
Oberon Clo. *Ecc* —3F **91**
Occleston Clo. *Sale* —2E **135**
Occupiers La. *Haz G* —4G **153**
Ocean St. *Alt* —5D **132**
Ocean St. Trad. Est. *B'hth*
—5D **132**
Ocean Wlk. *M15* —2D **108**
Ockenden Dri. *M9* —3F **83**
Ocshell Ho. *Salf* —2F **93**
Octagon Ct. *Bolt* —1B **46**
Octavia Dri. *M40* —1E **97**
Octavia Ho. *Salf* —2F **93**
(off Sutton Dwellings)
Oddies Yd. *Roch* —1A **28**
Odell St. *M11* —6D **96**
Odessa Av. *Salf* —6H **79**
Odette St. *M18* —2E **111**
Off Duke St. *Moss* —2G **89**
Offerton Dri. *Stoc* —5D **140**
Offerton Fold. *Stoc* —4C **140**
Offerton Grn. *Stoc* —5F **141**

Offerton Ind. Est. *Stoc* —4C **140**
Offerton La. *Stoc* —3B **140**
Offerton Rd. *Haz G & Stoc*
—2G **153**
Offerton St. *Stoc* —1B **140**
Off Green St. *Mid* —6A **54**
Off Grove Rd. *Millb* —1H **101**
Off Kershaw St. Shaw —6F **43**
(off Kershaw St., in two parts)
Off Lees St. Shaw —6F **43**
(off Lees St.)
Off Ridge Hill La. *Stal* —3D **100**
Off Stamford St. *Millb* —1H **101**
Ogbourne Wlk. M13
—1G **109** (6F 11)
(off Lauderdale Cres.)
Ogden Clo. *Heyw* —3C **38**
Ogden Clo. *W'fld* —6E **51**
Ogden Ct. *Hyde* —5C **114**
Ogden Gdns. *Duk* —5C **100**
Ogden Gro. *Gat* —1D **148**
Ogden La. *M11* —6F **97**
Ogden La. *Miln* —1H **43**
Ogden Rd. *Bram* —2E **161**
Ogden Rd. *Fail* —5F **85**
Ogden Sq. *Duk* —5H **99**
Ogden St. *Ash L* —6H **87**
Ogden St. *Chad* —1A **72**
Ogden St. *Manx* —6F **125**
Ogden St. *Mid* —1A **70**
Ogden St. *Oldh* —3H **73**
Ogden St. *P'wch* —5G **67**
Ogden St. *Roch* —3C **40**
Ogden St. *Swint* —4F **79**
Ogden Wlk. *W'fld* —1E **67**
Ogmore Wlk. *M40* —1C **84**
Ogwen Dri. *P'wch* —4F **67**
Ohio Av. *Salf* —5F **93**
O'Kane Ho. *Ecc* —4F **91**
Okehampton Cres. *Sale*
—4F **121**
Okeover Rd. *Salf* —3H **81**
Olaf St. *Bolt* —4D **32**
Old Bank Clo. *Bred* —6G **129**
Old Bank St. *M2* —4D **94** (5H 5)
Old Barn Pl. *Brom X* —3E **19**
Old Barton Rd. *Urm* —1E **105**
Old Birley St. *M15* —1D **108**
Old Broadway. *M20* —4F **125**
Old Brook Clo. *Shaw* —5H **43**
Old Brook Fold. *Tim* —1B **146**
Old Brow. *Moss* —2E **89**
(in two parts)
Old Brow Ct. *Moss* —3E **89**
Old Brow La. *Roch* —6A **16**
Oldbury Clo. *M40*
—2H **95** (2G 7)
Oldbury Clo. *Heyw* —6F **39**
Oldcastle Av. *M20* —1E **125**
Old Chapel St. *Stoc* —4E **139**
Old Church St. *M40* —5B **84**
Old Chu. St. *Oldh* —2D **72**
Old Clough La. *Wor* —3H **77**
(in two parts)
Old Cottage Clo. *Wor* —6B **76**
Old Courtyard, The. *M22*
—6C **136**
Oldcroft. *Spring* —3C **74**
Old Croft M. *Stoc* —4B **140**
Old Crofts Bank. *Urm* —3E **105**
Old Cross St. *Ash L* —2A **100**
Old Delph Rd. *Roch* —2A **26**
Old Doctors St. *Tot* —4H **21**
Old Eagley M. *Bolt* —5D **18**
Old Edge La. *Rytn & Oldh*
—5C **56**
Old Elm St. *M13*
—1G **109** (5F 11)
Old Engine La. *Ram* —3F **13**
Oldershaw Dri. *M9* —5F **83**
Old Farm Cres. *Droy* —5H **97**

Old Farm M. *Chea H* —6E **151**
Old Farm Rd. *Stoc* —5F **141**
Oldfield Dri. *Tim* —5H **133**
Oldfield Gro. *Sale* —4C **122**
Oldfield La. *Dun M* —1A **144**
Oldfield M. *Alt* —6E **133**
Oldfield Rd. *Alt* —6C **132**
Oldfield Rd. *P'wch* —2G **67**
Oldfield Rd. *Sale* —4C **122**
Oldfield Rd. *Salf* —5A **94** (2A 8)
Oldfield St. *M11* —4D **96**
Old Fold. *Ecc* —1E **91**
Old Fold. *Haz G* —2D **152**
Old Gdns. St. *Stoc* —3H **139**
Old Garden, The. *Tim* —4B **134**
Oldgate Wlk. *M15*
—1B **108** (6D 8)
Old Green. *G'mnt* —2H **21**
Old Ground St. *Ram* —3E **13**
Old Hall Clo. *Bury* —4B **22**
Old Hall Clo. *Mot* —3C **116**
Old Hall Clough. *Los* —6A **30**
Old Hall Ct. *Sale* —5E **123**
Old Hall Cres. *Hand* —4A **160**
Old Hall Dri. *M18* —3F **111**
Old Hall Dri. *Stoc* —5E **141**
Old Hall La. *M14 & M13*
—6H **109**
Old Hall La. *Los* —4A **30**
Old Hall La. *Mell* —6F **143**
Old Hall La. *Mot* —2C **116**
Old Hall La. *P'wch & Mid*
(in two parts) —2A **68**
Old Hall La. *W'fld* —3A **66**
Old Hall La. *Woodf* —6F **161**
Old Hall La. *Wor* —4G **77**
Old Hall Rd. *M40* —4B **84**
Old Hall Rd. *Gat* —5E **137**
Old Hall Rd. *Sale* —5E **123**
Old Hall Rd. *Salf* —3H **81**
Old Hall Rd. *Stret* —3H **105**
Old Hall Rd. *W'fld* —2A **66**
Old Hall Sq. *Had* —2H **117**
Old Hall St. *M11* —6G **97**
Old Hall St. *Duk* —6G **99**
Old Hall St. *Kear* —2G **63**
Oldhall St. *Mid* —1H **69**
(in two parts)
Old Hall St. N. *Bolt* —6B **32**
Oldham Av. *Stoc* —2B **140**
Oldham Broadway Bus. Pk.
Chad —5E **71**
Oldham Central Trad. Pk. *Oldh*
—1E **73**
Oldham Ct. *M40* —2G **95** (2F 7)
Oldham Dri. *Bred* —5D **129**
Oldham Ho. *Shaw* —2F **57**
OLDHAM MUMPS STATION.
BR —3E **73**
Oldham Rd. *Ash L* —4E **87**
Oldham Rd. *Del* —1C **58**
Oldham Rd. *Gras & Upperm*
—3F **75**
Oldham Rd. *Grot & Lyd* —3B **74**
Oldham Rd. *Man & Fail*
—3F **95** (3D 6)
Oldham Rd. *Mid* —1A **70**
Oldham Rd. *Roch* —5A **28**
Oldham Rd. *Rytn* —3C **56**
Oldham Rd. *Scout & Dob*
—1E **75**
Oldham Rd. *Shaw* —3F **57**
Oldhams Ter. *Bolt* —6B **18**
(in three parts)
Oldham St. *M1* —4E **95** (5B 6)
Oldham St. *Bolt* —1H **45**
Oldham St. *Dent* —5C **112**
Oldham St. *Droy* —3B **98**
Oldham St. *Hyde* —5B **114**
Oldham St. *Oldh* —1A **86**
Oldham St. *Salf* —4B **94** (6C 4)

Oldham St. *Stoc* —2G **127**
Oldham Way. *Oldh* —1B **72**
OLDHAM WERNETH STATION.
    BR —3B **72**
Old Heyes Rd. *Tim* —3B **134**
Old Ho. Ter. *Ash L* —6A **88**
Old Kiln La. *Bolt* —3A **30**
Oldknow Rd. *Marp* —5E **143**
Old La. *M11* —5F **97**
Old La. *Aus* —1B **74**
Old La. *Bury* —3F **23**
Old La. *Chad* —5H **71**
Old La. *Dob* —5B **60**
  (Dobcross)
Old La. *Dob* —6D **60**
  (Pobgreen)
Old La. *Gras* —3G **75**
Old La. *L Hul* —3B **62**
Old Lansdowne Rd. *M20*
    —5D **124**
Old Lees St. *Ash L* —6H **87**
Old Links Clo. *Bolt* —3C **30**
Old Market Pl. *Alt* —6F **133**
Old Market St. *M9* —1E **83**
Old Meadow Dri. *Dent* —2F **113**
Old Meadow La. *Hale* —2B **146**
Old Medlock St. *M3*
    —5B **94** (2D **8**)
Old Mill Clo. *Pen* —3H **79**
Old Mill Ho. *Spring* —4C **74**
Old Mill La. *Grot* —4C **74**
Old Mill La. *Haz G* —5G **153**
Old Mills Hill. *Mid* —6D **54**
Old Mill St. *M4* —4G **95** (5F **7**)
Oldmill St. *Roch* —3H **27**
Old Moat La. *M20* —2E **125**
Oldmoor Rd. *Bred* —4E **129**
Old Mount St. *M4*
    —2E **95** (2B **6**)
Old Nans La. *Bolt* —3H **33**
Old Nursery Fold. *Bolt* —1G **33**
Old Oak Clo. *Bolt* —2B **48**
Old Oak Dri. *Dent* —4G **113**
Old Oake Clo. *Wor* —1G **77**
Old Oak St. *M20* —6F **125**
Old Packhorse Rd. *Dig* —1B **60**
Old Parrin La. *Ecc* —2D **90**
Old Quarry La. *Eger* —2D **18**
Old Rectory Gdns. *Chea*
    —6H **137**
Old River Clo. *Irl* —5E **103**
Old Rd. *M9* —1F **83**
Old Rd. *Ash L* —6B **88**
Old Rd. *Bolt* —1A **32**
Old Rd. *Chea* —5B **138**
Old Rd. *Duk* —4A **100**
  (in two parts)
Old Rd. *Fail* —4E **85**
Old Rd. *Hand* —4H **159**
Old Rd. *Hyde* —2B **114**
Old Rd. *Mot* —1B **116**
Old Rd. *Roch* —5C **16**
Old Rd. *Stal* —5G **101**
Old Rd. *Stoc* —6G **127**
Old Rd. *Wilm* —1E **167**
Old School Ct. *M9* —1E **83**
Old School Ct. *Ecc* —1F **91**
Old School Dri. *M9* —1E **83**
Old School La. *Chea H*
    —5C **150**
Old Shaw St. *Salf* —5H **93**
Old Sq. *Ash L* —2A **100**
Oldstead Gro. *Bolt* —3D **44**
Oldstead Wlk. M9 —5F **83**
  (off Parkstead Dri.)
Old St. *Ash L* —3G **99**
Old St. *Oldh* —4H **73**
Old St. *Stal* —3E **101**
Old Swan Clo. *Eger* —1C **18**
Old Swan Cotts. *Eger* —1C **18**
Old Thorn La. *G'fld* —3H **61**

OLD TRAFFORD STATION. *M*
    —3G **107**
Old Vicarage Gdns. *Wor*
    —6F **63**
Oldway Wlk. *M40* —6B **84**
Old Wellington Rd. *Ecc* —3F **91**
Old Wells Clo. *L Hul* —3C **62**
Old Well Wlk. *Sale* —1E **133**
Old Wood La. *Bolt* —5A **34**
Oldwood Rd. *M23* —2G **147**
Old Wool La. *Chea H* —1B **150**
Olga St. *Bolt* —3H **31**
Olivant St. *Bury* —5C **36**
Olive Bank. *Bury* —1H **35**
Oliver Clo. *L'boro* —4D **16**
Olive Rd. *Tim* —3A **134**
Oliver St. *M15* —1E **109** (6B **10**)
Oliver St. *Oldh* —3D **72**
Oliver St. *Stoc* —3H **139**
Olive St. *Bolt* —3H **45**
Olive St. *Bury* —3B **36**
Olive St. *Fail* —3E **85**
Olive St. *Heyw* —3G **39**
Olive St. *Roch* —4D **40**
Olive Wlk. *Sale* —3E **121**
Olivia Gro. *M14* —4H **109**
Ollerbarrow Rd. *Hale* —3G **145**
Ollerbrook Ct. *Bolt* —3B **32**
Ollerton. Roch —3G **27**
  (off Spotland Rd.)
Ollerton Av. *M16* —4A **108**
Ollerton Av. *Sale* —3F **121**
Ollerton Clo. *M22* —2C **136**
Ollerton Dri. *Fail* —5F **85**
Ollerton Rd. *Hand* —2H **159**
Ollerton St. *Bolt* —5D **18**
Ollerton Ter. Bolt —5D **18**
  (off Ollerton St.)
Ollier Av. *M12* —5C **110**
Olney. *Roch* —5G **27**
Olney Av. *M22* —5B **136**
Olney St. *M13* —3H **109**
Olsberg Clo. *Rad* —3A **50**
Olwen Av. *M12* —2C **110**
Olwen Cres. *Stoc* —1H **127**
Olympia Trad. Est. *M15*
    —6C **94** (3F **9**)
Olympic Ct. *Salf* —5F **93**
Omega Dri. *Irl* —3D **118**
Omer Av. *M13* —5B **110**
Omer Dri. *M19* —2A **126**
Onchan Av. *Oldh* —3F **73**
One Ash Clo. *Roch* —1H **27**
Oneoak Ct. *Bram* —3F **151**
One Oak La. *Wilm* —2H **167**
Ongar Wlk. *M9* —6D **68**
Onslow Av. *M40* —2E **85**
Onslow Clo. *Oldh* —1C **72**
Onslow Rd. *Stoc* —3B **139**
Onslow St. *Roch* —1C **40**
Onward St. *Hyde* —5A **114**
Oozewood Rd. *Rytn* —2G **55**
Opal St. *M19* —1D **126**
Openshaw Fold Rd. *Bury*
    —6B **36**
Openshaw La. *Cad* —3C **118**
Openshaw Pl. *Farn* —1D **62**
Openshaw St. *Bury* —4E **37**
Openshaw Wlk. *Open* —5E **87**
Oracle Ct. *Wor* —1E **77**
Orama Av. *Salf* —1A **92**
Oram St. *Bury* —1E **37**
Orange Hill Rd. *P'wch* —4G **67**
Orange St. *Ash L* —2H **99**
Orange St. *Salf* —2G **93**
Orchard Av. *Bolt* —2B **32**
Orchard Av. *Part* —5D **118**
Orchard Av. *Wor* —4D **76**
Orchard Brow. *Shaw* —6D **42**
Orchard Clo. *Chea H* —6E **151**
Orchard Clo. *Poy* —4E **163**

Orchard Clo. *Wilm* —4C **166**
Orchard Ct. *Stoc* —5D **140**
Orchard Ct. *Tim* —4B **134**
Orchard Dri. *Hale* —2A **146**
Orchard Dri. *Hand* —5A **160**
Orchard Gdns. *Bolt* —2H **33**
Orchard Grn. *Ald E* —5H **167**
Orchard Gro. *M20* —4D **124**
Orchard Gro. *Shaw* —6E **43**
Orchard Ind. Est. *Salf* —6E **81**
Orchard Pl. *Sale* —4B **122**
Orchard Pl. *Tim* —4B **134**
Orchard Rise. *Hyde* —1D **130**
Orchard Rd. *Alt* —6G **133**
Orchard Rd. *Comp* —1F **143**
Orchard Rd. *Fail* —4F **85**
Orchard Rd. E. *M22* —1B **136**
Orchard Rd. W. *M22* —1B **136**
Orchards, The. *Shaw* —6D **42**
Orchards, The. *Stoc* —1H **151**
Orchard St. *M20* —4D **124**
Orchard St. *Heyw* —2G **39**
Orchard St. *Hyde* —5C **114**
Orchard St. *Kear* —2G **63**
Orchard St. *Salf* —6E **81**
  (in two parts)
Orchard St. *Stoc* —2H **139**
Orchard, The. *Ald E* —6H **167**
Orchard, The. *Tim* —3B **134**
Orchard Trad. Est. *Salf* —6D **80**
Orchard Vale. *Stoc* —5E **139**
Orchid Av. *Farn* —6D **46**
Orchid Clo. *Irl* —1C **118**
Orchid Dri. *Bury* —6E **37**
Orchid St. *M9* —4F **83**
Orchid Way. *Roch* —6D **14**
Ordell Wlk. *M9* —6G **69**
Ordnance St. *Ecc* —3F **91**
Ordsall Av. *L Hul* —5D **62**
Ordsall Cen. *M5* —2G **93**
Ordsall District Cen. *Salf*
    —5H **93**
Ordsall Dri. *Salf* —6H **93**
Ordsall La. *Salf* —1G **107**
Oregon Av. *Oldh* —6C **56**
Oregon Clo. *M13*
    —1G **109** (5E **11**)
Orford Av. *Dis* —1H **165**
Orford Clo. *H Lane* —6C **154**
Orford Rd. *M40* —6C **84**
Orford Rd. *P'wch* —4F **67**
Organ Way. *Holl* —2F **117**
Oriel Av. *Oldh* —6C **72**
Oriel Clo. *Chad* —4G **71**
Oriel Clo. *Stoc* —5B **140**
Oriel Ct. *Sale* —4B **122**
Oriel Rd. *M20* —6E **125**
Oriel St. *Bolt* —2G **45**
Oriel St. *Roch* —6A **28**
Orient Ho. *M1* —5E **95** (2B **10**)
Orient Rd. *Salf* —1A **92**
Orient Sq. M1 —5E **95** (2B **10**)
  (off Granby Row)
Orient St. *Salf & M8* —4B **82**
Oriole Clo. *Wor* —3D **76**
Orion Pl. *Salf* —1A **94**
Orion Trad. Est. *Traf P* —5A **92**
Orkney Clo. *M23* —1H **147**
Orkney Clo. *Rad* —3H **49**
Orkney Dri. *Urm* —2F **105**
Orlanda Av. *Salf* —1A **92**
Orlando St. *Bolt* —2B **46**
  (in two parts)
Orleans Way. *Oldh* —2C **72**
Orley Wlk. *Oldh* —3H **57**
Orme Av. *Mid* —2A **70**
Orme Av. *Salf* —6H **79**
Orme Clo. *M11* —4A **96**
Orme Clo. *Urm* —5H **105**
Ormerod Av. *Rytn* —4C **56**
Ormerod Clo. *Rom* —2F **141**

Ormerod St. *M40* —2G **97**
Ormerod St. *Heyw* —4G **39**
Orme St. *M11* —4A **96**
Orme St. *Ald E* —5G **167**
· Orme St. *Oldh* —4E **73**
Orme St. *Stoc* —1B **140**
Ormonde Av. *Salf* —1B **92**
Ormonde Ct. *Ash L* —1A **100**
Ormonde St. *Ash L* —1A **100**
Ormond St. *Bolt* —2F **47**
Ormond St. *Bury* —2E **37**
Ormrods, The. *Bury* —6D **24**
Ormrod St. *Bolt* —1A **46**
Ormrod St. *Brad* —1E **33**
Ormrod St. *Bury* —3E **37**
Ormrod St. *Farn* —6E **47**
Ormrod St. *Oldh* —2C **72**
Ormsby Av. *M18* —3D **110**
Ormsby Clo. *Stoc* —1G **151**
Ormsgill Clo. *M15*
    —1D **108** (6G **9**)
Orms Gill Pl. *Stoc* —5E **141**
Ormskirk Av. *M20* —3D **124**
Ormskirk Clo. *Bury* —5G **35**
Ormskirk Rd. *Stoc* —3H **127**
Ornatus St. *Bolt* —6D **18**
Ornsay Wlk. *Open* —4E **97**
Oronsay Gro. *Salf* —4D **92**
Orpington Dri. *Bury* —4H **35**
Orpington Rd. *M9* —4G **83**
Orrell St. *M11* —5F **97**
Orrell St. *Bury* —2A **36**
Orrel St. *Salf* —3E **93**
Orrishmere Rd. *Chea H*
    —2B **150**
Orron St. *L'boro* —4E **17**
Orr St. *M11* —5F **97**
Orsett Clo. *M40* —2G **95** (1F **7**)
Orthes Gro. *Stoc* —4F **127**
Orton Av. *M23* —2G **135**
Orton Rd. *M23* —2G **135**
Orvietto Av. *Salf* —1A **92**
Orville Dri. *M19* —2B **126**
Orwell Av. *M22* —5B **136**
Orwell Av. *Dent* —4A **112**
Orwell Clo. *Bury* —1B **36**
Orwell Rd. *Bolt* —3F **31**
Osborne Clo. *Bury* —5H **35**
Osborne Dri. *Pen* —4A **80**
Osborne Gro. *Bolt* —4G **31**
Osborne Gro. *H Grn* —2E **149**
Osborne Ho. *Ecc* —3E **91**
  (off Police St.)
Osborne Pl. *Had* —2H **117**
Osborne Rd. *M19* —6B **110**
Osborne Rd. *Alt* —6G **133**
Osborne Rd. *Dent* —3F **113**
Osborne Rd. *Hyde* —6C **114**
Osborne Rd. *Oldh* —4B **72**
Osborne Rd. *Salf* —3A **92**
Osborne Rd. *Stoc* —4H **139**
Osborne St. *Bred* —6D **128**
Osborne St. *Col* —1G **95**
Osborne St. *Did* —6E **125**
Osborne St. *Heyw* —4F **39**
Osborne St. *Oldh* —1A **72**
Osborne St. *Roch* —6G **27**
Osborne St. *Salf* —2F **93**
Osborne St. *Shaw* —1F **57**
Osborne Ter. *Sale* —5B **122**
Osborne Wlk. *Rad* —4E **49**
Osbourne Clo. *Farn* —6F **47**
Osbourne Clo. *Wilm* —4G **167**
Osbourne Pl. *Alt* —1F **145**
Oscar St. *M40* —4A **84**
  (in two parts)
Oscar St. *Bolt* —3G **31**
Oscott Av. *L Hul* —3C **62**
Oscroft Clo. *M8* —5B **82**
Oscroft Wlk. *M14* —2H **125**
  (off Ladybarn La.)

Osmond St. *Oldh* —2G **73**
Osmund Av. *Bolt* —6F **33**
Osprey Clo. *M15* —2C **108**
Osprey Clo. *Duk* —6C **100**
Osprey Ct. *Salf* —5D **92**
Osprey Dri. *Orby* —2C **98**
Osprey Dri. *Irl* —4E **103**
Osprey Dri. *Wilm* —1F **167**
Osprey Wlk. *M13*
　　　　—1G **109** (6F **11**)
Ossington Wlk. *M23* —1G **135**
Ossory St. *M14* —4F **109**
Osterley Rd. *M9* —6H **69**
Ostlers Ga. *Droy* —3D **98**
Ostrich La. *P'wch* —6G **67**
Oswald Clo. *Salf* —6E **81**
Oswald La. *M21* —6H **107**
Oswald Rd. *Chor H* —6G **107**
Oswald St. *M4* —4H **95** (6G **7**)
　　(Ancoats)
Oswald St. *M4* —2E **95** (2A **6**)
　　(Manchester)
Oswald St. *Bolt* —3G **45**
　　(in two parts)
Oswald St. *Oldh* —1B **72**
Oswald St. *Roch* —3A **28**
Oswald St. *Shaw* —5G **43**
Oswald St. *Stoc* —4H **111**
Oswestry Clo. *G'mnt* —3H **21**
Otago St. *Oldh* —6G **57**
Otford Dri. *Salf* —3G **93**
Othello Dri. *Ecc* —3F **91**
Otley Av. *Salf* —2C **92**
Otley Clo. *Chad* —3H **71**
Otley Gro. *Stoc* —1F **151**
Otmoor Way. *Rytn* —3E **57**
Otranto Av. *Salf* —1B **92**
Ottawa Clo. *M23* —1F **147**
Otterburn Clo. *M15*
　　　　—1D **108** (6G **9**)
Otterburn Ho. *Ecc* —2G **91**
Otterburn Pl. *Stoc* —5D **140**
Otterbury Clo. *Bury* —3F **35**
Otter Dri. *Bury* —3F **51**
Otterham Wlk. *M40* —6D **84**
Otterspool Rd. *Rom* —2H **141**
Ottery Wlk. *M40* —1D **84**
Oulder Hill. *Roch* —4D **26**
Oulder Hill Dri. *Roch* —4C **26**
Ouldfield Clo. *Roch* —5B **28**
Oulton Av. *Sale* —4E **123**
Oulton St. *Bolt* —6E **19**
Oulton Wlk. *M40* —6H **95** (2H **7**)
Oundle Clo. *M14* —4G **109**
Oury St. *Stoc* —3G **139**
Ouse St. *Salf* —4C **92**
Outdoor Mkt. *Roch* —4H **27**
Outram Clo. *Marp* —1D **154**
Outram Ho. *M1* —4G **95** (6E **7**)
Outram M. *Upperm* —6B **60**
Outram St. *Duk* —1H **113**
Outram Sq. *Droy* —5A **98**
Outrington Dri. *Open* —5C **96**
Outwood Av. *Clif* —5D **64**
Outwood Dri. *H Grn* —5E **149**
Outwood Gro. *Bolt* —6C **18**
Outwood La. *Man A* —5A **148**
Outwood Rd. *H Grn* —5F **149**
Outwood Rd. *Rad* —6G **49**
Oval Dri. *Duk* —6H **99**
Oval, The. *H Grn* —6H **149**
Overbridge Rd. *Salf* —1C **94**
Overbrook Av. *M40* —6F **83**
Overbrook Dri. *P'wch* —6F **67**
Overcombe Wlk. *M40* —5E **83**
　　(off Westmount Clo.)
Overdale. *Rom* —2F **141**
Overdale. *Swint* —5G **79**
Overdale Clo. *Oldh* —6C **56**
Overdale Cres. *Urm* —5B **104**
Overdale Dri. *Bolt* —6E **31**

Overdale Rd. *M22* —6B **136**
Overdale Rd. *Rom* —2G **141**
Overdell Dri. *Roch* —6C **14**
Overdene Clo. *Los* —1A **44**
Overens St. *Oldh* —2F **73**
Overfield Way. *Roch* —1H **27**
Overgreen. *Bolt* —2G **33**
Overhill Dri. *Wilm* —2H **167**
Overhill La. *Wilm* —2H **167**
Overhill Rd. *Chad* —1F **71**
Overhill Rd. *Wilm* —2G **167**
Overlea Dri. *M19* —4A **126**
Overlinks Dri. *Salf* —6H **79**
Oversleyford Cvn. Site. *Wilm*
　　　　—4G **157**
Overstone Dri. *M8* —4B **82**
Overton Av. *M22* —6B **136**
Overton Cres. *Haz G* —1E **153**
Overton Cres. *Sale* —1F **133**
Overton La. *Bolt* —6B **30**
Overton Rd. *M22* —6B **136**
Overton Way. *Hand* —2H **159**
Over Town La. *Roch* —1G **25**
Overt St. *Roch* —6H **27**
Overwood Rd. *M22* —3B **136**
Ovington Wlk. *M40* —6E **83**
Owenington Gro. *L Hul* —3C **62**
Owens Clo. *Chad* —1E **71**
Owen St. *Ecc* —4D **90**
Owen St. *Oldh* —4A **58**
Owen St. *Salf* —6E **81**
Owen St. *Stoc* —2F **139**
Owen Wlk. *M16* —3D **108**
Owlerbarrow Rd. *Bury* —2G **35**
Owler La. *Chad* —6D **70**
Owlwood Clo. *L Hul* —6A **62**
Owlwood Dri. *L Hul* —6A **62**
Oxbow Way. *W'fld* —1E **67**
Oxbridge Clo. *Sale* —6F **121**
Oxendale Dri. *Mid* —6F **53**
Oxendon Av. *M11* —2D **96**
Oxenholme Wlk. *M18* —2F **111**
Oxenhurst Grn. *Stoc* —6E **141**
Oxford Av. *Droy* —2H **97**
Oxford Av. *Roch* —5C **26**
Oxford Av. *Sale* —5F **121**
Oxford Av. *W'fld* —1E **67**
Oxford Clo. *Farn* —1B **62**
Oxford Ct. *M2* —5D **94** (1H **9**)
Oxford Ct. *Old T* —2B **108**
Oxford Dri. *Woodl* —5A **130**
Oxford Gro. *Bolt* —4G **31**
Oxford Gro. *Cad* —3A **118**
Oxford Gro. *Stoc* —5A **140**
Oxford Ho. *Oidh* —3A **72**
Oxford Pl. *M14* —3G **109**
Oxford Pl. *Roch* —6A **28**
Oxford Rd. *M1 & M13*
　　　　—6E **95** (3A **10**)
Oxford Rd. *Alt* —2F **145**
Oxford Rd. *Duk* —5B **100**
Oxford Rd. *Hyde* —1C **130**
Oxford Rd. *L Lev* —4H **47**
Oxford Rd. *Salf* —1A **92**
Oxford St. *M1* —5D **94** (1H **9**)
Oxford St. *M16* —2B **108**
Oxford St. *Bolt* —6B **32**
Oxford St. *Bury* —4E **37**
Oxford St. *Ecc* —3G **91**
Oxford St. *Millb* —1H **101**
Oxford St. *Oldh* —4H **71**
Oxford St. *Salf* —5H **93**
Oxford St. *Shaw* —6F **43**
Oxford St. *Stal* —4G **101**
Oxford St. E. *Ash L* —5F **99**
Oxford St. W. *Ash L* —5F **99**
Oxford Wlk. *Dent* —6G **113**
Oxford Way. *Stoc* —6F **127**
Ox Ga. *Bolt* —6H **19**

Oxhey Clo. *Ram* —2E **13**
Oxhill Wlk. *M40* —1D **84**
Oxney Rd. *M14* —3G **109**
Ox St. *Ram* —4D **12**
Oxted Wlk. *M8* —5C **82**
Oxton Av. *M22* —1A **148**
Oxton St. *M11* —6H **97**

Pacific Rd. *B'hth* —5C **132**
Pacific Way. *Salf* —5C **92**
Packer St. *Bolt* —3G **31**
Packer St. *Roch* —4H **27**
Packwood Chase. *Chad* —1F **71**
Padbury Clo. *Urm* —4H **103**
Padbury Wlk. *M40* —6H **83**
Padbury Way. *Bolt* —3F **33**
Padden Brook. *Rom* —1H **141**
Padden Brook M. *Rom*
　　　　—1H **141**
Paddington Av. *M40* —6B **84**
Paddington Clo. *Salf* —3G **93**
Paddison St. *Swint* —3E **79**
Paddock Chase. *Poy* —1F **163**
Paddock Ct. *Fail* —6F **85**
Paddock Field. *Salf* —5H **93**
Paddock Head. *L'boro* —5C **16**
Paddock La. *Fail* —6F **85**
Paddock Rd. *Hyde* —1B **130**
Paddocks End. *Hale* —5A **146**
Paddock Shopping Precinct, The.
　　Hand —3H **159**
Paddock St. *M12*
　　　　—6G **95** (3E **11**)
Paddock, The. *Bram* —4F **151**
Paddock, The. *Chea* —6A **138**
Paddock, The. *G'fld* —5H **75**
Paddock, The. *Holl* —2G **117**
Paddock, The. *Stoc* —6A **140**
Paddock, The. *Tim* —1B **146**
Paddock, The. *W'fld* —2A **66**
Paderborn Ct. *Bolt* —1A **46**
Padfield Main Rd. *Pad* —1H **117**
Padiham Clo. *Bury* —6B **36**
Padstow Clo. *Hyde* —4H **115**
Padstow Dri. *Bram* —6H **151**
Padstow St. *M40* —2A **96**
Padstow Wlk. *Hyde* —4H **115**
Padworth Wlk. *M23* —3D **134**
Pagen St. *Roch* —3H **27**
Paget St. *M40* —6F **83**
Paget St. *Ash L* —1A **100**
Pagnall Ct. *Chad* —4H **71**
Paignton Av. *M19* —1B **126**
Paignton Av. *Hyde* —5G **115**
Paignton Dri. *Sale* —4F **121**
Paignton Gro. *Stoc* —2G **127**
Paignton Wlk. *Hyde* —5G **115**
Pailin Dri. *Droy* —3C **98**
Pailton Clo. *Los* —1B **44**
Painswick Rd. *M22* —4H **147**
Paiton St. *Bolt* —6G **31**
Palace Gdns. *Rytn* —5B **56**
Palace Rd. *Ash L* —6H **87**
Palace Rd. *Sale* —4A **122**
Palace St. *Bolt* —5B **32**
Palace St. *Bury* —3E **37**
Palace St. *Oldh* —2A **72**
Palatine Av. *M20* —3F **125**
Palatine Av. *Roch* —3C **26**
Palatine Clo. *Irl* —6D **102**
Palatine Cres. *M20* —4F **125**
Palatine Dri. *Bury* —3F **23**
Palatine Ho. *Stoc* —3G **139**
　　(off Old Chapel St.)
Palatine M. *M20* —3F **125**
Palatine Rd. *M22 & M20*
　　　　—2A **136**
Palatine Rd. *Roch* —3C **26**
Palatine St. *Bolt* —6B **32**

Palatine St. *Dent* —2E **113**
Palatine St. *Roch* —4C **28**
Palatine Ter. *Roch* —3C **26**
Paley St. *Bolt* —6B **32**
Palfrey Pl. *M12* —6G **95** (4F **11**)
Palgrave Av. *M40* —6F **83**
Palin Wood Rd. *Del* —2H **59**
Pall Mall. *M2* —4D **94** (6H **5**)
　　(in two parts)
Pall Mall Ct. *M2* —4D **94** (5H **5**)
Palma Av. *Man A* —5G **147**
Palm Clo. *Sale* —4F **121**
Palmer Av. *Chea* —5B **138**
Palmer Clo. *M8* —1D **82**
Palmerston Av. *M16* —5B **108**
Palmerston Clo. *Dent* —4B **112**
Palmerston Clo. *Ram* —5D **12**
Palmerston Rd. *Dent* —4B **112**
Palmerston Rd. *Stoc* —2A **152**
Palmerston St. *M12*
　　　　—5H **95** (1G **11**)
Palmer St. *Duk* —4H **99**
Palmer St. *Sale* —5A **122**
Palmer St. *Salf* —6G **81**
　　(in two parts)
Palm Gro. *Chad* —1H **71**
Palm St. *M13* —4B **110**
Palm St. *Bolt* —2A **32**
Palm St. *Droy* —3F **97**
Palm St. *Oldh* —1G **73**
Pandora St. *M20* —4E **125**
Panfield Rd. *M22* —1A **148**
Pangbourne Av. *Urm* —4G **105**
Pangbourne Clo. *Stoc* —5E **139**
Pankhurst Wlk. *M14* —4F **109**
Panmure St. *Oldh* —5D **72**
Pansy Rd. *Farn* —1C **62**
Paper Mill Rd. *Brom X* —4E **19**
Parade Rd. *Man A* —6A **148**
Parade, The. *Ald E* —5G **167**
Parade, The. *Rom* —2G **141**
Parade, The. *Swint* —3F **79**
Paradise St. *Aud* —6F **99**
Paradise St. *Had* —2H **117**
Paradise St. *Ram* —3E **13**
Paradise Wharf. *M1*
　　　　—4F **95** (6E **7**)
Parbold Av. *M20* —2E **125**
Parbrook Clo. *M40* —6F **83**
Pardoner's Ct. *Salf* —3B **92**
Pares Land Wlk. *Roch* —5B **28**
Paris Av. *Salf* —6H **93**
Parish View. *Salf* —5H **93**
Parisian Way. *M15* —2D **108**
　　(off Moss Side Shopping Cen.)
Paris St. *Bolt* —3F **45**
Park Av. *Bolt* —1A **32**
Park Av. *Bram* —2E **161**
Park Av. *Chad* —6H **55**
Park Av. *Chea H* —4B **150**
Park Av. *Fail* —3D **84**
Park Av. *Hale* —4H **145**
Park Av. *Hyde* —3B **114**
Park Av. *Lev* —6C **110**
Park Av. *Old T* —2A **108**
Park Av. *Poy* —3E **163**
Park Av. *P'wch* —5F **67**
Park Av. *Rad* —3B **50**
Park Av. *Ram* —3F **13**
Park Av. *Rom* —6A **130**
Park Av. *Sale* —3A **122**
Park Av. *Salf* —3B **82**
Park Av. *Stoc* —4B **138**
Park Av. *Swint* —4G **79**
Park Av. *Tim* —3G **133**
Park Av. *Urm* —5E **105**
Park Av. *W'fld* —3B **66**
Park Av. *Wilm* —1F **167**
Park Bank. *Salf* —3D **92**
Parkbridge Wlk. *M13*
　　　　—1F **109** (5D **10**)

Pendle Gro. *Rytn* —4A **56**
Pendle Ho. *Dent* —5F **113**
Pendle Rd. *Dent* —5F **113**
Pendleton Grn. *Salf* —2F **93**
Pendleton Ho. Salf —1G *93*
(off Broughton Rd.)
PENDLETON STATION. *BR*
—1G **93**
Pendleton Way. *Salf* —2F **93**
Pendle Wlk. *M40*
—2H **95** (2G **7**)
Pendle Wlk. *Stoc* —4H **127**
Pendleway. *Pen* —2G **79**
Pendragon Pl. *Fail* —4G **85**
Pendrell Wlk. M9 —6G *69*
(off Sanderstead Dri.)
Penelope Rd. *Salf* —6B **80**
Penelope Rd. *Swint* —6B **80**
Penerley Rd. *M9* —5F **83**
Penfair Clo. *M11* —4C **96**
Penfield Clo. *M1*
—6F **95** (3C **10**)
Penfold Wlk. *M12* —1B **110**
Pengham Wlk. *M23* —2G **135**
Pengwern Av. *Bolt* —3F **45**
Penhale M. *Bram* —6H **151**
Penhall Wlk. M40 —6A *84*
(off Limerston Dri.)
Pen Ho. Clo. *Bram* —5G **151**
Penistone Av. *M9* —6A **70**
Penistone Av. *Roch* —5C **28**
Penistone Av. *Salf* —2C **92**
Penketh Av. *M18* —3C **110**
Penmere Gro. *Sale* —2G **133**
Penmore Chase. *Haz G*
—4B **152**
Penmore Clo. *Shaw* —6G **43**
Pennant Dri. *P'wch* —4E **67**
Pennant St. *Oldh* —1F **73**
Pennell St. *M11* —4F **97**
Penn Grn. *Chea H* —4D **150**
Pennie Clo. *Stoc* —5E **141**
Pennie Rd. *Woodl* —4A **130**
Pennine Av. *Chad* —4G **71**
Pennine Clo. *M9* —5H **69**
Pennine Clo. *Bury* —1G **35**
Pennine Clo. *Shaw* —6G **43**
Pennine Ct. *Oldh* —3E **73**
Pennine Ct. *Pen* —2G **79**
Pennine Ct. *Stoc* —5E **141**
Pennine Dri. *Alt* —6D **132**
Pennine Dri. *Miln* —4G **29**
Pennine Dri. *Ward* —3A **16**
Pennine Gro. *Ash L* —5A **88**
Pennine Rd. *Haz G* —4B **152**
Pennine Rd. *Woodl* —4A **130**
Pennine Ter. Duk —4A *100*
(off Astley St.)
Pennine Vale. *Shaw* —5G **43**
Pennine View. *Aud* —2E **113**
Pennine View. *Heyr* —1G **101**
Pennine View. *L'boro* —5H **17**
Pennine View. *Moss* —2F **89**
Pennine View. *Rytn* —3C **56**
Pennington Clo. *L Hul* —5D **62**
Pennington Rd. *Bolt* —4B **46**
Pennington St. *M12* —5C **110**
Pennington St. *Chad* —6H **71**
Pennington St. *Wals* —1E **35**
Pennington St. *Wor* —1G **77**
Pennistone Clo. *Irl* —4F **103**
Penn St. *M40* —3H **83**
Penn St. *Farn* —1E **63**
Penn St. *Heyw* —4F **39**
Penn St. *Oldh* —4B **72**
Penn St. *Roch* —3H **27**
Penny Bri. La. *Urm* —6C **104**
Penny Brook Fold. *Haz G*
—2E **153**
Penny La. *Stoc* —1H **139**
(in two parts)

Penny Meadow. *Ash L* —2A **100**
(in two parts)
Pennymoor Dri. *Alt* —5D **132**
Penrhos Av. *Gat* —6D **136**
Penrhyn Av. *Chea H* —4A **150**
Penrhyn Av. *Mid* —2A **70**
Penrhyn Cres. *Haz G* —5C **152**
Penrhyn Dri. *P'wch* —5F **67**
Penrhyn Rd. *Stoc* —3D **138**
Penrice Clo. *Rad* —2D **48**
Penrice Fold. *Wor* —4D **76**
Penrith Av. *M11* —2D **96**
Penrith Av. *Ash L* —6D **86**
Penrith Av. *Bolt* —4E **31**
Penrith Av. *Oldh* —5A **72**
Penrith Av. *Sale* —1C **134**
Penrith Av. *Stoc* —6H **111**
Penrith Av. *W'fld* —2F **67**
Penrith Av. *Wor* —1H **77**
Penrith Clo. *Part* —5C **118**
Penrith St. *Roch* —6H **27**
Penrod Pl. *Salf* —1H **93**
Penrose Gdns. *Mid* —6B **54**
Penrose St. *Bolt* —6E **33**
Penrose Wlk. *Mid* —3H **53**
Penroy Av. *M20* —6B **124**
Penruddock Wlk. M13 —3B *110*
(off St John's Rd.)
Penry Av. *Cad* —3C **118**
Penryn Av. *Rytn* —4D **56**
Penryn Av. *Sale* —2C **134**
Penryn Ct. *Salf* —2H **81**
Pensarn Av. *M14* —1A **126**
Pensarn Gro. *Stoc* —5H **127**
Pensby Clo. *Pen* —4A **80**
Pensby Wlk. *M40* —6F **83**
Pensford Ct. *Bolt* —5A **20**
Pensford Rd. *M23* —2F **147**
Penshurst Rd. *Stoc* —3B **128**
Penshurst Wlk. *Dent* —6G **113**
Penthorpe Dri. *Rytn* —4D **56**
Pentland Av. *M40* —1C **84**
Pentland Clo. *Haz G* —4A **152**
Pentlands Av. *Salf* —5H **81**
Pentland Ter. *Bolt* —4A **32**
Penton Wlk. *M16* —4D **108**
Pentwyn Gro. *M23* —4H **135**
Penzance St. *M40* —2A **96**
Peover Av. *Sale* —5E **123**
Peover Rd. *Hand* —2A **160**
Peover Wlk. *Chea* —6C **138**
Pepler Av. *M23* —1H **135**
Peploe Wlk. *M23* —2D **134**
Pepper Ct. *Wilm* —3D **166**
Pepperhill Wlk. *M16* —3D **108**
Pepper Rd. *Haz G* —3B **152**
Perch Wlk. M4 —3G *95* (4F *7*)
(off Winder Dri.)
Percival Wlk. *Rytn* —4C **56**
Percy Dri. *Salf* —6H **93**
Percy Rd. *Dent* —5E **113**
Percy St. *M15* —1B **108** (6D **8**)
Percy St. *Bolt* —3B **32**
Percy St. *Bury* —2E **37**
Percy St. *Farn* —2G **63**
Percy St. *Moss* —2E **89**
Percy St. *Oldh* —2G **73**
Percy St. *Ram* —4D **12**
Percy St. *Roch* —6B **28**
Percy St. *Stal* —3F **101**
Percy St. *Stoc* —1H **139**
Peregrine Cres. *Droy* —2C **98**
Peregrine Dri. *Irl* —3E **103**
Peregrine Rd. *Stoc* —1F **153**
Perham Wlk. *M11*
—3H **95** (3H **7**)
Periton Wlk. M9 —6G *69*
(off Levedale Rd.)

Perivale Dri. *Oldh* —5F **73**
Perkins Av. *Salf* —6H **81**
Pernham St. *Oldh* —2G **73**
Perrin St. *Hyde* —5B **114**
Perry Av. *Hyde* —3E **115**
Perrygate Av. *M20* —3E **125**
Perrymead. *P'wch* —3G **67**
Perrymead Clo. *M15* —2D **108**
Perry Rd. *Tim* —5B **134**
Pershore. *Roch* —3G **27**
(off Spotland Rd.)
Pershore Rd. *M22* —4A **54**
Perth Av. *Chad* —5G **71**
Perth Clo. *Bram* —2G **161**
Perth Rd. *Roch* —3H **41**
Perth St. *Bolt* —4F **45**
(in two parts)
Perth St. *Rytn* —3E **57**
Perth St. *Swint* —4D **78**
Peru St. *Salf* —3B **94** (3C **4**)
Peterborough Clo. *Ash L*
—5F **87**
Peterborough Dri. *Bolt* —4B **32**
Peterborough St. *M18* —1H **111**
Peterborough Wlk. Bolt —4A *32*
(off Charnock Dri.)
Peterchurch Wlk. *Open* —5E **97**
Peterhead Clo. *Bolt* —4H **31**
Peterhead Wlk. *Salf* —4G **93**
Peterhouse Gdns. *Woodl*
—5A **130**
Peterloo Ter. *Mid* —5A **54**
Peter Moss Way. *M19* —6E **111**
Petersburg Rd. *Stoc* —5E **139**
Peters Ct. Tim —6D *134*
(off Norwood Dri.)
Petersfield Dri. *M23* —4D **134**
Petersfield Wlk. *Bolt* —4A **32**
Peter St. *M2* —5D **94** (1G **9**)
Peter St. *Alt* —2F **145**
Peter St. *Bury* —2D **36**
Peter St. *Dent* —4G **113**
Peter St. *Ecc* —4F **91**
Peter St. *Had* —1H **117**
Peter St. *Haz G* —2D **152**
Peter St. *Mid* —2E **69**
Peter St. *Oldh* —3D **72**
Peter St. *Stoc* —1A **140**
(in two parts)
Peterswood Clo. *M22* —2H **147**
Petherbridge Dri. *M22* —4H **147**
Petrel Av. *Poy* —3B **162**
Petrel Clo. *Droy* —2C **98**
Petrel Clo. *Roch* —4B **26**
Petrel Clo. *Stoc* —5F **139**
Petrie Ct. *Salf* —1H **93**
Petrie St. *Roch* —3H **27**
Petrock Wlk. *M40* —6C **84**
Petts Cres. *L'boro* —3E **17**
Petunia Wlk. Wor —6B *62*
(off Madams Wood Rd.)
Petworth Clo. *M22* —5C **136**
Petworth Rd. *Chad* —3H **71**
Pevensey Ct. *M9* —1A **84**
Pevensey Rd. *Salf* —5C **80**
Pevensey Wlk. *Chad* —3H **71**
Peveril Av. *Wor* —6B **62**
Peveril Cres. *M21* —5G **107**
Peveril Dri. *Haz G* —5F **153**
Peveril Rd. *B'hth* —4E **133**
Peveril Rd. *Oldh* —6G **57**
Peveril Rd. *Salf* —3D **92**
Peveril St. *Bolt* —4F **45**
Peveril Ter. *Hyde* —1D **130**
Pewsey Rd. *M22* —2D **148**
Pexwood. *Chad* —6E **55**
Pheasant Clo. *Wor* —5D **76**
Pheasant Dri. *M21* —2B **124**
Pheasant Rise. *Bow* —4F **145**

Phelan Clo. *M40* —6E **83**
Phethean St. *Bolt* —6C **32**
Phethean St. *Farn* —6E **47**
Philip Av. *Dent* —2D **112**
Philip Dri. *Sale* —1B **134**
Philips Av. *Farn* —2F **63**
Philips Dri. *W'fld* —3B **66**
Philips Pk. Rd. *M11* —3A **96**
Philips Pk. Rd. E. *W'fld* —3D **66**
Philips Pk. Rd. W. *W'fld*
—4A **66**
Philip's Rd. *M18* —3F **111**
Philip St. *Bolt* —2H **45**
Philip St. *Ecc* —4F **91**
Philip St. *Oldh* —1G **73**
Philip St. *Roch* —6H **27**
Phillimore St. *Lees* —4A **74**
Phillips Pl. *W'fld* —2D **66**
Phillip Way. *Hyde* —6A **116**
Phipps St. *Wor* —5E **63**
Phoebe St. *Bolt* —3G **45**
Phoebe St. *Salf* —5G **93**
Phoenix Clo. *Heyw* —4H **39**
Phoenix Pk. Ind. Est. *Heyw*
—4H **39**
Phoenix Pl. *Spring* —2B **74**
Phoenix St. *M2* —4E **95** (5A **6**)
Phoenix St. *Bolt* —5C **32**
Phoenix St. *Bury* —3C **36**
Phoenix St. *Farn* —2F **63**
Phoenix St. *L'boro* —3F **17**
Phoenix St. *Oldh* —3D **72**
Phoenix St. *Roch* —2E **27**
Phoenix St. *Spring* —2B **74**
Phoenix Way. *Rad* —5G **49**
Phoenix Way. *Urm* —1G **105**
Phyllis St. *Mid* —2C **70**
Phyllis St. *Roch* —2D **26**
Piccadilly. *M1* —4E **95** (5B **6**)
(in two parts)
Piccadilly. *Stoc* —2H **139**
PICCADILLY GARDENS
STATION. *M* —4E **95**
Piccadilly Pl. M1 —4E *95* (5B *6*)
(off Dale St.)
Piccadilly Plaza. *M1*
—4E **95** (6A **6**)
PICCADILLY STATION. *BR & M*
—5F **95**
Piccadilly Trad. Est. *M1*
—5G **95** (1F **11**)
Piccadilly Village. *M1*
—4G **95** (6E **7**)
Piccard Clo. *M40* —6F **83**
Pickering Clo. *Bury* —6B **22**
Pickering Clo. *Rad* —1A **64**
Pickering Clo. *Tim* —4A **134**
Pickering Clo. *Urm* —5D **104**
Pickford Av. *L Lev* —4C **48**
Pickford Ct. *M15* —2C **108**
Pickford La. *Duk* —5A **100**
Pickford M. *Duk* —5A **100**
Pickford's Brow. Stoc —2H *139*
(off High Bankside)
Pickford St. *M4* —3F **95** (4D **6**)
Pickford Wlk. *Rytn* —4C **56**
Pickhill. *Upperm* —1F **61**
Pickhill M. *Upperm* —1F **61**
Pickmere Av. *M20* —1F **125**
Pickmere Clo. *Droy* —4B **98**
Pickmere Clo. *Sale* —1F **135**
Pickmere Clo. *Stoc* —5E **139**
Pickmere Ct. *Hand* —2H **159**
Pickmere Gdns. *Chea H*
—6B **138**
Pickmere M. *Upperm* —1F **61**
Pickmere Rd. *Hand* —2H **159**
Pickmere Ter. *Duk* —4H **99**
Pickup St. *Roch* —4A **28**
Pickwick Pl. *Ram* —2E **13**
Pickwick Rd. *Poy* —4D **162**

Queensland Rd. *M18* —2D **110**
Queen's Pk. Rd. *Heyw* —1F **39**
Queens Pk. St. *Bolt* —5H **31**
Queens Pl. *Bury* —1C **22**
Queen Sq. *Ash L* —1B **100**
Queen Sq. *Stoc* —1A **140**
Queen's Rd. *M8 & M9* —6C **82**
Queen's Rd. *M40* —5F **83**
Queens Rd. *Ash L* —6H **87**
Queens Rd. *Bolt* —3F **45**
Queens Rd. *Bred* —6G **129**
Queens Rd. *Chad* —2G **71**
Queen's Rd. *Chea H* —1B **150**
Queen's Rd. *Hale* —2G **145**
Queen's Rd. *Haz G* —2E **153**
Queen's Rd. *L'boro* —4F **17**
Queens Rd. *Oldh* —4E **73**
Queen's Rd. *Sale* —4H **121**
Queen's Rd. *Urm* —6F **105**
Queens Rd. *Wilm* —3D **166**
Queen's Rd. Ter. L'boro —4F **17**
(off Queen's Rd.)
Queens Ter. *Duk* —4H **99**
Queens Ter. *Hand* —3H **159**
Queenston Rd. *M20* —5E **125**
Queen St. *M2* —4D **94** (6G **5**)
Queen St. *Ash L* —2A **100**
Queen St. *Aud* —1F **113**
(Audenshaw)
Queen St. *Aud* —3E **113**
(Denton)
Queen St. *Bolt* —6A **32**
Queen St. *Bury* —3E **37**
Queen St. *Chea* —5B **138**
Queen St. *Duk* —4H **99**
Queen St. *Ecc* —4H **91**
Queen St. *Fail* —4E **85**
Queen St. *Farn* —1F **63**
Queen St. *Had* —3H **117**
(Hadfield)
Queen St. *Had* —5C **114**
(Hyde)
Queen St. *Heyw* —2F **39**
Queen St. *L'boro* —4F **17**
Queen St. *L Hul* —6D **62**
Queen St. *Marp* —5E **143**
Queen St. *Mid* —1C **70**
Queen St. *Moss* —2E **89**
Queen St. *Oldh* —2D **72**
Queen St. *Rad* —5A **50**
Queen St. *Ram* —3D **12**
Queen St. *Roch* —3H **27**
Queen St. *Rytn* —3B **56**
Queen St. *Salf* —6B **80**
(Irlams o' th' Height)
Queen St. *Salf* —3C **94** (3F **5**)
(Salford)
Queen St. *Shaw* —1F **57**
Queen St. *Spring* —3B **74**
Queen St. *Stal* —3E **101**
Queen St. *Stoc* —1A **140**
Queen St. *Tot* —6A **22**
Queen St. W. *M20* —2F **125**
Queen's Wlk. *Droy* —4A **98**
Queensway. *M19* —1H **137**
Queensway. *Clif* —1G **79**
Queensway. *Duk* —6D **100**
Queensway. *G'fld* —3F **61**
Queensway. *H Grn* —5F **149**
Queensway. *Irl* —5D **102**
Queensway. *Kear* —4H **63**
Queensway. *Moss* —3F **89**
Queensway. *Poy* —4D **162**
Queensway. *Roch* —3C **40**
Queensway. *Urm* —3G **105**
Queensway. *Wor* —3D **76**
Queen Victoria St. *Ecc* —3E **91**
Queen Victoria St. *Roch*
　—1G **41**
Quenby St. *M15* —6B **94** (4D **8**)
Quendon Av. *Salf* —1C **94**

Quick Edge La. *Grot* —5D **74**
Quickedge Rd. *Moss & Lyd*
　—1E **89**
Quick Rd. *Moss* —5F **75**
Quick View. *Moss* —6G **75**
Quilter Gro. *M9* —1E **83**
Quinney Cres. *M16* —3C **108**
Quinn St. *M11* —4C **96**
Quinton. *Roch* —3G **27**
(off Spotland Rd.)
Quinton Wlk. *M13*
　—1F **109** (5D **10**)

Rabbit La. *Mot* —1C **116**
Raby St. *M14* —3D **108**
Raby St. *M16* —3C **108**
Racecourse Pk. *Wilm* —3C **166**
Racecourse Rd. *Wilm* —2B **166**
Racecourse Wlk. *Rad* —3F **49**
Racefield Hamlet. *Chad* —3H **55**
Racefield Rd. *Alt* —1E **145**
Race, The. *Hand* —5H **159**
Rachel Rosing Wlk. *M8* —3B **82**
Rachel St. *M12* —5G **95** (2F **11**)
Rackhouse Rd. *M23* —2H **135**
Radbourne Clo. *M12* —1C **110**
Radcliffe Moor Rd. *Brad T &*
　Brad F —1B **48**
Radcliffe New Rd. *W'fld*
　—5A **50**
Radcliffe Pk. Cres. *Salf* —6A **80**
Radcliffe Pk. Rd. *Salf* —6H **79**
Radcliffe Rd. *Bolt* —6C **32**
Radcliffe Rd. *Bury* —6B **36**
Radcliffe Rd. *L Lev* —2E **47**
Radcliffe Rd. *Oldh* —5H **57**
RADCLIFFE STATION. *M*
　—4H **49**
Radcliffe St. *Oldh* —1D **72**
Radcliffe St. *Rytn* —3B **56**
Radcliffe St. *Spring* —3C **74**
Radcliffe View. Salf —6H **93**
(off Ordsall Dri.)
Radclyffe St. *Chad* —1H **71**
Radclyffe St. *Mid* —4A **54**
Radclyffe Ter. *Mid* —5A **54**
Radelan Gro. *Rad* —3D **48**
Radford Clo. *Stoc* —4D **140**
Radford Dri. *M9* —3G **83**
Radford Dri. *Irl* —4E **103**
Radford St. *Salf* —5B **81**
Radium St. *M4* —3G **95** (3E **7**)
Radlet Dri. *Tim* —3A **134**
Radlett Wlk. M13 —2G **109**
(off Plymouth Gro.)
Radley Clo. *Bolt* —4E **31**
Radley Clo. *Sale* —6F **121**
Radley Wlk. M16 —4D **108**
(off Quinney Cres.)
Radnor Av. *Dent* —4B **112**
Radnor Ho. *Stoc* —3G **139**
(off Moseley St.)
Radnormere Dri. *Chea H*
　—1B **150**
Radnor St. *Gort* —3E **111**
Radnor St. *Hulme* —2D **108**
Radnor St. *Oldh* —4A **72**
Radnor St. *Stret* —5D **106**
Radstock Clo. *M14* —6F **109**
Radstock Clo. *Bolt* —4C **18**
Radstock Rd. *Stret* —5G **106**
Raeburn Dri. *Marp B* —3F **143**
Rae St. *Stoc* —3E **139**
Raglan Av. *Clif* —1H **79**
Raglan Av. *W'fld* —2F **67**
Raglan Clo. *M11* —4B **96**
Raglan Dri. *Tim* —3G **133**
Raglan Rd. *Sale* —6H **121**
Raglan St. *Bolt* —3H **31**

Raglan St. *Hyde* —5A **114**
Raglan St. *Roch* —4C **40**
Raglan Wlk. *M15*
　—1D **108** (6H **9**)
Ragley Clo. *Poy* —3F **163**
Raikesclough Ind. Est. *Bolt*
　—3D **46**
Raikes La. *Bolt* —3D **46**
(in two parts)
Raikes Rd. *Bolt* —2F **47**
Raikes Way. *Bolt* —2F **47**
Railton Av. *M16* —4B **108**
Railton Ter. *M9* —4H **83**
Railway App. *Rad* —4H **49**
Railway App. *Roch* —3C **40**
Railway Brow. *Roch* —4C **40**
Railway Rd. *Chad* —1G **85**
Railway Rd. *Marp* —5B **142**
Railway Rd. *Oldh* —3B **72**
Railway Rd. *Stoc* —3G **139**
Railway Rd. *Stret* —2E **107**
Railway Rd. *Urm* —5F **105**
Railway St. *M18* —1E **111**
Railway St. *Alt* —1F **145**
Railway St. *Bury* —1C **22**
Railway St. *Duk* —4H **99**
Railway St. *Farn* —6G **47**
Railway St. *Heyw* —4G **39**
Railway St. *Hyde* —5B **114**
Railway St. *L'boro* —4F **17**
Railway St. *Miln* —1F **43**
(Newhey)
Railway St. *Miln* —5A **28**
(Rochdale)
Railway St. *Rad* —4G **49**
Railway St. *Ram* —3E **13**
Railway St. *Stoc* —1G **139**
Railway St. W. *Bury* —1B **22**
Railway Ter. *M21* —5H **107**
Railway Ter. *Bury* —4A **36**
Railway Ter. *Dis* —1H **165**
Railway Ter. *Heyw* —4F **39**
Railway Ter. S'seat —1C **22**
(off Miller St.)
Railway View. *Hyde* —6A **114**
Railway View. *Shaw* —5G **43**
Railway View. *Spring* —3B **74**
Railway View. *Stoc* —5G **111**
Raimond St. *Bolt* —2G **31**
Rainbow Clo. *M21* —2H **123**
Raincliff Av. *M13* —5B **110**
Raines Crest. *Miln* —5F **29**
Rainford Av. *M20* —1E **125**
Rainford Av. *Tim* —5A **134**
Rainford Ho. Bolt —5B **32**
(off Beta St.)
Rainford St. *Bolt* —5G **19**
Rainforth St. *M13* —4B **110**
Rainham Dri. *M8* —4C **82**
Rainham Dri. *Bolt* —4A **32**
Rainham Gro. Bolt —4A **32**
(off Rainham Dri.)
Rainham Way. *Chad* —3H **71**
Rainham Way. *Chea H* —3B **128**
Rainhill Wlk. *M40* —6D **84**
Rainow Av. *Droy* —4G **97**
Rainow Rd. *Stoc* —6E **139**
Rainow Way. *Wilm* —6H **159**
Rainsdale Flats. Heyw —3E **39**
(off Meadow Clo.)
Rainshaw St. *Bolt* —1B **32**
Rainshaw St. *Oldh* —1H **73**
Rainshaw St. *Rytn* —3B **56**
Rainsough Av. *P'wch* —2E **81**
Rainsough Brow. *P'wch*
　—2D **80**
Rainsough Clo. *P'wch* —2E **81**
Rainton Wlk. *M40* —1D **84**
Rainwood. *Chad* —1E **71**
Raja Clo. *M8* —4D **82**
Rake. *Roch* —4H **25**

Rakehead Wlk. *M15* —2E **109**
(off Botham Clo.)
Rake La. *Clif* —6G **65**
Rake St. *Bury* —1D **36**
Rake Ter. *L'boro* —3G **17**
Rake Top. *Roch* —2E **27**
Rakewood Dri. *M14* —3A **58**
Rakewood Rd. *L'boro* —6F **17**
Raleigh Clo. *M20* —4E **125**
Raleigh Clo. *Oldh* —1D **72**
Raleigh Gdns. *L'boro* —6G **17**
Raleigh St. *Stoc* —5G **127**
Raleigh St. *Stret* —5D **106**
Ralli Ct. *Salf* —4C **94** (5E **5**)
Ralli Quays. *Salf* —4C **94** (5E **5**)
Ralph Av. *Hyde* —2C **130**
Ralph Grn. St. *Chad* —6H **71**
Ralph Sherwin Ct. *Roch* —5B **16**
Ralphs La. *Duk* —6A **100**
Ralph St. *M11* —4F **97**
Ralph St. *Bolt* —3H **31**
Ralph St. *Roch* —2A **28**
Ralston Clo. *M8* —3A **82**
Ralstone Av. *Oldh* —5D **72**
Ramage Wlk. *M12* —4A **96**
Ramillies Av. *Chea H* —4D **150**
Ramp Rd. E. *Man A* —6A **148**
Ramp Rd. S. *Man A* —6A **148**
Ramp Rd. W. *Man A* —6H **147**
Ramsay Av. *Farn* —2C **62**
Ramsay Pl. *Roch* —3A **28**
Ramsay St. *Bolt* —1A **32**
Ramsay St. *Roch* —3A **28**
Ramsay Ter. *Roch* —3A **28**
Ramsbottom La. *Ram* —2E **13**
Ramsbottom Rd. *Tur & Hawk*
　—1B **20**
RAMSBOTTOM STATION. *ELR*
　—3E **13**
Ramsbury Dri. *M40* —1D **84**
Ramsdale Rd. *Bram* —5G **151**
Ramsdale St. *Chad* —2G **71**
Ramsden Clo. *Oldh* —2C **72**
Ramsden Cres. *Oldh* —1C **72**
Ramsden Fold. *Clif* —1F **79**
Ramsden Rd. *Ward* —2A **16**
(in two parts)
Ramsden St. *Ash L* —1H **99**
Ramsden St. *Oldh* —2C **72**
Ramsey Av. *M19* —6F **111**
Ramsey Gro. *Bury* —3H **35**
Ramsey St. *M40* —4B **84**
Ramsey St. *Chad* —4H **71**
Ramsey St. *Oldh* —1F **73**
Ramsgate Rd. *M40* —1E **97**
Ramsgate Rd. *Stoc* —2H **127**
Ramsgate St. *Salf* —6A **82**
Ramsgill Clo. *M23* —2E **135**
Ramsgreave Clo. *Bury* —6B **36**
Ram St. *L Hul* —5B **62**
Ramwell Gdns. *Bolt* —2H **45**
Ramwells Brow. *Brom X*
　—3D **18**
Ramwells Ct. *Brom X* —3F **19**
Ramwells M. *Brom X* —3F **19**
Ranby Av. *M9* —5H **69**
Randale Dri. *Bury* —4E **51**
Randall Wlk. M11 —4B **96**
(off Turnpike Wlk.)
Randal St. *Bolt* —3G **45**
Randal St. *Hyde* —4C **114**
Randerson St. *M12*
　—6G **95** (3E **11**)
Randlesham St. *P'wch* —5G **67**
Randolph Pl. *Stoc* —4G **139**
Randolph Rd. *Kear* —2H **63**
Randolph St. *M19* —5D **110**
Randolph St. *Bolt* —1G **45**
Randolph St. *Oldh* —1A **86**
Rands Clough Dri. *Wor* —5D **76**
Rand St. *Oldh* —6H **57**

Ringfield Clo. *M16* —3C **108**
(in two parts)
Ringford Wlk. *M40* —6G **83**
Ringley Chase. *W'fld* —1C **66**
Ringley Clo. *W'fld* —1B **66**
Ringley Dri. *W'fld* —2B **66**
Ringley Hey. *W'fld* —1B **66**
Ringley Gro. *Bolt* —6C **18**
Ringley Meadows. *Rad* —2C **64**
Ringley Old Brow. *Rad* —2C **64**
Ringley Pk. *W'fld* —1B **66**
Ringley Rd. *Rad* —1B **64**
(in three parts)
Ringley Rd. W. *Rad & W'fld*
—1E **65**
Ringley St. *M9* —3F **83**
Ringlow Av. *Swint* —4C **78**
Ringlow Pk. Rd. *Swint* —5C **78**
Ring Lows La. *Roch* —5F **15**
Ringmer Dri. *M22* —4A **148**
Ringmere Ct. *Oldh* —1C **72**
Ringmore Rd. *Bram* —3A **152**
Ring-O-Bells La. *Dis* —1H **165**
Ringstead Dri. *M40* —1G **95**
Ringstead Dri. *Wilm* —6H **159**
Ringstone Clo. *P'wch* —6E **67**
Ringway Gro. *Sale* —1E **135**
Ringway Rd. *Man A & M22*
—6A **148**
Ringway Rd. W. *Man A & M22*
—5A **148**
Ringway Trad. Est. *M22*
—5C **148**
Ringwood Av. *M12* —5D **110**
Ringwood Av. *Aud* —4C **98**
Ringwood Av. *Haz G* —4B **152**
Ringwood Av. *Hyde* —1E **131**
Ringwood Av. *Rad* —6H **49**
Ringwood Av. *Ram* —5C **12**
Ringwood Way. *Chad* —1A **72**
Rink St. *M14* —2H **125**
Ripley Av. *Chea H* —2D **160**
Ripley Av. *Stoc* —1B **152**
Ripley Clo. *M4* —5H **95** (1G **11**)
Ripley Clo. *Haz G* —5E **153**
Ripley Cres. *Urm* —2B **104**
Ripley St. *Bolt* —1D **32**
Ripley Way. *Dent* —1F **129**
Ripon Av. *Bolt* —4D **30**
Ripon Av. *Bury* —5D **50**
Ripon Av. *W'fld* —6D **50**
Ripon Clo. *Chad* —3H **71**
Ripon Clo. *Hale* —4C **146**
Ripon Clo. *L Lev* —4H **47**
Ripon Clo. *Rad* —2B **50**
Ripon Clo. *Stoc* —3H **139**
Ripon Clo. *W'fld* —5D **50**
Ripon Cres. *Stret* —4H **105**
Ripon Dri. *Bolt* —4D **30**
Ripon Gro. *Sale* —3H **121**
Ripon Hall Av. *Ram* —5D **12**
Ripon Rd. *Stret* —4H **105**
Ripon St. *M15* —2E **109**
Ripon St. *Oldh* —1B **72**
Ripon Wlk. *Rom* —2G **141**
Rippenden Av. *M21* —5G **107**
Rippingham Rd. *M20* —2F **125**
Rippleton Rd. *M22* —1C **148**
Ripponden Rd. *Oldh* —1G **73**
Ripponden St. *Oldh* —6G **57**
Ripton Wlk. M9 —5D 68
(off Selston Rd.)
Risbury Wlk. *M40* —5C **84**
Rises, The. *Had* —2H **117**
Rise, The. *Spring* —2B **74**
Rishton Av. *M40* —6G **83**
Rishton Av. *Bolt* —5B **46**
Rishton La. *Bolt* —3B **46**
Rishworth Clo. *Stoc* —6D **140**

Rishworth Dri. *M40* —3E **85**
Rishworth Rise. *Shaw* —4D **42**
Rising La. *Oldh* —1C **86**
Rising La. Clo. *Oldh* —1C **86**
Risley Av. *M9* —3F **83**
Risley St. *Oldh* —1D **72**
Risque St. *Stoc* —6F **127**
Rita Av. *M14* —4F **109**
Ritson Clo. *M18* —1D **110**
Riva Rd. *M19* —1H **137**
Riverbank Dri. *Bury* —1B **36**
Riverbank Lawns. *Salf*
—2C **94** (1E **5**)
Riverbank, The. *Rad* —1A **64**
Riverbank Tower. *Salf*
—2C **94** (2E **5**)
Riverbank Wlk. *M20* —5B **124**
Riverdale Ct. *M9* —6D **68**
Riverdale Rd. *M9* —6C **68**
River La. *Dent* —4H **113**
River La. *Part* —5D **118**
Rivermead. *Miln* —2F **43**
Rivermead Av. *Haleb* —1C **156**
Rivermead Clo. *Dent* —2G **129**
Rivermead Rd. *Dent* —1G **129**
Rivermead Way. *W'fld* —1E **67**
Riverpark Rd. *M40* —2C **96**
River Pl. *M15* —6D **94** (3F **9**)
River Pl. *Miln* —5F **29**
Riversdale Ct. *P'wch* —5E **67**
Riversdale Dri. *Oldh* —2E **87**
Riversdale Rd. *Chea* —5G **137**
Riversdale View. *Woodl*
—3G **129**
Rivershill. *Sale* —3A **122**
Rivershill Dri. *Heyw* —4D **38**
Rivers Hill Gdns. *Haleb*
—1D **156**
Riverside. *Chad* —6E **55**
River Side. *Duk* —3A **100**
Riverside. *Salf* —2A **94** (2B **4**)
Riverside Av. *M21* —5B **124**
Riverside Av. *Irl* —6F **103**
Riverside Clo. *Rad* —3B **50**
Riverside Ct. *Manx* —6D **124**
Riverside Ct. *Whitw* —1H **15**
Riverside Dri. *Bury* —1B **22**
Riverside Dri. *Rad* —1B **64**
Riverside Dri. *Urm* —1D **120**
Riverside Rd. *Rad* —3B **50**
Riverside Works. *Wilm*
—1E **167**
Rivers La. *Urm* —2D **104**
Riversleigh Clo. *Bolt* —2D **30**
Riversmeade. *Brom X* —4G **19**
Riverstone Dri. *M23* —4D **134**
River St. *M12* —5G **95** (2F **11**)
River St. *M15* —6D **94** (4G **9**)
River St. *Bolt* —6C **32**
River St. *Heyw* —1F **39**
River St. *Rad* —4H **49**
River St. *Roch* —4H **27**
River St. *Stoc* —6B **128**
River St. *Wilm* —1E **167**
Riverton Rd. *M20* —3F **137**
River View. *Stoc* —2A **128**
River View Clo. *P'wch* —1D **80**
River View Ct. *Salf* —3G **81**
Riverview Wlk. Bolt —1H 45
(off Bridgewater St.)
Riviera Ct. *Roch* —1G **25**
Rivington. *Salf* —1C **92**
Rivington Av. *Pen* —3A **80**
Rivington Cres. *Pen* —3A **80**
Rivington Dri. *Bury* —4G **35**
Rivington Dri. *Shaw* —6H **43**
Rivington Gro. *Aud* —5C **98**
Rivington Gro. *Cad* —3B **118**
Rivington Rd. *Hale* —3H **145**
Rivington Rd. *Salf* —1C **92**
Rivington Rd. *Spring* —2C **74**

Rivington St. *Oldh* —6D **56**
Rivington St. *Roch* —2H **27**
Rivington Wlk. *M12* —2B **110**
Rixson St. *Oldh* —5H **57**
Rix St. *Bolt* —3A **32**
Rixton Ct. *M16* —4H **107**
Rixton St. *Salf* —1H **107**
Roach Bank Ind. Est. *Bury*
—6F **37**
Roach Bank Rd. *Bury* —6F **37**
Roaches M. *Moss* —6F **75**
Roaches Way. *Moss* —6G **75**
Roachill Clo. *Alt* —6D **132**
Roach Pl. *Roch* —3A **28**
Roach St. *Bury* —3D **50**
(Bury)
Roach St. *Bury* —3G **37**
(Heap Bridge)
Roach Vale. *Roch* —6A **16**
Roachwood Clo. *Chad* —2E **71**
Roading Brook Rd. *Bolt* —2B **34**
Road La. *Roch* —5D **14**
Roads Ford Av. *Wilm* —4F **29**
Roan Way. *Ald E* —6H **167**
Roaring Ga. La. *Ring* —2E **147**
Robert Adam Cres. *M15*
—1C **108** (6E **9**)
Robert Hall St. *Salf* —5H **93**
Robert Malcolm Clo. *M40*
—6F **83**
Robert Owen Gdns. *M22*
—3B **136**
Robert Owen St. *Droy* —3C **98**
Robert Salt Ct. *Alt* —5G **133**
Roberts Av. *M14* —3F **109**
Robert Saville Ct. Roch —5D 26
(off Half Acre M.)
Robertscroft Clo. *M22* —1A **148**
Robertshaw Av. *M21* —3H **123**
Robertson Clo. *M18* —2E **111**
Robertson St. *Rad* —3G **49**
Roberts Pas. *L'boro* —5H **17**
Roberts Pl. *L'boro* —6D **16**
Roberts St. *Ecc* —3F **91**
Robert St. *M3* —2D **94** (1H **5**)
Robert St. *M40* —6H **83**
Robert St. *Bolt* —6A **20**
Robert St. *Bury* —2A **36**
Robert St. *Duk* —5H **99**
Robert St. *Fail* —2G **85**
Robert St. *Farn* —1G **63**
Robert St. *Heyw* —5G **39**
Robert St. *Hyde* —4A **114**
Robert St. *Oldh* —6H **71**
Robert St. *P'wch* —4G **67**
Robert St. *Rad* —3G **49**
Robert St. *Ram* —1E **13**
Robert St. *Roch* —3A **28**
Robert St. *Sale* —5E **123**
Robe Wlk. *M18* —1F **111**
Robin Clo. *Farn* —2E **63**
Robin Croft. *Bred* —6D **128**
Robin Dri. *Irl* —4E **103**
Robin Hood St. *M8* —3B **82**
Robinia Clo. *Ecc* —5B **90**
Robin La. *W'fld* —2D **66**
(in two parts)
Robin Rd. *Bury* —6D **12**
Robinsbay Rd. *M22* —5C **148**
Robins Clo. *Bram* —6G **151**
Robins Clo. *Droy* —2C **98**
Robins Hill. *Bram* —6F **151**
Robins La. *Bram* —6F **151**
Robinson Pl. *Spring* —2D **74**
Robinsons Fold. *Spring* —2D **74**
Robinson St. *Ash L* —1H **99**
Robinson St. *Chad* —3H **71**
Robinson St. *Hyde* —4D **114**
Robinson St. *Oldh* —3D **72**
Robinson St. *Roch* —4A **28**
Robinson St. *Stal* —5C **100**

Robinson St. *Stoc* —4F **139**
Robin St. *Oldh* —1C **72**
Robinsway. *Bow* —4E **145**
Robinswood Rd. *M22* —3B **148**
Robson Av. *Urm* —6G **91**
Robson St. *Oldh* —3E **73**
Roby Rd. *Ecc* —5E **91**
Roby St. *M1* —4F **95** (6C **6**)
Roch Av. *Heyw* —3C **38**
Rochbury Clo. *Roch* —5B **26**
Roch Clo. *W'fld* —6F **51**
Roch Cres. *W'fld* —5F **51**
Rochdale Ind. Cen. *Roch*
—5F **27**
Rochdale La. *Heyw* —3F **39**
Rochdale La. *Rytn* —2B **56**
Rochdale Old Rd. *Bury* —2G **37**
Rochdale Rd. *M4, M40 & M9*
—2F **95** (2C **6**)
Rochdale Rd. *Bury* —3D **36**
Rochdale Rd. *Eden* —2B **12**
Rochdale Rd. *Firg & B'edg*
—4D **28**
Rochdale Rd. *Heyw* —3F **39**
Rochdale Rd. *Mid* —5A **54**
Rochdale Rd. *Oldh* —6C **56**
Rochdale Rd. *Rytn* —6A **42**
Rochdale Rd. *Shaw* —4C **42**
Rochdale Rd. E. *Heyw* —3G **39**
ROCHDALE STATION. *BR*
—5H **27**
Roche Gdns. *Dent* —1D **160**
Roche Rd. *Del* —2G **59**
Rochester Av. *Bolt* —4G **33**
Rochester Av. *P'wch* —1G **81**
Rochester Av. *Wor* —2E **77**
Rochester Clo. *Ash L* —4G **87**
Rochester Clo. *Duk* —6E **101**
Rochester Dri. *Tim* —2G **133**
Rochester Gro. *Haz G* —2E **153**
Rochester Rd. *Urm* —3F **105**
Rochester Way. *Chad* —3H **71**
Rochford Av. *M22* —5B **148**
Rochford Av. *W'fld* —2B **66**
Rochford Clo. *W'fld* —2B **66**
Rochford Rd. *Ecc* —5B **90**
Roch Mills Cres. *Roch* —6E **27**
Roch Mills Gdns. *Roch* —6E **27**
Roch St. *Roch* —2B **28**
Roch Valley Way. *Roch* —5E **27**
Roch Wlk. *W'fld* —6F **51**
Roch Way. *W'fld* —6F **51**
Rockall Wlk. *M11* —4B **96**
Rock Av. *Bolt* —3G **31**
Rock Bank. *Moss* —2E **89**
Rockdove Av. *M15*
—6D **94** (4G **9**)
Rockfield Dri. *M9* —3G **83**
Rock Fold. *Eger* —2D **18**
Rock Gdns. *Hyde* —2C **130**
Rockhampton St. *M18* —2F **111**
Rockhouse Clo. *Ecc* —5E **91**
Rockingham Clo. *M12*
—1H **109** (6H **11**)
Rockingham Clo. *Shaw* —5C **42**
Rockland Wlk. *M40* —1C **84**
Rockley Gdns. *Salf* —1H **93**
Rocklyn Av. *M40* —1C **84**
Rocklynes. *Rom* —1H **141**
Rockmead Dri. *M9* —6G **69**
Rock Nook. *L'boro* —6H **17**
Rock Rd. *Urm* —5H **105**
Rock St. *M11* —5G **97**
Rock St. *Ash L* —6E **87**
Rock St. *Heyw* —4G **39**
Rock St. *Hyde* —2C **130**
Rock St. *Oldh* —2D **72**
(in two parts)
Rock St. *Salf* —5H **81**
Rock Ter. *Eger* —2D **18**
Rock Ter. *Moss* —5E **89**

Rock, The. *Bury* —3C **36**
(in three parts)
Rocky La. *Ecc* —6D **78**
Roda St. *M9* —4H **83**
Rodborough Gdns. *M23*
—2F **147**
Rodborough Rd. *M23* —2F **147**
Rodeheath Clo. *Wilm* —2G **167**
Rodenhurst Dri. *M40* —4A **84**
Rodepool Clo. *Wilm* —5H **159**
Rodford Wlk. *Salf* —5B **82**
Rodmell Av. *M40* —6F **83**
Rodmell Clo. *Brom X* —4D **18**
Rodmill Dri. *Gat* —2E **149**
Rodney Ct. *M4* —2G **95** (2F **7**)
Rodney Dri. *Bred* —4G **129**
Rodney Ho. *M19* —1B **126**
Rodney St. *M4* —3G **95** (3F **7**)
Rodney St. *Ash L* —1B **100**
Rodney St. *Roch* —3B **40**
Rodney St. *Salf* —4B **94** (5D **4**)
Rodway Wlk. *Salf* —5B **82**
Roeacre St. *Heyw* —3G **39**
Roebuck Gdns. *Sale* —5A **122**
Roebuck La. *Oldh* —4C **58**
Roebuck La. *Sale* —5A **122**
Roebuck Low. *Oldh* —4C **58**
Roebuck M. *Sale* —5B **122**
Roeburn Wlk. *W'fld* —1G **67**
Roe Cross Grn. *Mot* —2B **116**
Roe Cross Rd. *Mot* —1B **116**
Roedean Gdns. *Urm* —5G **103**
Roefield. *Roch* —3E **27**
Roefield Ter. *Roch* —3E **27**
Roe Grn. *Wor* —3H **77**
Roe Grn. Av. *Wor* —3A **78**
Roe La. *Oldh* —4H **73**
Roe St. *M4* —2G **95** (2E **7**)
Roe St. *Roch* —2E **27**
Rogate Dri. *M23* —6G **135**
Roger Byrne Clo. *M40* —6B **84**
Roger Clo. *Rom* —2F **141**
Roger Hey. *Chea H* —2C **150**
Rogers La. *Salf* —4D **94**
Rogerstead. *Bolt* —1G **45**
Roger St. *M4* —2E **95** (1B **6**)
Rokeby Av. *Stret* —6D **106**
Roker Av. *M13* —5B **110**
Roker Ind. Est. *Oldh* —1F **73**
Roker Pk. Av. *Aud* —6D **98**
Roland Bolt. *Bolt* —3G **45**
Roland Rd. *Stoc* —2H **127**
Role Row. *P'wch* —2F **81**
Rolla St. *Salf* —3C **94** (3E **5**)
Rollesby Clo. *Bury* —6D **22**
Rolleston Av. *M40*
—3H **95** (3G **7**)
Rollins La. *Rom* —2E **143**
Rolls Cres. *M15* —1C **108** (6E **9**)
Rollswood Dri. *M40* —5A **84**
Roman Ct. *Salf* —6H **81**
Roman Rd. *Fail & Oldh* —3G **85**
Roman Rd. *P'wch* —2E **81**
Roman Rd. *Rytn* —4B **56**
Roman Rd. *Stoc* —1G **139**
Romans, The. *Moss* —2F **89**
Roman St. *M4* —3E **95** (4A **6**)
Roman St. *Moss* —6F **75**
Roman St. *Rad* —4E **49**
Romer Av. *M40* —2E **85**
Rome Rd. *M40* —2G **95** (1E **7**)
Romer St. *Bolt* —6E **33**
Romford Av. *Dent* —3G **113**
Romford Clo. *Oldh* —4C **72**
Romford Rd. *Sale* —3G **121**
Romford Wlk. *M9* —6C **68**
Romiley Cres. *Bolt* —5F **33**
Romiley Dri. *Bolt* —5F **33**
(Breightmet)
Romiley Dri. *Bolt* —6C **32**
(Mill Hill)

ROMILEY STATION. *BR*
—1A **142**
Romiley St. *Salf* —6B **80**
Romiley St. *Stoc* —6B **128**
Romley Precinct. *Rom*
—1A **142**
Romley Rd. *Urm* —3F **105**
Romney Av. *Roch* —3F **41**
Romney Rd. *Bolt* —3C **30**
Romney St. *M40* —3A **84**
Romney St. *Ash L* —2A **100**
Romney St. *Salf* —6F **81**
Romney Towers. *Stoc* —3B **128**
Romney Wlk. *Chad* —3H **71**
Romney Way. *Stoc* —3B **128**
Romsey. *Roch* —3G **27**
(off Spotland Rd.)
Romsey Av. *Mid* —4H **53**
Romsey Dri. *Chea H* —1E **161**
Romsey Gdns. *M23* —5F **135**
Romsley Clo. *M12* —1C **110**
Romsley Dri. *Bolt* —4G **45**
Ronaldsay Gdns. *Salf* —4E **93**
Ronald St. *M11* —4F **97**
Ronald St. *Oldh* —2G **73**
Ronald St. *Roch* —4C **40**
Rona Wlk. *M12* —2A **110**
Rondin Rd. *M12* —5A **96**
Ronnis Mt. *Ash L* —4E **87**
Ronton Wlk. *M8* —3E **83**
Roocroft Ct. *Bolt* —4H **31**
Rooden Ct. *P'wch* —5G **67**
Roods La. *Roch* —2G **25**
Rookery Av. *M18* —1H **111**
Rookery Clo. *Stal* —6H **101**
Rookerypool Clo. *Wilm*
—5H **159**
Rooke St. *Ecc* —5C **90**
Rookfield. *Sale* —4C **122**
Rookfield Av. *Sale* —4C **122**
Rookley Wlk. *M14* —4G **109**
Rook St. *Bury* —1D **36**
Rook St. *Oldh* —4G **73**
Rook St. *Ram* —2E **13**
Rookswood Dri. *Roch* —2B **40**
Rookway. *Mid* —3H **69**
Rookwood. *Chad* —6E **55**
Rookwood Av. *M23* —4F **135**
Rookwood Hill. *Bram* —4G **151**
Rooley Moor Rd. *Roch* —4A **14**
Rooley St. *Roch* —2E **27**
Rooley Ter. *Roch* —3E **27**
Roosevelt Rd. *Kear* —2H **63**
Rooth St. *Stoc* —1F **139**
Rope St. *Roch* —3H **27**
Ropewalk. *Salf* —2C **94** (2F **5**)
Ropley Wlk. *M9* —2H **83**
(off Oak Bank Av.)
Rosa Gro. *Salf* —5H **81**
Rosalind Ct. *Salf* —5A **94** (2B **8**)
Rosamond Dri. *Salf*
—3B **94** (4D **4**)
Rosamond St. *Bolt* —3G **45**
Rosamond St. W. *M15*
—1E **109** (5A **10**)
Rosary Clo. *Oldh* —2D **86**
Rosary Rd. *Oldh* —2E **87**
Roscoe Pk. Est. *Alt* —3G **133**
Roscoe Rd. *Irl* —6C **102**
Roscoe St. *Oldh* —3D **72**
(in two parts)
Roscoe St. *Stoc* —3F **139**
Roscow Av. *Bolt* —5G **33**
Roscow Rd. *Kear* —2A **64**
Rose Acre. *Wor* —4D **76**
Roseacre Clo. *Bolt* —5E **33**
Roseacre Dri. *H Grn* —4G **149**
Rose Av. *Farn* —6E **47**
Rose Av. *Irl* —6D **102**
Rose Av. *L'boro* —6D **16**
Rose Av. *Roch* —1H **25**

Rose Bank. *Los* —6A **30**
Rose Bank. *Urm* —1E **105**
Rosebank Clo. *Ain* —4C **34**
Rose Bank Clo. *Holl* —2F **117**
Rose Bank Rd. *M40* —1D **96**
Rosebank Rd. *Cad* —5A **118**
Roseberry Av. *Oldh* —6F **57**
Roseberry Clo. *Ram* —6E **13**
Roseberry St. *Bolt* —3G **45**
Roseberry St. *Oldh* —3B **72**
Rosebery St. *M14* —4D **108**
Rosebery St. *Salf* —1D **152**
Rose Cottage Rd. *M14* —1F **125**
Rose Cotts. M14 —1H **125**
(off Ladybarn La.)
Rose Cres. *Irl* —6D **102**
Rosecroft Clo. *Stoc* —1G **151**
Rosedale Av. *Bolt* —6C **18**
Rosedale Clo. *Oldh* —1E **57**
Rosedale Ct. *Dent* —4E **113**
Rosedale Rd. *M14* —5E **109**
Rosedale Rd. *Stoc* —4F **127**
Rosedale Way. *Duk* —1B **114**
Rosefield Cres. *Roch* —4C **28**
Rosegarth Av. *M20* —5B **124**
Rosegate Clo. *M16* —4D **108**
Rose Gro. *Bury* —3G **35**
Rose Gro. *Kear* —2H **63**
Rosehay Av. *Dent* —5F **113**
Rose Hey La. *Fail* —6G **87**
Rose Hill. *Bolt* —2C **46**
Rose Hill. *Del* —4H **59**
Rose Hill. *Dent* —4D **112**
Rose Hill. *Fail* —2G **85**
Rose Hill. *Stal* —5E **101**
Rose Hill Av. *M40* —1D **96**
Rose Hill Clo. *Ash L* —6A **88**
Rose Hill Clo. *Brom X* —4E **19**
Rosehill Clo. *Salf* —3F **93**
Rose Hill Ct. *Oldh* —6A **58**
Rosehill Ct. *Salf* —3F **93**
Rose Hill Cres. *Ash L* —6B **88**
Rose Hill Dri. *Brom X* —4E **19**
ROSE HILL MARPLE STATION.
BR —5C **142**
Rosehill M. *Pen* —1F **79**
Rose Hill Rd. *Ash L* —6B **88**
Rosehill Rd. *Pen* —1F **79**
Rose Hill St. *Heyw* —3D **38**
Roseland Av. *M20* —5F **125**
Roseland Dri. *P'wch* —3G **67**
Roselands Av. *Sale* —1H **133**
Rose La. *Marp* —5C **142**
Rose Lea. *Bolt* —1G **33**
Roseleigh Av. *M19* —2B **126**
Rosemary Dri. *Hyde* —2B **130**
Rosemary Dri. *L'boro* —3D **16**
Rosemary Gro. *Salf* —6G **81**
Rosemary La. *Stoc* —2A **140**
Rosemary Wlk. *Part* —6D **118**
Rosemead Ct. *Stoc* —3H **127**
Rosemount. *Hyde* —2B **114**
Rosemount. *Mid* —5H **53**
Rosemount Cres. *Hyde*
—2A **114**
Roseneath Av. *M19* —6E **111**
Roseneath Gro. *Bolt* —5H **45**
Roseneath Rd. *Bolt* —4H **45**
Roseneath Rd. *Urm* —4E **105**
Rosen Sq. *Chad* —6F **71**
Rose St. *Chad* —6G **71**
Rose St. *Mid* —1C **70**
Rose St. *Stoc* —6H **127**
Rose Ter. *Stal* —4E **101**
Rosethorns Clo. *Mid* —3H **53**
Rosette Wlk. *Swint* —4F **79**
Rose Vale. *H Grn* —4F **149**
Rosevale Av. *M19* —3A **126**
Rose Wlk. *Marp* —5C **142**
Rose Wlk. *Part* —6C **118**
Roseway. *Bram* —3H **151**

Rosewell Clo. *M40* —1H **95**
Rosewood. *Dent* —4D **112**
Rosewood. *Roch* —2A **26**
Rosewood Av. *Droy* —2C **98**
Rosewood Av. *Stoc* —2C **138**
Rosewood Clo. *Duk* —1B **114**
Rosewood Cres. *Chad* —6H **55**
Rosewood Gdns. *Gat* —5D **136**
Rosewood Gdns. Sale —6F **123**
(off Maizefield Clo.)
Rosewood Wlk. *M23* —3C **134**
Rosford Av. *M14* —5F **109**
Rosgill Clo. *Stoc* —1A **138**
Rosgill Wlk. *M18* —2E **111**
Rosina St. *M11* —6H **97**
Roslin Gdns. *Bolt* —2G **31**
Roslin St. *M11* —3F **97**
Roslyn Av. *Urm* —1A **120**
Roslyn Rd. *Stoc* —6G **139**
Rossall Av. *Rad* —6A **50**
Rossall Av. *Stret* —4C **106**
Rossall Clo. *Bolt* —5E **33**
Rossall Ct. *Bram* —1G **161**
Rossall Dri. *Bram* —1G **161**
Rossall Rd. *Bolt* —5E **33**
(in two parts)
Rossall Rd. *Roch* —1A **28**
Rossall St. *Bolt* —5E **33**
Rossall Way. *Salf* —2G **93**
Ross Av. *M19* —6B **110**
Ross Av. *Chad* —6F **71**
Ross Av. *Stoc* —6G **139**
Ross Av. *W'fld* —3D **66**
Ross Dri. *Clif* —5E **65**
Rossenclough Clo. *Wilm*
—6H **159**
Rossendale Av. *M9* —2H **83**
Rossendale Clo. *Shaw* —6H **43**
Rossendale Rd. *H Grn* —5G **149**
Rossendale Way. *Shaw* —5F **43**
Rossett Av. *M22* —5B **148**
Rossett Av. *Tim* —3A **134**
Rossett Dri. *Urm* —3B **104**
Rossetti Wlk. *Dent* —2G **129**
Ross Gro. *Urm* —5E **105**
Rosshill Wlk. *M15*
—1B **108** (6D **8**)
Rossington St. *M40* —6D **84**
Rossini St. *Bolt* —2H **31**
Rosslare Rd. *M22* —3C **148**
Ross Lave La. *Dent* —1B **128**
Rosslave Wlk. *Stoc* —2C **128**
Rosslyn Gro. *Tim* —5A **134**
Rosslyn Rd. *H Grn* —4H **149**
Rosslyn Rd. *Most* —2A **84**
Rosslyn Rd. *Old T* —5G **107**
Rossmere Av. *Roch* —5E **27**
Rossmill La. *Haleb* —1B **156**
Ross St. *Oldh* —4A **32**
Ross St. *Oldh* —4B **72**
Rostherne. *Wilm* —5D **166**
Rostherne Av. *Fall* —6E **109**
Rostherne Av. *H Lane* —5C **154**
Rostherne Av. *Old T* —4A **108**
Rostherne Ct. *Bow* —2F **145**
Rostherne Gdns. *Bolt* —3F **45**
Rostherne Rd. *Sale* —6F **123**
Rostherne Rd. *Stoc* —6G **139**
Rostherne Rd. *Wilm* —4C **166**
Rostherne St. *Alt* —2F **145**
(in two parts)
Rostherne St. *Salf* —3E **93**
Rosthernmere Rd. *Chea H*
—1B **150**
Rosthwaite Clo. *Mid* —6E **53**
Roston Ct. *Salf* —3A **82**
Roston Rd. *Salf* —3A **82**
Rostrevor Rd. *Stoc* —6G **139**
Rostron Av. *M12* —1A **110**
Rostron Brow. Stoc —2H **139**
(off Churchgate)

Rushley Av. *Salf* —5F **81**
Rushmere. *Ash L* —5A **88**
Rushmere Av. *Lev* —6D **110**
Rushmere Dri. *Bury* —6C **22**
Rushmere Wlk. *Old T* —2B **108**
Rush Mt. *Shaw* —5D **42**
Rusholme Gro. *M14* —4G **109**
Rusholme Gro. W. *M14*
—4G **109**
Rusholme Pl. *M14* —3G **109**
Rushside Rd. *Chea H* —1B **160**
Rush St. *Duk* —5D **100**
Rushton Clo. *Marp* —6E **143**
Rushton Dri. *Bram* —2F **151**
Rushton Dri. *Marp* —6D **142**
Rushton Dri. *Rom* —6A **130**
Rushtons. *Bram* —2F **151**
Rushton Gro. *Oldh* —4A **58**
Rushton Gro. *Open* —6G **97**
Rushton Rd. *Bolt* —4F **31**
Rushton Rd. *Chea H* —1C **160**
Rushton Rd. *Stoc* —4D **138**
Rushton St. *M20* —1F **137**
Rushton St. *Wor* —1F **77**
Rushwick Av. *M40* —5G **83**
Rushworth Ct. *Stoc* —4E **127**
Rushycroft. *Mot* —3C **116**
Rushyfield Cres. *Rom* —6B **130**
Rushy Hill View. *Roch* —2E **27**
Ruskin Av. *M14* —3F **109**
Ruskin Av. *Aud* —6C **98**
Ruskin Av. *Chad* —6F **71**
Ruskin Av. *Dent* —6D **112**
Ruskin Av. *Kear* —2H **63**
Ruskin Cres. *P'wch* —6D **66**
Ruskin Gdns. *Bred* —6G **129**
Ruskin Gro. *Bred* —6G **129**
Ruskington Dri. *M9* —4F **83**
Ruskin Rd. *M16* —4A **108**
Ruskin Rd. *Droy* —3A **98**
Ruskin Rd. *L Lev* —3B **48**
Ruskin Rd. *P'wch* —6C **66**
Ruskin Rd. *Roch* —3F **41**
Ruskin Rd. *Stoc* —6G **111**
Ruskin St. *Oldh* —1B **72**
Ruskin St. *Rad* —3A **50**
Rusland Ct. *M9* —6A **70**
Rusland Ct. *Sale* —4A **122**
Rusland Dri. *Bolt* —3G **33**
Rusland Wlk. *M22* —3A **148**
Russell Av. *M16* —5B **108**
Russell Av. *H Lane* —6C **154**
Russell Av. *Sale* —4D **122**
Russell Clo. *Bolt* —5G **31**
Russell Ct. *Farn* —1G **63**
Russell Ct. *L Hul* —6E **63**
Russell Dri. *Irl* —5E **103**
Russell Fox Ct. *Stoc* —2G **127**
Russell Gdns. *Stoc* —2D **138**
Russell Rd. *M16* —4B **108**
Russell Rd. *Part* —6E **119**
Russell Rd. *Salf* —6H **79**
Russell St. *M8* —1C **94**
Russell St. *M16* —4D **108**
Russell St. *Ash L* —1B **100**
Russell St. *Bolt* —5H **31**
Russell St. *Bury* —1D **36**
Russell St. *Chad* —2H **71**
Russell St. *Comp* —6F **131**
Russell St. *Dent* —4F **113**
Russell St. *Duk* —5A **100**
Russell St. *Ecc* —3H **91**
Russell St. *Farn* —1G **63**
Russell St. *Heyw* —3G **39**
Russell St. *Hyde* —4B **114**
Russell St. *L Hul* —6E **63**
Russell St. *Moss* —2E **89**
Russell St. *P'wch* —5F **67**
Russell St. Roch —6G 27
(off Grove St.)

Russell St. *Stoc* —5A **140**
Russet Rd. *M9* —2F **83**
Rustons Wlk. *M40* —2E **85**
Ruth Av. *M40* —2E **85**
Ruthen La. *M16* —3H **107**
Rutherford Av. *M14* —4F **109**
Rutherford Clo. *Hyde* —5B **114**
Rutherford Way. *Hyde* —5A **114**
Rutherglade Clo. *M40* —5E **83**
Rutherglen Dri. *Bolt* —1D **44**
Rutherglen Wlk. *M40* —6G **83**
Ruthin Av. *M9* —4E **69**
Ruthin Av. *Chea H* —3A **150**
Ruthin Av. *Mid* —2A **70**
Ruthin Clo. *Oldh* —1H **85**
Ruthin Clo. *Salf* —3G **93**
Ruthin Ct. *Salf* —3G **93**
Ruth St. *M18* —4F **111**
Ruth St. *Bolt* —5A **32**
Ruth St. *Oldh* —1D **72**
Ruth St. *Ram* —3A **12**
Ruth St. *Whitw* —4G **15**
Rutland. *Roch* —5G **27**
Rutland Av. *Dent* —5G **113**
Rutland Av. *Firs* —4G **107**
Rutland Av. *Pen* —1F **79**
Rutland Av. *Urm* —5G **105**
Rutland Av. *Wthtn* —3E **125**
Rutland Clo. *Ash L* —3B **100**
Rutland Clo. *Gat* —5F **137**
Rutland Clo. *L Lev* —3B **48**
Rutland Ct. *Manx* —4F **125**
Rutland Ct. *Stoc* —6A **140**
Rutland Cres. *Stoc* —4D **128**
Rutland Dri. *Bury* —5E **37**
Rutland Dri. *Salf* —2G **81**
Rutland Gro. *Bolt* —4G **31**
Rutland Gro. *Farn* —2E **63**
Rutland La. *Sale* —5F **123**
(in two parts)
Rutland Rd. *B'hth* —5F **133**
Rutland Rd. *Cad* —4B **118**
Rutland Rd. *Droy* —2G **97**
Rutland Rd. *Ecc* —1H **91**
Rutland Rd. *Haz G* —6E **153**
Rutland Rd. *Wor* —2E **77**
Rutland St. *M18* —1G **111**
Rutland St. *Ash L* —3B **100**
Rutland St. *Bolt* —3H **45**
Rutland St. *Droy* —5B **98**
Rutland St. *Fail* —3F **85**
Rutland St. *Heyw* —2F **39**
Rutland St. *Hyde* —2B **114**
Rutland St. *Oldh* —4A **72**
Rutland St. *Swint* —2E **79**
Rutland Way. *Shaw* —6G **43**
Rutter's La. *Haz G* —3C **152**
Ryall Av. *Salf* —5H **93**
Ryall Av. S. *Salf* —5H **93**
Ryan St. *Open* —6G **97**
Ryburn Flats. Heyw —3E 39
(off Meadow Clo.)
Ryburn Sq. *Roch* —5A **26**
Rydal Av. *Chad* —6E **55**
Rydal Av. *Droy* —4G **97**
Rydal Av. *Ecc* —1D **90**
Rydal Av. *Haz G* —2C **152**
Rydal Av. *H Lane* —5C **154**
Rydal Av. *Hyde* —2A **114**
Rydal Av. *Mid* —3H **69**
Rydal Av. *Rytn* —5A **42**
Rydal Av. *Sale* —4H **121**
Rydal Av. *Urm* —1C **120**
Rydal Clo. *Bury* —6C **36**
Rydal Clo. *Dent* —5B **112**
Rydal Clo. *Gat* —2F **149**
Rydal Cres. *Swint* —5F **79**
Rydal Cres. *Wor* —2G **77**
Rydal Dri. *Haleb* —5D **146**
Rydal Gro. *Ash L* —1F **99**
Rydal Gro. *Farn* —2B **62**

Rydal Gro. *Heyw* —5F **39**
Rydal Gro. *W'fld* —1E **67**
Rydal Mt. *Ald E* —6B **166**
Rydal Mt. *Stoc* —5H **111**
Rydal Rd. *Bolt* —4E **31**
Rydal Rd. *L Lev* —4A **48**
Rydal Rd. *Oldh* —2G **73**
Rydal Rd. *Stret* —4D **106**
Rydal Wlk. *Oldh* —2H **73**
Rydal Wlk. *Stal* —2E **101**
Ryde Av. *Dent* —1H **129**
Ryde Av. *Stoc* —1D **138**
Ryder Av. *Alt* —4G **133**
Ryder Brow. *M18* —3F **111**
Ryderbrow Rd. *M18* —3F **111**
RYDER BROW STATION. *BR*
—3F **111**
Ryder St. *M40* —1G **95**
Ryder St. *Bolt* —3G **31**
Ryder St. *Heyw* —3F **39**
Ryder St. *Rad* —4B **50**
Ryde St. *Bolt* —3E **45**
Rydings Rd. *Roch* —5H **15**
Rydley St. *Bolt* —1D **46**
Ryebank Gro. *Ash L* —6H **87**
Ryebank M. *Chor H* —6F **107**
Ryebank Rd. *Chor H* —6F **107**
Rye Bank Rd. *Firs* —5G **107**
Ryeburn Av. *M22* —2B **148**
Ryeburn Dri. *Bolt* —6F **19**
Ryeburne St. *Oldh* —2G **73**
Ryeburn Wlk. *Urm* —3B **104**
Rye Croft. *W'fld* —2A **66**
Ryecroft Av. *Heyw* —3G **39**
Ryecroft Av. *Salf* —2C **92**
Ryecroft Av. *Tot* —5H **21**
Ryecroft Bus. Pk. *Ash L* —4F **99**
Ryecroft Clo. *Chad* —6F **71**
(in two parts)
Ryecroft Gro. *M23* —4G **135**
Ryecroft La. *Aud* —6E **99**
Ryecroft La. *Wor* —1B **90**
Ryecroft Rd. *Stret* —6C **106**
Ryecroft St. *Ash L* —4F **99**
Ryecroft View. *Aud* —5C **98**
Ryedale Av. *M40* —6F **83**
Ryedale Clo. *Stoc* —6D **126**
Ryefield. *Ash L* —4F **99**
Ryefield. *Salf* —5B **80**
Ryefield Clo. *Tim* —6C **134**
Ryefield Rd. *Sale* —1E **133**
Ryefields. *Roch* —5B **16**
Ryefields Dri. *Upperm* —6B **60**
Ryefield St. *Bolt* —4C **32**
Ryelands Clo. *Roch* —1H **41**
Rye St. *Heyw* —2G **39**
Rye Wlk. *M13* —2G **109**
Rye Wlk. *Chad* —3G **71**
Rygate Wlk. *M8* —5B **82**
Ryhope Wlk. *M8* —6A **82**
Ryhope Wlk. *Salf* —6A **82**
Rylance St. *M11* —4A **96**
Ryland Clo. *Stoc* —6H **111**
Rylands Ct. *M15*
—1B **108** (6D **8**)
Rylands St. *M18* —1G **111**
Rylane Wlk. M40 —6F 83
(off Ridgewood Av.)
Rylatt Ct. *Sale* —4A **122**
Ryley Av. *Bolt* —2F **45**
Ryleys La. *Ald E* —5F **167**
Ryley St. *Bolt* —1G **45**
Rylstone Av. *M21* —6B **124**
Ryther Gro. *M9* —4D **68**
Ryton Av. *M18* —4E **111**

Sabden Clo. *M40* —2A **96**
Sabden Clo. *Bury* —4F **23**
Sabden Clo. *Heyw* —3C **38**
Sabden Rd. *Bolt* —3C **30**

Sabrina St. *M8* —6A **82**
Sack St. *Hyde* —2B **114**
Sackville Clo. *Shaw* —5E **43**
Sackville St. *M1*
(in two parts) —5E **95** (1A **10**)
Sackville St. *Ash L* —2H **99**
Sackville St. *Bolt* —6E **33**
Sackville St. *Bury* —2E **37**
Sackville St. *Roch* —4C **40**
Sackville St. *Salf* —3C **94** (4E **5**)
Saddleback Clo. *Wor* —5D **76**
Saddlecote. *Wor* —1C **90**
Saddle Gro. *Droy* —2D **98**
Saddle St. *Bolt* —3D **32**
Saddlewood Av. *M19* —1H **137**
Sadie Av. *Stret* —3A **106**
Sadler Clo. *M14* —4E **109**
Sadler St. *Bolt* —3C **46**
Sadler St. *Mid* —6H **53**
Saffron Dri. *Oldh* —5H **57**
Saffron Wlk. *M22* —4B **148**
Saffron Wlk. *Part* —6D **118**
Sagars Rd. *Styal* —3F **159**
Sagar St. *M8* —1D **94**
Sahal Ct. *Salf* —1B **94**
St Agnes Rd. *M13* —5B **110**
St Agnes St. *Stoc* —4H **111**
St Aidans Clo. *Rad* —6G **49**
St Aidan's Clo. *Roch* —6E **27**
St Aidan's Gro. *Salf* —5F **81**
St Albans Av. *M40* —6B **84**
St Albans Av. *Ash L* —4F **87**
St Alban's Av. *Stoc* —4E **127**
St Albans Ct. *Roch* —5G **27**
St Alban's Cres. *W Tim*
—3E **133**
St Albans Ho. Roch —5G 27
(off St Albans St.)
St Alban's St. *Roch* —5G **27**
St Alban's Ter. *M8* —6A **82**
St Alban's Ter. *Roch* —5G **27**
St Aldates. *Rom* —1F **141**
St Aldwyn's Rd. *M20* —4F **125**
St Ambrose Gdns. *Salf* —3F **93**
St Ambrose Rd. *Oldh* —6G **57**
St Andrew's Av. *Droy* —4G **97**
St Andrews Av. *Ecc* —4G **91**
St Andrew's Av. *Tim* —4G **133**
St Andrews Clo. *Ram* —4E **13**
St Andrew's Clo. *Rom* —2H **141**
St Andrews Clo. *Sale* —2E **133**
St Andrews Clo. *Stoc* —5D **126**
St Andrew's Dri. *Heyw* —5F **39**
St Andrew's Rd. *H Grn* —4G **149**
St Andrew's Rd. *Rad* —1F **49**
St Andrews Rd. *Stoc* —5D **126**
St Andrews Rd. *Stret* —5B **106**
St Andrew's Sq. *M1*
—5G **95** (1F **11**)
St Andrew's St. *M1*
—5G **95** (1E **11**)
St Andrews View. *Rad* —1F **49**
St Anne's Av. *Rytn* —4C **56**
St Anne's Av. *Salf* —2E **93**
St Anne's Ct. *Aud* —1E **113**
St Annes Ct. *Sale* —5C **122**
St Annes Ct. *Salf* —1F **93**
St Anne's Cres. *Gras* —4E **75**
St Anne's Dri. *Dent* —3G **113**
St Annes Gdns. *Heyw* —3H **39**
St Annes Rd. *M21* —2H **123**
St Anne's Rd. *Aud* —2F **113**
(Denton)
St Annes Sq. *Del* —3H **59**
St Annes's Rd. *Aud* —1F **113**
(Audenshaw)

Sandray Clo. *Bolt* —2D **44**
Sandray Gro. *Salf* —4E **93**
Sandridge Wlk. *M12* —1A **110**
Sandringham Av. *Aud* —1D **112**
Sandringham Av. *Dent*
　　　　　—4A **112**
Sandringham Av. *Stal* —2E **101**
Sandringham Clo. *Bow*
　　　　　—3B **144**
*Sandringham Ct. M9 —4C **68***
(off Deanswood Dri.)
Sandringham Ct. *Sale* —3C **134**
Sandringham Ct. *Wilm*
　　　　　—3D **166**
Sandringham Dri. *Duk* —6D **100**
Sandringham Dri. *G'mnt*
　　　　　—2A **22**
Sandringham Dri. *Miln* —5G **29**
Sandringham Dri. *Poy* —4D **162**
Sandringham Dri. *Stoc*
　　　　　—2C **138**
Sandringham Grange. *P'wch*
　　　　　—6A **68**
Sandringham Rd. *Bred*
　　　　　—6C **128**
Sandringham Rd. *Chea H*
　　　　　—2C **150**
Sandringham Rd. *Haz G*
　　　　　—3F **153**
Sandringham Rd. *Hyde*
　　　　　—2C **130**
Sandringham Rd. *Wor* —5C **76**
Sandringham St. *M18* —3E **111**
Sandringham Way. *Rytn*
　　　　　—1A **56**
Sandringham Way. *Wilm*
　　　　　—3D **166**
Sands Av. *Chad* —6D **54**
Sands Clo. *Hyde* —6H **115**
Sandsend Clo. *M8* —6A **82**
Sandsend Rd. *Urm* —4E **105**
Sandstone Rd. *Miln* —4F **29**
Sandstone Way. *M21* —2B **124**
Sand St. *M40* —1G **95**
Sand St. *Stal* —5D **100**
Sands Wlk. *Hyde* —6H **115**
Sandwell Dri. *Sale* —3B **122**
Sandwich Rd. *Ecc* —2H **91**
Sandwich St. *Wor* —1F **77**
Sandwich Cres. *Bolt* —2H **45**
Sandwood Av. *Bolt* —1C **44**
Sandy Bank Av. *Hyde* —6H **115**
Sandybank Clo. *Had* —3G **117**
Sandy Bank Ct. *Hyde* —6H **115**
Sandy Bank Rd. *M8* —3B **82**
Sandy Bank Wlk. *Hyde* —6H **115**
Sandybrook Clo. *Tot* —5H **21**
Sandy Brow. *M9* —1F **83**
Sandy Clo. *Bury* —3D **50**
Sandy Ga. Clo. *Swint* —4E **79**
Sandy Gro. *Duk* —4B **100**
Sandy Gro. *Salf* —1E **93**
Sandy Gro. *Swint* —3F **79**
Sandy Haven Clo. *Hyde*
　　　　　—6H **115**
Sandy Haven Wlk. *Hyde*
　　　　　—6H **115**
Sandyhill Ct. *M9* —6C **68**
Sandyhill Rd. *M9* —6C **68**
Sandyhills. *Bolt* —4A **46**
Sandylands Dri. *P'wch* —2E **81**
Sandy La. *M21* —1H **123**
Sandy La. *M23* —4D **134**
Sandy La. *Dob* —5A **60**
Sandy La. *Droy* —2C **98**
Sandy La. *Duk* —5B **100**
Sandy La. *Irl* —4E **103**
Sandy La. *Mid* —1B **70**
Sandy La. *P'wch* —6D **66**
Sandy La. *Roch* —4E **27**

Sandy La. *Rom* —1A **142**
Sandy La. *Rytn* —3B **56**
Sandy La. *Salf* —2E **93**
Sandy La. *Stoc* —6G **127**
Sandy La. *Stret* —6B **106**
Sandy La. *Wilm* —1A **166**
Sandy Meade. *P'wch* —6D **66**
Sandys Av. *Oldh* —6B **72**
Sandyshot Wlk. *M22* —2D **148**
Sandy Vale. *Duk* —4C **100**
Sandy Wlk. *Rytn* —3B **56**
Sandy Way. *P'wch* —6E **67**
Sandywell Clo. *M11* —6F **97**
Sandywell St. *M11* —5F **97**
Sangster Ct. *Salf* —5G **93**
Sankey Gro. *M9* —6D **68**
Sankey St. *Bury* —3B **36**
Santiago St. *M14* —4F **109**
Santley St. *M12* —4C **110**
Santon Av. *M14* —1A **126**
Sapling Gro. *Sale* —1F **133**
Sapling Rd. *Bolt* —5F **45**
Sapling Rd. *Swint* —6D **78**
Sarah Ann St. *M11* —4B **96**
Sarah Butterworth Ct. *Roch*
　　　　　—4B **28**
Sarah Butterworth St. *Roch*
　　　　　—5B **28**
Sarah Jane St. *Miln* —5F **29**
Sarah St. *M11* —5B **96**
Sarah St. *Ecc* —4D **90**
Sarah St. *Eden* —2B **12**
Sarah St. *Mid* —1H **69**
Sarah St. *Roch* —5A **28**
Sarah St. *Shaw* —2E **57**
Sargent Dri. *M16* —3C **108**
Sargent Rd. *Bred* —1D **140**
Sark Rd. *M21* —5G **107**
Sarn Av. *M22* —1B **148**
Sarnesfield Clo. *M12* —3C **110**
Sarnia Ct. *Salf* —4H **81**
Saturn Gro. *Salf* —1A **94**
Saunders Ct. *Dent* —4F **113**
Saunton Av. *Bolt* —2H **33**
Saunton Rd. *Open* —5F **97**
Sautridge Clo. *Mid* —6D **40**
Savernake Rd. *Woodl* —4A **130**
Savick Av. *Bolt* —6G **33**
Saville Rd. *Gat* —5F **137**
Saville Rd. *Rad* —6F **35**
Saville St. *Bolt* —6C **32**
Saville St. *Mid* —2D **70**
Saviours Ter. *Bolt* —2G **45**
Savio Way. *Mid* —2A **70**
Savoy Ct. *W'fld* —5C **50**
Savoy Dri. *Rytn* —5B **56**
Savoy St. *Oldh* —4F **73**
Savoy St. *Roch* —3E **27**
Sawley Av. *L'boro* —2E **17**
Sawley Av. *Oldh* —5H **73**
Sawley Av. *W'fld* —5D **50**
Sawley Dri. *Chea H* —1E **161**
Sawley Rd. *M40* —1H **95**
Sawston Wlk. *M40* —6C **70**
Saw St. *Bolt* —3A **32**
Sawyer Brow. *Hyde* —3D **114**
Sawyer St. *Bury* —1H **35**
Sawyer St. *Roch* —2H **27**
Saxbrook Wlk. *M22* —2D **148**
Saxby Av. *Brom X* —3D **18**
Saxby St. *Salf* —6A **80**
Saxelby Dri. *M8* —4D **82**
Saxfield Dri. *M23* —5A **136**
Saxholme Wlk. *M22* —3A **148**
Saxon Av. *M8* —1C **82**
Saxon Av. *Duk* —5A **100**
Saxon Clo. *Bury* —3H **35**
Saxon Dri. *Aud* —6E **99**
Saxon Dri. *Chad* —1E **71**
Saxonholme Rd. *Roch* —6C **40**
Saxon Ho. *M16* —4B **108**

Saxon Ho. *L'boro* —4G **17**
Saxonside. *Mid* —4G **53**
Saxon St. *M40* —2A **96**
Saxon St. *Dent* —4F **113**
Saxon St. *Droy* —3B **98**
Saxon St. *Mid* —1B **70**
Saxon St. *Moss* —6F **75**
Saxon St. *Oldh* —2G **73**
Saxon St. *Rad* —4F **49**
Saxon St. *Roch* —4F **27**
Saxthorpe Clo. *Sale* —4F **121**
Saxthorpe Wlk. *M12* —2A **110**
Saxwood Av. *M9* —2F **83**
Saxwood Clo. *Roch* —2B **26**
Scafell Av. *Ash L* —1F **99**
Scafell Clo. *H Lane* —5C **154**
(in two parts)
Scafell Clo. *Oldh* —6D **56**
(in two parts)
Scalby Wlk. *M22* —4B **148**
Scale St. *Salf* —4G **93**
Scarborough St. *M40* —3A **84**
Scarcroft Rd. *M12* —2C **110**
Scaresdale Av. *Bolt* —4E **31**
Scarfield Dri. *Roch* —2A **26**
Scargill Clo. *M14* —1G **125**
Scargill Rd. *Bolt* —3E **45**
Scarisbrick Av. *M20* —6H **125**
Scarisbrick Rd. *M19* —1B **126**
Scarr Av. *Rad* —5A **50**
Scarr Dri. *Roch* —6F **15**
Scarr La. *Shaw* —6G **43**
Scarr Ter. *Whitw* —3H **15**
Scarr Wheel. *Salf* —4G **81**
Scarsdale Rd. *M14* —3A **110**
Scarsdale St. *Salf* —2H **93**
Scarth Wlk. *M15*
　　　　　—1D **108** (6H **9**)
Scarthwood Clo. *Bolt* —6A **20**
Scawfell Av. *Bolt* —3D **32**
Scawton Wlk. *M9* —4D **68**
Schofield Pl. *L'boro* —5H **17**
Schofield Rd. *Droy* —4B **98**
Schofield Rd. *Ecc* —4C **90**
Schofield St. *M11* —4E **97**
Schofield St. *Fail* —3F **85**
Schofield St. *Heyw* —3F **39**
Schofield St. *Hyde* —2E **115**
Schofield St. *L'boro* —3G **17**
Schofield St. *Miln* —6G **29**
Schofield St. *Oldh* —6C **72**
Schofield St. *Roch* —1G **41**
Schofield St. *Rytn* —2B **56**
Schofield St. *Sum* —5H **17**
Scholar's Way. *Mid* —5H **53**
Scholes Clo. *Salf* —3B **82**
Scholes Dri. *M40* —1E **85**
Scholes La. *P'wch* —6F **67**
Scholes St. *M4* —3F **95** (4C **6**)
Scholes St. *Bury* —2A **36**
Scholes St. *Chad* —5G **71**
Scholes St. *Fail* —2G **85**
Scholes St. *Oldh* —2E **73**
Scholes St. *Roch* —4C **40**
Scholes St. *Swint* —3F **79**
Scholes Wlk. *P'wch* —6F **67**
Scholey St. *Bolt* —2C **46**
Scholfield Av. *Urm* —6H **105**
Scholfield St. *Rad* —3H **49**
School Av. *Ash L* —5H **87**
School Av. *Stret* —4F **107**
School Brow. *Bury* —3D **36**
School Brow. *Rom* —1G **141**
School Brow. *Wor* —5H **77**
School Clo. *Poy* —3F **163**
School Ct. *M4* —3G **95** (4E **7**)
School Ct. *Ram* —3A **12**
School Ct. *Stoc* —5H **139**
School Cres. *Stal* —2D **100**
School Gro. *M20* —3G **125**
School Gro. *P'wch* —1E **81**
School Gro. W. *Manx* —3G **125**

School Hill. *Bolt* —5A **32**
School Ho. Flats. *Oldh* —1A **86**
School La. *M20 & M19*
　　　　　—6F **125**
School La. *Bury* —3E **23**
School La. *Cad* —4B **118**
School La. *C'brk* —4G **89**
School La. *Car* —3A **120**
School La. *Chea H* —5B **150**
School La. *Comp* —6F **131**
School La. *Dun M* —4A **132**
School La. *Heat C* —4E **127**
School La. *Hyde* —2C **130**
School La. *Irl* —5D **102**
School La. *Poy* —3F **163**
(in two parts)
School La. *Roch* —3G **25**
(Carr Wood)
School La. *Roch* —4H **27**
(Rochdale)
School M. *Bram* —6G **151**
School Rd. *Ecc* —5E **91**
School Rd. *Fail* —4F **85**
School Rd. *Hale* —2H **145**
School Rd. *Hand* —3H **159**
School Rd. *Oldh* —1H **85**
School Rd. *Sale* —4B **122**
(in two parts)
School Rd. *Stret* —5C **106**
Schools Hill. *Chea* —2H **149**
Schoolside La. *Mid* —2D **68**
Schools Rd. *M18* —2G **111**
School St. *M4* —2E **95** (2B **6**)
School St. *Brom X* —4D **18**
School St. *Bury* —4F **37**
School St. *Ecc* —2D **90**
School St. *Haz G* —3E **153**
School St. *Heyw* —3E **39**
School St. *L'boro* —4C **16**
School St. *Lev* —4B **48**
School St. *Oldh* —4B **72**
School St. *Rad* —4F **49**
School St. *Ram* —4D **12**
School St. *Roch* —3H **27**
School St. *Salf* —1C **94**
School St. *Spring* —3C **74**
School St. *Upperm* —1F **61**
School St. Ind. Est. *Haz G*
　　　　　—3E **153**
*School Ter. Whitw —4G **15***
(off Lloyd St.)
School Wlk. *M16* —2B **108**
School Yd. *Stoc* —2A **138**
Schwabe St. *Mid* —1E **69**
Scobell St. *Tot* —6H **21**
Scope o' th' La. *Bolt* —1E **33**
Scopton St. *Bolt* —5G **31**
Score St. *M11* —4C **96**
Scorton Av. *Bolt* —6H **33**
Scorton Wlk. *M40* —1D **84**
Scotforth Clo. *M15*
　　　　　—6C **94** (4E **9**)
Scotland. *M4* —2E **95** (2A **6**)
Scotland Hall Rd. *M40* —6B **84**
Scotland La. *Bury* —3A **24**
Scotland Pl. *Ram* —3E **13**
Scotland St. *M40* —6C **84**
Scotland St. *Ash L* —2A **100**
Scotta Rd. *Ecc* —5D **90**
Scott Av. *M21* —5H **107**
Scott Av. *Bury* —1D **50**
Scott Av. *Ecc* —2E **91**
Scott Clo. *Stoc* —5H **127**
Scott Dri. *Marp B* —3F **143**
Scottfield. *Oldh* —4C **72**
Scottfield Rd. *Oldh* —4D **72**
Scott Ga. *Aud* —6E **99**
Scott Rd. *Dent* —6E **113**
Scott Rd. *Droy* —3A **98**
Scott Rd. *P'wch* —6D **66**
Scott St. *Aud* —6F **99**

Sharnbrook Wlk. *Bolt* —4D **32**
Sharnford Clo. *Bolt* —1D **46**
Sharnford Sq. *M12* —1C **110**
Sharon Av. *Gras* —4G **75**
Sharon Clo. *Ash L* —4E **99**
Sharples Av. *Bolt* —5C **18**
Sharples Dri. *Bury* —1F **35**
Sharples Hall. *Bolt* —5D **18**
Sharples Hall Dri. *Bolt* —5D **18**
Sharples Hall Fold. *Bolt* —6D **18**
Sharples Hall M. *Bolt* —5D **18**
Sharples Hall St. *Oldh* —6H **57**
Sharples Pk. *Bolt* —1H **31**
Sharples St. *Stoc* —6G **127**
Sharples Vale. *Bolt* —2A **32**
Sharples Vale Cotts. *Bolt*
—2A **32**
Sharp St. *M4* —2F **95** (2C **6**)
Sharp St. *Mid* —1A **70**
Sharp St. *P'wch* —5E **67**
Sharp St. *Wor* —6G **63**
Sharrington Dri. *M23* —5E **135**
Sharrow Wlk. M9 —4F 83
(off Ockendon Dri.)
Sharston Ind. Area. *M22*
—4C **136**
Sharston Rd. *Shar I* —5B **136**
Shaving La. *Wor* —2F **77**
Shaw Av. *Hyde* —1D **130**
Shawbrook Av. *Wor* —3D **76**
Shawbrook Rd. *M19* —3B **126**
Shawbury Clo. *Mid* —2C **70**
Shawbury Gro. *Sale* —1H **133**
Shawbury Rd. *M23* —1H **147**
Shawclough Clo. *Roch* —6D **14**
Shawclough Dri. *Roch* —6C **14**
Shawclough Rd. *Roch* —5C **14**
Shawclough Way. *Roch*
—6C **14**
Shawcroft Clo. *Shaw* —2E **57**
SHAW & CROMPTON STATION.
BR —1G **57**
Shawcross Fold. *Stoc* —1H **139**
Shawcross La. *M22* —3C **136**
Shawcross St. *Hyde* —1D **130**
Shawcross St. *Salf* —4F **93**
Shawcross St. *Stoc* —3H **139**
Shawdene Rd. *M22* —3A **136**
Shawe Hall Av. *Urm* —1C **120**
Shawe Hall Cres. *Urm* —1C **120**
Shawe Rd. *Urm* —5C **104**
Shawe View. *Urm* —5C **104**
Shawfield Clo. *M14* —1E **125**
Shawfield Ct. *Stoc* —6D **140**
Shawfield Gro. *Roch* —1B **26**
Shawfield La. *Roch* —1B **26**
Shawfield Rd. *Had* —4H **117**
Shawfields. *Stal* —2H **149**
Shawfold. *Shaw* —6F **43**
Shawford Cres. *M40* —1C **84**
Shawford Rd. *M40* —1C **84**
Shaw Ga. *Upperm* —2H **61**
Shawgreen Clo. *M15*
—1B **108** (5D **8**)
Shaw Hall Av. *Hyde* —2F **115**
Shaw Hall Bank Rd. *G'fld*
—4H **75**
Shaw Hall Clo. *G'fld* —4H **75**
Shawhead Dri. *Fail* —5F **85**
Shaw Heath. *Stoc* —3G **139**
Shawheath Clo. *M15*
—1B **108** (5D **8**)
Shawhill Wlk. *M40* —3A **96**
Shaw Ho. *Shaw* —2F **57**
Shaw La. *Glos* —5G **117**
Shaw La. *Roch* —2G **29**
Shawlea Av. *M19* —3A **126**
Shaw Lee. *Dig* —3D **60**
Shaw Moor Av. *Stal* —4G **101**
Shaw Rd. *Miln* —2F **43**
Shaw Rd. *Oldh* —6E **57**

Shaw Rd. *Roch* —4H **41**
Shaw Rd. *Rytn* —4C **56**
Shaw Rd. *Stoc* —4D **126**
Shaw Rd. Est. *Oldh* —6D **56**
Shaw Rd. S. *Stoc* —5H **139**
(in two parts)
Shaws. *Upperm* —2G **61**
Shaws Fold. *Spring* —2D **74**
Shaws Fold. *Styal* —4D **158**
Shaws La. *Upperm* —1F **61**
Shaw's Rd. *Alt* —1F **145**
Shaw St. *M3* —2D **94** (2H **5**)
Shaw St. *Ash L* —2B **100**
Shaw St. *Bolt* —2A **46**
Shaw St. *Bury* —2F **37**
Shaw St. *Farn* —5E **47**
Shaw St. *G'fld* —3F **61**
Shaw St. *Mot* —3C **116**
Shaw St. *Oldh* —1D **72**
Shaw St. *Roch* —1B **28**
Shaw St. *Rytn* —3C **56**
Shaw St. *Spring* —3C **74**
Shaw Ter. *Duk* —4A **100**
Shay Av. *Hale* —4E **147**
Shayfield Av. *M22* —6B **136**
Shayfield Av. *Chad* —1E **71**
Shayfield Dri. *M22* —5B **136**
Shayfield Rd. *M22* —6B **136**
Shay La. *Hale* —4C **146**
Sheader Dri. *Salf* —3C **92**
Sheaf Field Wlk. *Rad* —3G **49**
Sheard Av. *Ash L* —5H **87**
Sheardhall Av. *Dis* —2H **165**
Shearer Way. *Pen* —4C **80**
Shearing Av. *Roch* —2B **26**
Shearsby Clo. *M15* —2C **108**
Shearwater Dri. *Wor* —6E **63**
Shearwater Gdns. *Ecc* —5C **90**
Shearwater Rd. *Stoc* —5F **141**
Sheddings, The. *Bolt* —3C **46**
Shed St. *Bolt* —2B **46**
Shed St. *Whitw* —4H **15**
Sheepfoot La. *Oldh* —6B **56**
Sheepfoot La. *P'wch* —6H **67**
Sheep Gap. *Roch* —2D **26**
Sheepgate Dri. *Tot* —6G **21**
Sheep La. *Wor* —3B **76**
Sheerness St. *M18* —2F **111**
Sheffield Rd. *Hyde* —3D **114**
(in two parts)
Sheffield St. *M1*
—5F **95** (1D **10**)
Sheffield St. *Stoc* —6G **127**
Shefford Clo. *M11* —5B **96**
Sheiling Ct. *Alt* —1E **145**
Shelbourne Av. *Bolt* —4F **31**
Shelden Clo. *Glos* —6F **117**
Shelden Fold. Glos —6F 117
(off Brassington Cres.)
Shelden M. *Glos* —6F **117**
Shelden Pl. Glos —6F 117
(off Brassington Cres.)
Shelderton Clo. *M40* —4A **84**
Sheldon Av. *Urm* —5D **104**
Sheldon Clo. *Farn* —5D **46**
Sheldon Clo. *Part* —6D **118**
Sheldon Ct. *Ash L* —6F **87**
Sheldon Rd. *Haz G* —6E **153**
Sheldon Rd. *Poy* —5A **164**
Sheldon St. *M11* —3D **96**
Sheldrake Clo. *Duk* —6C **100**
Sheldrake Rd. *B'hth* —3D **132**
Shelfield. *Roch* —2B **26**
Shelfield Clo. *Roch* —3B **26**
Shelfield La. *Roch* —2A **26**
Shelford Av. *M18* —3D **110**
Shellbrook Gro. *Wilm* —6H **159**
Shelley Av. *Mid* —5B **54**
Shelley Ct. *Chea H* —4C **150**
Shelley Gro. *Droy* —3A **98**
Shelley Gro. *Hyde* —2B **114**

Shelley Gro. *Millb* —1H **101**
Shelley Rise. *Duk* —6F **101**
Shelley Rd. *Chad* —6F **71**
Shelley Rd. *L Hul* —4C **62**
Shelley Rd. *Oldh* —6F **57**
Shelley Rd. *P'wch* —6D **66**
Shelley Rd. *Stoc* —6F **111**
Shelley Rd. *Swint* —3D **78**
Shelley Way. *Dent* —1F **129**
Shelley Wlk. *Bolt* —4H **31**
Shelmerdine Clo. *Mot* —5B **116**
Shelmerdine Gdns. *Salf* —1C **92**
Shelton Av. *Sale* —5F **121**
Shenfield Wlk. *M40*
—2H **95** (1G **7**)
Shentonfield Rd. *Shar I*
—5C **136**
Shenton Pk. Av. *Sale* —1E **133**
Shenton St. *Hyde* —3A **114**
Shepherd Ct. *Roch* —4B **28**
Shepherd Cross St. *Bolt*
—4G **31**
Shepherds Brow. *Bow* —2C **144**
Shepherds Clo. *G'mnt* —2H **21**
Shepherds Cross St. Ind. Est.
Bolt —3H 31
(off Shepherds Cross St.)
Shepherds Grn. *G'fld* —4H **61**
Shepherd St. *M9* —2G **83**
Shepherd St. *Bury* —3D **36**
Shepherd St. *G'mnt* —3H **21**
Shepherd St. *Heyw* —3E **39**
Shepherd St. *Roch* —2H **25**
(Norden)
Shepherd St. *Roch* —3H **27**
(Rochdale)
Shepherd St. *Rytn* —3C **56**
Shepherd Wlk. *Dent* —1F **129**
Shepley Av. *Bolt* —2G **45**
Shepley Clo. *Duk* —5B **100**
Shepley Clo. *Haz G* —5D **152**
Shepley Dri. *Haz G* —4D **152**
Shepley Ind. Est. N. Aud —6F 99
Shepley Ind. Est. S. *Aud*
—1G **113**
Shepley La. *Marp* —1D **154** .
Shepley Rd. *Aud* —1F **113**
Shepley St. *M1* —5H **95** (1C **10**)
Shepley St. *Aud* —6F **99**
Shepley St. *Fail* —2G **85**
Shepley St. *Glos* —4G **117**
Shepley St. *Hyde* —5C **114**
Shepley St. *Lees* —3A **74**
Shepley St. *Stal* —3E **101**
Shepton Clo. *Bolt* —1B **48**
Shepton Dri. *M23* —3G **147**
Shepway Ct. *Ecc* —3D **90**
Sheraton Rd. *Oldh* —5C **72**
Sherborne Ho. *Mid* —4A **54**
Sherborne Rd. *Mid* —4H **53**
Sherborne Rd. *Stoc* —4C **138**
Sherborne St. *M3 & M8*
—1C **94**
Sherborne St. Trad. Est. *M8*
—6C **82**
Sherborne St. W. *Salf*
—2C **94** (1E **5**)
Sherbourne Clo. *Chea H*
—1D **160**
Sherbourne Clo. *Oldh* —5G **73**
Sherbourne Clo. *Rad* —2D **48**
Sherbourne Ct. *P'wch* —5E **67**
Sherbourne Dri. *Heyw* —2C **38**
Sherbourne Rd. *Bolt* —4E **31**
Sherbourne Rd. *Urm* —4G **105**
Sherbourne St. *P'wch* —5E **67**
Sherbrooke Av. *Upperm*
—6C **60**
Sherbrooke Clo. *Sale* —6H **121**
Sherbrooke Rd. *Dis* —1H **165**

Sherbrook Rise. *Wilm* —3F **167**
Sherdley Ct. *M8* —2C **82**
Sherdley Rd. *M8* —2C **82**
Sherford Clo. *Haz G* —3A **152**
Sheridan Ct. *M40* —6G **83**
Sheridan Way. *Chad* —1E **71**
Sheridan Way. *Dent* —1F **129**
Sheriffs Dri. *Ast* —2A **76**
Sheriff St. *Bolt* —4D **32**
Sheriff St. *Miln* —6G **29**
Sheriff St. *Roch* —3G **27**
Sheringham Dri. *Bury* —6D **22**
Sheringham Dri. *Hyde* —4E **115**
Sheringham Dri. *Swint* —5F **79**
Sheringham Pl. *Bolt* —2H **45**
Sheringham Rd. *M14* —2H **125**
Sherlock St. *M14* —2H **125**
Sherratt St. *M4* —3F **95** (3D **6**)
Sherrington St. *M12* —4C **110**
Sherway Dri. *Tim* —5G **133**
Sherwell Rd. *M9* —6D **68**
Sherwin Way. *Roch* —4D **40**
Sherwood Av. *M14* —1G **125**
Sherwood Av. *Chea H* —3B **150**
Sherwood Av. *Droy* —3C **98**
Sherwood Av. *Rad* —5F **35**
Sherwood Av. *Sale* —4C **122**
Sherwood Av. *Salf* —4F **81**
Sherwood Av. *Stoc* —2C **138**
Sherwood Clo. *Ash L* —4G **87**
Sherwood Clo. *Marp* —1D **154**
Sherwood Clo. *Salf* —2D **92**
Sherwood Clo. *Tot* —4H **21**
Sherwood Dri. *Pen* —4H **79**
Sherwood Rd. *M9* —1F **83**
Sherwood Rd. *Dent* —4B **112**
Sherwood Rd. *Woodl* —4H **129**
Sherwood St. *M14* —1G **125**
Sherwood St. *Bolt* —2B **32**
Sherwood St. *Oldh* —1B **72**
Sherwood St. Roch —6A 28
(off Durham St)
Sherwood St. Roch —3D 40
(off Queensway)
Sherwood Way. *Shaw* —5C **42**
Shetland Rd. *M40* —1H **95**
Shetland Way. *Rad* —2G **49**
Shetland Way. *Urm* —2E **105**
Shevington Gdns. *M23*
—2H **135**
Shieldburn Dri. *M9* —4G **83**
Shield Clo. *Oldh* —2C **72**
Shield Dri. *Wor* —3C **78**
Shield St. *Stoc* —3G **139**
Shields View. Salf —6H 93
(off Ordsall Dri.)
Shiel St. *Wor* —6F **63**
Shiers Dri. *Chea* —1A **150**
Shiffnall St. *Bolt* —1C **46**
Shilford Dri. *M4* —2G **95** (1E **7**)
Shillingford Rd. *Farn* —1D **62**
Shillingford Rd. *Farn* —1E **63**
Shillingstone Clo. *Bolt* —2H **33**
Shillington Clo. *Wor* —6B **62**
Shiloh La. *Spring* —5D **58**
Shilton Gdns. *Bolt* —2A **46**
Shilton St. *Ram* —4D **12**
Shilton Wlk. *M40* —1D **84**
Shipgates Cen. *Bolt* —6C **32**
Shipla Clo. *Oldh* —2C **72**
Shipley Av. *Salf* —2C **92**
Shipley View. *Urm* —2B **104**
Shipper Bottom La. *Ram*
—4F **13**
(in two parts)
Shippey St. *M14* —2H **125**
Shipston Clo. *Bury* —2G **35**
Shipton St. *Bolt* —4F **31**
Shirburn. *Roch* —5G **27**
Shirebrook Dri. *Rad* —3H **49**
Shireburn Av. *Bolt* —5E **33**
Shiredale Clo. *Chea H* —1D **150**

Shiredale Dri. *M9* —4F **83**
Shiregreen Av. *M40* —6E **83**
Shirehills. *P'wch* —6E **67**
Shireoak Rd. *M20* —2H **125**
Shires, The. *Droy* —2D **98**
Shires, The. *Rad* —2G **49**
Shirley Av. *Aud* —5C **98**
Shirley Av. *Chad* —1E **85**
Shirley Av. *Dent* —4H **111**
Shirley Av. *Ecc* —5E **91**
Shirley Av. *H Grn* —1G **159**
Shirley Av. *Hyde* —2B **114**
Shirley Av. *Marp* —5C **142**
Shirley Av. *Pen* —4A **80**
Shirley Av. *Salf* —4E **81**
Shirley Av. *Stret* —4F **107**
Shirley Clo. *Haz G* —3C **152**
Shirley Ct. *Sale* —5C **122**
Shirley Gro. *Stoc* —6G **139**
Shirley Rd. *M8* —4C **82**
Shirley St. *Roch* —3C **40**
Shoecroft Av. *Dent* —5E **113**
Sholver Hey La. *Oldh* —1H **57**
Sholver Hill Clo. *Oldh* —3A **58**
Sholver La. *Oldh* —3H **57**
Shone Av. *M22* —3D **148**
Shore Av. *Shaw* —4G **43**
Shoreditch Clo. *Stoc* —4D **126**
Shorefield Clo. *Miln* —4F **29**
Shorefield Mt. *Eger* —3C **18**
Shore Fold. *L'boro* —3D **16**
Shoreham Clo. *Bury* —4C **22**
Shoreham Wlk. *M16* —3C **108**
Shoreham Wlk. *Chad* —3G **71**
Shore Hill. *L'boro* —3G **17**
Shore La. *L'boro* —4G **17**
Shore Lea. *L'boro* —3D **16**
Shore Mt. *L'boro* —3D **16**
Shore Rd. *L'boro* —3D **16**
Shore St. *Miln* —5F **29**
Shore St. *Oldh* —2E **73**
Shoreswood. *Bolt* —6B **18**
Shore View. *Miln* —5E **29**
Shorland St. *Swint* —4C **78**
Shorrocks St. *Bury* —2F **35**
Short Av. *Droy* —5H **97**
Shortcroft St. *M15*
    —6D **94** (4G **9**)
Shortland Cres. *M19* —6H **125**
Shortlands Av. *Bury* —4D **36**
Short St. *M4* —4E **95** (5B **6**)
Short St. *Ash L* —2H **99**
Short St. *Haz G* —2D **152**
Short St. *Heyw* —4D **38**
Short St. *Salf* —2C **94** (1E **5**)
    (in two parts)
Short St. *Stoc* —6F **127**
    (in two parts)
Short St. E. *Stoc* —6G **127**
Shortwood Clo. *M40* —5A **84**
Shottery Wlk. *Bred* —6F **129**
Shotton Wlk. *M14* —4G **109**
Shrewsbury Ct. *M16* —2B **108**
Shrewsbury Gdns. *Chea H*
    —1E **161**
Shrewsbury Rd. *Bolt* —5F **31**
Shrewsbury Rd. *Droy* —2A **98**
Shrewsbury Rd. *P'wch* —6E **67**
Shrewsbury Rd. *Sale* —1A **134**
Shrewsbury St. *M16* —2A **108**
Shrewsbury St. *Oldh* —1G **73**
Shrewsbury Way. *Dent*
    —6G **113**
Shrigley Clo. *Wilm* —6H **159**
Shrigley Rd. *Poy & Boll*
    —5A **164**
Shrigley Rd. N. *Poy* —4A **164**
Shrigley Rd. S. *Poy* —4A **164**
Shrivenham Wlk. *M23* —4F **135**
Shropshire Av. *Stoc* —3C **128**
Shropshire Rd. *Fail* —5G **85**

Shropshire Sq. *M12* —1B **110**
Shrowbridge Wlk. *M12*
    —1C **110**
Shrub St. *Bolt* —5G **45**
Shude Hill. *M4* —3E **95** (4A **6**)
Shudehill Rd. *Wor* —2C **76**
Shurmer St. *Bolt* —3G **45**
Shutt La. *Dob* —5H **59**
Shuttle Cen. *W'fld* —1F **67**
Shuttle St. *Ecc* —3H **91**
Shuttleworth Clo. *M16*
    —1C **124**
Shutts La. *Stal* —5H **101**
Siam St. *M11* —5B **96**
Sibley Rd. *Stoc* —6D **126**
Sibley St. *M18* —2F **111**
Siblies Wlk. *M22* —4H **147**
Sibson Ct. *M21* —6G **107**
Sibson Rd. *M21* —6G **107**
Sibson Rd. *Sale* —5A **122**
Sickle St. *M2* —4E **95** (5A **6**)
Sickle St. *Oldh* —3E **73**
Sidbury Rd. *M21* —1A **124**
Sidcup Rd. *Rnd I* —6F **135**
Siddall St. *M12* —5C **110**
Siddall St. *Dent* —4F **113**
Siddall St. *Heyw* —5G **39**
Siddall St. *Oldh* —1D **72**
Siddall St. *Rad* —3G **49**
Siddall St. *Shaw* —6F **43**
Siddington Av. *M20* —1E **125**
Siddington Av. *Stoc* —5E **139**
Siddington Rd. *Hand* —2H **159**
Siddington Rd. *Poy* —5F **163**
Side Av. *Bow* —4E **145**
Sidebotham St. *Bred* —5F **129**
Sidebottom St. *Droy* —4H **97**
Sidebottom St. *Oldh* —1A **74**
Sidebottom St. *Stal* —3E **101**
Side St. *M11* —4D **96**
Side St. *Oldh* —1A **86**
Sidford Clo. *Bolt* —2F **47**
Sidings, The. *Wor* —6A **78**
Sidley Av. *M9* —5H **69**
Sidley Pl. *Hyde* —4D **114**
Sidley St. *Hyde* —4D **114**
Sidmouth Av. *Urm* —4A **104**
Sidmouth Dri. *M9* —1F **83**
Sidmouth Gro. *Chea H*
    —6B **150**
Sidmouth Rd. *Sale* —4F **121**
Sidmouth St. *Aud* —6D **98**
    (in two parts)
Sidmouth St. *Oldh* —4A **72**
Sidney James Ct. *M40* —2C **84**
Sidney Rd. *M9* —2F **83**
Sidney St. *M1* —6E **95** (4B **10**)
Sidney St. *Bolt* —2B **46**
Sidney St. *Oldh* —6E **57**
Sidwell Wlk. *M4* —3H **95** (5H **7**)
Siemens Rd. *Cad* —4C **118**
Sighthill Wlk. *M9* —3F **83**
Signet Wlk. *M8* —6D **82**
Silas St. *Ash L* —6H **87**
Silburn Way. *Mid* —2E **69**
Silbury Wlk. *M8* —6B **82**
Silchester Dri. *M40* —5F **83**
Silchester Wlk. *Oldh* —2D **72**
Silchester Way. *Bolt* —4G **33**
Silfield Clo. *M11* —4A **96**
Silkhey Gro. *Wor* —2F **95**
Silkin Clo. *M13* —6F **95** (3D **10**)
Silkin St. *M13* —6F **95** (4D **10**)
    (off Silkin Clo.)
Silk St. *M4* —3G **95** (3D **6**)
Silk St. *Ecc* —4H **91**
Silk St. *Mid* —1H **69**
Silk St. *Roch* —1C **40**
Silk St. *Salf* —2B **94** (2C **4**)
Sillavan Way. *Salf*
    —3C **94** (4E **5**)

Silsden Av. *M9* —4D **68**
Silsden Wlk. *Salf* —3D **80**
Silton St. *M9* —4H **83**
Silverbirch Clo. *Sale* —1F **133**
Silver Birch Gro. *Pen* —5H **79**
Silverbirch Way. *Fail* —4F **85**
Silver Clo. *Duk* —6H **99**
Silvercroft St. *M15*
    —6C **94** (3E **9**)
Silverdale. *Clif* —1G **79**
Silverdale Av. *Chad* —3G **71**
Silverdale Av. *Dent* —5G **113**
Silverdale Av. *Irl* —3F **103**
Silverdale Av. *L Hul* —4C **62**
Silverdale Av. *P'wch* —1A **82**
Silverdale Clo. *H Lane* —5C **154**
Silverdale Dri. *Lees* —3B **74**
Silverdale Dri. *Wilm* —5D **166**
Silverdale Rd. *M21* —6A **108**
Silverdale Rd. *Bolt* —6G **31**
Silverdale Rd. *Farn* —6C **46**
Silverdale Rd. *Gat* —1F **149**
Silverdale Rd. *Stoc* —5E **127**
Silverdale St. *M11* —6H **97**
Silver Hill. *Miln* —4F **29**
Silver Hill Rd. *Hyde* —6C **114**
Silver Jubilee Wlk. M4
    (off Tib St.) —3F **95** (4C **6**)
Silvermere. *Ash L* —5A **88**
Silver Springs. *Hyde* —1D **130**
Silverstone Dri. *M40* —1F **97**
Silver St. *M1* —4E **95** (6B **6**)
    (in two parts)
Silver St. *Bury* —3C **36**
Silver St. *Irl* —3F **103**
Silver St. *Oldh* —3D **72**
Silver St. *Ram* —3E **13**
Silver St. *Roch* —3F **27**
Silver St. *W'fld* —6C **50**
Silverthorne Clo. *Stal* —4E **101**
Silverton Clo. *Hyde* —5A **116**
    (in two parts)
Silverton Gro. *Bolt* —1B **32**
Silverwell La. *Bolt* —6B **32**
Silverwell St. *M40* —6C **84**
Silverwell St. *Bolt* —6B **32**
Silverwood. *Chad* —2E **71**
Silverwood Av. *M21* —1H **123**
Silvine Wlk. M40 —1A **96**
    (off Bednal Av.)
Simeon St. *M4* —2F **95** (2C **6**)
Simeon St. *Miln* —5F **29**
Simister Dri. *Bury* —5E **51**
Simister Grn. *P'wch* —6A **52**
Simister La. *P'wch & Mid*
    —1H **67**
Simister Rd. *Fail* —4F **85**
Simister St. *M9* —3G **83**
Simkin Way. *Oldh* —2D **86**
Simmondley La. *Glos* —6H **117**
Simms Clo. *Salf* —3B **94** (4C **4**)
Simonbury Clo. *Bury* —3F **35**
Simon Freeman Clo. *M19*
    —2E **127**
Simon La. *Mid* —5C **52**
Simons Clo. *Sale* —6A **122**
Simonsway. *M22* —2H **147**
Simonsway Ind. Est. *M22*
    —4C **148**
Simpson Av. *Clif* —1A **80**
Simpson Gro. *Wor* —5C **76**
Simpson Hill Clo. *Heyw* —2H **39**
Simpson Rd. *Wor* —5C **76**
Simpsons Pl. *Roch* —2H **27**
Simpson Sq. *Chad* —6A **72**
Simpson St. *M4* —2E **95** (2B **6**)
Simpson St. *Bolt* —4B **32**
Simpson St. *Chad* —5H **71**
Simpson St. *Hyde* —4B **114**
Simpson St. *Stoc* —3G **139**
Simpson St. *Wilm* —3C **166**

Sinclair Av. *M8* —1B **82**
Sinderland La. *Dun M* —2A **132**
Sinderland Rd. *B'hth* —2B **132**
Sinderland Rd. *Part* —5G **119**
Sindsley Ct. Swint —2D **78**
    (off Moss La.)
Sindsley Gro. *Bolt* —4A **46**
Sindsley Ho. *Swint* —5C **78**
Sindsley Rd. *Wdly* —1D **78**
Singapore Av. *Man A* —5G **147**
Singleton Av. *Bolt* —6G **33**
Singleton Clo. *Salf* —2G **81**
Singleton Lodge. *Salf* —2H **81**
Singleton Rd. *Salf* —2G **81**
Singleton Rd. *Stoc* —5D **126**
Singleton St. *Rad* —3D **48**
Sion St. *Rad* —5F **49**
Sirdar St. *M11* —5H **97**
Sirius Pl. *Salf* —2B **94** (1C **4**)
Sir Matt Busby Way. *M16*
    —2F **107**
Sir Robert Thomas Ct. M9
    (off Coningsby Dri.) —3F **83**
Siskin Rd. *Stoc* —6F **141**
Sisson St. *Fail* —4F **85**
Sisters St. *Droy* —5A **98**
Sixpools Gro. *Wor* —3E **77**
Sixth Av. *Bolt* —6F **31**
Sixth Av. *Bury* —1H **37**
Sixth Av. *L Lev* —3H **47**
Sixth Av. *Oldh* —2A **86**
Sixth St. *Traf P* —2D **106**
Size St. *Whitw* —4H **15**
Skagen Ct. *Bolt* —4A **32**
    (in two parts)
Skaife Rd. *Sale* —5E **123**
Skarratt Clo. *M12* —1B **110**
Skegness Clo. *Bury* —6D **22**
Skelton Gro. *M13* —5B **110**
Skelton Gro. *Bolt* —5H **33**
Skelton Rd. *Stret* —4D **106**
Skelton Rd. *Tim* —4G **133**
Skelwith Av. *Bolt* —5B **46**
Skelwith Clo. *Urm* —3C **104**
Skerry Clo. *M13*
    —6F **95** (4D **10**)
Skerton Rd. *M16* —2H **107**
Skilgate Wlk. *M40* —5C **84**
Skip Pl. *M3* —2E **95** (1A **6**)
Skipton Av. *M40* —2D **84**
Skipton Av. *Chad* —6F **55**
Skipton Clo. *Bury* —3F **35**
Skipton Clo. *Haz G* —5C **152**
Skipton Dri. *Urm* —2B **104**
Skipton St. *Oldh* —5F **73**
Skipton Wlk. *Bolt* —6E **33**
Skrigge Clo. *M8* —3B **82**
Skye Clo. *Heyw* —4B **38**
Skye Wlk. *M23* —1G **147**
Slackey Brow. *Kear* —4C **64**
Slack Fold La. *Farn* —6G **45**
Slack Ga. *Whitw* —1E **15**
Slack La. *Bolt* —4H **19**
Slack La. *Del* —1E **59**
Slack La. *Pen* —2G **79**
Slack Rd. *M9* —2F **83**
Slack St. *Hyde* —3D **114**
Slack St. *Roch* —4H **27**
Slade Gro. *M13* —4B **110**
Slade Hall Rd. *M12* —5C **110**
Slade La. *M19 & M13* —1B **126**
Sladen St. *Roch* —2H **27**
Sladen Ter. *L'boro* —1H **17**
Slades St. *L Lev* —4A **48**
Slades View Clo. *Dig* —2C **60**
Slaidburn Av. *Bolt* —1H **47**
Slaidburn Clo. *M22* —3G **147**
Slaidburn Clo. *Miln* —6F **29**
Slaidburn Dri. *Bury* —2E **35**

Slaithwaite Dri. *M11* —3E **97**
Slateacre Rd. *Hyde* —2D **130**
Slate Av. *M4* —4G **95** (5F **7**)
Slate La. *Ash L* —4E **99**
Slate La. *Aud* —5C **98**
Slaterfield. *Bolt* —2A **46**
Slater La. *Bolt* —5C **32**
Slater St. *Bolt* —4B **32**
Slater St. *Ecc* —3D **90**
Slater St. *Fail* —2F **85**
Slater St. *Farn* —1F **63**
Slater St. *Oldh* —3C **72**
Slater Way. *Mot* —5B **116**
Slate Wharf. *M15*
　　　　　　—6B **94** (3D **8**)
Slattocks Link Rd. *Mid* —2D **54**
Slaunt Bank. *Roch* —1H **25**
Slawson Way. *Heyw* —2H **39**
Sleaford Clo. *M40*
　　　　　　　—2H **95** (1G **7**)
Sleaford Clo. *Bury* —6D **22**
Sleaford Wlk. *M40*
　　　　　　　—2H **95** (1G **7**)
　(off Farnborough Rd.)
Sleddale Clo. *Stoc* —6D **140**
Sledmere Clo. *M11* —4C **96**
Sledmere Clo. *Bolt* —3B **32**
Sledmoor Rd. *M23* —2F **135**
Slimbridge Clo. *Bolt* —4A **34**
Sloane Av. *Lees* —1B **74**
Sloane St. *Ash L* —2A **100**
Sloane St. *Bolt* —4F **45**
Slough Ind. Est. *Salf*
　　　　　　—5A **94** (2B **8**)
Smallbridge Clo. *Wor* —3E **77**
Smallbrook. *Shaw* —5G **43**
Small Brook Rd. *Shaw* —3G **43**
Smalldale Av. *M16* —4D **108**
Smalley St. *Roch* —3C **40**
Smallfield Dri. *M9* —3F **83**
Small La. *Mob* —6A **156**
Smallridge Clo. *M40*
　　　　　　　—2H **95** (2G **7**)
Smallshaw Fold. *Ash L* —6F **87**
Smallshaw La. *Ash L* —6F **87**
Smallshaw Rd. *Roch* —5A **14**
Smallshaw Sq. *Ash L* —6F **87**
Smallwood. *M40* —5C **84**
Smart St. *M12* —4C **110**
Smeaton Clo. *Stret* —5E **107**
Smeaton St. *M8* —5E **83**
Smedley Av. *M8* —5D **82**
Smedley Av. *Bolt* —4C **46**
Smedley La. *M8* —5D **82**
Smedley Rd. *M8 & M40*
　　　　　　　　　—5D **82**
Smedley St. *M8* —5C **82**
Smethurst Ct. *Bolt* —5F **45**
　(off Smethurst La.)
Smethurst Hall Rd. *Bury*
　　　　　　　　　—1A **38**
Smethurst La. *Bolt* —5F **45**
Smethurst St. *M9* —2F **83**
Smethurst St. *Heyw* —3D **38**
Smethurst St. *Mid* —2D **70**
Smith Dri. *Hyde* —5B **114**
Smith Farm Clo. *Oldh* —1B **74**
Smithfold La. *Wor* —5C **62**
Smith Hill. *Miln* —5F **29**
Smithies Av. *Mid* —5A **54**
Smithies St. *Heyw* —3G **39**
Smithills Croft Rd. *Bolt* —2E **31**
Smithills Dean Rd. *Bolt* —1E **31**
Smithills Dri. *Bolt* —3C **31**
Smithills Hall Clo. *Ram* —4E **13**
Smith La. *Eger* —3D **18**
Smiths Lawn. *Wilm* —4D **166**
Smith's Rd. *Bolt* —4F **45**
Smith St. *M16* —1A **108** (5B **8**)
Smith St. *Ash L* —4F **99**
Smith St. *Bury* —1E **37**

Smith St. *Chea* —5B **138**
Smith St. *Dent* —5F **113**
Smith St. *Duk* —5G **99**
Smith St. *Heyw* —3F **39**
Smith St. *Hyde* —2B **114**
Smith St. *Lees* —1A **74**
Smith St. *L'boro* —4F **17**
Smith St. *Moss* —1D **88**
Smith St. *Ram* —4D **12**
Smith St. *Roch* —4H **27**
Smith St. *Wor* —6F **63**
Smithy Bri. Rd. *Roch & L'boro*
　　　　　　　　　—5C **16**
SMITHY BRIDGE STATION. *BR*
　　　　　　　　　—6D **16**
Smithy Croft. *Brom X* —3D **18**
Smithy Field. *L'boro* —3E **17**
Smithy Fold. *Roch* —2E **27**
Smithy Fold Rd. *Hyde* —6C **114**
Smithy Grn. *Chea H* —5C **150**
Smithy Grn. *Woodl* —4H **129**
Smithy Gro. *Ash L* —1A **100**
Smithy Hill. *Bolt* —3E **45**
Smithy La. *M3* —4D **94** (5G **5**)
Smithy La. *Alt* —2A **144**
Smithy La. *Hyde* —6C **114**
Smithy La. *Part* —6D **118**
Smithy La. *Upperm* —1F **61**
Smithy Nook. *L'boro* —6G **17**
Smithy St. *Haz G* —2D **152**
Smithy Yd. *Upperm* —1F **61**
　(off Smithy La.)
Smyrna St. *Heyw* —4E **39**
Smyrna St. *Oldh* —3G **73**
Smyrna St. *Rad* —3F **49**
Smyrna St. *Salf* —4E **93**
Snapebrook Gro. *Wilm*
　　　　　　　　　—6A **160**
Snape St. *Rad* —1F **49**
　(in two parts)
Snell St. *M4* —4H **95** (6G **7**)
Snipe Av. *Roch* —4B **26**
Snipe Clo. *Poy* —3A **162**
Snipe Rd. *Oldh* —1F **87**
Snipe St. *Bolt* —2B **46**
Snipe Way. *Aud* —5D **98**
Snowberry Wlk. *Part* —6C **118**
Snowden Av. *Urm* —1D **120**
Snowden St. *Bolt* —3A **32**
Snowden St. *Heyw* —5G **39**
Snowden St. *Oldh* —5D **72**
Snowden Wlk. *M40* —1C **84**
Snowdon Rd. *Fcc* —2A **92**
Snowdon St. *Roch* —3G **41**
Snowdrop Wlk. *Salf* —5H **81**
Snow Hill Rd. *Bolt* —2F **47**
Snow Hill Ter. *P'wch* —6G **67**
Snydale Way. *Bolt* —6A **44**
Soap St. *M4* —3E **95** (4B **6**)
Society St. *Shaw* —6F **43**
Sofa St. *Bolt* —4F **31**
Soho St. *Bolt* —1B **46**
Soho St. *Oldh* —2F **73**
Solden Wlk. *M8* —6A **82**
Solent Av. *M8* —1C **82**
Solent Dri. *Bolt* —2E **47**
Solness St. *Bury* —5F **23**
Solway Clo. *Bolt* —4H **45**
Solway Clo. *Clif* —5E **65**
Solway Clo. *Oldh* —4C **72**
Solway Rd. *M22* —1C **148**
Somerby Dri. *M22* —4A **148**
Somerdale Av. *Bolt* —5E **31**
Somerfield Rd. *M9* —2F **83**
Somerfields. *Hale* —5A **146**
Somerford Av. *M20* —1E **125**
Somerford Rd. *Stoc* —5H **111**
Somerford Way. *Hand* —2H **159**
Somerhill Ct. *Gat* —6F **137**
Somersby Ct. *Bram* —4G **151**

Somersby Dri. *Brom X* —3D **18**
Somersby Wlk. *Bolt* —2B **46**
　(off Hallington Clo.)
Somerset Av. *Shaw* —6D **42**
Somerset Clo. *Cad* —3B **118**
Somerset Clo. *Stoc* —5C **128**
Somerset Dri. *Bury* —5D **36**
Somerset Gro. *Roch* —3C **26**
Somerset Pl. *Sale* —3B **122**
Somerset Rd. *Bolt* —5F **31**
Somerset Rd. *B'hth* —5F **133**
Somerset Rd. *Droy* —2H **97**
Somerset Rd. *Ecc* —1A **92**
Somerset Rd. *Fail* —5E **85**
Somers Rd. *Stoc* —6H **111**
Somers Wlk. *M9* —6D **68**
Somerton Av. *M22* —2A **148**
Somerton Av. *Sale* —6C **122**
Somerton Ct. *M9* —6A **70**
Somerton Rd. *Bolt* —1H **47**
Somerville Gdns. *Tim* —4H **133**
Somerville Sq. *Bolt* —2G **31**
Somerville St. *Bolt* —2G **31**
Somerwood Wlk. *M12* —1B **110**
Sommerville Ct. *Salf* —3H **81**
Sonning Dri. *Bolt* —5E **44**
Sonning Wlk. *M8* —5D **82**
Sopwith Dri. *M14* —6E **109**
Sorby Rd. *Irl* —2E **119**
Sorrel Bank. *Salf* —1F **93**
Sorrel Bank. *Stoc* —6A **112**
Sorrel Dri. *L'boro* —3D **16**
Sorrel St. *M15* —1C **108** (5E **9**)
Sorton St. *M1* —6E **95** (3B **10**)
Soudan Rd. *Stoc* —5A **140**
Soudan St. *Mid* —6C **54**
Sour Acre Fold. *Heyr* —2F **101**
Southacre Dri. *Hand* —4H **159**
Southall St. *M3* —2D **94** (1G **5**)
Southampton Clo. *Salf* —6H **81**
Southam St. *M8* —4B **82**
Southam St. *M15*
　　　　　　—6C **94** (4E **9**)
South Av. *M19* —2B **126**
South Av. *G'fld* —3F **61**
South Av. *Heyw* —3D **38**
South Av. *Kear* —3H **63**
South Av. *Swint* —6D **78**
South Av. *W'fld* —5C **50**
S. Bank Clo. *Ald E* —4H **167**
Southbank Rd. *M19* —4H **125**
S. Bank Rd. *Bury* —4C **36**
Southbourne Av. *Urm* —5H **105**
Southbourne St. *Salf* —3E **93**
Southbrook Av. *M8* —6B **68**
Southbrook Clo. *Had* —3G **117**
Southbrook Gro. *Bolt* —4B **46**
Southchurch Pde. *M40* —1G **95**
Southcliffe Rd. *Stoc* —3H **127**
S. Cliffe St. *M11* —6H **97**
South Clo. *Bury* —4E **51**
South Clo. *Tin* —1H **117**
South Clo. *Wilm* —3C **166**
South Ct. *Roch* —3A **28**
South Cres. *M11* —3F **97**
S. Croft. *Oldh* —6F **73**
Southcross Rd. *M18* —4F **111**
S. Cross St. *Bury* —3D **36**
Southdene Av. *M20* —5C **124**
Southdown Clo. *Roch* —6E **27**
Southdown Clo. *Stoc* —1F **139**
Southdown Cres. *M9* —1A **84**
Southdown Cres. *Chea H*
　　　　　　　　　—5B **150**
Southdown Dri. *Wor* —5B **76**
S. Downs Clo. *Shaw* —5D **42**
S. Downs Dri. *Hale* —5F **145**
S. Downs Rd. *Bow* —4E **145**
South Downs Rd. *Hale*
　　　　　　　　　—4G **145**

Somersby Dri. *Brom X* —3D **18**
South Dri. *M21* —2H **123**
South Dri. *Bolt* —2G **33**
South Dri. *Gat* —1E **149**
South Dri. *Tim* —4A **134**
South Dri. *Urm* —2B **104**
South Dri. *Wilm* —3E **167**
Southend Av. *M15*
　　　　　　—1B **108** (5C **8**)
Southend St. *Bolt* —4G **45**
Southerly Cres. *M40* —6D **70**
Southern App. *Clif* —1A **80**
Southern Clo. *Bram* —4H **151**
Southernby Clo. *M13* —3B **110**
Southern Clo. *Bram* —4H **151**
Southern Cres. *Bram* —3H **151**
Southern Clo. *Dent* —1F **129**
Southern Ho. *Bolt* —4H **31**
　(off Kirk Hope Dri.)
Southern Rd. *Sale* —3A **122**
Southern St. *M3* —5C **94** (2F **9**)
Southern St. *Salf* —3E **93**
Southern St. *Wor* —4F **63**
Southey Clo. *L'boro* —6D **16**
Southey Ct. *Dent* —1G **129**
Southey Wlk. *Dent* —2G **129**
Southfield Av. *Bury* —5F **23**
Southfield Clo. *Duk* —1B **114**
Southfield Clo. *Hand* —4G **159**
Southfield Rd. *Ram* —1A **22**
Southfields. *Bow* —3E **145**
Southfields Av. *M11* —3E **97**
Southfields Dri. *Tim* —4B **134**
Southfield St. *Bolt* —3C **46**
Southgarth Rd. *Salf* —2E **93**
Southgate. *M3* —4D **94** (5G **5**)
Southgate. *Chor H* —2H **123**
Southgate. *Dob* —5A **60**
Southgate. *Harw* —1G **33**
Southgate. *Stoc* —4E **127**
Southgate. *Urm* —1D **120**
Southgate. *Whitw* —2B **14**
Southgate Av. *M40* —1C **96**
Southgate Ct. *Sale* —4C **122**
Southgate Ho. *Oldh* —3D **72**
　(off Southgate St.)
Southgate Ind. Est. *Heyw*
　　　　　　　　　—4G **39**
Southgate M. *Stoc* —4E **127**
Southgate Rd. *Bury* —4D **50**
Southgate Rd. *Chad* —6E **71**
Southgate St. *Oldh* —3D **72**
Southgate Way. *Ash L* —4G **99**
South Gro. *M13* —2H **109**
South Gro. *Ald F* —5G **167**
South Gro. *Sale* —6B **122**
South Gro. *Wor* —1E **77**
Southgrove Av. *Bolt* —5C **18**
S. Hall St. *Salf* —5A **94** (2B **8**)
South Hill. *Spring* —4B **74**
S. Hill St. *Oldh* —3E **73**
S. King St. *M2* —4D **94** (5G **5**)
S. King St. *Ecc* —3D **90**
Southlands. *Bolt* —5G **33**
Southlands Av. *Ecc* —5B **90**
S. Langworthy Rd. *Salf* —5E **93**
Southlea Rd. *M20 & M19*
　　　　　　　　　—4H **125**
Southleigh Dri. *Bolt* —1A **48**
Southlink. *Oldh* —3E **73**
Southlink Bus. Pk. *Oldh* —3E **73**
S. Lonsdale St. *Stret* —4E **107**
S. Mead. *Poy* —2B **162**
S. Meade. *M21* —2H **123**
S. Meade. *P'wch* —1H **81**
S. Meade. *Swint* —5E **79**
S. Meade. *Tim* —4A **134**
S. Meadway. *H Lane* —6D **154**
Southmere Clo. *M40* —6C **70**
S. Mesnefield Rd. *Salf* —3E **81**
　(in two parts)
Southmill St. *M2* —5D **94** (1G **9**)
　(in two parts)

Spring St. *Bury* —3D **36**
Spring St. *Farn* —6F **47**
Spring St. *Holl* —2E **117**
Spring St. *Moss* —1E **89**
Spring St. *Oldh* —1G **73**
Spring St. *Ram* —3D **12**
Spring St. *Shut* —2F **13**
Spring St. *Spring* —3C **74**
Spring St. *Stal* —3E **101**
Spring St. *Tot* —4G **21**
Spring St. *Upperm* —1F **61**
Spring St. *Wals* —1F **35**
Spring St. *Wilm* —2D **166**
Spring Ter. *Chad* —2G **71**
Spring Ter. *Miln* —2F **43**
Spring Ter. *Roch* —3C **26**
Spring Vale. *Haz G* —3E **153**
Spring Vale. *Mid* —1A **70**
Spring Vale. *P'wch* —1E **81**
Springvale Clo. *Ash L* —6D **86**
Spring Vale Ct. *Mid* —1B **70**
Springvale Dri. *Tot* —4G **21**
Spring Vale St. *Tot* —5G **21**
Spring Vale Ter. L'boro —4F **17**
(off Victoria St.)
Spring Vale Way. *Rytn* —2E **57**
Spring View. *L Lev* —4B **48**
Springville Av. *M9* —4H **83**
Springwater Av. *Ram* —6C **12**
Springwater Clo. *Bolt* —2G **33**
Spring Water Dri. *Had* —4G **117**
Springwater La. *W'fld* —5C **50**
Springwell Clo. *Salf* —3E **93**
Springwell Gdns. *Hyde*
—6A **116**
Springwell Way. *Hyde* —6A **116**
Springwood. *Del* —2G **59**
Springwood Av. *Chad* —6E **55**
Springwood Av. *Pen* —5H **79**
Springwood Cres. *Rom*
—1C **142**
Springwood Hall Rd. *Oldh*
—1E **87**
Springwood La. *Rom* —1D **142**
Spring Wood St. *Ram* —2D **12**
Springwood Way. *Ash L*
—5E **87**
Spruce Av. *Bury* —3F **37**
Spruce Ct. *Salf* —3H **93**
Spruce Lodge. *Chea* —5H **137**
Spruce St. *Ram* —4C **12**
Spruce St. *Roch* —4B **28**
Spruce Wlk. *Sale* —3E **121**
Sprucewood. *Chad* —1D **70**
Spurn La. *Dig* —4B **60**
Spurslow M. *Chea H* —5E **151**
Spur, The. *Oldh* —6E **73**
Spur Wlk. *M8* —4B **82**
Square Fold. *Droy* —3B **98**
Square St. *Ram* —3E **13**
Square, The. *Bolt* —4D **44**
Square, The. *Bury* —3D **36**
Square, The. *Dob* —5A **60**
(Dobcross)
Square, The. *Dob* —1F **61**
(Uppermill)
Square, The. *Haleb* —5C **146**
Square, The. *Hyde* —5B **114**
Square, The. *Stoc* —6E **127**
(Norris Bank)
Square, The. *Stoc* —2G **139**
(Stockport)
Square, The. *Swint* —6E **79**
Square, The. *W'fld* —1C **66**
Squire Rd. *M8* —4B **82**
Squire's Ct. *Salf* —3A **92**
Squirrel Dri. *B'hth* —3E **133**
Squirrels Jump. *Ald E* —5H **167**
Stableford. *Moss* —3E **89**
Stable Fold. *Rad* —3G **49**
Stable Fold. *Wor* —6A **78**

Stableford Av. *Ecc* —1E **91**
Stable M. *P'wch* —6G **67**
Stables, The. *Droy* —2D **98**
Stable St. *Chad* —1G **85**
Stable St. *Oldh* —1F **73**
Stable St. *Salf* —3C **94** (4F **5**)
Stablings, The. *Wilm* —4D **166**
Stafford Rd. *Ecc* —2G **91**
Stafford Rd. *Fail* —6G **85**
Stafford Rd. *Swint* —3F **79**
Stafford Rd. *Wor* —2E **77**
Stafford St. *Bury* —1B **36**
Stafford St. *Oldh* —5A **72**
Stafford View. *Salf* —6H **93**
Stafford Wlk. *Dent* —6G **113**
Stag Ind. Est. *B'hth* —5D **132**
Stag Pasture Rd. *Oldh* —2B **86**
Stainburne Rd. *Stoc* —5C **140**
Stainburn Rd. *M11* —5D **96**
Staindale. *Oldh* —3H **73**
Stainer St. *M12* —4C **110**
Stainforth Clo. *Bury* —2F **35**
Stainforth St. *M11* —5B **96**
Stainmoor Ct. *Stoc* —5D **140**
Stainmore Av. *Ash L* —4G **87**
Stainsbury St. *Bolt* —3G **45**
Stainton Av. *M18* —3G **111**
Stainton Clo. *Rad* —2F **49**
Stainton Dri. *Mid* —4F **53**
Stainton Rd. *Rad* —2E **49**
Staithes Rd. *M22* —5B **148**
Stakeford Dri. *M8* —3E **83**
Stakehill Ind. Est. *Mid* —3D **54**
Stakehill La. *Mid* —1D **54**
Staley Clo. *Stal* —3G **101**
Staley Hall Rd. *Stal* —2G **101**
Staley Rd. *Moss* —3F **89**
(in two parts)
Staley St. *Lees* —3B **74**
Staley St. *Oldh* —3F **73**
Staley Ter. *Millb* —2H **101**
Stalham Clo. *M40*
—2H **95** (1H **7**)
Stalham Wlk. *M40*
—2H **95** (1H **7**)
Stalmine Av. *H Grn* —5F **149**
Stalybridge Rd. *Mot* —3C **116**
STALYBRIDGE STATION. *BR*
—3D **100**
Stalyhill Dri. *Stal* —1A **116**
Stambourne Dri. *Bolt* —1B **32**
Stamford Arc. *Ash L* —2A **100**
Stamford Av. *Alt* —6C **132**
Stamford Av. *Stal* —3C **100**
Stamford Clo. *Stal* —3C **100**
Stamford Ct. *Ash L* —3B **100**
Stamford Dri. *Fail* —5H **85**
Stamford Dri. *Stal* —3C **100**
Stamford Gro. *Stal* —2D **100**
Stamford New Rd. *Alt* —1F **145**
Stamford Pk. Rd. *Hale* —2G **145**
Stamford Pl. *Sale* —5C **122**
Stamford Pl. *Wilm* —2E **167**
Stamford Rd. *M13* —4A **110**
Stamford Rd. *Ald E* —5H **167**
Stamford Rd. *Aud* —6D **98**
Stamford Rd. *Bow* —3E **145**
Stamford Rd. *Car* —3H **119**
Stamford Rd. *Lees* —1B **74**
Stamford Rd. *Moss* —1E **89**
Stamford Rd. *Salf* —5F **81**
Stamford Rd. *Urm* —5D **104**
Stamford Rd. *Wilm* —6E **159**
Stamford Sq. *Ash L* —3C **100**
Stamford St. *M16* —2A **108**
(in two parts)
Stamford St. *Alt* —6F **133**
Stamford St. *Ash L* —2A **100**
(in two parts)
Stamford St. *Heyw* —4G **39**
Stamford St. *Lees* —3A **74**

Stamford St. *Millb* —1H **101**
Stamford St. *Moss* —3D **88**
Stamford St. *Pen* —2G **79**
Stamford St. *Roch* —5B **28**
Stamford St. *Sale* —3A **122**
Stamford St. *Stal* —3C **100**
(in two parts)
Stamford St. *Stoc* —3H **139**
Stamford St. Central. *Ash L*
—3H **99**
Stamford St. W. *Ash L* —3G **99**
Stamford Way. *Alt* —6F **133**
Stampstone St. *Oldh* —1F **73**
Stanage Av. *M9* —5H **69**
Stanbank St. *Stoc* —5G **127**
Stanbrook St. *M19* —6E **111**
Stanbury Clo. *Bury* —4H **37**
Stanbury Dri. *Duk* —5B **100**
Stanbury Wlk. M40
—2H **95** (1H **7**)
(off Berkshire Rd.)
Stancliffe Rd. *M22* —6C **136**
Stancross Rd. *M23* —2C **134**
Standall Wlk. *M9* —2G **83**
Stand Av. *W'fld* —6C **50**
Stand Clo. *W'fld* —1A **66**
Standedge Clo. *Ram* —5E **13**
Standedge Rd. *Dig* —4B **60**
Standedge St. *M11* —5F **97**
Standedge Wlk. C'brk —5G **89**
(off Crowswood Dri.)
Standfield Dri. *Wor* —4C **76**
Standford Hall Cres. *Ram*
—5D **12**
Standish Rd. *M14* —1H **125**
Standish Wlk. *Dent* —6E **113**
Stand La. *Rad & W'fld* —5H **49**
Standmoor Ct. *W'fld* —2B **66**
Standmoor Rd. *W'fld* —2B **66**
Standon Wlk. *M40* —1D **84**
Standring Av. *Bury* —5G **35**
Stand Rise. *Rad* —1H **65**
Stanford Clo. *Rad* —2C **64**
Stangate Wlk. *M11* —5B **96**
Stanhope Av. *Aud* —1E **113**
Stanhope Av. *P'wch* —4E **67**
Stanhope Clo. *Dent* —2E **113**
Stanhope Clo. *Wilm* —1G **167**
Stanhope Ct. *P'wch* —4E **67**
Stanhope Rd. *Bow* —3C **144**
Stanhope Rd. *Salf* —6C **80**
Stanhope St. *M19* —6D **110**
Stanhope St. *Ash L* —1B **100**
Stanhope St. *Aud* —2E **113**
Stanhope St. *Moss* —3E **89**
Stanhope St. *Roch* —6H **27**
Stanhope St. *Stoc* —2G **127**
Stanhope Way. *Fail* —3E **85**
Stanhorne Av. *M8* —1C **82**
Stanhurst. *Ecc* —2G **91**
Stanier Av. *Ecc* —2F **91**
Stanier St. *M9* —3G **83**
Stanion Gro. *Duk* —5B **100**
Stan Jolly Wlk. *M11* —5E **97**
Stanley Av. *M14* —4G **109**
Stanley Av. *Haz G* —2D **152**
Stanley Av. *Hyde* —3C **114**
Stanley Av. *Marp* —4B **142**
Stanley Av. N. *P'wch* —3E **67**
Stanley Av. S. *P'wch* —3E **67**
Stanley Clo. *M16* —2H **107**
Stanley Clo. *W'fld* —6D **50**
Stanley Ct. *Bury* —2D **36**
Stanley Dri. *Tim* —6A **134**
Stanley Dri. *W'fld* —3D **66**
Stanley Grn. Trad. Est. *Chea H*
—3A **160**
Stanley Gro. *M12 & M18*
—3B **110**
Stanley Gro. *Chor H* —1G **123**
Stanley Gro. *Stoc* —5D **126**

Stanley Gro. *Urm* —5F **105**
Stanley Hall La. *Dis* —1G **165**
Stanley Mt. *Sale* —6A **122**
Stanley Pk. Wlk. *Bolt* —6E **33**
Stanley Pl. *Roch* —3G **27**
Stanley Rd. *Bolt* —4F **31**
Stanley Rd. *Chad* —5H **71**
Stanley Rd. *Chea H* —1H **159**
Stanley Rd. *Dent* —3B **112**
Stanley Rd. *Ecc* —4E **91**
Stanley Rd. *Farn* —1A **62**
Stanley Rd. *Hand* —1H **159**
Stanley Rd. *Old T* —2H **107**
Stanley Rd. *Rad* —1E **49**
Stanley Rd. *Salf* —3A **82**
Stanley Rd. *Stoc* —5D **126**
Stanley Rd. *Whal R* —5C **108**
Stanley Rd. *W'fld* —6D **50**
Stanley Rd. *Wor* —1F **77**
Stanley Sq. *Stal* —4D **100**
Stanley St. *M8* —1E **95**
Stanley St. *M40* —6H **83**
Stanley St. *Chad* —2H **71**
Stanley St. *Fail* —5G **97**
Stanley St. *Heyw* —4F **39**
Stanley St. *Lees* —4A **74**
Stanley St. *Open* —6G **97**
Stanley St. *P'wch* —5G **67**
Stanley St. *Ram* —4D **12**
Stanley St. *Roch* —2G **27**
Stanley St. *Salf* —4C **94** (6D **4**)
Stanley St. *Spring* —3C **74**
Stanley St. *Stal* —4D **100**
Stanley St. *Stoc* —1A **140**
Stanley St. *W'fld* —6D **50**
Stanley St. S. *Bolt* —1A **46**
Stanmore Av. *Stret* —5B **106**
Stanmore Dri. *Bolt* —2G **45**
Stannard Rd. *Ecc* —4B **90**
Stanneybrook Clo. *Roch*
—3B **28**
Stanney Clo. *Miln* —6E **29**
Stanneylands Clo. *Wilm*
—5G **159**
Stanneylands Dri. *Wilm*
—5F **159**
Stanneylands Rd. *Styal*
—3F **159**
Stanney Rd. *Roch* —3B **28**
Stannybrook Rd. *Fail* —4B **86**
Stanrose Clo. *Eger* —2C **18**
Stansbury Pl. *Stoc* —5E **141**
Stansby Gdns. *M12* —1A **110**
Stansfield Dri. *Roch* —4A **26**
Stansfield Hall. *L'boro* —6G **17**
Stansfield Rd. *Fail* —3G **85**
Stansfield Rd. *Hyde* —3C **114**
Stansfield St. *M40* —1F **97**
Stansfield St. *Chad* —4H **71**
Stansfield St. *Oldh* —1C **72**
Stansted Wlk. *M23* —2D **134**
Stanthorne Av. *M20* —1E **125**
Stanton Av. *M20* —5C **124**
Stanton Av. *Salf* —4F **81**
Stanton Gdns. *Stoc* —2D **138**
Stanton St. *M11* —3E **97**
Stanton St. *Chad* —6H **71**
Stanton St. *Stret* —3D **106**
Stanton St. Flats. *Stret*
—3D **106**
Stanway Av. *Bolt* —1H **45**
Stanway Clo. *Bolt* —1H **45**
Stanway Clo. *Mid* —3B **70**
Stanway Dri. *Hale* —2H **145**
Stanway Rd. *W'fld* —1F **67**
Stanway St. *M9* —3G **83**
Stanway St. *Stret* —4D **106**
Stanwell Rd. *M40* —2C **84**
Stanwell Rd. *Swint* —4E **79**
Stanwick Av. *M9* —5C **68**
Stanworth Av. *Bolt* —6G **33**

Stanworth Clo. *M16* —4C **108**
Stanyard Ct. *Salf* —5G **93**
Stanycliffe La. *Mid* —4B **54**
Stanyforth St. *Had* —3H **117**
Stapenhill Rd. *M8* —6A **82**
Stapleford Clo. *M23* —1F **147**
Stapleford Clo. *Sale* —4E **123**
Stapleford Gro. *Bury* —3G **35**
Staplehurst Rd. *Dent* —6E **113**
Staplehurst Rd. *M40* —1C **96**
Staplers Wlk. *M14* —4G **109**
Stapleton Av. *Bolt* —4C **30**
Stapleton St. *Salf* —6A **80**
Starbeck Clo. *Bury* —3F **35**
Starcliffe St. *Bolt* —5F **47**
Starcross Wlk. *M40* —5B **84**
Starfield Av. *L'boro* —1F **29**
Star Gro. *Salf* —5A **82**
Star Ind. Est. *Oldh* —4D **72**
Starkey St. *Heyw* —2F **39**
(in two parts)
Starkie Rd. *Bolt* —6D **32**
(Tonge Fold)
Starkie Rd. *Bolt* —4D **32**
(Tonge Moor)
Starkies. *Bury* —6C **36**
Starkie St. *Wor* —3A **78**
Starling Clo. *Droy* —2D **98**
Starling Dri. *Farn* —2B **62**
Starling Rd. *Rad & Bury*
—5E **35**
Starmoor Dri. *M8* —5C **82**
Starmoor Wlk. *M8* —5C **82**
Starring Gro. L'boro —4D *16*
(off Starring Rd.)
Starring La. *L'boro* —4C **16**
Starring Rd. *L'boro* —4C **16**
Starring Rd. *Roch* —4C **16**
Starring Way. *L'boro* —4D **16**
Starry Wlk. *Salf* —1A **94**
Stash Gro. *M23* —4H **135**
State Mill Cen. *Roch* —6B **28**
Statham Clo. *Dent* —4G **113**
Statham Fold. *Hyde* —3E **115**
Statham St. *Salf* —2H **93**
Statham Wlk. *M13*
—6F **95** (3D **10**)
Stathers Rd. *Sale* —4B **122**
Station App. *M1* —4F **95** (6C **6**)
(Oxford Rd. Station)
Station App. *M1*
—5E **95** (2A **10**)
(Piccadilly Station)
Station App. *Alt* —6G **133**
Station App. *H Grn* —5E **149**
Station Bri. *Urm* —5F **105**
Station Brow. *Rad* —5G **49**
Station Clo. *Hyde* —5B **114**
Station Cotts. *B'hth* —3F **133**
Station Cotts. *Chea H* —3D **150**
Station Cotts. Dig —2D *60*
(off Station Rd.)
Station Cotts. Part —5E **119**
Station La. *G'fld* —4E **61**
Station La. *Grot* —4C **74**
Station Rd. *M8* —2C **82**
Station Rd. *Chea H* —3C **150**
Station Rd. *Ecc* —4E **91**
Station Rd. *Facit* —2H **15**
Station Rd. *G'mnt* —2H **21**
Station Rd. *Grot* —4C **74**
Station Rd. *Had* —2H **117**
Station Rd. *Hand* —4H **159**
Station Rd. *Heat M* —2A **138**
Station Rd. *Hyde* —5E **115**
Station Rd. *Irl* —2C **118**
Station Rd. *Kear* —2H **63**
Station Rd. *L'boro* —4F **17**
Station Rd. *Man A* —6A **148**
Station Rd. *Marp* —5D **142**
Station Rd. *Miln* —6F **29**

Station Rd. *Moss* —2F **89**
Station Rd. *N Mills* —4G **155**
Station Rd. *Oldh* —5E **57**
Station Rd. *Redd* —5G **111**
Station Rd. *Roch* —5H **27**
(in two parts)
Station Rd. *Stoc* —2G **139**
(in two parts)
Station Rd. *Stret* —4D **106**
Station Rd. *Styal* —4E **159**
Station Rd. *Swint* —3F **79**
Station Rd. *Upperm* —2D **60**
(Diggle)
Station Rd. *Upperm* —1F **61**
(Uppermill)
Station Rd. *Urm* —5F **105**
Station Rd. *Whitw* —4B **14**
Station Rd. *Wilm* —2E **167**
Station Rd. *Woodl* —4H **129**
Station Sq. *Moss* —2E **89**
Station St. *Bolt* —1B **46**
Station St. *Duk* —4H **99**
Station St. *Haz G* —3D **152**
Station St. *Spring* —3B **74**
Station View. *M19* —6C **110**
Staton Av. *Bolt* —5E **33**
Staton St. *M11* —5E **97**
Statter St. *Bury* —3E **51**
Staveleigh Way. *Ash L* —2H **99**
Staveley Av. *Bolt* —5C **18**
Staveley Av. *Stal* —2E **101**
Staveley Clo. *Mid* —5G **53**
Staveley Clo. *Shaw* —1H **57**
Stavely Wlk. Rytn —3C *56*
(off Shaw St.)
Staverton Clo. *M13*
—6G **95** (4E **11**)
Staveton Clo. *Bram* —2A **152**
Stavordale. Roch —3G *27*
(off Spotland Rd.)
Staycott Clo. *M16* —3D **108**
Stayley Dri. *Stal* —3G **101**
Stead St. *Ram* —3E **13**
Steadway. *G'fld* —4G **61**
Stedman Clo. *M11* —4A **96**
Steele Gdns. *Bolt* —2G **47**
Steeles Av. *Hyde* —4C **114**
Steeple Dri. *Salf* —4G **93**
Steeple View. *Rytn* —3B **56**
Stelfox Av. *M14* —6E **109**
Stelfox Av. *Tim* —3C **134**
Stelfox La. *Aud* —6E **99**
Stelfox St. *Ecc* —5D **90**
Stella St. *M9* —5D **68**
Stelling St. *M18* —2F **111**
Stenbury Clo. *M14* —4G **109**
Stenner La. *M20* —1E **137**
Stenson Sq. *Open* —6F **97**
Stephen Clo. *Bury* —3A **36**
Stephen Lowry Wlk. *M40*
—4A **84**
Stephenson Av. *Droy* —4A **98**
Stephenson Rd. *Stret* —5E **107**
Stephenson St. *Fail* —2G **85**
Stephenson St. *Oldh* —1H **73**
Stephens Rd. *M20* —4G **125**
Stephens Rd. *Stal* —1D **100**
Stephens St. *Bolt* —6F **33**
Stephens Ter. *M20* —6F **125**
Stephen St. *M3* —1D **94**
Stephen St. *Bury* —3A **36**
Stephen St. *Stoc* —3B **140**
Stephen St. *Urm* —5G **105**
Stephen St. S. *Bury* —4A **36**
Stephen Wlk. *Stoc* —3B **140**
Steps Meadow. *Roch* —5A **16**
Stern Av. *Salf* —5G **93**
Sterndale Rd. *Rom* —2H **141**
Sterndale Rd. *Wor* —5B **76**
Sterratt St. *Bolt* —6H **31**

Stetchworth Dri. *Wor* —4D **76**
Stevenson Dri. *Oldh* —3A **58**
Stevenson Rd. *Swint* —3E **79**
Stevenson Sq. *M1*
—4F **95** (5C **6**)
Stevenson Sq. *Farn* —2C **62**
Stevenson Sq. *Roch* —6A **16**
Stevenson St. *Salf*
—4B **94** (5C **4**)
Stevenson St. *Wor* —6D **62**
Stevens St. *Ald E* —5G **167**
Steve Pl. *Redd* —2G **127**
Stewart Av. *Farn* —2D **62**
Stewart St. *Ash L* —3F **99**
Stewart St. *Bolt* —3A **32**
Stewart St. *Bury* —2H **35**
(in two parts)
Stewart St. *Miln* —2F **43**
Steynton Clo. *Bolt* —5D **30**
Stile Clo. *Urm* —5G **103**
Stiles Av. *Marp* —4C **142**
Stiles Clo. *Had* —2G **117**
Stilton Dri. *M11* —5C **96**
Stirling. Ecc —3H *91*
(off Monton La.)
Stirling Av. *M20* —1D **124**
Stirling Av. *Haz G* —4D **152**
Stirling Av. *Marp* —6D **142**
Stirling Clo. *Stoc* —5E **139**
Stirling Ct. *Stoc* —4E **127**
Stirling Dri. *Stal* —2E **101**
Stirling Gro. *W'fld* —1E **67**
Stirling Pl. *Heyw* —4B **38**
Stirling Rd. *Bolt* —6C **18**
Stirling Rd. *Chad* —5F **71**
Stirling St. *Oldh* —2A **72**
Stirrup Brook Gro. *Wor* —6B **76**
Stirrup Ga. *Wor* —4A **78**
Stitch La. *Stoc* —6F **127**
Stitch Mi La. *Harw* —3G **33**
Stiups La. *Roch* —1H **41**
Stobart Dri. *P'wch* —1F **81**
Stockburn Dri. *Fail* —4H **85**
Stockbury Gro. Bolt —4B *32*
(off Lindfield Dri.)
Stockdale Av. *Stoc* —6H **139**
Stockdale Gro. *Bolt* —4H **33**
Stockdale Rd. *M9* —5G **69**
Stockfield Mt. *Chad* —3H **71**
Stockfield Rd. *Chad* —2H **71**
Stock Gro. *Miln* —4F **29**
Stockholm Rd. *Stoc* —4D **138**
Stockholm St. *M11* —3D **96**
Stockland Clo. *M13*
—6F **95** (4C **10**)
Stock La. *Chad* —2H **71**
Stockley Av. *Bolt* —3G **33**
Stockley Wlk. *M15*
—1B **108** (6D **8**)
Stockport Rd. *M12, M13 & M19*
—1G **109** (5F **11**)
Stockport Rd. *Ash L* —5F **99**
Stockport Rd. *Chea & Stock*
—5H **137**
Stockport Rd. *Dent* —4F **113**
Stockport Rd. *Gee X* —2B **130**
Stockport Rd. *Hyde* —6A **116**
(Hattersley)
Stockport Rd. *Hyde* —6C **114**
(Hyde)
Stockport Rd. *Lyd* —4E **75**
Stockport Rd. *Marp* —5H **141**
Stockport Rd. *Moss* —1E **89**
Stockport Rd. *Rom* —1H **141**
Stockport Rd. *Tim* —6G **133**
Stockport Rd. E. *Bred* —5F **129**
Stockport Rd. W. *Bred* —6C **128**
STOCKPORT STATION. *BR*
—3G **139**
Stockport Trad. Est. *Stoc*
—2D **138**

Stockport Village. *Stoc*
—2G **139**
Stock Rd. *Roch* —1A **28**
Stocksfield Dri. *M9* —6G **69**
Stocksfield Dri. *L Hul* —4B **62**
Stocks Gdns. *Stal* —4G **101**
Stocks La. *Stal* —4F **101**
Stocks St. *M8* —2E **95** (1A **6**)
Stocks St. *Roch* —3B **40**
Stocks St. E. *M8* —1E **95** (1A **6**)
Stock St. *Bury* —6E **23**
Stockton Av. *Stoc* —3D **138**
Stockton Dri. *Bury* —6B **22**
Stockton Pk. *Oldh* —3H **73**
Stockton Rd. *M21* —1G **123**
Stockton Rd. *Wilm* —5C **166**
Stockton St. *M16* —3C **108**
Stockton St. *Farn* —5E **47**
Stockton St. *L'boro* —4E **17**
Stockton St. *Swint* —3E **79**
Stockwood Wlk. *M9* —4F **83**
Stoke Abbot Clo. *Bram*
—6G **151**
Stoke Abbot Lodge. *Bram*
—6G **151**
Stokesay Clo. *Bury* —2D **50**
Stokesay Dri. *Haz G* —4G **152**
Stokesay Rd. *Sale* —4G **121**
Stokesley Wlk. *Bolt* —3A **46**
(in two parts)
Stokes St. *M11* —3F **97**
Stoke St. *Roch* —5B **28**
Stokoe Av. *Alt* —6C **132**
Stolford Wlk. M8 —5B *82*
(off Ermington Dri.)
Stonall Av. *M15*
—1B **108** (5D **8**)
Stoneacre Ct. *Swint* —3F **79**
Stoneacre Rd. *M22* —3A **148**
Stonebeck Ct. *W'houg* —6D **44**
Stonebeck Rd. *M23* —6F **135**
Stonebridge Clo. *Los* —1A **44**
Stonechat Clo. *Droy* —2C **98**
Stonechat Clo. *Wor* —3D **76**
Stonechurch. *Bolt* —2H **45**
Stonecliffe Av. *Stal* —3E **101**
Stonecliffe Ter. *Stal* —2E **101**
Stone Clo. *Ram* —5C **12**
Stoneclough Rd. *Fish I & Rad*
—2H **63**
Stonecroft. *Oldh* —2C **72**
Stonedelph Clo. *Ain* —4D **34**
Stonefield Dri. *M8* —6A **82**
Stonefield St. *Miln* —6F **29**
Stoneflat Ct. *Roch* —3F **27**
Stonehaven. *Bolt* —4D **44**
Stonehead St. *M9* —4H **83**
Stonehewer St. *Rad* —5H **49**
Stonehill Cres. *Roch* —6A **14**
Stonehill Dri. *Roch* —6A **14**
Stone Hill La. *Roch* —1C **26**
Stone Hill Rd. *Farn* —3F **63**
Stonehill Rd. *Roch* —6A **14**
Stonehouse Wlk. M23 —4E *135*
(off Sandy La.)
Stonehurst Clo. *M12* —1C **110**
Stoneleigh Av. *Sale* —4F **121**
Stoneleigh Dri. *Rad* —2B **64**
Stoneleigh Rd. *Spring* —2C **74**
Stoneleigh St. *Oldh* —6F **57**
Stonelow Clo. *M15*
—1D **108** (5H **9**)
Stonemead. *Rom* —6C **130**
Stone Mead Av. *Haleb* —6C **146**
Stonemead Clo. *Bolt* —3B **46**
Stonemill Ter. *Stoc* —6H **127**
Stonepail Clo. *Gat* —6D **136**
Stonepail Rd. *Gat* —6E **137**

Stone Pale. W'fld —2D 66
Stone Pits. Ram —2B 12
Stoneridge. Had —2H 117
Stone Row Marp —5E 143
(in two parts)
Stonesby Clo. M16 —3C 108
Stonesdale Clo. Rytn —2C 56
Stonesteads Dri. Brom X
—3E 19
Stonesteads Way. Brom X
—3E 19
Stone St. M3 —5C 94 (2E 9)
Stone St. Bolt —4D 32
Stone St. Miln —6F 29
Stoneswood Dri. Moss —1F 89
Stoneswood Rd. Del —4G 59
Stoneway. Salf —6H 93
(off W. Park St.)
Stoneybank. Rad —2C 64
Stoneyboyd. Whitw —4H 15
Stoneyfield. Stal —1E 69
Stoneyfield Clo. M16 —5D 108
Stoneygate Wlk. Open —6F 97
Stoney Knoll. Salf —5H 81
Stoney La. Wilm —4C 166
Stoneyside Av. Wor —5G 63
Stoneyside Gro. Wor —5G 63
Stoneyvale Ct. Roch —1F 41
Stonie Heys Av. Roch —1B 28
Stonyford Rd. Sale —5D 122
Stony Head. L'boro —5G 17
(off Calderbrook Rd.)
Stonyhurst Av. Bolt —6C 18
Stonyhurst Clo. M15
—1D 108 (6G 9)
Stopes Rd. L Lev & Rad —4C 48
Stopford Av. L'boro —5C 16
Stopford St. M11 —5G 97
Stopford St. Stoc —3F 139
Stopford Wlk. Dent —4F 113
Stopley Wlk. Open —5C 96
Stores Cotts. Gras —3G 75
Stores St. P'wch —5G 67
Store St. M1 —5F 95 (1C 10)
Store St. Ash L —5E 87
Store St. Open —6D 96
Store St. Roch —2A 26
Store St. Shaw —5G 43
Store St. Stoc —1C 152
Storeton Clo. M22 —3C 148
Storey Pas. Rd. L'boro —4D 16
Stortford Dri. M23 —1H 135
Stothard Rd. Stret —6B 106
Stott Dri. Urm —6H 103
Stottfield. Rytn —4H 55
Stott Ho. Oldh —4C 72
Stott La. Bolt —4D 32
Stott La. Mid —2H 53
Stott La. Salf —2B 92
Stott Milne St. Chad —4H 71
Stott Rd. Chad —6E 71
Stott Rd. Swint —5D 78
Stott's La. M40 —5D 84
Stott St. M11 —4B 96
Stott St. Fail —5D 84
Stott St. Hur —6B 16
Stott St. Roch —2H 27
Stourbridge Av. L Hul —3C 62
Stour Clo. Alt —5E 133
Stourport Clo. Rom —2G 141
Stourport St. Oldh —6E 57
Stovell Av. Long —5C 110
Stovell Rd. M40 —3A 84
Stow Clo. Bury —6D 22
Stowell Ct. Bolt —4A 32
Stowell St. Bolt —4A 32
Stowell St. Salf —4E 93
Stowfield Clo. M9 —5D 68
Stow Gdns. M20 —3E 125
Stracey St. M40 —2A 96
(in two parts)

Stradbroke Clo. M18 —2D 110
Strain Av. M9 —5F 69
Strand Ct. Stret —1C 122
Strand, The. Roch —3F 41
Strand Way. Rytn —5B 56
Strangford St. Rad —3D 48
Stratfield Av. M23 —2D 134
Stratford Av. M20 —4D 124
Stratford Av. Bolt —4E 31
Stratford Av. Bury —3E 23
Stratford Av. Ecc —5E 91
Stratford Av. Oldh —6D 72
Stratford Av. Roch —6G 27
Stratford Clo. Farn —6B 46
Stratford Gdns. Bred —6F 129
Stratford Rd. M8 —4B 70
Stratford Sq. H Grn —6G 149
Strathaven Pl. Heyw —4B 38
Strathblane Clo. M20 —2F 125
Strathfield Dri. M11 —3E 97
Strathmere Av. Stret —4D 106
Strathmore Av. M16 —5H 107
Strathmore Av. Dent —5H 113
Strathmore Clo. Ram —5E 13
Strathmore Rd. Bolt —4G 33
Stratton Rd. M16 —5H 107
Stratton Rd. Pen —2F 79
Stratton Rd. Stoc —3C 140
Strawberry Bank. Salf —2H 93
Strawberry Clo. B'hth —4D 132
Strawberry Hill. Salf —2H 93
Strawberry Hill Rd. Bolt
—2D 46
Strawberry La. Moss —5E 73
Strawberry La. Wilm —3B 166
Strawberry Rd. Salf —2G 93
Stray, The. Bolt —1D 32
Streamside Clo. Tim —1B 146
Stream Ter. Stoc —2B 140
Street Bri. Rd. Oldh —5G 55
Streetgate. L Hul —4B 62
Streethouse La. Dob —6B 59
Street La. A'ton —6C 162
Street La. Rad —5E 35
Stretford By-Pass. Wor & Ecc
—6H 77
Stretford Motorway Est. Stret
—2A 106
Stretford Pl. Roch —6E 15
Stretford Rd. M16 & M15
—2A 108
STRETFORD STATION. M
—6D 106
Stretton Av. M20 —6G 125
Stretton Av. Sale —5G 121
Stretton Av. Stret —4A 106
Stretton Clo. M40 —6F 83
Stretton Rd. Bolt —3F 45
Stretton Rd. Ram & Bury
—1A 22
Stretton Way. Hand —2H 159
Striding Edge Wlk. Oldh
—6E 57
Strines Ct. Hyde —3C 114
Strines Rd. Marp B & Strin
—5E 143
STRINES STATION. BR
—4H 155
Stringer Av. Mot —5B 116
Stringer Clo. Mot —5B 116
Stringer St. Stoc —1A 140
Stringer Way. Mot —5B 116
Stringston Wlk. M16 —4C 108
(off Westerling Wlk.)
Stroma Gdns. Urm —2E 105
Stromness Gro. Heyw —4B 38
Strong St. Salf —1C 94
Strontian Wlk. Open —4E 97
Stroud Av. Ecc —2D 90

Stroud Clo. Mid —4A 70
Struan Ct. Alt —6E 133
Stuart Av. Irl —6D 102
Stuart Av. Marp —4B 142
Stuart Rd. Bred P —3D 128
Stuart Rd. Stret —4D 106
Stuart St. M11 —3B 96
Stuart St. Mid —1C 70
Stuart St. Oldh —4C 72
Stuart St. Roch —5A 28
(in two parts)
Stuart St. E. M11 —3C 96
Stuart Wlk. Mid —2H 69
Stubbins Clo. M23 —2E 135
Stubbins La. Ram —2E 13
Stubbins St. Ram —1E 13
Stubbins Vale Rd. Ram
—1E 13
Stubbins Vale Ter. Ram
—1D 12
Stubley La. L'boro —4D 16
Stubley Mill Fold. L'boro
—5D 16
Stubley Mill Rd. L'boro —5C 16
Studforth Wlk. M15 —2E 109
(off Botham Clo.)
Studland Rd. M22 —1D 148
Studley Clo. Rytn —3E 57
Stukesay Clo. Shaw —3E 57
Styal Av. Stoc —3H 127
Styal Av. Stret —4A 106
Styalgate. Gat —6D 136
Styal Gro. Gat —2E 149
Styal Rd. M22 & H Grn
—1D 158
Styal Rd. Styal —4E 159
STYAL STATION. BR —3E 159
Styhead Dri. Mid —4F 53
Style St. M4 —2E 95 (2B 6)
Style View. Wilm —5F 159
Sudbury Clo. M16 —2A 108
Sudbury Dri. H Grn —5H 149
Sudbury Dri. Los —1A 44
Sudbury Rd. Haz G —5E 153
Sudden St. Roch —1C 40
Sudell St. M4 & M40
—2F 95 (2D 6)
Sudley Rd. Roch —6E 27
Sudlow St. Roch —1B 28
Sudren St. Bury —2F 35
Sue Patterson Wlk. M40
—6F 83
Suffield St. Mid —1H 69
Suffield Wlk. M22 —4B 148
Suffolk Av. Droy —2A 98
Suffolk Clo. L Lev —2E 48
Suffolk Dri. Stoc —3C 128
Suffolk Dri. Wilm —6G 159
Suffolk Rd. Alt —1D 144
Suffolk St. Oldh —5H 71
Suffolk St. Roch —5H 27
Suffolk St. Salf —6E 81
Sugar La. Dob —5A 60
Sugden St. Ash L —2B 100
Sulby Av. Stret —5E 107
Sulby St. M40 —3A 84
Sulby St. Stone —1B 64
Sulgrave Av. Poy —3F 163
Sullivan St. M12 —4C 110
Sultan St. Bury —5C 36
Sulway Clo. Swint —4G 79
Sumac St. M11 —4B 96
Sumbland Ho. Clif —1H 79
Summer Av. Urm —5G 105
Summer Castle. Roch —4H 27
Summercroft. Chad —6H 71
Summerdale Dri. Ram —1B 22
Summerfield Av. Droy —2G 97
Summerfield Ct. M21 —6F 107
Summerfield Dri. Mid —5C 54
Summerfield Dri. P'wch —2E 81

Summerfield Pl. Wilm —3D 166
Summerfield Rd. M22 —3A 148
Summerfield Rd. Bolt —3D 46
Summerfield Rd. Wor —4H 159
Summerfields Shopping Cen.
Wilm —6H 159
Summer Hill Clo. Bolt —5B 18
Summerlea. Chea H —5D 150
Summer Pl. M14 —5G 109
Summers Av. Stal —3G 101
Summerseat Clo. Salf —5G 93
Summerseat Clo. Spring
—2C 74
Summerseat La. Ram —6C 12
Summergill Clo. Heyw —4G 39
Summershades La. Gras
—3F 75
Summershades Rise. Oldh
—3F 75
Summers St. Chad —2A 72
Summers St. Stal —5C 100
Summer St. Roch —4A 28
Summerville Av. M9 —4H 83
Summerville Rd. Salf —6C 80
Summit Clo. Bury —1B 38
Summit St. Heyw —3B 38
Sumner Av. Bolt —4D 34
Sumner Rd. Salf —6B 80
Sumner St. Bolt —5F 45
Sumner St. Shaw —2F 57
Sunadale Clo. Bolt —2F 45
Sunbank Clo. Roch —1F 27
Sunbank La. Ring —2D 156
Sunbeam Wlk. M11 —4B 96
(off Hopedale Clo.)
Sunbury Clo. Duk —5D 100
Sunbury Clo. Wilm —5A 160
Sunbury Dri. M40 —1F 97
Sundance Ct. Salf —5E 93
Sunderland Av. Ash L —1A 100
Sunderton Wlk. M12 —1A 110
Sundew Pl. Mid —2D 70
Sundial Clo. Hyde —4H 115
Sundial Rd. Stoc —4D 140
Sundial Wlk. Hyde —4H 115
Sundridge Clo. Bolt —4E 45
Sunfield. Rom —6H 129
Sunfield Av. Oldh —4A 58
Sunfield Cres. Rytn —4C 56
Sunfield Dri. Rytn —4D 56
Sunfield Est. Dig —3C 60
Sunfield La. Dig —3C 60
Sunfield Rd. Oldh —1D 72
Sunfield Way. Lees —2A 74
Sun Ga. L'boro —2F 29
Sunhill Clo. Roch —3H 41
Sunk La. Mid —2A 70
(in two parts)
Sunlight Rd. Bolt —6G 31
Sunningdale Av. M11 —3D 96
Sunningdale Av. Rad —2D 48
Sunningdale Av. Sale —6E 123
Sunningdale Av. W'fld —2A 66
Sunningdale Clo. Bury —5G 35
Sunningdale Clo. Hyde
—2D 114
Sunningdale Ct. Dent —3B 112
Sunningdale Dri. Bram
—6H 151
Sunningdale Dri. Heyw —5F 39
Sunningdale Dri. Irl —4D 102
Sunningdale Dri. P'wch —4E 67
Sunningdale Dri. Salf —6G 79
Sunningdale Ho. Sale —6E 123
Sunningdale Rd. Chea H
—6C 150
Sunningdale Rd. Dent —6G 113
Sunningdale Rd. Urm —6D 104
Sunningdale Wlk. Bolt —2H 45
Sunninghill St. Bolt —3H 45
Sunny Av. Bury —6F 23

Talbot Pl. *M16* —2H **107**
Talbot Rd. *Ald E* —5H **167**
Talbot Rd. *Bow* —3D **144**
(in two parts)
Talbot Rd. *Fall* —2A **126**
Talbot Rd. *Hyde* —2C **114**
Talbot Rd. *Sale* —5E **123**
Talbot Rd. *Stret & Old T*
—4E **107**
Talbot St. *Ash L* —2G **99**
Talbot St. *Ecc* —4G **91**
Talbot St. *Haz G* —1D **152**
Talbot St. *Mid* —5H **53**
Talbot St. *Roch* —5H **27**
Talford Gro. *M20* —4E **125**
Talgarth Rd. *M40* —1G **95**
Talkin Dri. *Mid* —4G **53**
Talland Wlk. *M13* —2H **109**
Tallarn Clo. *M20* —2G **125**
Tallis St. *M12* —4C **110**
Tall Trees. *Salf* —2H **81**
Tall Trees Clo. *Rytn* —3A **56**
Tall Trees Pl. *Stoc* —5C **140**
Talmine Av. *M40* —6G **83**
Tamar Clo. *Kear* —4B **64**
Tamar Clo. *W'fld* —1E **67**
Tamar Ct. *M15* —1B **108** (6C **8**)
Tamar Dri. *M23* —1G **147**
Tamarin Clo. *Wdly* —2C **78**
Tamar Way. *Heyw* —2C **38**
Tame Bank. *Moss* —6F **75**
Tame Barn Clo. *Miln* —5G **29**
Tame Clo. *Stal* —2G **101**
Tame Ct. *Stal* —3F **101**
Tame La. *Del* —1E **59**
Tamerton Dri. *M8* —5C **82**
Tameside Work Cen. *Ash L*
—4F **99**
Tame St. *M4* —4H **95** (6G **7**)
Tame St. *Aud* —6F **99**
(Audenshaw)
Tame St. *Aud* —2E **113**
(Denton)
Tame St. *Moss* —6G **75**
Tame St. *Stal* —4C **100**
Tame St. *Upperm* —1F **61**
Tame View. *Moss* —1E **89**
Tame Wlk. *Wilm* —5A **160**
Tamewater Vs. Dob —5H **59**
(off Brook La.)
Tamworth Av. *Salf* —5H **93**
Tamworth Av. *W'fld* —2E **67**
Tamworth Av. W. *Salf* —5G **93**
Tamworth Clo. *M15* —2C **108**
Tamworth Clo. *Haz G* —5C **152**
Tamworth Ct. *M15* —2C **108**
Tamworth Ct. *Chad* —4A **72**
Tamworth Dri. *Bury* —6C **22**
Tamworth Grn. *Stoc* —1B **140**
Tamworth St. *Oldh* —4A **72**
Tamworth St. *Stoc* —1B **140**
Tamworth Wlk. *Salf* —5H **93**
Tandis Ct. *Salf* —1A **92**
Tandle Hill Rd. *Rytn* —1H **55**
Tandlewood M. *M40* —6C **84**
Tandlewood Pk. *Rytn* —1H **55**
Tanfield Rd. *M20* —4F **137**
Tangmere Clo. *M40* —6C **70**
Tangmere Ct. *M16* —4B **108**
Tangshutts La. *Rom* —1B **142**
Tang, The. *Rom* —2H **141**
Tanhill Clo. *Stoc* —5E **141**
Tanhill La. *Oldh* —1E **87**
Tanhouse Rd. *Urm* —4H **103**
Tanner Brook Clo. *Bolt* —3A **46**
Tannersfield Lodge. *Fail* —5E **85**
Tanners Fold. *Oldh* —1E **87**
Tanners Grn. *Salf* —2F **93**
Tanners St. *M18* —2G **111**
Tanners St. *Ram* —3D **12**
Tanner St. *Hyde* —4B **114**

Tannery Way. *Tim* —4G **133**
Tannock Ct. *Haz G* —4F **153**
Tannock Rd. *Haz G* —4F **153**
Tan Pit Cotts. *Heyw* —1F **39**
Tanpits Rd. *Bury* —2C **36**
Tanpit Wlk. *M22* —3A **148**
Tansey Gro. *Salf* —4B **82**
Tansley Rd. *M8* —1D **82**
Tanworth Wlk. *Bolt* —3A **32**
Tan Yd. Brow. *M18* —3G **111**
Tanyard Dri. *Haleb* —1C **156**
Tanyard Grn. *Stoc* —4H **127**
Tanyard La. *Tim* —2A **156**
Taper St. *Ram* —3D **12**
Tape St. *Ram* —3D **12**
Tapley Av. *Poy* —5E **163**
Taplow Gro. *Chea H* —3B **150**
Taplow Wlk. *M14* —4A **110**
Tarbet Dri. *Bolt* —6H **33**
Tarbet Rd. *Duk* —6A **100**
Tarbet Wlk. *M8* —5B **82**
Tarbolton Cres. *Hale* —2C **146**
Tariff St. *M1* —4F **95** (5C **6**)
Tarland Wlk. *Open* —4E **97**
Tarleton Clo. *Bury* —4F **35**
Tarleton Ho. *Salf* —1C **92**
Tarleton Pl. *Bolt* —4E **45**
Tarleton Wlk. *M13*
—1H **109** (6G **11**)
Tarnbrook Clo. *W'fld* —1G **67**
Tarnbrook Wlk. M15 —2E **109**
(off Wellhead Clo.)
Tarn Dri. *Bury* —1C **50**
Tarn Gro. *Wor* —2H **77**
Tarnside Clo. *Roch* —6A **16**
Tarnside Clo. *Stoc* —5F **141**
Tarns, The. *Gat* —2F **149**
Tarporley Av. *M14* —1E **125**
Tarporley Clo. *Stoc* —6F **139**
Tarporley Wlk. *Wilm* —5A **160**
Tarran Grn. *Dent* —6H **113**
Tarran Gro. *Dent* —6H **113**
Tarran Pl. *Alt* —5G **133**
Tarrington Clo. *M12* —2C **110**
Tartan St. *M11* —3D **96**
Tarves Wlk. *Open* —4D **96**
Tarvin Av. *M20* —2E **125**
Tarvin Av. *Stoc* —2F **127**
Tarvin Dri. *Bred* —5E **129**
Tarvington Clo. *M40* —5E **83**
Tarvin Rd. *Chea* —6C **138**
Tarvin Wlk. *Bolt* —3A **32**
Tarvin Way. *Hand* —2H **159**
Tasle Av. *M2* —4D **94** (6H **5**)
Tatchbury Rd. *Fail* —4G **85**
Tate St. *Oldh* —5F **73**
Tatham Clo. *M13* —4B **110**
Tatham St. *Roch* —4A **28**
Tatland Dri. *M22* —2D **148**
Tattenhall Wlk. *M14* —1H **125**
Tattersall Av. *Bolt* —3C **30**
Tattersall St. *Oldh* —3B **72**
Tatton Bldgs. *Gat* —5F **137**
Tatton Clo. *Chea* —1C **150**
Tatton Clo. *Haz G* —1F **153**
Tatton Ct. *M14* —1H **125**
Tatton Ct. *Hand* —2A **160**
Tatton Ct. *Stoc* —5E **127**
Tatton Gdns. *Woodl* —4B **130**
Tatton Gro. *M20* —3F **125**
Tatton Mere Dri. *Droy* —4B **98**
Tattonmere Gdns. *Chea H*
—1C **150**
Tatton Pl. *M13* —3A **110**
Tatton Pl. *Sale* —4B **122**
Tatton Rd. *Dent* —6G **113**
Tatton Rd. *Hand* —2A **160**
Tatton Rd. *Sale* —4B **122**
Tatton Rd. N. *Stoc* —4E **127**
Tatton Rd. S. *Stoc* —5E **127**
Tatton St. *M15* —1B **108** (5C **8**)

Tatton St. *Hyde* —2C **130**
Tatton St. *Salf* —5H **93**
Tatton St. *Stal* —3F **101**
(in two parts)
Tatton Ter. *Stoc* —2H **139**
Tatton Ter. *Duk* —4H **99**
Tatton View. *M20* —3F **125**
Taunton Av. *Ash L* —1G **99**
Taunton Av. *Ecc* —2D **90**
Taunton Av. *Roch* —4D **26**
Taunton Av. *Stoc* —4C **128**
Taunton Av. *Urm* —1D **120**
Taunton Clo. *Bolt* —4G **31**
Taunton Clo. *Haz G* —3G **153**
Taunton Dri. *Farn* —6B **46**
Taunton Grn. *Ash L* —6D **86**
Taunton Gro. *W'fld* —3E **67**
Taunton Hall Clo. *Ash L* —6D **86**
Taunton Lawns. *Ash L* —6E **87**
Taunton Pl. *Ash L* —6D **86**
Taunton Platting. *Ash L* —5D **86**
Taunton Rd. *Ash L* —1G **99**
Taunton Rd. *Chad* —5G **55**
Taunton Rd. *Sale* —5F **121**
Taunton St. *M4* —4H **95** (5H **7**)
Taunton Wlk. *Dent* —6G **113**
Taurus St. *Oldh* —1G **73**
Tavern Ct. *Fail* —4H **85**
Tavern Ct. Av. *Fail* —4H **85**
Tavern Rd. *Had* —4G **117**
Tavery Clo. *M4* —3H **95** (4G **7**)
Tavistock Clo. *Hyde* —5A **116**
Tavistock Dri. *Chad* —6F **55**
Tavistock Rd. *Bolt* —1H **45**
Tavistock Rd. *Roch* —2F **41**
Tavistock Rd. *Sale* —4F **121**
Tavistock Sq. *M9* —4F **83**
(off Grangewood Dri.)
Tawton Av. *Hyde* —4A **116**
Tay Clo. *Oldh* —4C **72**
Tayfield Rd. *M22* —3A **148**
Taylor Av. *Roch* —3B **26**
Taylor Bldgs. *Kear* —3B **64**
Taylor Grn. Way. *Lees* —2B **74**
Taylor La. *Dent* —3D **112**
Taylor Rd. *Alt* —6C **132**
Taylor Rd. *Urm* —6G **91**
Taylor's La. *M40* —6C **84**
Taylor's La. *Bolt* —6A **34**
Taylorson St. *Salf* —1H **107**
(in two parts)
Taylorson St. S. *Salf* —1G **107**
Taylor's Pl. *Oldh* —3E **73**
Taylors Pl. *Roch* —2H **27**
Taylor's Rd. *Stret* —3D **106**
Taylor St. *M18* —1E **111**
Taylor St. *Alt* —1F **145**
Taylor St. *Bury* —1E **37**
Taylor St. *Chad* —2G **71**
Taylor St. *Dent* —3F **113**
Taylor St. *Droy* —4H **97**
Taylor St. *Heyw* —3E **39**
Taylor St. *Holl* —2F **117**
Taylor St. *Hyde* —4D **114**
Taylor St. *Lees* —3A **74**
Taylor St. *Mid* —1A **70**
Taylor St. *Oldh* —1G **73**
Taylor St. *P'wch* —5F **67**
Taylor St. *Rad* —4G **49**
Taylor St. *Roch* —2H **27**
Taylor St. *Rytn* —2B **56**
Taylor St. *Stal* —4F **101**
Taylor St. *Whitw* —1D **14**
Taylor Ter. Duk —4H **99**
(off Astley St.)
Taylor Ter. L'boro —4G **17**
(off Ealees Rd.)
Taywood Rd. *Bolt* —5B **44**
Teak Dri. *Kear* —5D **64**
Teak St. *Bury* —3F **37**
Teal Av. *Poy* —3A **162**

Tealby Av. *M16* —3A **108**
Tealby Ct. *M21* —1A **124**
Tealby Rd. *M18* —3D **110**
Teal Clo. *B'hth* —3D **132**
Teal Clo. *Stoc* —6F **141**
Teal Ct. *Roch* —4B **26**
Teal St. *Bolt* —3B **46**
Teasdale Clo. *Chad* —6E **71**
Tebbutt St. *M4* —2F **95** (1D **6**)
Tedburn Wlk. *M40* —1D **84**
Tedder Clo. *Bury* —5F **51**
Tedder Dri. *M22* —6D **148**
Teddington Rd. *M40* —2C **84**
Ted Jackson Wlk. *M11*
—5B **96**
Teer St. *M40* —3H **95** (4H **7**)
Teesdale Av. *Urm* —3C **104**
Teesdale Clo. *Stoc* —5E **141**
Teesdale Wlk. *M9* —6G **69**
Tees St. *Roch* —5B **28**
Tees Wlk. *Oldh* —4C **72**
Teignmouth Av. *M40* —1G **95**
Telegraphic Ho. *Salf* —6G **93**
Telegraph Rd. *Traf P* —1A **106**
Telfer Av. *M13* —5A **110**
Telfer Rd. *M13* —5A **110**
Telford Clo. *Aud* —6E **99**
Telford M. *Upperm* —1F **61**
Telford Rd. *Marp* —1E **155**
Telford St. *M8* —6B **83**
Telford Wlk. *M16* —3B **108**
Telford Way. *Roch* —3G **41**
Telham Wlk. *M23* —6G **135**
Tellson Clo. *Salf* —5B **80**
Tellson Cres. *Salf* —5B **80**
Tell St. *Roch* —4F **27**
Telryn Wlk. M8 —3E **83**
(off Stakeford Dri.)
Temperance Sq. *Mot* —3C **116**
Temperance St. *M12*
—5G **95** (2E **11**)
Temperance Ter. *Marp*
—5D **142**
Tempest Rd. *Ald E* —5H **167**
Tempest Rd. *Los* —4A **44**
Tempest St. *Bolt* —3F **45**
Templecombe Dri. *Bolt* —5B **18**
Temple Dri. *Bolt* —2G **31**
Temple Dri. *Swint* —4H **79**
Temple La. *L'boro* —6G **17**
Temple Rd. *Bolt* —2G **31**
Temple Rd. *Sale* —5D **122**
Temple Sq. *M8* —5D **82**
Temple St. *Heyw* —3F **39**
Temple St. *Mid* —6B **54**
Temple St. *Oldh* —2F **73**
Templeton Dri. *Alt* —5D **132**
Temsbury Wlk. *M40* —6G **83**
Ten Acre Dri. *W'fld* —2B **66**
Ten Acres La. *M40* —6A **84**
Tenax Rd. *Traf P* —6B **92**
Tenbury Clo. *Salf* —2F **93**
Tenbury Dri. *Mid* —4A **70**
Tenby Av. *M20* —3F **125**
Tenby Av. *Bolt* —4E **31**
Tenby Av. *Stret* —3F **107**
Tenby Ct. *M15* —1A **108** (6B **8**)
Tenby Dri. *Chea H* —4D **150**
Tenby Dri. *Salf* —6B **80**
Tenby Gro. *Roch* —2E **27**
Tenby Rd. *Oldh* —1H **85**
Tenby Rd. *Stoc* —4D **138**
Tenby St. *Roch* —2E **27**
Tenement La. *Bram* —2E **151**
Teneriffe St. *Salf* —6H **81**
Tenham Wlk. *M9* —6G **69**
(off Ravenswood Dri.)
Tennis St. *M16* —3H **107**
Tennis St. *Bolt* —2H **31**
Tennyson Av. *Bury* —1D **50**

Tennyson Av. *Dent* —2G **129**
(in two parts)
Tennyson Av. *Duk* —6E **101**
Tennyson Av. *Rad* —3E **49**
Tennyson Clo. *Stoc* —1C **138**
Tennyson Gdns. *P'wch* —6D **66**
Tennyson Rd. *Chea* —5B **138**
Tennyson Rd. *Droy* —3A **98**
Tennyson Rd. *Farn* —3D **62**
Tennyson Rd. *Mid* —5B **54**
Tennyson Rd. *Stoc* —6F **111**
Tennyson Rd. *Swint* —3D **79**
Tennyson St. *Bolt* —4H **31**
Tennyson St. *Oldh* —6G **57**
Tennyson St. *Roch* —6A **28**
Tennyson St. *Salf* —1A **94**
Tennyson Wlk. *Bolt* —3A **32**
Tensing Av. *Ash L* —6F **87**
Tensing St. *Oldh* —3E **87**
Tenter Brow. *Stal* —3D **100**
Tentercroft. *Oldh* —2C **72**
Tentercroft. *Roch* —4G **27**
Tenterden St. *Bury* —3B **36**
(in two parts)
Tenterden Wlk. *M22* —2A **148**
Tenterhill La. *Roch* —1H **25**
Tenters St. *Bury* —3B **36**
Terence St. *M40* —6D **84**
Terling Wlk. *M40* —6G **83**
(off Lodge St.)
Terminal App. *Man A* —1A **158**
Terminal Rd. E. *Man A*
—6A **148**
Terminal Rd. N. *Man A*
—6H **147**
Terminal Rd. S. *Man A* —6H **147**
Tern Av. *Farn* —1B **62**
Tern Clo. *B'hth* —3D **132**
Tern Clo. *Duk* —6C **100**
Tern Clo. *Roch* —4B **26**
Tern Dri. *Poy* —3B **162**
Ternhill Ct. *Farn* —1F **63**
Terrace St. *Oldh* —2F **73**
Terrace, The. *P'wch* —6F **67**
Terrington Clo. *M21* —2C **124**
Tetbury Dri. *Bolt* —4H **33**
Tetbury Rd. *M22* —4H **147**
Tetlow Gro. *Ecc* —4E **91**
Tetlow La. *Salf & M8* —3A **82**
Tetlow St. *M40* —6C **84**
Tetlow St. *Hyde* —2C **114**
Tetlow St. *Mid* —1A **70**
Tetlow St. *Oldh* —3B **72**
Tetlows Yd. *L'boro* —5H **17**
Tetsworth Wlk. *M40* —1D **84**
Teviot St. *M13* —2A **110**
Tewkesbury Av. *Ash L* —4G **87**
Tewkesbury Av. *Chad* —5G **55**
Tewkesbury Av. *Droy* —2A **98**
Tewkesbury Av. *Hale* —2C **146**
Tewkesbury Av. *Mid* —4H **53**
Tewkesbury Av. *Urm* —3F **105**
Tewkesbury Clo. *Chea H*
—1D **160**
Tewkesbury Clo. *Poy* —2D **162**
Tewkesbury Dri. *P'wch* —1G **81**
Tewkesbury Rd. *M40*
—2H **95** (2H 7)
Tewkesbury Rd. *Stoc* —5D **138**
Texas St. *Ash L* —3A **100**
Textile St. *M12* —6C **96**
Textilose Rd. *Traf P* —2B **106**
Teynham Wlk. *M22* —4A **148**
Thackeray Clo. *M8* —5C **82**
Thackeray Gro. *Droy* —3A **98**
Thackeray Rd. *Oldh* —6G **57**
Thames Clo. *M11* —5D **96**
Thames Clo. *Bury* —3F **23**
Thames Ct. *M15*
—1B **108** (6C 8)
Thames Rd. *Miln* —5H **29**

Thames St. *Oldh* —1E **73**
Thames St. *Roch* —5B **28**
Thanet Clo. *Salf* —6A **82**
Thanet Wlk. *M40* —3A **96**
Thankerton Av. *Aud* —4D **98**
Thatcher Clo. *Bow* —5E **145**
Thatcher St. *Oldh* —5E **73**
Thatch Leach. *Chad* —4F **71**
Thatch Leach La. *W'fld* —2E **67**
Thaxmead Dri. *M40* —1F **97**
Thaxted Dri. *Stoc* —6G **141**
Thaxted Pl. *Bolt* —5G **31**
Thaxted Wlk. *M22* —5A **148**
Theatre St. *Oldh* —2C **72**
Thekla St. *Oldh* —1B **72**
Thelma St. *Ram* —3D **12**
Thelwall Av. *M14* —1D **124**
Thelwall Av. *Bolt* —5F **33**
Thelwall Rd. *Sale* —6E **123**
Thelwell Clo. *Tim* —5G **133**
Theobald Rd. *Bow* —4F **145**
Theta Clo. *M11* —3D **96**
Thetford. *Roch* —3G **27**
(off Spotland Rd.)
Thetford Clo. *Bury* —6D **22**
Thetford Dri. *M8* —4C **82**
Thicketford Brow. *Bolt* —4F **33**
Thicketford Clo. *Bolt* —3E **33**
Thicketford Rd. *Bolt* —4D **32**
Thimble Clo. *Roch* —5B **16**
Thimbles, The. *Roch* —5B **16**
Third Av. *Bolt* —6F **31**
Third Av. *Bury* —1H **37**
Third Av. *C'brk* —5G **89**
Third Av. *Clay* —2E **97**
Third Av. *Oldh* —1A **86**
Third Av. *Poy I* —6D **162**
Third Av. *Swint* —6F **79**
Third Av. *Traf P* —2D **106**
Third St. *Bolt* —1D **30**
Thirkhill Pl. *Ecc* —3H **91**
Thirlby Rd. *M22* —4B **148**
Thirlmere Av. *Ash L* —1F **99**
Thirlmere Av. *Stret* —4C **106**
Thirlmere Av. *Swint* —4G **79**
Thirlmere Av. *Ald E* —5F **167**
Thirlmere Clo. *Stal* —1E **101**
Thirlmere Dri. *Bury* —6C **36**
Thirlmere Dri. *L Hul* —4C **62**
Thirlmere Dri. *Mid* —5G **53**
Thirlmere Gro. *Farn* —1A **62**
Thirlmere Gro. *Rytn* —1B **56**
Thirlmere Rd. *Part* —6C **118**
Thirlmere Rd. *Roch* —1B **40**
Thirlmere Rd. *Stoc* —4B **140**
Thirlmere Rd. *Urm* —4A **104**
Thirlspot Clo. *Bolt* —5C **18**
Thirlstone Av. *Oldh* —3B **58**
Thirsfield Dri. *M11* —3E **97**
Thirsk Av. *Chad* —6F **55**
Thirsk Av. *Sale* —6E **121**
Thirsk Clo. *Bury* —6B **22**
Thirsk M. *Salf* —5H **81**
Thirsk Rd. *L Lev* —4A **48**
Thirsk St. *M12* —6G **95** (3E 11)
Thistle Clo. *Stal* —6H **101**
Thistledown Clo. *Ecc* —5E **91**
Thistle Sq. *Part* —6C **118**
Thistleton Rd. *Bolt* —4D **44**
Thistle Wlk. *Part* —6C **118**
Thistlewood Dri. *Wilm* —2G **167**
Thistleyfield. *Miln* —4E **29**
Thistley Fields. *Hyde* —1A **130**
Thomas Clo. *Dent* —3G **113**
Thomas Ct. *M15* —6B **94** (4D 8)
Thomas Dri. *Bolt* —2H **45**
Thomas Gibbon Clo. *Stret*
—6C **106**
Thomas Greenwood Clo. *M11*
—5A **96**

Thomas Henshaw Ct. *Roch*
—1C **40**
Thomas Holden St. *Bolt*
—5H **31**
Thomas Ho. *Rytn* —3C **56**
(off Royton Hall Wlk.)
Thomas Moor Clo. *Kear*
—3A **64**
Thomason Sq. *L'boro* —4E **17**
Thomas Regan Ct. *M18*
—1F **111**
Thomasson Clo. *Bolt* —4A **32**
Thomas St. *M4* —3E **95** (4B 6)
Thomas St. *M8* —3B **82**
Thomas St. *Alt* —1G **145**
Thomas St. *Bolt* —2H **45**
Thomas St. *Bred* —6F **129**
Thomas St. *Comp* —1F **143**
Thomas St. *Fail* —3G **85**
Thomas St. *Farn* —1G **63**
Thomas St. *Hyde* —5C **114**
Thomas St. *Kear* —2G **63**
Thomas St. *Lees* —4A **74**
Thomas St. *L'boro* —5C **16**
Thomas St. *Rad* —4H **49**
Thomas St. *Roch* —3A **28**
Thomas St. *Shaw* —4D **56**
(Royton)
Thomas St. *Shaw* —1G **57**
(Shaw)
Thomas St. *Stoc* —4H **139**
Thomas St. *Stret* —3D **106**
Thomas St. *Whitw* —3H **15**
Thomas St. W. *Stoc* —4H **139**
Thomas Telford Basin. *M1*
—4G **95** (6E 7)
Thompson Av. *Bolt* —4D **34**
Thompson Av. *W'fld* —2E **67**
Thompson Clo. *Dent* —4B **112**
Thompson Dri. *Bury* —2G **37**
Thompson La. *Chad* —5G **71**
Thompson Rd. *Bolt* —4F **31**
Thompson Rd. *Dent* —4B **112**
Thompson Rd. *Traf P* —5G **91**
Thompson St. *M3*
—2D **94** (1G 5)
Thompson St. *M4*
—2F **95** (2C 6)
Thompson St. *M40* —6H **83**
Thompson St. *Bolt* —2B **46**
Thompson St. *Oldh* —2B **72**
Thomson Rd. *M18* —3E **111**
Thomson St. *M13*
—1G **109** (6F 11)
Thomson St. *Stoc* —3G **139**
Thoralby Clo. *M12* —2C **110**
Thorburn Dri. *Whitw* —2B **14**
Thorburn St. *M13* —1F **109**
Thoresby Clo. *Rad* —2C **48**
Thoresway Rd. *M13* —4A **110**
Thoresway Rd. *Wilm* —4C **166**
Thorgill Wlk. *M40* —4A **84**
Thor Gro. *Salf* —5A **94** (2B 8)
Thorley Clo. *Chad* —1F **85**
Thorley Dri. *Tim* —6B **134**
Thorley Dri. *Urm* —5F **105**
Thorley La. *Hale* —2B **146**
Thorley La. *Ring & Man A*
—4F **147**
Thorley M. *Bram* —6H **151**
Thorley St. *Fail* —3F **85**
Thornaby Wlk. *M9* —5F **83**
(off Kirklington Dri.)
Thornage Dri. *M40* —1G **95**
Thorn Av. *Fail* —5E **85**
Thornbank. *Ecc* —2G **91**
Thornbank Clo. *Heyw* —6G **39**
Thornbank E. *Bolt* —2G **45**
(off Deane Rd.)
Thornbank Est. *Bolt* —1G **45**
Thornbeck Dri. *Bolt* —4D **30**

Thornbeck Rd. *Bolt* —4D **30**
Thornbridge Av. *M21* —1H **123**
Thornbury. *Roch* —5G **27**
Thornbury Av. *Hyde* —5A **116**
Thornbury Clo. *Bolt* —5A **32**
Thornbury Clo. *Chea H*
—4D **150**
Thornbury Rd. *Stret* —3E **107**
Thornbury Way. *M18* —2E **111**
Thornbush Way. *Roch* —3C **28**
Thornby Wlk. *M23* —6G **135**
Thorncliff Av. *Oldh* —6C **72**
Thorncliffe Av. *Duk* —6A **100**
Thorncliffe Av. *Rytn* —1A **56**
Thorncliffe Gro. *M19* —6E **111**
Thorncliffe Ho. *M15* —2F **109**
Thorncliffe Pk. *Rytn* —6A **42**
Thorncliffe Rd. *Bolt* —6C **18**
Thorncliffe Rd. *Had* —3H **117**
Thorn Clo. *Heyw* —2D **38**
Thorncombe Rd. *M16* —4C **108**
Thorn Ct. *Salf* —3H **93**
Thorncross Clo. *M15*
—6A **94** (4B 8)
Thorndale Clo. *Rytn* —2C **56**
Thorndale Ct. *Tim* —6A **134**
Thorndale Gro. *Tim* —6A **134**
Thornden Rd. *M40* —1H **95**
Thorndyke Av. *Bolt* —6C **18**
Thorndyke Wlk. *P'wch* —6F **67**
Thorne Av. *Urm* —4C **104**
Thorne Ho. *M14* —5H **109**
Thorneside. *Dent* —2F **113**
(in two parts)
Thorne St. *Farn* —6E **47**
Thorneycroft Av. *M21* —4H **123**
Thorneycroft Clo. *Tim* —6B **134**
Thorneycroft Rd. *Tim* —6B **134**
Thorney Dri. *Bram* —1E **161**
Thorney Hill Clo. *Oldh* —3E **73**
Thorneyholme Clo. *Los* —1A **44**
Thorneylea. *Whitw* —4H **15**
Thornfield Cres. *L Hul* —4B **62**
Thornfield Dri. *Swint* —4E **79**
Thornfield Gro. *Ash L* —2C **100**
Thornfield Gro. *Chea H*
—3C **150**
Thornfield Gro. *L Hul* —4B **62**
Thornfield Hey. *Wilm* —1H **167**
Thornfield Rd. *M19* —4A **126**
Thornfield Rd. *Stoc* —6C **125**
Thornfield Rd. *Tot* —4F **21**
Thornfield St. *Salf* —4D **92**
Thornfield Ter. *Ash L* —3A **100**
Thornford Wlk. *M40* —1D **84**
Thorngate Rd. *M8* —6C **82**
Thorn Gro. *M14* —1H **125**
Thorn Gro. *Chea H* —1C **160**
Thorn Gro. *Hale* —2G **145**
Thorn Gro. *Sale* —5B **122**
Thorngrove Av. *M23* —4D **134**
Thorngrove Dri. *Wilm* —3F **167**
Thorngrove Hill. *Wilm* —3F **167**
Thorngrove Ho. *M23* —4D **134**
Thorngrove Rd. *Wilm* —3F **167**
Thornham Clo. *Bury* —5C **22**
Thornham Dri. *Bolt* —5E **19**
Thornham La. *Mid* —1D **54**
Thornham La. *Rytn* —5A **40**
Thornham New Rd. *Roch*
—5D **40**
Thornham Old Rd. *Rytn*
—6G **41**
Thornham Rd. *Rytn* —6B **42**
Thornham Rd. *Sale* —1G **133**
Thornhill Clo. *Bolt* —2G **31**
Thornhill Clo. *Dent* —5A **112**
Thornhill Dri. *Wor* —3G **77**
Thornhill Rd. *Droy* —3B **98**
Thornhill Rd. *Ram* —2A **22**

Thornhill Rd. *Stoc* —1B **138**
Thornholme Clo. *M18* —4D **110**
Thornholme Rd. *Marp* —1D **154**
Thorniley Brow. *M4*
　　　　　　—3E **95** (3A **6**)
Thornlea. *M9* —1B **84**
Thorn Lea. *Bolt* —1F **33**
Thornlea Av. *Oldh* —2A **86**
Thornlea Av. *Swint* —5D **78**
Thorn Lea Clo. *Bolt* —6D **30**
Thornlea Dri. *Roch* —1D **26**
Thornlee Ct. *Grot* —4D **74**
Thornleigh Rd. *M14* —6E **109**
Thornley Av. *Bolt* —3G **31**
Thornley Clo. *Grot* —4C **74**
Thornley Cres. *Bred* —5G **129**
Thornley Cres. *Grot* —4C **74**
Thornley La. *Grot* —4C **74**
Thornley La. N. *Stoc* —4H **111**
Thornley La. S. *Stoc & Dent*
　　　　　　—5H **111**
Thornley Pk. Rd. *Grot* —4C **74**
Thornley Rd. *P'wch* —2G **67**
Thornleys Rd. *Dent* —3G **113**
Thornley St. *Hyde* —6C **114**
Thornley St. *Mid* —6B **54**
Thornley St. *Rad* —5H **49**
Thornmere Clo. *Wdly* —1C **78**
Thorn Pl. *Salf* —3H **93**
Thorn Rd. *Bram* —2F **161**
Thorn Rd. *Oldh* —6G **73**
Thorn Rd. *Swint* —5E **79**
Thorns Av. *Bolt* —1A **32**
Thorns Clo. *Bolt* —2H **31**
Thorns Clough. *Dig* —2C **60**
Thornsett Clo. *M9* —3G **83**
Thornsgreen Rd. *M22* —5B **148**
Thorns Rd. *Bolt* —2H **31**
Thorns, The. *M21* —2H **123**
Thorn St. *Bolt* —3B **32**
Thorn St. *S'seat* —6E **13**
Thorns Villa Gdns. *Wor* —6C **76**
Thornton Av. *Aud* —5C **98**
Thornton Av. *Bolt* —4D **30**
Thornton Av. *Urm* —5C **104**
Thornton Clo. *Farn* —2D **62**
Thornton Clo. *L Lev* —4C **48**
Thornton Clo. *Wor* —4A **76**
Thornton Dri. *Hand* —4H **159**
Thornton Ga. *Gat* —5E **137**
Thornton Pl. *Stoc* —5D **126**
Thornton Rd. *M14* —5E **109**
Thornton Rd. *H Grn* —4G **149**
Thornton Rd. *Wor* —4A **76**
Thornton St. *M40* —1G **95**
Thornton St. *Bolt* —6C **32**
Thornton St. *Oldh* —4D **72**
Thornton St. *Roch* —6H **27**
Thornton St. N. *M40* —6E **83**
Thorntree Clo. *M9* —4G **83**
Thorntree Pl. *Roch* —3F **27**
Thorn View. *Bury* —2G **37**
Thorn Wlk. *Part* —6C **118**
Thornway. *Bram* —5E **151**
Thornway. *H Lane* —6D **154**
Thornway. *Wor* —3C **76**
Thornwood Av. *M18* —3G **111**
Thorold Gro. *Sale* —5E **123**
Thorp Av. *Rad* —2B **50**
Thorpe Av. *Swint* —2E **79**
Thorpebrook Rd. *M40* —5A **84**
Thorpe Clo. *Aus* —1C **74**
Thorpe Clo. *Dent* —3F **113**
Thorpe Gro. *Stoc* —3F **127**
Thorpe Hall Gro. *Hyde* —1D **114**
Thorpe Hill. *Oldh* —2C **72**
Thorpe La. *Aud* —2F **113**
Thorpe La. *Aus & Scout*
　　　　　　—1B **74**
Thorpeness Sq. *M18* —1F **111**
Thorpe St. *M16* —3A **108**

Thorpe St. *Bolt* —3H **31**
Thorpe St. *Mid* —2E **69**
Thorpe St. *Ram* —4D **12**
Thorpe St. *Wor* —5F **63**
Thorpe View. Salf
　(off Ordsall Dri.) —6A **94** (3A **8**)
Thorp Rd. *M40* —5A **84**
Thorp Rd. *Rytn* —3B **56**
Thorp St. *Ecc* —5D **90**
Thorp St. *W'fld* —5C **50**
Thorp View. *Rytn* —1A **56**
Thorsby Av. *Hyde* —5D **114**
Thorsby Clo. *M18* —2G **111**
Thorsby Clo. *Brom X* —3D **18**
Thorsby Rd. *Tim* —6G **133**
Thorsby Way. *Dent* —6G **113**
Thorverton Sq. *M40* —3B **84**
Thrapston Av. *Aud* —4D **98**
Threaphurst La. *Haz G* —4A **154**
Threapwood Rd. *M22* —4C **148**
Three Acre Av. *Rytn* —3E **57**
Three Acres Dri. *Stoc* —4G **127**
Three Pits. *Mid* —2C **54**
Threlkeld Clo. *Mid* —6E **53**
Threlkeld Rd. *Bolt* —4B **18**
Threlkeld Rd. *Mid* —6E **53**
Thresher Clo. *Sale* —6F **123**
Threshfield Clo. *Bury* —4F **23**
Threshfield Dri. *Tim* —4B **134**
Throstle Bank St. *Hyde*
　　　　　　—3A **114**
Throstle Ct. *Rytn* —3B **56**
Throstle Gro. *Bury* —6C **22**
Throstle Gro. *Marp* —6B **142**
Throstle Hall Ct. *Mid* —6H **53**
Throstles Clo. *Droy* —2C **98**
Thrum Fold. *Roch* —6D **14**
Thrum Hall La. *Roch* —6D **14**
　(in three parts)
Thrush Av. *Farn* —1B **62**
Thrush Dri. *Bury* —1F **37**
Thrush St. *Roch* —2E **27**
Thruxton Clo. *M16* —4C **108**
Thurland Rd. *Oldh* —3G **73**
Thurland St. *Chad* —1E **71**
Thurlby Av. *M9* —4G **69**
Thurlby St. *M13* —3H **109**
Thurleigh Rd. *M20* —5F **125**
Thurleston Dri. *Bram* —2A **152**
Thurlestone Av. *Bolt* —4D **34**
Thurlestone Dri. *Urm* —4E **105**
Thurlestone Rd. *Alt* —6D **132**
Thurloe St. *M14* —4G **109**
Thurlow St. *Salf* —5F **93**
Thurlston Cres. *M8* —4C **82**
Thurlwood Av. *M20* —2E **125**
Thurnham St. *Bolt* —4G **45**
Thursby Av. *M20* —3E **125**
Thursby Wlk. *Mid* —5E **53**
Thursfield St. *Salf* —6F **81**
Thurstane St. *Bolt* —3G **31**
Thurston Clo. *Bury* —5E **51**
Thurston Clough Rd. *Scout &*
　　Dob —6E **59**
Thurston Grn. *Ald E* —5G **167**
Thyme Clo. *M21* —5B **124**
Thynne St. *Bolt* —1B **46**
Thynne St. *Farn* —6E **47**
Tiber Av. *Oldh* —2A **86**
Tib La. *M2* —4D **94** (6H **5**)
Tib St. *M4* —4E **95** (5B **6**)
Tib St. *Dent* —5F **113**
Tib St. *Ram* —4D **12**
Tichfield Rd. *Oldh* —5G **73**
Tidebrook Wlk. M40 —6F **83**
　(off Sedgeford Rd.)
Tideswell Av. *M40*
　　　　　　—2H **95** (1G **7**)
Tideswell Bank. *Glos* —6G **117**
Tideswell Clo. *H Grn* —6H **149**

Tideswell Rd. *Droy* —2G **97**
Tideswell Rd. *Haz G* —5E **153**
Tideswell Wlk. Glos —6G **117**
　(off Riber Bank)
Tideswell Way. *Dent* —1G **129**
Tideway Clo. *Salf* —3D **80**
Tidworth Av. *M4*
　　　　　　—3H **95** (4G **7**)
Tiefield Wlk. *M21* —2C **124**
Tiflis St. *Roch* —3G **27**
Tig Fold Rd. *Farn* —1A **62**
Tilbury St. *Oldh* —1C **72**
Tilbury Wlk. *M40* —1H **95**
Tilby Clo. *Urm* —5A **104**
Tildsley St. *Bolt* —3A **46**
Tilehurst Ct. *Salf* —4F **81**
Tile St. *Bury* —2D **36**
Tilgate Wlk. *M9* —6G **69**
　(off Haverfield Rd.)
Tillard Av. *Stoc* —3D **138**
Tillhey Rd. *M22* —3B **148**
Tillington Clo. *Bolt* —2A **32**
Tilney Av. *Stret* —6D **106**
Tilshead Wlk. *M13*
　　　　　　—1G **109** (6F **11**)
　(off Dilston Clo.)
Tilside Gro. *Los* —6A **30**
Tilson Rd. *Rnd I* —6E **135**
Tilstock Wlk. *M23* —3D **134**
Tilston Wlk. *Wilm* —5A **160**
Tilton St. *Oldh* —5G **57**
Timberbottom. *Bolt* —1E **33**
Timbercliffe. *L'boro* —6H **17**
Timberhurst. *Bury* —3H **37**
Timbersbrook Gro. *Wilm*
　　　　　　—5H **159**
Times St. *Mid* —1B **70**
Timothy Clo. *Salf* —2B **92**
Timperley Clo. *Oldh* —1F **87**
Timperley Fold. *Ash L* —5G **87**
Timperley Rd. *Ash L* —5G **87**
TIMPERLEY STATION. *M*
　　　　　　—3H **133**
Timperley St. *M11* —5E **97**
Timperley St. *Oldh* —2C **72**
Timpson Rd. *Rnd I* —4E **135**
Timsbury Clo. *Bolt* —2H **47**
Timson St. *Fail* —4F **85**
Tim's Ter. *Miln* —5F **29**
Tindall St. *Ecc* —5D **90**
Tindall St. *Stoc* —4H **111**
Tindle St. *Wor* —6H **63**
Tinker's Pas. *Hyde* —5C **114**
Tinker St. *Hyde* —4B **114**
Tinline St. *Bury* —3E **37**
Tinningham Clo. *M11* —6G **97**
Tinsdale Wlk. *Mid* —6E **53**
Tinshill Clo. *M12* —2C **110**
Tinsley Clo. *M40* —2A **96**
Tinsley Gro. *Bolt* —5D **32**
Tinsley Wlk. M40 —3A **96**
　(off Ridgway St.)
Tin St. *Bolt* —2A **46**
Tin St. *Oldh* —1B **72**
Tintagel Ct. *Rad* —2C **48**
Tintagel Ct. *Stal* —3D **100**
Tintagel Wlk. *Hyde* —4A **116**
Tintern Av. *M20* —4D **124**
Tintern Av. *Bolt* —3D **32**
Tintern Av. *Heyw* —1E **39**
Tintern Av. *L'boro* —2E **17**
Tintern Av. *Roch* —6E **15**
Tintern Av. *Urm* —1C **120**
Tintern Av. *W'fld* —5D **50**
Tintern Clo. *Poy* —2D **162**
Tintern Dri. *Hale* —3C **146**
Tintern Gro. *Stoc* —2B **140**
Tintern Pl. *Heyw* —1E **39**
Tintern Rd. *Chea H* —1D **160**
Tintern Rd. *Mid* —4H **53**
Tintern St. *M14* —5F **109**

Tintern Wlk. *Oldh* —5G **73**
Tipperary St. *C'brk* —6G **89**
Tipping St. *M12*
　　　　　　—6F **95** (3D **10**)
Tipping St. *Alt* —2F **145**
Tipton Clo. *Chea H* —1D **150**
Tipton Clo. *Rad* —2D **48**
Tipton Dri. *M23* —1H **135**
Tiptree Wlk. *M9* —3G **83**
Tiree Clo. *Haz G* —4F **153**
Tirza Av. *M19* —1B **126**
Tissington Bank. Glos —6F **117**
　(off Youlgreave Cres.)
Tissington Grn. Glos —6F **117**
　(off Youlgreave Cres.)
Tissington Ter. Glos —6F **117**
　(off Youlgreave Cres.)
Tissington Wlk. M15
　　　　　　—1C **108** (6E **9**)
　(off Ipstone Clo.)
Tithe Barn Clo. *Roch* —5B **16**
Tithe Barn Cres. *Bolt* —1D **32**
Tithebarn Rd. *Haleb* —5C **146**
Tithe Barn Rd. *Stoc* —5B **126**
Tithebarn St. *Bury* —3D **36**
Tithebarn St. *Rad* —3B **50**
Titherington Dri. *M19* —6F **111**
Titian Rise. *Oldh* —3H **57**
Titterington Av. *M21* —5H **107**
Tiverton Av. *Sale* —6H **121**
Tiverton Clo. *Rad* —2C **48**
Tiverton Dri. *Sale* —6H **121**
Tiverton Pl. *Ash L* —6E **87**
Tiverton Rd. *Urm* —3G **105**
Tiverton Wlk. *Bolt* —4G **31**
Tiviot Dale. *Stoc* —1H **139**
Tiviot Way. *Stoc* —6G **127**
Tivol St. *M3* —4C **94** (6F **5**)
Tixall Wlk. *M8* —1A **82**
Toad La. *Roch* —3H **27**
　(in two parts)
Tobermory Clo. *M11* —4F **97**
Tobermory Rd. *H Grn* —4G **149**
Toddbrook Clo. *M15*
　　　　　　—6C **94** (4F **9**)
Todd's Pl. *M8* —2E **83**
Todd St. *M3* —3E **95** (3A **6**)
Todd St. *Bury* —1C **36**
Todd St. *Heyw* —3C **38**
Todd St. *Roch* —4A **28**
Todd St. *Salf* —5H **81**
Todmorden Rd. *L'boro* —3H **1**
Toft Way. *Hand* —3A **160**
Toftwood Wlk. *M40* —6F **83**
Toledo St. *M11* —4F **97**
Tolland La. *Hale* —5H **145**
Tollard Av. *M40* —6F **83**
Tollard Clo. *Chea H* —1D **160**
Toll Bar St. *M12* —1A **110**
Tollbar St. *Stoc* —3H **139**
Tollemache Clo. *Mot* —2C **116**
Tollemache Rd. *Mot* —2C **116**
Tollesbury Clo. *M40* —1H **95**
Toll Ga. Clo. *M13* —3A **110**
Tollgate Way. *Roch* —3C **28**
Toll St. *Rad* —3D **48**
Tolworth Dri. *M8* —4D **82**
Tomcroft La. *Dent* —5D **112**
Tom La. *Alt* —6B **144**
Tomlinson Clo. *Oldh* —4C **72**
Tomlinson St. *M40* —6C **70**
Tomlinson St. *Roch* —1C **40**
Tomlin Sq. *Bolt* —6E **33**
Tom Lomas Wlk. *M11* —3D **96**
Tommy Browell Clo. *M14*
　　　　　　—4E **109**
Tommy Johnson Wlk. *M14*
　　　　　　—4E **109**
Tommy La. *Bolt* —4C **34**
Tommy Taylor Clo. *M40*
　　　　　　—6C **84**

Tom Shepley St. *Hyde* —5C **114**
Tonacliffe Rd. *Whitw* —4C **14**
Tonacliffe Ter. *Whitw* —2C **14**
Tonacliffe Way. *Whitw* —3C **14**
Tonbridge Clo. *Bury* —4C **22**
Tonbridge Pl. *Bolt* —4D **32**
Tonbridge Rd. *M19* —1D **126**
Tonbridge Rd. *Stoc* —1H **127**
Tong Clough. *Brom X* —3D **18**
(in two parts)
Tonge Bri. Way. *Bolt* —6D **32**
Tonge Bri. Way Ind. Est. *Bolt*
(off Tonge Bri. Way) —6D **32**
Tonge Clo. *W'fld* —6F **51**
Tonge Ct. *Mid* —1B **70**
Tonge Fold Rd. *Bolt* —6D **32**
Tonge Grn. *Mat* —1A **116**
Tonge Hall Clo. *Mid* —1B **70**
Tonge Moor Rd. *Bolt* —4D **32**
Tong End. *Whitw* —3G **15**
Tonge Old Rd. *Bolt* —6E **33**
Tonge Pk. Av. *Bolt* —4E **33**
Tonge Roughs. *Mid* —1D **70**
Tonge St. *M12* —6H **95** (3H **11**)
Tonge St. *Mid* —3E **71**
Tonge St. *Heyw* —3F **39**
Tonge St. *Roch* —5A **28**
Tongfields. *Eger* —3D **18**
Tong Head Av. *Bolt* —1D **32**
Tong La. *Whitw* —4G **15**
Tongley Wlk. *M40* —1D **84**
Tong Rd. *L Lev* —3A **48**
Tong St. *Kear* —4B **64**
Tonman St. *M3* —5C **94** (2F **9**)
Tontin St. *Salf* —3H **93**
Tooley Ho. *Ecc* —5F **91**
Toon Cres. *Bury* —5C **22**
Tootal Dri. *Salf* —2C **92**
Tootal Gro. *Salf* —3C **92**
Tootal Rd. *Salf* —3C **92**
Topaz St. *M11* —4B **96**
Topcroft Clo. *M22* —3C **136**
Topfield Rd. *M22* —2A **148**
Topfields. *Salf* —4H **81**
Topham St. *Bury* —5E **37**
(in two parts)
Topley St. *M40* —5F **83**
Top of Heap. *Heyw* —3B **38**
Top o' th' Fields. *W'fld* —2D **66**
(in two parts)
Top o' th' Gorses. *Bolt* —2E **47**
Top o' th' Grn. *Chad* —5A **72**
Top o' th' Meadow La. *Waterh*
—6C **58**
Topphome Ct. *Farn* —6C **58**
Topping Fold Rd. *Bury* —2G **37**
Toppings Grn. *Brom X* —4E **19**
Toppings, The. *Bred* —6G **129**
Topping St. *Bolt* —4A **32**
Topping St. *Bury* —2D **36**
Topp St. *Farn* —2G **63**
Topp Way. *Bolt* —5A **32**
Top Schwabe St. *Mid* —1E **69**
Topsham Wlk. *M40* —6D **84**
Top St. *Mid* —6H **53**
Top St. *Oldh* —1H **73**
Torah St. *M8* —1E **95**
Tor Av. *G'mnt* —2H **21**
Torbay Clo. *Bolt* —1G **45**
Torbay Dri. *Stoc* —4B **140**
Torbay Rd. *M21* —1A **124**
Torbay Rd. *Urm* —6G **105**
Torbrook Gro. *Wilm* —5H **159**
Torcross Rd. *M9* —3D **68**
Tor Hey M. *G'mnt* —1H **21**
Torkington Av. *Pen* —2F **79**
Torkington La. *Haz G* —2B **154**
Torkington Rd. *Gat* —6F **137**
Torkington Rd. *Haz G* —3E **153**
Torkington Rd. *Wilm* —3F **167**
Torkington St. *Stoc* —3F **139**

Torksey Wlk. *M9* —4D **68**
Torness Wlk. *Open* —4D **96**
Toronto Av. *Man A* —6H **147**
Toronto St. *Bolt* —5G **33**
Torpoint Wlk. *M40* —2D **84**
Torquay Clo. *M13*
—1G **109** (6F **11**)
Torquay Gro. *Stoc* —1B **152**
Torra Barn Clo. *Eger* —1C **18**
Torrax Clo. *Salf* —5H **79**
Torre Clo. *Mid* —4A **54**
Torrens St. *Salf* —6B **80**
Torridon Rd. *Bolt* —6H **33**
Torridon Wlk. *M22* —5A **148**
Torrin Clo. *Stoc* —6H **139**
Torrington Av. *M9* —1A **84**
Torrington Av. *Bolt* —3A **32**
Torrington Dri. *Hyde* —5H **115**
(in two parts)
Torrington Rd. *Pen* —5H **79**
Torrington St. *Heyw* —5G **39**
Torrisdale Clo. *Bolt* —2F **45**
Torver Dri. *Bolt* —5H **33**
Torver Dri. *Mid* —5F **53**
Torver Wlk. *M22* —4H **147**
Torwood Rd. *Chad* —6E **55**
Totland Clo. *M12* —4D **110**
Totley Av. *Glos* —6F **117**
(off Totley Grn.)
Totley Clo. *Glos* —6F **117**
(off Totley M.)
Totley Gdns. *Glos* —6F **117**
(off Totley M.)
Totley Grn. *Glos* —6F **117**
(off Totley M.)
Totley Lanes. *Glos* —6F **117**
(off Totley M.)
Totley M. *Glos* —6F **117**
Totley Pl. *Glos* —6F **117**
(off Totley M.)
Totnes Av. *Bram* —3A **152**
Totnes Av. *Chad* —6F **55**
Totnes Rd. *M21* —1A **124**
Totnes Rd. *Sale* —4F **121**
Totridge Clo. *Stoc* —6D **140**
Tottenham Dri. *M23* —4E **135**
Tottington Av. *Spring* —2B **74**
Tottington Rd. *Bolt* —6A **20**
Tottington Rd. *Bury* —6B **22**
Tottington Rd. *Tur & Bury*
—1B **20**
Tottington St. *M11* —3E **97**
Totton Rd. *Fail* —4F **85**
Touchet Hall Rd. *Mid* —3D **54**
Tours Av. *M23* —1G **135**
Towcester Clo. *M4*
—4H **95** (5H **7**)
Tower Av. *Ram* —4C **12**
Tower Dri. *Tur* —1G **19**
Tower Rd. *Man A* —6A **148**
Towers Av. *Bolt* —3E **45**
Towers Bus. Pk. *Manx* —2F **137**
Towers Clo. *Poy* —2F **163**
Tower Sq. *M13*
—1G **109** (5E **11**)
Towers Rd. *Poy* —6F **153**
Towers Rd. *Oldh* —6H **57**
Tower St. *Duk* —4B **100**
Tower St. *Heyw* —3E **39**
Tower St. *Hyde* —6B **114**
Tower St. *Rad* —3B **50**
Towey Clo. *M18* —1F **111**
Towncliffe Wlk. *M15*
—1B **108** (6D **8**)
Towncroft. *Dent* —3F **113**
Towncroft Av. *Mid* —5H **53**
Towncroft La. *Bolt* —4C **30**
Townend St. *Hyde* —5C **114**
Townfield. *Urm* —6D **104**
Townfield Gdns. *Alt* —6F **133**
Townfield Rd. *Alt* —6F **133**

Townfield St. *Oldh* —2F **73**
Townfield Wlk. *M15*
—1B **108** (6D **8**)
Town Fold. *Marp B* —4F **143**
Town Ga. Dri. *Urm* —5G **103**
Towngreen Ct. *M8* —1B **82**
Town Ho. Rd. *L'boro* —3F **17**
(in three parts)
Town La. *Dent* —6D **112**
Town La. *Duk* —5A **100**
Town La. *Roch* —1G **25**
Townley Rd. *Hyde* —1F **115**
Townley Rd. *Miln* —5F **29**
Townley St. *M8* —6B **82**
Townley St. *M11* —5B **96**
Townley St. *Mid* —6A **54**
Townley Ter. *Marp* —5E **143**
Town Mill Brow. *Roch* —4G **27**
Townscar Rd. *Heyw* —3G **39**
Townscliffe La. *Marp B* —4F **143**
Towns Croft Lodge. *Sale*
—3G **121**
Townsend Rd. *Pen* —2F **79**
Townside Fields. *Bury* —4D **36**
Townside Row. *Bury* —4D **36**
Townsley Gro. *Ash L* —6A **88**
Town Sq. *Sale* —5B **122**
Town Sq. Shopping Cen. *Oldh*
—2D **72**
Town St. *Marp B* —4F **143**
Towns Yd. *Rytn* —3C **56**
(off Cardigan St.)
Towton St. *M9* —3G **83**
Toxteth St. *M11* —6G **97**
Tracey St. *M8* —2C **82**
Traders Av. *Urm* —1G **105**
Trafalgar Av. *Aud* —6C **98**
Trafalgar Av. *Poy* —4G **163**
Trafalgar Clo. *Poy* —4G **163**
Trafalgar Ct. *M16* —5C **108**
Trafalgar Gro. *Salf* —6H **81**
Trafalgar Ho. *Alt* —5F **133**
Trafalgar Pl. *M20* —5E **125**
Trafalgar Rd. *Sale* —3C **122**
Trafalgar Rd. *Salf* —2A **92**
Trafalgar Sq. *Ash L* —4F **99**
Trafalgar Sq. *Moss* —2D **88**
Trafalgar Sq. *Ash L* —5E **99**
Trafalgar St. *Oldh* —1C **72**
Trafalgar St. *Roch* —3A **28**
Trafalgar St. *Salf* —6A **82**
Trafalgar Wlk. *Hulme* —2C **108**
Trafalgar Wlk. *Open* —5C **96**
Trafalgar Sq. *Roch* —4A **28**
Trafford Av. *Urm* —4G **105**
Trafford Bank Rd. *M16* —2A **108**
TRAFFORD BAR STATION. *M*
—2H **107**
Trafford Cen., The. *Urm*
—1G **105**
Trafford Ct. *M15*
—1B **108** (6C **8**)
Trafford Dri. *L Hul* —4D **62**
Trafford Dri. *Tim* —3B **134**
Trafford Enterprise Cen. *Traf P*
—1C **106**
Trafford Gro. *Farn* —6G **47**
Trafford Gro. *Stret* —6D **106**
Trafford Ho. *Stret* —2F **107**
Trafford Mans. *M16* —5H **107**
Trafford Pk. Rd. *Traf P* —5B **92**
TRAFFORD PARK STATION. *BR*
—4C **106**
Trafford Pl. *M15*
—1B **108** (6C **8**)
Trafford Pl. *Wilm* —3G **167**
Trafford Retail Pk. *Urm*
—2E **105**
Trafford Rd. *Ald E* —5G **167**
Trafford Rd. *Ecc* —5F **91**
Trafford Rd. *Salf* —1G **107**

Trafford Rd. *Wilm* —6F **159**
Trafford St. *M1* —5C **94** (2F **9**)
Trafford St. *Farn* —6F **47**
Trafford St. *Oldh* —4C **72**
Trafford St. *Roch* —6G **27**
Trafford Wharf Rd. *Traf P*
—5C **92**
Tragan Clo. *Stoc* —5D **140**
Tragan Dri. *Stoc* —5D **140**
Trail St. *Salf* —3E **93**
Tramore Wlk. *M22* —3B **148**
Tram St. *M11* —5E **97**
Tramway Rd. *Irl* —2D **118**
Tranby Clo. *M22* —1D **148**
Tranmere Clo. *M18* —1D **110**
Tranmere Dri. *Hand* —4A **160**
Tranmere Rd. *Stoc* —3C **138**
Transvaal St. *M11* —4F **97**
Travis Brow. *Stoc* —2F **139**
Travis Ct. *Rytn* —3C **56**
Travis St. *M1* —5F **95** (2D **10**)
Travis St. *Hyde* —5C **114**
Travis St. *Miln* —1F **43**
Travis St. *Shaw* —6F **43**
Trawden Av. *Bolt* —3G **31**
Trawden Dri. *Bury* —3E **23**
Trawden Grn. *Stoc* —1D **152**
Traylen Way. *Roch* —2C **26**
Tree Av. *Droy* —2A **98**
Tree Ho. Av. *Ash L* —5D **86**
Treelands Wlk. *Salf* —1H **107**
Trees St. *M8* —3B **82**
Tree Tops. *Brom X* —5G **19**
Treetops Av. *Ram* —6C **12**
Treetops Clo. *Dob* —5H **59**
Tree Wlk. *Stret* —6C **106**
Trefoil Way. *L'boro* —3D **16**
Tregaer Fold. *Mid* —1C **70**
Tremain Wlk. *M9* —4F **83**
(off Stockwood Wlk.)
Trenam Pl. *Salf* —3H **93**
Trenant Rd. *Salf* —6B **80**
Trenchard Ct. *M11* —3F **97**
Trenchard Dri. *M22* —6D **148**
Trencherbone. *Rad* —2E **49**
Trengrove St. *Roch* —2E **27**
Trent Av. *Chad* —1E **71**
Trent Av. *Heyw* —2C **38**
Trent Av. *Miln* —5G **29**
Trent Bri. Wlk. *M16* —4G **107**
Trent Clo. *M15* —1B **108** (6C **8**)
Trent Clo. *Bram* —1E **161**
Trent Clo. *Stoc* —4C **128**
Trent Ct. *M15* —1B **108** (6C **8**)
Trent Ct. *Stoc* —4F **139**
Trent Dri. *Bury* —3F **23**
Trent Dri. *Wor* —1D **76**
Trentham Av. *Farn* —6E **47**
Trentham Av. *Stoc* —6B **126**
Trentham Clo. *Farn* —6E **47**
Trentham Gro. *M40* —2A **84**
Trentham Lawns. *Salf* —1H **93**
Trentham Rd. *M16* —4G **107**
Trentham St. *M15*
—6A **94** (4B **8**)
Trentham St. *Farn* —6E **47**
Trentham St. *Swint* —2E **79**
Trent Rd. *Shaw* —5D **42**
Trent St. *Roch* —5B **28**
Trent Wlk. *Droy* —4B **98**
Trent Way. *Kear* —4B **64**
Tresco Av. *Stret* —6E **107**
Trevarrick Ct. *Oldh* —1G **73**
Trevelyan St. *Ecc* —3A **92**
Trevor Av. *Bolt* —5H **45**
Trevor Av. *Sale* —1H **133**
Trevor Dri. *M40* —1E **85**
Trevor Gro. *Stoc* —3A **140**
Trevor Rd. *Ecc* —2D **90**
Trevor Rd. *Swint* —5D **78**
Trevor Rd. *Urm* —4B **104**

Trevor St. *Open* —6G **97**
Trevor St. *Roch* —2B **40**
Triangle, The. *Tim* —4B **134**
Tribune Av. *B'hth* —4D **132**
Trident Rd. *Ecc* —6B **90**
Trillo Av. *Bolt* —1D **46**
Trimdon Clo. *M11* —3D **96**
Trimingham Dri. *Bury* —5C **22**
Trimley Av. *M40* —6F **83**
Tring Wlk. *M9* —6D **68**
Trinity Av. *Sale* —5D **122**
Trinity Clo. *Duk* —5C **100**
Trinity Ct. *Salf* —3B **94** (4D **4**)
Trinity Cres. *Wor* —1G **77**
Trinity Gdns. *Stoc* —2H **151**
Trinity Grn. *Ram* —1B **22**
Trinity Ho. *Oldh* —1C **72**
Trinity Retail Pk. *Bolt* —1C **46**
Trinity Rd. *Sale* —5C **122**
Trinity St. *Bolt* —1A **46**
Trinity St. *Bury* —4D **36**
Trinity St. *Marp* —5D **142**
Trinity St. *Mid* —1H **69**
Trinity St. *Oldh* —1C **72**
Trinity St. *Roch* —1A **26**
Trinity St. *Stal* —3E **101**
Trinity Ter. *Marp* —5E **143**
Trinity Wlk. *M14* —4F **109**
Trinity Way. *Salf* —4B **94** (5D **4**)
Trippier Rd. *Ecc* —5B **90**
Tripps M. *M20* —5D **124**
Triscombe Way. *M16* —4C **108**
Tristam Clo. *M13*
    —1G **109** (4E **11**)
Trojan Gdns. *Salf* —6G **81**
Trongate Wlk. *M9* —4G **83**
Troon Clo. *Bolt* —4D **44**
Troon Clo. *Bram* —6A **152**
Troon Dri. *H Grn* —4G **149**
Troon Rd. *M23* —5F **135**
Troughgate. *Oldh* —1B **86**
Troutbeck Av. *M4*
    —3G **95** (4F **7**)
Troutbeck Clo. *Hawk* —1D **20**
Troutbeck Dri. *Ram* —1E **13**
Troutbeck Rd. *Gat* —2F **149**
Troutbeck Rd. *Tim* —6D **134**
Troutbeck Wlk. *Rytn* —3C **56**
    (off Shaw St.)
Troutbeck Way. *Roch* —1B **40**
Trowbridge Dri. *M40* —2C **84**
Trowbridge Rd. *Dent* —6G **113**
Trows La. *Roch* —4D **40**
Trowtree Av. *M12* —1A **110**
Troydale Dri. *M40* —5A **84**
Troy Wlk. *Salf* —6H **93**
Trumpet St. *M1* —5D **94** (2G **9**)
Truro Av. *Ash L* —4H **87**
Truro Av. *Stoc* —4C **128**
Truro Av. *Stret* —5E **107**
Truro Clo. *Bram* —6H **151**
Truro Clo. *Bury* —2B **36**
Truro Dri. *Sale* —5F **121**
Truro Rd. *Chad* —6G **55**
Truro Wlk. *Dent* —6F **113**
Trust Rd. *M18* —4E **111**
Tudor Av. *M9* —2G **83**
Tudor Av. *Bolt* —6F **31**
Tudor Av. *Chad* —6D **70**
Tudor Av. *Farn* —2D **62**
Tudor Av. *Stal* —2H **101**
Tudor Clo. *Moss* —2G **89**
Tudor Clo. *Stoc* —2G **127**
Tudor Ct. *Bolt* —5A **32**
Tudor Ct. *Heyw* —4E **39**
Tudor Ct. *P'wch* —6G **67**
Tudor Ct. *Roch* —2B **28**
Tudor Grn. *Wilm* —6A **160**
Tudor Gro. *Mid* —4F **53**
Tudor Hall St. *Roch* —3C **40**
Tudor Ind. Est. *Duk* —1G **113**

Tudor Rd. *B'hth* —4D **132**
Tudor Rd. *Wilm* —6A **160**
Tudor St. *Bolt* —3G **45**
Tudor St. *Mid* —1B **70**
Tudor St. *Oldh* —4B **72**
    (in two parts)
Tudor St. *Shaw* —6F **43**
Tuer St. *M13* —1E **109** (6B **10**)
Tuffley Rd. *M23* —2G **147**
Tufton Wlk. *M9* —4F **83**
Tugford Clo. *M16* —3C **108**
Tuley St. *M11* —6B **96**
Tulip Av. *Farn* —6C **46**
Tulip Av. *Kear* —3H **63**
Tulip Clo. *Chad* —2E **71**
Tulip Clo. *Sale* —5E **121**
Tulip Clo. *Stoc* —6F **139**
Tulip Dri. *Tim* —5H **133**
Tulip Gro. *Roch* —6E **15**
Tulip Rd. *Part* —6C **118**
Tulip Wlk. *Salf* —1B **94**
Tulle Ct. *P'wch* —5E **67**
Tully Pl. *Salf* —1C **94**
Tully St. *Salf* —4A **82**
Tully St. S. *Salf* —5A **82**
Tulpen Sq. *Chad* —2H **71**
Tulworth Rd. *Poy* —3D **162**
Tumblewood Dri. *Chea*
    —1H **149**
Tumbling Bank. *M9* —6F **69**
Tumbling Bank Ter. *Lees*
    —4B **74**
Tunbridge Sq. *Salf* —3G **93**
Tunshill Gro. *Miln* —5G **29**
Tunshill La. *Miln* —4H **29**
Tunshill Rd. *M23* —2E **135**
Tuns Rd. *Oldh* —1F **87**
Tunstall Rd. *Oldh* —3G **73**
Tunstall St. *M11* —6G **97**
Tunstall St. *Stoc* —6G **127**
Tunstead Av. *M20* —3D **124**
Tunstead La. *G'fld* —3G **61**
Turbary Wlk. *Miln* —5D **28**
Turdor Ct. *Ram* —5A **32**
Turf Clo. *Rytn* —4C **56**
Turf Hill Rd. *Roch* —6B **28**
Turf Ho. Clo. *L'boro* —2D **16**
Turfland Av. *Rytn* —4C **56**
Turf La. *Chad* —6F **71**
Turf La. *Rytn* —4C **56**
    (in two parts)
Turf Lea Rd. *Marp* —4F **155**
Turfnell Way. *Wor* —6A **78**
Turf Pk. Rd. *Rytn* —4C **56**
Turf Pit La. *Oldh* —4A **58**
Turf Pits. *Oldh* —4A **58**
Turf St. *Rad* —4F **49**
Turf Ter. *L'boro* —3E **17**
Turfton Rd. *Rytn* —4D **56**
Turks Rd. *Rad* —2D **48**
Turley St. *M8* —5D **82**
Turnberry. *Bolt* —4D **44**
Turnberry Dri. *Wilm* —1F **167**
Turnberry Rd. *H Grn* —4G **149**
Turnberry Wlk. *M8* —3E **83**
Turnbull Av. *P'wch* —2G **67**
Turnbull Rd. *Gort* —3H **111**
Turnbull Rd. *Long* —6B **110**
Turnbull St. *M9* —5F **83**
Turnbury Clo. *Sale* —3B **122**
Turncliffe Cres. *Marp* —4B **142**
Turncroft La. *Stoc* —2A **140**
Turncroft Way. *Wor* —4B **76**
Turner Av. *Fail* —5E **85**
Turner Av. *Irl* —4E **103**
Turner Bri. Rd. *Bolt* —5E **33**
Turner Dri. *Urm* —5H **105**
Turnerford Clo. *Eger* —2C **18**
Turner Gdns. *Hyde* —3C **114**
Turner La. *Ash L* —1H **99**
Turner La. *Hyde* —3D **114**

Turner La. *Rom* —2F **129**
Turner Rd. *Marp* —5D **142**
Turners Pl. *Roch* —6E **15**
Turner St. *M4* —3E **95** (4B **6**)
Turner St. *M11* —4E **97**
Turner St. *M16* —1A **108** (5B **8**)
Turner St. *Ash L* —1H **99**
Turner St. *Bolt* —5C **32**
Turner St. *Dent* —2E **113**
Turner St. *Duk* —5G **99**
Turner St. *Gort* —2F **111**
Turner St. *Lees* —1A **74**
Turner St. *Roch* —2G **27**
Turner St. *Salf* —4A **82**
Turner St. *Stoc* —1H **139**
Turnfield Clo. *Roch* —6B **16**
Turnfield Rd. *Chea* —2G **149**
Turnhill Rd. *Roch* —2H **41**
Turn Moss Rd. *Stret* —6F **107**
Turnough Rd. *Miln* —4F **29**
Turnpike Clo. *Dig* —2C **60**
Turnpike Ct. *M16* —4B **108**
Turnpike Grn. *Salf* —2F **93**
    (off Nursery St.)
Turnpike, The. *Marp* —4B **142**
Turnpike Wlk. *M11* —4B **96**
Turnstone Rd. *Bolt* —1C **46**
Turnstone Rd. *Stoc* —6G **141**
Turton Av. *L Lev* —3A **48**
Turton Clo. *Bury* —5G **35**
Turton Clo. *Heyw* —5C **38**
Turton Heights. *Bolt* —5F **19**
Turton Heights. *Tur* —1B **20**
Turton Ho. *Bolt* —5B **32**
Turton Rd. *Bolt* —5F **19**
Turton Rd. *Tot* —1C **20**
Turton St. *Bolt* —5B **32**
Turton St. *Open* —6F **97**
Turves Rd. *Chea H* —4A **150**
Tuscan Rd. *M20* —3F **137**
Tuscany View. *Salf* —3F **81**
Tutbury St. *M4* —4H **95** (6G **7**)
Tuxford Wlk. *M40* —6F **83**
    (off Monsall St.)
Tweedale Av. *M9* —4E **69**
Tweedale St. *Roch* —6G **27**
Tweedale Way. *Oldh* —1G **85**
Tweed Clo. *Alt* —5E **133**
Tweed Clo. *Oldh* —4C **72**
Tweedle Hill Rd. *M9* —5D **68**
Tweedsdale Clo. *W'fld* —6F **51**
Tweenbrook Av. *M23* —2G **147**
Twelve Yards Rd. *Ecc* —2D **102**
Twentypits Clo. *M16* —3D **108**
Twigworth Rd. *M22* —3A **148**
Twining Brook Rd. *Chea H*
    —2D **150**
Twining Rd. *Traf P* —5F **91**
Twinnies Ct. *Wilm* —6F **159**
Twinnies Rd. *Wilm* —6F **159**
Twin St. *Heyw* —4G **39**
Twirl Hill Rd. *Ash L* —2A **88**
Twisse Rd. *Bolt* —6H **33**
Twoacre Av. *M22* —6A **136**
Two Acre Dri. *Shaw* —5D **42**
Two Acre La. *Spring* —5C **58**
Two Bridges Rd. *Miln* —2F **43**
Two Brooks La. *Hawk* —1D **20**
Two Trees La. *Dent* —5F **113**
Twyford Clo. *M20* —6D **124**
Tybyrne Clo. *Wor* —4B **76**
Tydden St. *Oldh* —6D **72**
Tydeman Wlk. *Miln* —6F **29**
Tyersall Clo. *Ecc* —1G **91**
Tyldesley Ho. *Salf* —2F **93**
    (off Sutton Dwellings)
Tyldesley St. *M14* —4E **109**
Tyler St. *Ald E* —5G **167**
Tymm St. *M40* —3C **84**
Tyndall Av. *M40* —2A **84**
Tyndall St. *Oldh* —3G **73**

Tyne Ct. *Wor* —6E **63**
Tynedale Clo. *Stoc* —4H **127**
Tynesbank. *Wor* —1E **77**
Tynesbank Old Farm. *L Hul*
    (off Tynesbank) —6E **63**
Tyne St. *Oldh* —2G **73**
Tynwald St. *Oldh* —2G **73**
Tynwell Wlk. *M40* —6E **83**
Tyrol Wlk. *M11* —5B **96**
Tyrone Clo. *M23* —3D **134**
Tyrone Dri. *Roch* —6A **26**
Tyro St. *Oldh* —6D **72**
Tyrrell Gro. *Hyde* —6E **115**
Tyrrell Rd. *Stoc* —6H **111**
Tysoe Gdns. *Salf*
    —3B **94** (3D **4**)
Tyson St. *M8* —3B **82**
Tywald Mt. *Rytn* —4C **56**

U

Uganda St. *Bolt* —5G **45**
Ukraine Rd. *Salf* —5F **81**
Uldale Dri. *Mid* —6G **53**
Ullesthorpe. *Roch* —3G **27**
    (off Spotland Rd.)
Ulleswater Clo. *L Lev* —4H **47**
Ulleswater St. *Bolt* —3B **32**
Ullock Wlk. *Mid* —5F **53**
Ullswater Av. *Ash L* —1G **99**
Ullswater Av. *Roch* —2E **27**
Ullswater Av. *Rytn* —1B **56**
Ullswater Dri. *Bury* —6C **36**
Ullswater Dri. *Farn* —2A **62**
Ullswater Dri. *Mid* —4H **53**
Ullswater Gro. *Heyw* —5F **39**
Ullswater Rd. *Hand* —3G **159**
Ullswater Rd. *Stoc* —4B **140**
Ullswater Rd. *Urm* —3A **104**
Ullswater Ter. *Stal* —1E **101**
Ullswater Wlk. *M9* —6G **69**
    (off Rockmead Dri.)
Ulster Av. *Roch* —6G **27**
Ulundi St. *Rad* —4G **49**
Ulverston Av. *M20* —2D **124**
Ulverston Av. *Chad* —3G **71**
Una Rd. *Moss* —6G **75**
Uncouth Rd. *Roch* —4E **29**
Underhill. *Rom* —1H **141**
Underhill Rd. *Oldh* —6C **56**
Underhill Wlk. *M40* —1D **96**
Under La. *Chad* —6H **71**
Under La. *Grot* —5D **74**
Under St. *Chad* —6H **71**
Underwood. *Roch* —4G **27**
Underwood Clo. *M18* —1H **111**
Underwood Ct. *Hyde* —5H **115**
Underwood Rd. *Ald E* —5H **167**
Underwood Rd. *Hyde* —5G **115**
Underwood St. *Duk* —5H **99**
Underwood Wlk. *Hyde*
    —5H **115**
Underwood Way. *Shaw* —5H **43**
Undsworth Ct. *Heyw* —3F **39**
Unicorn St. *Ecc* —5D **90**
Unicorn St. *Rad* —4E **49**
Union Arc. *Bury* —3D **36**
Union Pl. *Bury* —3D **36**
Union Rd. *Ash L* —1A **100**
Union Rd. *Bolt* —3C **32**
Union Rd. *Marp* —5D **142**
Union Rd. *Roch* —5C **16**
Union St. *M4* —3E **95** (4B **6**)
Union St. *M14* —4F **109**
Union St. *Abb H* —1G **111**
Union St. *Ard* —6G **95** (3F **11**)
Union St. *Ash L* —1H **99**
Union St. *Bolt* —5B **32**
    (in two parts)
Union St. *Bury* —3D **36**
Union St. *Chad* —5H **71**
Union St. *Eger* —1B **18**

Union St. *Hyde* —5B **114**
Union St. *Lees* —3A **74**
Union St. *Mid* —6A **54**
Union St. *Oldh* —3C **72**
Union St. *Pen* —3G **79**
(Pendlebury)
Union St. *Pen* —3E **79**
(Swinton)
Union St. *Ram* —3E **13**
Union St. *Rytn* —3B **56**
Union St. *Salf* —1G **93**
Union St. *Stoc* —3H **139**
Union St. *Whitw & Roch*
(Rochdale) —3H **27**
Union St. *Whitw* —1C **14**
(Whitworth)
Union St. W. *Oldh* —3C **72**
(in two parts)
Union Yd. *Oldh* —2F **73**
United Md. *M16* —2E **107**
United Trad. Est. *M16* —2E **107**
Unity Clo. *Heyw* —4D **38**
Unity Cres. *Heyw* —4D **38**
Unity St. *Heyw* —4D **38**
Unity Way. *Stoc* —3H **139**
University Rd. *Salf* —2H **93**
(in two parts)
University Rd. W. *Salf* —3H **93**
Unsworth St. *Rad* —3F **49**
Unsworth Way. *Oldh* —1C **72**
Unwin Av. *M18* —3F **111**
Upavon Ct. *M8* —5B **82**
Upavon Rd. *M22* —2D **148**
Upcast La. *Wilm* —6A **166**
Upland Dri. *L Hul* —3B **62**
Upland Rd. *Oldh* —5C **72**
Uplands. *Mid* —2A **70**
Uplands Av. *Rad* —5A **50**
Uplands Rd. *Hyde* —3E **131**
Uplands Rd. *Urm* —1A **120**
Uplands, The. *Moss* —2F **89**
Up. Brook St. *M13* —6F **95** (4C **10**)
Up. Brook St. *Stoc* —2H **139**
Up. Camp St. *Salf* —6H **81**
Up. Chorlton Rd. *M16* —5A **108**
Up. Cliff Hill. *Shaw* —4G **43**
Up. Conran St. *M9* —3G **83**
Up. Cyrus St. *M40* —3A **96**
Up. Downs. *Bow* —2E **145**
Up. George St. *Roch* —2H **27**
Up. Gloucester St. *Salf* —2G **93**
Up. Hayes Clo. *Roch* —3C **28**
Up. Helena St. *M40* —3A **96**
Up. Hibbert La. *Marp* —1D **154**
Up. Kent Rd. *M14* —4H **109**
Up. Kirby St. *M4* —4G **95** (5F **7**)
Up. Lloyd St. *M14* —4E **109**
Up. Mead. *Eger* —2D **18**
Up. Medlock St. *M15* —1D **108** (5H **9**)
Uppermill Dri. *M19* —6H **125**
Up. Monsall St. *M40* —5G **83**
Up. Moss La. *M15* —1C **108** (6E **9**)
Up. Park Rd. *M14* —3G **109**
Up. Park Rd. *Salf* —2H **81**
Up. Passmonds Gro. *Roch* —3D **26**
Upperstone Dri. *Miln* —5D **28**
Up. West Gro. *M13* —2H **109**
Up. Wharf St. *Salf* —4A **94** (5B **4**)
Up. Wilton St. *P'wch* —5G **67**
Uppingham Dri. *Ram* —2D **12**
Upton. *Roch* —5G **27**
Upton Av. *Chea H* —5C **150**
Upton Av. *Stoc* —5A **126**
Upton Clo. *Mid* —4A **70**
Upton Dri. *Tim* —3G **133**
Upton St. *M1* —4F **95** (1C **10**)

Upton Wlk. *Ash L* —4G **99**
Upton Way. *Hand* —2H **159**
Upton Way. *Wals* —6H **21**
Upwood Wlk. *M9* —6G **69**
Urban Av. *Alt* —1G **145**
Urban Dri. *Alt* —1G **145**
Urban Rd. *Alt* —1G **145**
Urban Rd. *Sale* —5A **122**
Urmson St. *Oldh* —6D **72**
Urmston La. *Stret* —6A **106**
Urmston Pk. *Urm* —5G **105**
URMSTON STATION. *BR* —5F **105**
Urwick Rd. *Rom* —1H **141**
Usk Clo. *W'fld* —2G **67**
Utley Field View. *Hale* —2G **145**
Uttley St. *Bolt* —3H **31**
Uttley St. *Roch* —1C **40**
Uvedale Ho. *Ecc* —4F **91**
(off Adelaide St.)
Uxbridge Av. *M11* —3E **97**
Uxbridge St. *Ash L* —2G **99**

Vaal St. *Oldh* —6A **72**
Valance Clo. *M12* —1C **110**
Valdene Clo. *Farn* —2F **63**
Valdene Dri. *Farn* —2F **63**
Valdene Dri. *Wor* —3F **77**
Vale Av. *Bury* —6B **36**
Vale Av. *Hyde* —4E **115**
Vale Av. *Pen* —2G **79**
Vale Av. *Rad* —2C **64**
Vale Av. *Sale* —4E **123**
Vale Av. *Urm* —6A **104**
Vale Clo. *Haz G* —1E **153**
Vale Clo. *Rom* —1D **142**
Vale Clo. *Stoc* —1B **138**
Vale Coppice. *BL0* —6E **13**
Vale Cotts. *L'boro* —4E **17**
Vale Ct. *Bow* —4D **144**
Vale Ct. *Mid* —1B **70**
Vale Ct. *Stoc* —1B **138**
Vale Cres. *Chea H* —3B **150**
Vale Dri. *Oldh* —3B **72**
Vale Dri. *P'wch* —1E **81**
Vale Edge. *Rad* —2G **49**
Vale Head. *Hand* —5A **160**
Vale La. *Fail* —1A **98**
Valencia Rd. *Salf* —5F **81**
Valentia Rd. *M9* —5F **69**
Valentine St. *Fail* —4E **85**
Valentine St. *Oldh* —3G **73**
Valerie Wlk. *M15* —6D **94** (4H **9**)
(off Loxford St.)
Vale Rd. *Bow* —4D **144**
Vale Rd. *C'brk* —5G **89**
Vale Rd. *Droy* —2B **98**
Vale Rd. *Rom* —2H **141**
Vale Rd. *Shaw* —1H **57**
Vale Rd. *Stoc* —2B **138**
Vale Rd. *Tim* —5B **134**
Vale Rd. *Wilm* —1C **166**
Vale Side. *Moss* —3E **89**
Vale St. *M11* —3E **97**
Vale St. *Ash L* —5E **87**
Vale St. *Bolt* —6A **34**
Vale St. *Heyw* —3G **39**
(in two parts)
Vale St. *Mid* —1B **70**
Vale, The. *Moss* —2D **88**
Vale Top Av. *M9* —4H **83**
Valetta Clo. *M14* —1F **125**
Valewood Av. *Stoc* —2C **138**
Valiant Wlk. *M40* —2E **85**
Valletts La. *Bolt* —4G **31**
Valley Av. *Bury* —6B **22**
Valley Clo. *Chea* —2A **150**
Valley Clo. *Moss* —1D **88**
Valley Cotts. *Moss* —1F **89**

Valley Ct. *Stoc* —2D **138**
Valley Dri. *Hand* —4G **159**
Valley Gdns. *Hyde* —6A **116**
Valley Gro. *Dent* —5H **113**
Valley New Rd. *Rytn* —4C **56**
Valley Pk. Rd. *P'wch* —4D **66**
Valley Rise. *Shaw* —4E **43**
Valley Rd. *Bram* —4H **151**
Valley Rd. *Bred* —5D **128**
Valley Rd. *Chea* —1A **150**
Valley Rd. *Hyde* —6A **116**
Valley Rd. *Mid* —5B **54**
Valley Rd. *Roch* —1E **41**
Valley Rd. *Rytn* —4C **56**
Valley Rd. *Stoc* —2B **138**
Valley Rd. *Urm* —3H **103**
Valley Rd. S. *Urm* —5G **103**
Valley View. *Brom X* —4E **19**
Valley View. *Hyde* —3E **115**
Valley View. *Whitw* —1H **15**
Valley Wlk. *M11* —4B **96**
Valley Way. *Stal* —4G **101**
Valpy Av. *Bolt* —2D **32**
Vancouver Quay. *Salf* —6F **93**
Vandyke Av. *Salf* —1B **92**
Vandyke St. *Roch* —2B **26**
Vane St. *Ecc* —3F **91**
(in two parts)
Vanguard Clo. *Ecc* —6B **90**
Vannes Gro. *Mot* —4B **116**
Vantomme St. *Bolt* —1A **32**
Vant St. *Oldh* —5G **73**
Varden Gro. *Stoc* —6F **139**
Varden Rd. *Poy* —4F **163**
Vardon Dri. *Wilm* —3G **167**
Varey St. *M18* —2F **111**
Varley Rd. *Bolt* —3E **45**
Varley St. *M40* —1H **95**
Varna St. *M11* —6F **97**
Vauban Dri. *Salf* —2B **92**
Vaudrey Dri. *Chea H* —2C **150**
Vaudrey Dri. *Haz G* —3E **153**
Vaudrey Dri. *Tim* —3A **134**
Vaudrey La. *Dent* —5G **113**
Vaudrey Rd. *Woodl* —4G **129**
Vaudrey St. *Stal* —4E **101**
Vaughan Av. *M40* —3A **84**
Vaughan Gro. *Lees* —3B **74**
Vaughan Ind. Est. *M12* —6B **96**
Vaughan Rd. *M21* —1B **124**
Vaughan Rd. *Stoc* —6F **127**
Vaughan St. *M12* —6B **96**
Vaughan St. *Ecc* —2D **90**
Vaughan St. *Rytn* —4C **56**
Vauxhall St. *M40* —1F **95**
Vavasour Ct. *Roch* —5B **28**
Vavasour St. *Roch* —5B **28**
(in two parts)
Vawdrey Dri. *M23* —1F **135**
Vaynor. *Roch* —3G **27**
(off Spotland Rd.)
Vega St. *M8* —1C **94**
Veitch M. *Chea* —6H **137**
Vela Wlk. *Salf* —2A **94** (1B **4**)
Velmere Av. *M9* —4C **68**
Velour Clo. *Salf* —2B **94** (1C **4**)
Velvet Ct. *M1* —5E **95** (2B **10**)
(off Granby Row)
Velvet Sq. *M1* —5E **95** (2B **10**)
(off Bombay St.)
Vendale Av. *Swint* —5D **78**
Venesta Av. *Salf* —1B **92**
Venetia St. *M40* —6C **84**
Venice Ct. *M1* —5E **95** (2B **10**)
(off Samuel Ogden St.)
Venice Sq. *M1* —5E **95** (2B **10**)
Venice St. *M1* —5E **95** (1B **10**)
Venice St. *Bolt* —3G **45**
Venlo Gdns. *Chea H* —4D **150**
Ventnor Av. *M19* —1D **126**
Ventnor Av. *Bolt* —2B **32**

Ventnor Av. *Bury* —4D **50**
Ventnor Av. *Sale* —3B **122**
Ventnor Clo. *Dent* —1H **129**
Ventnor Rd. *M20* —6G **125**
Ventnor Rd. *Stoc* —1C **138**
Ventnor St. *M9* —3F **83**
Ventnor St. *Roch* —6H **27**
Ventnor St. *Salf* —6F **81**
Ventura Clo. *M14* —6E **109**
Venwood Rd. *P'wch* —1D **80**
Verbena Av. *Farn* —6C **46**
Verbena Clo. *Part* —6D **118**
Verdant La. *Ecc* —5B **90**
Verdon St. *M4* —2E **95** (2A **6**)
Verdun Av. *Salf* —2B **92**
Verdun Cres. *Roch* —3E **27**
Verdun Rd. *Ecc* —1D **90**
Verdure Av. *Bolt* —5C **30**
Verdure Av. *Sale* —2C **134**
Verdure Clo. *Fail* —4H **85**
Vere St. *Salf* —4F **93**
Verity Clo. *M20* —3F **125**
Verity Clo. *Rytn* —5B **56**
Verity Wlk. *M9* —6D **68**
Vermont St. *Bolt* —5H **31**
Verne Av. *Swint* —3E **79**
Verne Dri. *Oldh* —2A **58**
Verney Rd. *Rytn* —5C **56**
Vernham Wlk. *Bolt* —3A **46**
Vernon Av. *Ecc* —3H **91**
Vernon Av. *Stoc* —1B **140**
Vernon Av. *Stret* —6D **106**
Vernon Clo. *Chea H* —4A **150**
Vernon Clo. *Poy* —5D **162**
Vernon Ct. *Salf* —2G **93**
Vernon Dri. *Marp* —4B **142**
Vernon Dri. *P'wch* —1E **81**
Vernon Gro. *Ecc* —3H **91**
Vernon Gro. *Sale* —5E **123**
Vernon Ho. *Stoc* —2B **140**
Vernon Lodge. *Poy* —5D **162**
Vernon Pk. *Tim* —4A **134**
Vernon Rd. *Bred* —6E **129**
(in two parts)
Vernon Rd. *Droy* —3G **97**
Vernon Rd. *G'mnt* —2H **21**
Vernon Rd. *Poy* —5D **162**
Vernon Rd. *Salf* —2G **81**
Vernon St. *Ash L* —1A **100**
Vernon St. *Bolt* —5A **32**
Vernon St. *Bury* —1D **36**
Vernon St. *Farn* —6G **47**
Vernon St. *Harp* —4G **83**
Vernon St. *Haz G* —2D **152**
Vernon St. *Hyde* —5C **114**
Vernon St. *Moss* —1E **89**
Vernon St. *Old T* —2B **108**
Vernon St. *Salf* —6H **81**
Vernon St. *Stoc* —1H **139**
Vernon Ter. *M12* —2B **110**
Vernon View. *Bred* —6F **129**
Vernon Wlk. *Bolt* —5A **32**
Vernon Wlk. *Stoc* —2G **139**
Verona Dri. *M40* —1E **97**
Veronica Rd. *M20* —6G **125**
Verrill Av. *M23* —2A **136**
Verwood Wlk. *M23* —6G **135**
Vesper St. *Fail* —3G **85**
Vesta St. *M4* —4G **95** (5F **7**)
Vesta St. *Ram* —3D **12**
Vestris Dri. *Salf* —2B **92**
Viaduct Rd. *B'hth* —4F **133**
Viaduct St. *M12* —5A **96**
Viaduct St. *Salf* —3C **94** (3F **5**)
Viaduct St. *Stoc* —2G **139**
Vicarage Av. *Chea H* —5D **150**
Vicarage Clo. *Bury* —3E **23**
Vicarage Clo. *Duk* —5C **100**
Vicarage Clo. *Salf* —2B **92**
Vicarage Clo. *Spring* —2B **74**
Vicarage Cres. *Ash L* —6H **87**

Vicarage Dri. *Duk* —5B **100**
Vicarage Dri. *Roch* —6A **16**
Vicarage Gdns. *Hyde* —5C **114**
Vicarage Gro. *Ecc* —3H **91**
Vicarage La. *Bolt* —2G **31**
Vicarage La. *Bow* —4E **145**
Vicarage La. *Mid* —2D **70**
Vicarage La. *Poy* —2D **162**
Vicarage Rd. *Ash L* —6F **87**
Vicarage Rd. *Irl* —5E **103**
Vicarage Rd. *Stoc* —5G **139**
Vicarage Rd. *Swint* —3E **79**
Vicarage Rd. *Urm* —3D **104**
Vicarage Rd. *Wor* —5E **63**
Vicarage Rd. N. *Roch* —4C **40**
Vicarage Rd. S. *Roch* —4C **40**
Vicarage St. *Bolt* —2H **45**
Vicarage St. *Oldh* —6A **72**
Vicarage St. *Rad* —4G **49**
Vicarage St. *Shaw* —6F **43**
Vicarage View. *Roch* —4D **40**
Vicarage Way. *Shaw* —1E **57**
Vicars Dri. *Roch* —5H **27**
Vicars Hall Gdns. *Wor* —5B **76**
Vicars Hall La. *Wor* —6B **76**
Vicars Rd. *M21* —1G **123**
Vicars St. *Ecc* —2H **91**
Viceroy Ct. *Manx* —1F **137**
Vicker Clo. *Clif* —1F **79**
Vicker Gro. *M20* —4D **124**
Vickerman St. *Bolt* —3H **31**
Vickers St. *M40* —2A **96**
Vickers St. *Bolt* —2H **45**
Victor Av. *Bury* —1C **36**
Victoria Av. *M9* —4B **68**
Victoria Av. *Bred* —6F **129**
Victoria Av. *Chea H* —3C **150**
Victoria Av. *Did* —6E **125**
Victoria Av. *Ecc* —2H **91**
Victoria Av. *Haz G* —2E **153**
Victoria Av. *Lev* —1C **126**
Victoria Av. *Swint* —3G **79**
Victoria Av. *Tim* —4G **133**
Victoria Av. *W'fld* —1E **67**
Victoria Av. E. *M9* —5G **69**
Victoria Bri. St. *Salf*
—3D **94** (3G 5)
Victoria Building, The. *Salf*
—6F **93**
Victoria Clo. *Bram* —1F **161**
Victoria Clo. *Stoc* —4G **139**
Victoria Clo. *Wor* —6C **78**
Victoria Ct. *Ash L* —4G **99**
Victoria Ct. *Farn* —5E **47**
Victoria Ct. *Stret* —5C **106**
Victoria Cres. *Ecc* —2H **91**
Victoria Dri. *Sale* —6D **122**
Victoria Gdns. *Hyde* —3D **114**
Victoria Gdns. *Shaw* —6F **43**
Victoria Gro. *M14* —2G **125**
Victoria Gro. *Bolt* —4G **31**
Victoria Gro. *Stoc* —4E **127**
Victoria Ind. Est. *M4*
—4H **95** (5G **7**)
Victoria La. *Swint* —3D **78**
Victoria La. *W'fld* —2D **66**
Victoria Lodge. *Salf* —6G **81**
Victoria M. *Bury* —5F **51**
Victoria Pde. *Urm* —5F **105**
Victoria Pk. *Stoc* —3B **140**
Victoria Pl. *Dent* —1G **129**
Victoria Rd. *Bolt* —6B **30**
Victoria Rd. *Duk* —1A **114**
Victoria Rd. *Ecc* —2G **91**
Victoria Rd. *Fall* —1F **125**
Victoria Rd. *Hale* —2F **145**
Victoria Rd. *Irl* —6D **102**
Victoria Rd. *Kear* —3A **64**
Victoria Rd. *Lev* —6B **110**
Victoria Rd. *N'den* —3B **136**
Victoria Rd. *Sale* —6D **122**

Victoria Rd. *Salf* —1A **92**
Victoria Rd. *Stoc* —2B **140**
Victoria Rd. *Stret* —5D **106**
Victoria Rd. *Tim* —5A **134**
Victoria Rd. *Urm* —5D **104**
Victoria Rd. *Whal R* —5B **108**
Victoria Rd. *Wilm* —3D **166**
Victoria Row. *Bury* —3B **36**
Victoria Sq. *M4* —3F **95** (3D **6**)
Victoria Sq. *Bolt* —6B **32**
Victoria Sq. *W'fld* —2D **66**
Victoria Sq. *Wor* —6F **63**
VICTORIA STATION. *BR & M*
—2D **94**
Victoria Sta. App. *M3*
—3E **95** (3H **5**)
Victoria St. *M3* —3D **94** (4H **5**)
Victoria St. *Ain* —4C **34**
Victoria St. *Alt* —6F **133**
Victoria St. *Ash L* —4G **99**
Victoria St. *Bar* —3D **86**
Victoria St. *Bury* —3B **36**
Victoria St. *Chad* —2H **71**
Victoria St. *Dent* —4E **113**
Victoria St. *Droy* —4A **98**
Victoria St. *Duk* —5B **100**
Victoria St. *Fail* —5D **84**
Victoria St. *Farn* —5D **46**
Victoria St. *Heyw* —4G **39**
Victoria St. *Hyde* —3C **114**
Victoria St. *Lees* —3A **74**
Victoria St. *L'boro* —4F **17**
Victoria St. *Mid* —1A **70**
Victoria St. *Millb* —1H **101**
Victoria St. *Oldh* —3E **73**
Victoria St. *Open* —5E **97**
Victoria St. *Rad* —4G **49**
Victoria St. *Ram* —3D **12**
Victoria St. *Roch* —2H **27**
Victoria St. *Shaw* —1F **57**
Victoria St. *Stal* —3D **100**
Victoria St. *Tot* —4G **21**
Victoria St. *Whitw* —1C **14**
Victoria St. *Wor* —5C **76**
Victoria Ter. *M12* —3B **110**
Victoria Ter. *Heyw* —1E **39**
Victoria Ter. *Miln* —6G **29**
Victoria Vs. *Bolt* —4G **31**
Victoria Wlk. *Chad* —6A **56**
Victoria Way. *Bram* —1F **161**
Victoria Way. *Rytn* —1A **56**
Victor Mann St. *M11* —6A **98**
Victor St. *M40* —1G **95**
Victor St. *Heyw* —5G **39**
Victor St. *Oldh* —2H **85**
Victor St. *Salf* —3B **94** (4D **4**)
Victory Gro. *Aud* —6C **98**
Victory Rd. *Cad* —5A **118**
Victory Rd. *L Lev* —3A **48**
Victory St. *M14* —4G **109**
Victory St. *Bolt* —5G **31**
(in two parts)
Victory Trad. Est. *Bolt* —2C **46**
Vienna Rd. *Stoc* —5F **139**
Vienna Rd. E. *Stoc* —5F **139**
Viewfield Wlk. *M9* —4G **83**
(off Nethervale Dri.)
Viewlands Dri. *Hand* —5H **159**
View St. *Bolt* —2H **45**
Vigar Av. *Stoc* —2H **139**
Vigo Av. *Bolt* —4F **45**
Vigo St. *Heyw* —4G **39**
Vigo St. *Oldh* —4H **73**
Viking Clo. *M11* —4B **96**
Viking St. *Bolt* —3C **46**
Viking St. *Roch* —3E **27**
Village Ct. *Wilm* —6H **159**
Village Grn. *Upperm* —1F **61**
(off New St.)
Village St. *Salf* —6G **81**
Village, The. *Chea* —1A **150**

Village, The. *Urm* —1B **120**
Village Wlk. *Open* —4E **97**
Village Way. *M4* —3E **95** (3B **6**)
Village Way. *Wilm* —6H **159**
Villa Rd. *Oldh* —5D **72**
Villdale Av. *Stoc* —1E **153**
Villemoble Sq. *Droy* —4A **98**
Villiers Ct. *W'fld* —2E **67**
Villiers Dri. *Oldh* —4C **72**
Villiers St. *Ash L* —3B **100**
Villiers St. *Bury* —2E **37**
Villiers St. *Hyde* —5D **114**
Villiers St. *Salf* —1F **93**
Vinca Gro. *Salf* —5H **81**
Vincent Av. *M21* —6G **107**
Vincent Av. *Ecc* —4F **91**
Vincent Av. *Oldh* —1G **73**
Vincent Ct. *Bolt* —4A **46**
Vincent St. *M11* —5E **97**
Vincent St. *Bolt* —1H **45**
Vincent St. *Hyde* —6D **114**
Vincent St. *L'boro* —3E **17**
Vincent St. *Mid* —5A **54**
Vincent St. *Roch* —6A **28**
Vincent St. *Salf* —4H **81**
Vine Av. *Pen* —3H **79**
Vine Clo. *Sale* —4E **121**
Vine Clo. *Shaw* —6F **43**
Vine Ct. *Roch* —4B **28**
Vine Ct. *Stret* —6D **106**
Vine Fold. *M40* —2F **85**
Vine Gro. *Stoc* —5C **140**
Vine Pl. *Roch* —6H **27**
Vinery Gro. *Dent* —4E **113**
Vine St. *M11 & M18* —6G **97**
Vine St. *Chad* —6H **71**
Vine St. *Ecc* —4E **91**
Vine St. *Haz G* —2D **152**
Vine St. *P'wch* —4G **67**
Vine St. *Ram* —5C **12**
(in two parts)
Vine St. *Salf* —3F **81**
Vineyard Clo. *Ward* —2A **16**
Vineyard Cotts. *Roch* —2A **16**
Vineyard Ho. *Roch* —2A **16**
(off Knowl Syke St.)
Vineyard St. *Oldh* —2F **73**
Vinton Pl. *Marp* —5D **142**
Viola St. *M11* —3F **97**
Viola St. *Bolt* —2A **32**
Violet Av. *Farn* —6C **46**
Violet Ct. *M22* —2B **148**
Violet Hill Ct. *Oldh* —1A **74**
Violet St. *M18* —1H **111**
Violet St. *Stoc* —5H **139**
Violet Way. *Mid* —2D **70**
Virgil St. *M15* —1B **108** (5C **8**)
Virgina Ho. *M11* —6D **96**
Virginia Chase. *Chea H* —5B **150**
Virginia Clo. *M23* —4D **134**
Virginia Ho. *Farn* —2F **63**
Virginia St. *Bolt* —3F **45**
Viscount Dri. *H Grn* —6H **149**
Viscount Dri. *Tim* —6F **147**
Viscount St. *M14* —4G **109**
Vista, The. *Cad* —5A **118**
Vivian Pl. *M14* —3A **110**
Vivian St. *Roch* —6G **27**
Vixen Clo. *M21* —2B **124**
Voewood Ho. *Stoc* —3B **140**
Voltaire Av. *Salf* —2B **92**
Vulcan St. *Hyde* —5B **114**
Vulcan St. *Oldh* —6F **57**
Vulcan Ter. *L'boro* —4D **16**
Vyner Gro. *Sale* —3H **121**

Wadcroft Wlk. *M9* —3G **83**
Waddicor Av. *Ash L* —5A **88**
Waddington Clo. *Bury* —3E **35**
Waddington Fold. *Roch* —3A **42**

Waddington Rd. *Bolt* —4E **31**
Waddington St. *Oldh* —1A **72**
Wadebridge Av. *M23* —4D **134**
Wadebridge Clo. *Bolt* —4C **32**
Wadebridge Dri. *Bury* —3F **35**
Wadebrook Gro. *Wilm* —6A **160**
Wade Clo. *Ecc* —4F **91**
Wadeford Clo. *M4*
—2G **95** (3E **7**)
Wade Hill La. *G'fld* —1G **75**
Wade Ho. *Ecc* —4F **91**
(off Wade Clo.)
Wade Row. *Upperm* —1F **61**
Wade Row Top. *Upperm*
(off Wade Row) —1F **61**
Wadesmill Wlk. *M13*
—6F **95** (3C **10**)
Wadeson Rd. *M13*
—6F **95** (3D **10**)
Wade St. *Bolt* —4B **46**
Wade St. *Mid* —3D **70**
Wade Wlk. *Open* —5C **96**
Wadham Gdns. *Woodl* —4A **130**
Wadham Way. *Hale* —4H **145**
Wadhurst Wlk. *M13* —2G **109**
Wadsley St. *Bolt* —5A **32**
Wadsworth Clo. *Hand* —4A **160**
Wagg Fold. *L'boro* —3D **16**
Waggoners Ct. *Swint* —4F **79**
Waggon Rd. *Bolt* —4F **33**
Waggon Rd. *Moss* —3E **89**
Waggon Rd. *Oldh* —4E **87**
Wagner St. *Bolt* —2H **31**
Wagstaff Dri. *Fail* —4F **85**
Wagstaffe St. *Mid* —6A **54**
Wagstaff St. *Stal* —4C **100**
Wagtail Clo. *Wor* —3F **77**
Waincliffe Av. *M21* —5B **124**
Wain Clo. *Ecc* —3D **90**
Waingap Cres. *Whitw* —1D **14**
Waingap Rise. *Roch* —2D **14**
Waingap Rise. *Whitw* —5E **15**
Wainman St. *Salf* —6F **81**
Wain Stones Grn. *Stoc*
—6E **141**
Wainwright Av. *Dent* —4H **111**
Wainwright Clo. *Spring* —2C **74**
Wainwright Clo. *Stoc* —4A **140**
Wainwright Rd. *Alt* —6D **132**
Wainwright St. *Duk* —4B **100**
Wainwright St. *Oldh* —4C **72**
Waithlands Rd. *Roch* —5B **28**
Wakefield Cres. *Rom* —2G **141**
Wakefield Dri. *Chad* —4A **56**
Wakefield Dri. *Clif* —4D **64**
Wakefield Rd. *Heyr* —3E **101**
Wakefield St. *M1*
—5E **95** (3A **10**)
Wakefield St. *Chad* —6A **56**
Wakefield Wlk. *Dent* —6G **113**
Wakeling Rd. *Dent* —1E **129**
Walcott Clo. *M13* —2A **110**
Wald Av. *M14* —2A **126**
Waldeck St. *Bolt* —5G **31**
Waldeck Wlk. *M9* —6G **69**
(off Ravenswood Dri.)
Walden Av. *Oldh* —5H **57**
Walden Clo. *M14* —1E **125**
Walden Cres. *Haz G* —2C **152**
Walden Flats. *Heyw* —3E **39**
(off Fox St.)
Walderton Av. *M40* —4A **84**
Waldon Av. *Chea* —6H **137**
Waldon Clo. *Bolt* —3G **45**
Wales St. *Oldh* —6G **57**
Walford Clo. *M16* —3C **108**
Walkdene Dri. *Wor* —6D **62**
Walkden Mkt. Pl. *Wor* —6E **63**
Walkden Rd. *Wor* —1F **77**

Warwick Rd. *Chor H* —6H **107**
Warwick Rd. *Fail* —6F **85**
Warwick Rd. *Hale* —4G **145**
Warwick Rd. *Mid* —3B **70**
Warwick Rd. *Old T* —2F **107**
Warwick Rd. *Rad* —1F **49**
Warwick Rd. *Rom* —1G **141**
Warwick Rd. *Stoc* —6E **127**
Warwick Rd. *Wor* —2E **77**
Warwick Rd. S. *M16* —4G **107**
Warwick St. *M1* —3F **95** (4C **6**)
Warwick St. *M15* —2D **108**
Warwick St. *Bolt* —1A **32**
Warwick St. *Oldh* —5A **72**
(in two parts)
Warwick St. *Pen* —2F **79**
Warwick St. *P'wch* —6E **67**
(in two parts)
Warwick St. *Roch* —1B **28**
Warwick Ter. *Duk* —4H **99**
(off Astley St.)
Wasdale Av. *Bolt* —4H **33**
Wasdale Av. *Urm* —4G **105**
Wasdale Dri. *Gat* —2F **149**
Wasdale Dri. *Mid* —5G **53**
Wasdale St. *Roch* —4C **40**
Wasdale Ter. *Stal* —1E **101**
Wasdale Wlk. *Oldh* —1E **73**
Wash Brook. *Chad* —5H **71**
Washbrook Av. *Wor* —2D **76**
Washbrook Ct. *Chad* —5H **71**
Washbrook Dri. *Stret* —5B **106**
Washbrook Ho. *Salf* —2F **93**
(off Sutton Dwellings)
Wash Brow. *Bury* —6B **22**
Wash Fold. *Bury* —6B **22**
Washford Dri. *M23* —3D **134**
Washington Ct. *Bury* —2D **36**
Washington St. *Bolt* —1G **45**
Washington St. *Oldh* —2A **72**
Wash La. *Bury* —2E **37**
Wash Ter. *Bury* —6B **22**
Washway Rd. *Sale* —2G **133**
Washwood Clo. *L Hul* —3D **62**
Wasnidge Wlk. *M15* —2D **108**
Wasp Av. *Roch* —2G **41**
Wastdale Av. *Bury* —4E **51**
Wastdale Rd. *M23* —1F **147**
Wast Water St. *Oldh* —6E **57**
Watchgate Clo. *Mid* —4F **53**
Waterbridge. *Wor* —6H **77**
Watercroft. *Roch* —2H **25**
Waterdale Clo. *Wor* —5D **76**
Waterdale Dri. *W'fld* —1E **67**
Waterfield Way. *Fail* —5G **85**
Waterfold Clo. *Bury* —4F **23**
Waterfoot Cotts. *Mot* —3C **116**
Waterford Av. *M20* —6B **124**
Waterford Av. *Rom* —1C **142**
Waterford Pl. *H Grn* —5F **149**
Waterfront Ho. *Ecc* —2E **91**
Waterfront Quay. *Salf* —6F **93**
Watergate. *Aud* —5C **98**
(in two parts)
Water Ga. *Upperm* —1F **61**
Water Ga. La. *Bolt* —6G **45**
Watergate Milne Ct. *Oldh*
　　　　　　　—1H **73**
Watergrove Rd. *Duk* —6D **100**
Waterhead. *Oldh* —1A **74**
Waterhouse Clo. *Ward* —4A **16**
Waterhouse Rd. *M18* —3G **111**
Waterhouse St. *Roch* —3H **27**
Water La. *Droy* —4G **97**
(in two parts)
Water La. *Holl* —2F **117**
Water La. *Kear* —2G **63**
Water La. *Miln* —6G **29**
Water La. *Rad* —3F **49**
Water La. *Ram* —3A **12**
Water La. *Wilm* —2D **166**

Water La. St. *Rad* —4F **49**
(in two parts)
Waterloo Ct. *Bury* —5C **36**
Waterloo Est. *M8* —5C **82**
Waterloo La. *Bury* —4G **37**
Waterloo Pde. *M8* —1D **94**
Waterloo Pk. *Stoc* —2A **140**
Waterloo Pl. *Stoc* —2H **139**
(off Watson Sq.)
Waterloo Rd. *M8* —1D **94**
Waterloo Rd. *Ash L* —6F **87**
Waterloo Rd. *Bram* —4H **151**
Waterloo Rd. *Poy* —5G **163**
Waterloo Rd. *Stal* —3E **101**
Waterloo Rd. *Rom* —1C **142**
Waterloo Rd. *Stoc* —2H **139**
Waterloo St. *M1*
　　　　　　　—5E **95** (1A **10**)
Waterloo St. *M8 & M9* —3E **83**
Waterloo St. *Ash L* —6H **87**
Waterloo St. *Bolt* —4B **32**
Waterloo St. *Bury* —3B **36**
Waterloo St. *Dent* —3B **112**
Waterloo St. *Oldh* —2D **72**
Waterman View. *Roch* —3C **28**
Watermead Clo. *Stoc* —1G **151**
Watermeetings La. *Rom*
　　　　　　　—1C **142**
Watermill Clo. *Roch* —5D **28**
Watermill Ct. *Ash L* —6E **87**
Watermillock Gdns. *Bolt*
　　　　　　　—1B **32**
Waterpark Rd. *Salf* —3A **82**
Water Rd. *Stal* —3D **100**
Waters Edge. *Farn* —5C **46**
Waters Edge. *Marp B* —3E **143**
Watersedge. *Wor* —1H **77**
Waters Edge Bus. Pk. *Salf*
　　　　　　　—1H **107**
Watersedge Clo. *Chea H*
　　　　　　　—2D **150**
Watersfield Clo. *Chea H*
　　　　　　　—5B **150**
Watersheddings St. *Oldh*
　　　　　　　—6H **57**
Waterside. *Bolt* —2E **47**
Waterside. *G'fld* —5G **61**
Waterside. *Had* —1H **117**
Waterside. *Hyde* —5H **115**
Waterside. *Marp* —1D **154**
Waterside. *Traf P* —1F **107**
Waterside Av. *Marp* —6D **142**
Waterside Clo. *M21* —6B **124**
Waterside Clo. *Hyde* —5H **115**
Waterside Clo. *Rad* —3B **50**
Waterside Ct. *Hyde* —5H **115**
Waterside Ct. *Urm* —5H **103**
Waterside Dri. *Stoc* —2B **138**
Waterside La. *Roch* —3B **28**
Waterside Rd. *Bury* —1B **22**
Waterside Wlk. *Hyde* —5G **115**
Waterslea. *Ecc* —3E **91**
Waterslea Dri. *Bolt* —5D **30**
Watersmead Clo. *Bolt* —3B **32**
Waters Meeting Rd. *Bolt*
　　　　　　　—2B **32**
Waterson Av. *M40* —4A **84**
Waters Reach. *H Lane* —6C **154**
Waters Reach. *Poy* —2F **163**
Waters Reach. *Traf P* —1F **107**
Water St. *M3* —5B **94** (2C **8**)
(Manchester)
Water St. *M3* —3D **94** (4G **5**)
(Salford)
Water St. *M9* —3F **83**
Water St. *M12* —5G **95** (2F **11**)
Water St. *Ash L* —2H **99**
Water St. *Aud* —6F **99**
(Audenshaw)
Water St. *Aud* —3C **112**
(Denton)

Water St. *Bolt* —6B **32**
Water St. *Eger* —1B **18**
Water St. *Hyde* —4B **114**
Water St. *Mid* —6H **53**
(in two parts)
Water St. *Oldh* —2C **72**
Water St. *Rad* —4F **49**
Water St. *Ram* —4D **12**
Water St. *Roch* —5F **29**
(Milnrow)
Water St. *Roch* —4H **27**
(Rochdale)
Water St. *Rytn* —3E **57**
Water St. *Stal* —3E **101**
(in two parts)
Water St. *Stoc* —1H **139**
Water St. *Whitw* —1C **14**
Waterton Av. *Moss* —1D **88**
Waterton La. *Moss* —1D **88**
Waterview Clo. *Miln* —2F **43**
Waterway Enterprise Pk. *Traf P*
　　　　　　　—1F **107**
Waterworks Rd. *Oldh* —6A **58**
Watfield Wlk. *M9* —4F **83**
(off Foleshill Av.)
Watford Av. *M14* —5F **109**
Watford Clo. *Bolt* —3A **32**
(off Chesham Av.)
Watford Rd. *M19* —3C **126**
Watkin Av. *Had* —3G **117**
Watkin Clo. *M13*
　　　　　　　—1G **109** (6E **11**)
Watkins Dri. *P'wch* —6A **68**
Watkin St. *Hyde* —2E **115**
Watkin St. *Roch* —1G **41**
Watkin St. *Salf* —2B **94** (1D **4**)
Watling St. *Aff* —1B **20**
Watling St. *Bury* —4F **35**
Watlington Clo. *Oldh* —4H **57**
Watson Gdns. *Roch* —1F **27**
Watson Rd. *Farn* —1B **62**
Watson Sq. *Stoc* —2H **139**
Watson St. *M3 & M2*
　　　　　　　—5D **94** (2G **9**)
Watson St. *Dent* —4H **113**
Watson St. *Ecc* —3E **91**
Watson St. *Oldh* —1G **73**
Watson St. *Rad* —3G **49**
Watson St. *Swint* —2F **79**
Watts St. *M19* —1D **126**
Watts St. *Chad* —2H **71**
Watts St. *Oldh* —1B **86**
Watts St. *Roch* —3A **28**
Waugh Av. *Fail* —5F **85**
Wavell Dri. *Bury* —6E **51**
Wavell Rd. *M22* —2B **148**
Waveney Dri. *Alt* —5E **133**
Waveney Flats. *Heyw* —3E **39**
(off Fox St.)
Waveney Rd. *M22* —1C **148**
Waveney Rd. *Shaw* —5E **43**
Waverley. *Roch* —3G **27**
(off Spotland Rd.)
Waverley Av. *Kear* —3H **63**
Waverley Av. *Stret* —4E **107**
Waverley Ct. *M9* —4C **68**
Waverley Cres. *Droy* —2A **98**
Waverley Dri. *Chea H* —1D **160**
Waverley Pl. *Rad* —4G **49**
Waverley Rd. *M9* —4H **83**
Waverley Rd. *Bolt* —2A **32**
Waverley Rd. *Hyde* —1B **130**
Waverley Rd. *Mid* —4A **54**
Waverley Rd. *Pen* —4A **80**
Waverley Rd. *Sale* —3C **122**
Waverley Rd. *Stoc* —4E **139**
Waverley Rd. *Wor* —2D **76**
Waverley Rd. W. *M9* —4H **83**
Waverley Sq. *Farn* —3E **63**
Waverley St. *Oldh* —1F **73**
Waverley St. *Roch* —4C **40**

Waverton Av. *Stoc* —2F **127**
Waverton Rd. *M14* —6E **109**
Wavertree Ho. *Bolt* —5A **32**
(off School Hill)
Wavertree Rd. *M9* —5E **69**
Wayfarers Way. *Swint* —4E **79**
Wayford Wlk. *M9* —4E **83**
(off Hendham Vale)
Wayland Rd. *M18* —3F **111**
Wayland Rd. S. *M18* —4F **111**
Wayne Clo. *Droy* —1C **98**
Wayne St. *Open* —5G **97**
Wayside Dri. *Poy* —3C **162**
Wayside Gro. *Wor* —5G **63**
Weald Clo. *M13*
　　　　　　　—1G **109** (5E **11**)
Wealdstone Gro. *Bolt* —3D **32**
Weardale Rd. *M9* —4D **68**
Wearhead Row. *Salf* —4F **93**
Weaste Av. *L Hul* —5D **62**
Weaste Dri. *Salf* —2D **92**
Weaste La. *Salf* —2C **92**
(in two parts)
Weaste Rd. *Salf* —3D **92**
Weaste Trad. Est. *Salf* —3D **92**
Weatherall St. N. *Salf* —4B **82**
(in two parts)
Weatherley Dri. *Marp* —6B **142**
Weatherly Clo. *Oldh* —2E **87**
Weaver Av. *Wor* —1C **76**
Weaver Clo. *Bow* —5E **145**
Weaver Ct. *Salf*
　　　　　　　—1B **108** (6C **8**)
Weaver Dri. *Bury* —3F **23**
Weaverham Clo. *M13* —4B **110**
Weaverham Wlk. *Sale* —6E **123**
Weaverham Way. *Hand*
　　　　　　　—3A **160**
Weavers Ct. *Bolt* —2A **46**
Weavers Ct. *Mid* —6H **53**
Weavers Grn. *Farn* —1F **63**
Weavers La. *Bram* —1F **161**
Weavers Rd. *Mid* —6H **53**
Weaver Wlk. *Open* —6F **97**
Webb Gro. *Hyde* —4A **116**
Webb La. *Stoc* —2A **140**
Webb St. *Bury* —2B **36**
Webdale Dri. *M40* —4A **84**
Weber Dri. *Bolt* —2H **45**
Webster Arc. *Oldh* —2D **72**
Webster Gro. *P'wch* —1D **80**
Webster St. *M15* —2E **109**
Webster St. *Bolt* —2D **46**
Webster St. *Moss* —1E **89**
Webster St. *Oldh* —4D **72**
Webster St. *Roch* —2G **27**
Wedgewood Rd. *Clif* —1A **80**
Wedgwood St. *M40* —1B **96**
Wedhurst St. *Oldh* —2G **73**
Wednesbury Clo. *Oldh* —2E **117**
Weedall Av. *Salf* —1G **107**
Weeder Sq. *Shaw* —5H **43**
Weedon St. *Roch* —3B **28**
Weeton Av. *Bolt* —6H **33**
Weft Wlk. *M4* —4G **95** (5F **7**)
Weir Rd. *Miln* —4E **29**
Weir St. *M15* —2C **108**
Weir St. *Fail* —4E **85**
Weir St. *Roch* —4H **27**
Welbeck Av. *Chad* —6D **70**
Welbeck Av. *L'boro* —2E **17**
Welbeck Av. *Urm* —4G **105**
Welbeck Clo. *Miln* —5E **29**
Welbeck Gro. *Salf* —4A **82**
Welbeck Ho. *Ash L* —3G **99**
Welbeck Rd. *Bolt* —5E **31**
Welbeck Rd. *Ecc* —1G **91**
Welbeck Rd. *Hyde* —5D **114**
Welbeck Rd. *Roch* —1H **41**
Welbeck Rd. *Stoc* —6H **111**

Welbeck Rd. *Wor* —5B **78**
Welbeck St. *M18* —1F **111**
Welbeck St. N. *Ash L* —3G **99**
Welbeck St. S. *Ash L* —3G **99**
(in two parts)
Welbeck Ter. *Ash L* —3G **99**
Welburn Av. *M22* —2C **148**
Welburn St. *Roch* —6H **27**
Welbury Rd. *M23* —2F **135**
Welby St. *M13* —3H **109**
Welch Rd. *Hyde* —3D **114**
Welcomb Clo. *Bred* —5F **129**
Welcomb St. *M11* —6D **96**
Welcomb Wlk. *W'fld* —2D **66**
Welcome Pde. *Oldh* —6G **73**
Welcroft St. *Stoc* —3H **139**
Weldon Av. *Bolt* —5E **45**
Weldon Cres. *Stoc* —1G **151**
Weldon Dri. *M9* —4F **69**
Weldon Rd. *Alt* —5E **133**
Weld Rd. *M20* —2H **125**
Welfold Ho. *Oldh* —4F **73**
Welford Av. *Wilm* —1H **167**
Welford Grn. *Stoc* —4H **127**
Welford Rd. *M8* —5B **68**
Welford St. *Salf* —1H **93**
Welkin Rd. *Bred* —6C **128**
Wellacre Av. *Urm* —5H **103**
Welland Av. *Heyw* —2C **38**
Welland Clo. *M15*
—1B **108** (6C **8**)
Welland Ct. M15
—1B **108** (6C **8**)
(off Eastnor Clo.)
Welland Rd. *Shaw* —5E **43**
Welland St. *Open* —5F **97**
Welland St. *Stoc* —6H **111**
Wellbank. *Stal* —5G **101**
Wellbank Av. *Ash L* —5A **88**
Wellbank Clo. *Oldh* —5E **73**
Wellbank St. *Tot* —5H **21**
Wellbank View. *Roch* —2B **26**
Wellbridge Rd. *Duk* —1H **113**
Well Brow. *Del* —3H **59**
Well Brow Ter. *Roch* —1F **27**
Wellbrow Wlk. *M9* —6G **69**
Wellburn Clo. *Bolt* —5D **44**
Wellcroft. *Gat* —6E **137**
Wellens Way. *Mid* —2E **69**
Weller Av. *M21* —2B **124**
Weller Av. *Poy* —5D **162**
Weller Clo. *Poy* —5D **162**
Weller Gdns. *M21* —2B **124**
Wellesbourne Dri. *M23*
—4F **135**
Wellesley Av. *M18* —1F **111**
Wellfield. *Rom* —5A **130**
Wellfield Clo. *Bury* —1C **50**
Wellfield Gdns. *Hale* —2C **146**
Wellfield La. *Tim* —1C **146**
Wellfield Pl. *Roch* —6A **28**
Wellfield Rd. *Bag* —4G **135**
Wellfield Rd. *Bolt* —2G **45**
Wellfield Rd. *Crum* —3C **82**
Wellfield Rd. *Stoc* —5C **140**
Wellfield St. *Roch* —6A **28**
Wellgate Av. *M19* —1D **126**
Wellgreen Clo. *Hale* —2C **146**
Wellgreen Lodge. *Hale* —2C **146**
Well Gro. *W'fld* —4C **50**
Wellhead Clo. *M15* —2E **109**
Wellhouse Dri. *M40* —6C **70**
Well-i-Hole Rd. *G'fld* —5G **75**
Welling Rd. *M40* —3E **85**
Welling St. *Bolt* —4D **32**
Wellington Av. *M16* —5B **108**
Wellington Bldgs. *Oldh* —3D **72**
Wellington Cen. *Ash L* —3A **100**
Wellington Clo. *Sale* —3C **122**
Wellington Clough. *Ash L*
—5E **87**

Wellington Ct. *Bury* —4H **35**
Wellington Ct. *Oldh* —5B **72**
Wellington Cres. *M16* —4A **108**
Wellington Gdns. *Bury* —3H **35**
Wellington Gro. *M15*
—1B **108** (6D **8**)
Wellington Gro. *Stoc* —4H **139**
Wellington Ho. Bury —4H **35**
(off Haig Rd.)
Wellington Lodge. L'boro
—3F **17**
Wellington Pde. *Duk* —4H **99**
(off Astley St.)
Wellington Pl. *M3*
—5C **94** (2E **9**)
Wellington Pl. *Alt* —1F **145**
Wellington Pl. *Roch* —3A **28**
Wellington Rd. *Ash L* —2G **99**
Wellington Rd. *Bury* —5C **36**
Wellington Rd. *Crum* —3D **82**
Wellington Rd. *Ecc* —3G **91**
Wellington Rd. *G'fld* —3E **61**
Wellington Rd. *Haz G* —5H **153**
Wellington Rd. *Oldh* —5A **72**
(in two parts)
Wellington Rd. *Swint* —3F **79**
Wellington Rd. *Tim* —5G **133**
Wellington Rd. *Whal R*
—5C **108**
Wellington Rd. *Wthtn & Fall*
—2G **125**
Wellington Rd. N. *Stoc*
—2D **126**
Wellington Rd. S. *Stoc*
—2G **139**
Wellington Sq. *Bury* —4H **35**
Wellington St. *M18* —2F **111**
Wellington St. *Ash L* —3H **99**
Wellington St. *Aud* —1F **113**
Wellington St. *Bolt* —1H **45**
Wellington St. *Bury* —4A **36**
Wellington St. *Chad* —1H **71**
Wellington St. *Fail* —2G **85**
Wellington St. *Farn* —1F **63**
Wellington St. *Haz G* —2F **153**
Wellington St. *Hyde* —4A **114**
Wellington St. *L'boro* —4F **17**
Wellington St. *Miln* —5G **29**
Wellington St. *Oldh* —3D **72**
Wellington St. *Rad* —3A **50**
(in two parts)
Wellington St. *Roch* —2H **27**
Wellington St. *Salf*
—3B **94** (3D **4**)
Wellington St. *Stoc* —2G **139**
Wellington St. *Stret* —6C **106**
Wellington St. E. *Salf* —4H **81**
Wellington St. W. *Salf* —5H **81**
Wellington Ter. Duk —4H **99**
(off Astley St.)
Wellington Ter. *Salf* —3D **92**
Wellington Wlk. *Bolt* —1H **45**
Wellington Wlk. *Bury* —4H **35**
Well i' th' La. *Roch* —6A **28**
Well La. *W'fld* —5D **50**
Well Mead. *Bred* —6E **129**
Wellmead Clo. *M8* —6B **82**
Well Meadow. *Hyde* —3B **114**
Well Meadow La. *Upperm*
—1G **61**
Wellock St. *M40* —5H **83**
Wellpark Wlk. *M40* —6C **84**
Well Row. *B'btm* —2F **115**
Wells Av. *Chad* —6G **55**
Wells Av. *P'wch* —1G **81**
Wells Clo. *Fail* —5H **97**
Wells Clo. *H Grn* —6G **149**
Wells Clo. *Mid* —1E **69**
Wells Ct. *Duk* —1A **114**
Wells Dri. *Duk* —1A **114**
Wells Dri. *Stoc* —1H **137**

Wellside Wlk. *M8* —5C **82**
Wellsprings. Bolt —6B **32**
(off Victoria Sq.)
Wells Rd. *Oldh* —3A **58**
Wells St. *Bury* —4C **36**
Wellstock La. *L Hul* —3B **62**
Well St. *M4* —3E **95** (4A **6**)
Well St. *Ain* —4C **34**
Well St. *Bolt* —6C **32**
Well St. *Heyw* —4G **39**
Well St. *Roch* —6A **28**
Well St. N. *Ram* —3A **12**
Well St. W. *Ram* —4D **12**
Wellwood Dri. *M40* —4A **84**
Wellyhole St. *Oldh* —3H **73**
Welney Rd. *M16* —4H **107**
Welshpool Clo. *M23* —1H **135**
Welshpool Way. *Dent* —6G **113**
Welton Av. *M20* —1G **137**
Welton Clo. *Wilm* —5C **166**
Welton Dri. *Wilm* —5B **166**
Welton Gro. *Wilm* —5B **166**
Welwyn Clo. *Urm* —2D **104**
Welwyn Dri. *Salf* —6G **79**
Welwyn Wlk. *M40*
—3H **95** (3H **7**)
Wembley Gro. *M14* —1G **125**
Wembley Rd. *M18* —4E **111**
Wembury St. *M9* —3G **83**
Wembury St. N. *M9* —3G **83**
Wemsley Gro. *Bolt* —4D **32**
Wem St. *Chad* —5G **71**
Wemyss Av. *Stoc* —6H **111**
Wenderholme Lodge. Bolt
—5C **30**
Wendlebury Grn. *Rytn* —2E **57**
Wendon Rd. *M23* —6H **135**
Wendover Dri. *Bolt* —2C **44**
Wendover Ho. *Salf* —4G **93**
Wendover Rd. *M23* —2D **134**
Wendover Rd. *Urm* —5E **105**
Wenfield Dri. *M9* —6B **70**
Wenlock Av. *Ash L* —6F **87**
Wenlock Clo. *Stoc* —5F **141**
Wenlock Rd. *Sale* —1A **134**
Wenlock St. *Swint* —3D **78**
Wenlock Way. *M12* —1B **110**
Wenning Clo. *W'fld* —6G **51**
Wensley Ct. *Salf* —2E **81**
Wensleydale Av. *Gat* —5G **137**
Wensleydale Clo. *M23* —2F **147**
Wensleydale Clo. *Bury* —4E **51**
Wensleydale Clo. *Rytn* —2A **56**
Wensley Dri. *M20* —4F **125**
Wensley Dri. *Haz G* —5D **152**
Wensley Rd. *Gat* —5G **137**
Wensley Rd. *Salf* —3E **81**
Wensley Rd. *Stoc* —5H **127**
Wentbridge Rd. *Bolt* —5H **31**
Wentworth Av. *M18* —1G **111**
Wentworth Av. *Bury* —1H **35**
Wentworth Av. *Farn* —2E **63**
Wentworth Av. *Heyw* —5F **39**
Wentworth Av. *Irl* —4E **103**
Wentworth Av. *Salf* —2C **92**
Wentworth Av. *Tim* —5A **134**
Wentworth Av. *Urm* —6D **104**
Wentworth Av. *W'fld* —2B **66**
Wentworth Clo. *Marp* —3D **142**
Wentworth Clo. *Mid* —6G **53**
Wentworth Clo. *Rad* —3D **48**
Wentworth Ct. *Fail* —5F **85**
Wentworth Dri. *Bram* —6A **152**
Wentworth Dri. *Sale* —4H **121**
Wentworth Rd. *Ecc* —1H **91**
Wentworth Rd. *Stoc* —6H **111**
Wentworth Rd. *Swint* —4D **78**
Wentworth View. Hyde
—2D **114**
Wentworth Wlk. *Hyde* —2D **114**
Werneth Av. *M14* —5F **109**

Werneth Av. *Hyde* —1D **130**
Werneth Clo. *Dent* —5F **113**
Werneth Clo. *Haz G* —1E **153**
Werneth Ct. *Hyde* —6C **114**
Werneth Cres. *Oldh* —5A **72**
Werneth Hall Rd. *Oldh* —4B **72**
Werneth Hollow. Woodl
—3H **129**
Werneth Low Rd. *Rom & Hyde*
—5B **130**
Werneth Rise. *Hyde* —2D **130**
Werneth Rd. *Hyde* —5D **114**
Werneth Rd. *Woodl* —4A **130**
Werneth St. *Aud* —2F **113**
Werneth St. *Stoc* —1B **140**
Werneth View. *Haz G* —5A **154**
Werneth Wlk. *Dent* —5F **113**
Wesley Clo. *Roch* —6H **15**
Wesley Ct. *Stoc* —1B **138**
Wesley Ct. *Tot* —4G **21**
Wesley Ct. *Wor* —5E **63**
Wesley Dri. *Ash L* —5H **87**
Wesley Dri. *Wor* —3H **77**
Wesley Grn. *Salf* —5H **93**
Wesley M. *Bolt* —6C **32**
Wesley Mt. Stoc —1G **139**
(off Dodge Hill)
Wesley Sq. *Urm* —5C **104**
Wesley St. *M11* —5C **96**
Wesley St. *Bolt* —2A **46**
Wesley St. *Brom X* —3E **19**
Wesley St. *Ecc* —3E **91**
Wesley St. *Fail* —2G **85**
(in two parts)
Wesley St. *Farn* —2G **63**
Wesley St. *Haz G* —2E **153**
Wesley St. *Heyw* —3E **39**
Wesley St. *Miln* —5E **29**
Wesley St. *Rytn* —4C **56**
Wesley St. *Stoc* —2H **139**
Wesley St. *Stret* —3E **107**
Wesley St. *Swint* —3E **79**
Wesley St. *Tot* —4G **21**
Wessenden Bank E. *Stoc*
—6D **140**
Wessenden Bank W. *Stoc*
—6D **140**
Wessex Pk. Clo. *Shaw* —5E **43**
Wessington Bank. Glos
(off Wessington M.) —5G **117**
Wessington Fold. Glos
(off Langsett La.) —5G **117**
Wessington Grn. Glos —5G **117**
(off Wessington M.)
Wessington M. Glos —5G **117**
Westage Gdns. *M23* —4G **135**
W. Ashton St. *Salf* —4F **93**
West Av. *Abb H* —2G **111**
West Av. *Alt* —6C **132**
West Av. *Burn* —2B **126**
West Av. *Farn* —1D **62**
West Av. *H Grn* —4G **149**
West Av. *N Mos* —3D **84**
West Av. *Roch* —6A **16**
West Av. *Stal* —3E **101**
West Av. *W'fld* —5C **50**
West Av. *Wor* —6E **63**
West Bank. *Ald E* —6H **167**
West Bank. *G'fld* —4H **75**
West Bank. *Open* —6A **98**
Westbank Rd. *M20* —4H **125**
Westbank Rd. *Los* —1B **44**
W. Bank St. *Salf* —5A **94** (1A **8**)
Westbourne Av. *Bolt* —4C **46**
Westbourne Av. *Clif* —4D **64**
Westbourne Av. *W'fld* —6B **50**
Westbourne Dri. *Ash L* —1G **99**
Westbourne Gro. *M9* —3F **83**
Westbourne Gro. *Sale* —5A **122**
Westbourne Gro. *Stoc*
—1H **127**

Weybourne Gro. *Bolt* —1D **32**
Weybridge Clo. *Bolt* —5A **32**
Weybridge Rd. *M4*
—3G **95** (4F 7)
Weybrook Rd. *Stoc* —2D **126**
Weycroft Clo. *Bolt* —1A **48**
Wey Gates Dri. *Haleb* —6C **144**
Weyhill Rd. *M23* —6G **135**
Weylands Gro. *Salf* —6H **79**
Weymouth Rd. *Ash L* —5A **88**
Weymouth Rd. *Ecc* —2D **90**
Weymouth St. *Bolt* —3A **32**
Weythorne Dri. *Bolt* —1B **32**
Weythorne Dri. *Bury* —6D **24**
Whalley Av. *Bolt* —2D **30**
Whalley Av. *Chor H* —1A **124**
Whalley Av. *Lev* —5D **110**
Whalley Av. *L'boro* —3E **17**
Whalley Av. *Sale* —4C **122**
Whalley Av. *Urm* —4G **105**
Whalley Av. *Whal R* —4B **108**
Whalley Clo. *Miln* —5E **29**
Whalley Clo. *Tim* —3H **133**
Whalley Clo. *W'fld* —6D **50**
Whalley Dri. *Bury* —3F **35**
Whalley Gdns. *Roch* —2D **26**
Whalley Gro. *M16* —5B **108**
Whalley Gro. *Ash L* —3G **87**
Whalley Rd. *M16* —4A **108**
Whalley Rd. *Hale* —3A **146**
Whalley Rd. *Heyw* —3C **38**
Whalley Rd. *Mid* —4H **53**
Whalley Rd. *Ram* —3A **12**
Whalley Rd. *Roch* —2D **26**
Whalley Rd. *Stoc* —4C **140**
Whalley Rd. *W'fld* —6D **50**
Whalley St. *Oldh* —2D **72**
Wham Bar Dri. *Heyw* —3D **38**
Wham Bottom La. *Roch*
—5D **14**
Wham St. *Heyw* —3D **38**
Wharf Clo. *Alt* —4F **133**
Wharfedale Av. *M40* —2A **84**
Wharfedale Rd. *Stoc* —1G **127**
Wharf Rd. *Alt* —4F **133**
Wharf Rd. *Sale* —4C **122**
Wharfside Av. *Ecc* —5F **91**
Wharfside Bus. Cen. *Traf P*
—1F **107**
Wharf St. *Chad* —6H **71**
Wharf St. *Duk* —4H **99**
Wharf St. *Hyde* —4A **114**
Wharf St. *Stoc* —6G **127**
Wharmton Rise. *Gras* —3F **75**
Wharmton View. *G'fld* —3E **61**
Wharncliffe Clo. *Had* —3G **119**
Wharton Av. *M21* —2B **124**
Wharton Lodge. *Ecc* —2G **91**
Wheat Clo. *M13* —2G **109**
Wheatcroft. *Had* —3G **117**
Wheat Croft. *Stoc* —6H **139**
Wheater's Cres. *Salf* —1A **94**
Wheater's St. *Salf* —1B **94**
Wheater's Ter. *Salf* —1B **94**
Wheatfield. *Stal* —6H **101**
Wheatfield Clo. *Bred* —5G **129**
Wheatfield Clo. *Bury* —4F **23**
Wheatfield Cres. *Rytn* —4A **56**
Wheatfield St. *Bolt* —2D **46**
Wheathill St. *Roch* —1G **41**
Wheatley Rd. *Wdly* —1D **78**
Wheatley Wlk. *M12* —1B **110**
Wheatsheaf Cen., The. *Roch*
—3H **27**
Wheatsheaf Ind. Est. *Pen*
—1H **79**
Wheeldale. *Oldh* —3H **73**
Wheeldale Clo. *Bolt* —3A **32**
Wheeldon St. *M14* —4E **109**
Wheelock Clo. *Wilm* —6H **159**
Wheelton Clo. *Bury* —4G **35**

Wheelwright Clo. *Marp*
—3D **142**
Wheelwright Clo. *Roch* —1B **40**
Wheelwright Dri. *Roch* —6A **16**
Whelan Av. *Bury* —6C **36**
Whelan Clo. *Bury* —6C **36**
Wheler St. *M11* —5F **97**
Whelmar Est. *Chea H* —2D **150**
Whernside Av. *M40* —2A **84**
Whernside Av. *Ash L* —4G **87**
Whernside Clo. *Stoc* —6G **127**
Whetstone Hill Clo. *Oldh*
—5F **57**
Whetstone Hill La. *Oldh*
(in two parts) —6G **57**
Whetstone Hill Rd. *Oldh*
—5F **57**
Whewell Av. *Rad* —2B **50**
Whiley St. *M13* —3B **110**
Whimberry Clo. *Salf* —6A **94**
Whimbrel Rd. *Stoc* —1G **153**
Whinberry Rd. *B'hth* —4D **132**
Whinberry Way. *Oldh* —3A **58**
Whinchat Clo. *Stoc* —1G **153**
Whinfell Dri. *Mid* —6D **52**
Whingroves Wlk. *M40* —4A **84**
Whinmoor Wlk. *M40* —4B **84**
Whins Av. *Farn* —1A **62**
Whins Crest. *Los* —6A **30**
Whinslee Dri. *Los* —6A **30**
Whinstone Way. *Chad* —6E **55**
Whipney La. *G'mnt* —1F **21**
Whirley Clo. *Stoc* —4F **127**
Whiston Dri. *Bolt* —1E **47**
Whiston Rd. *M8* —2D **82**
Whitbrook Way. *Mid* —2D **54**
Whitburn Av. *M13* —5A **110**
Whitburn Clo. *Bolt* —3C **44**
Whitburn Dri. *Bury* —6C **22**
Whitburn Rd. *M23* —1G **147**
Whitby Av. *Fall* —1A **126**
Whitby Av. *Heyw* —2E **39**
Whitby Av. *Salf* —2C **92**
Whitby Av. *Urm* —5G **105**
Whitby Av. *Whal R* —4B **108**
Whitby Clo. *Bury* —3F **35**
Whitby Clo. *Gat* —5G **137**
Whitby Clo. *Poy* —3C **162**
Whitby Rd. *M14* —1H **125**
Whitby Rd. *Oldh* —6G **73**
Whitby St. *Mid* —6C **54**
Whitby St. *Roch* —6A **28**
Whitchurch Dri. *M16* —2B **108**
Whitchurch Gdns. *Bolt* —3A **32**
(off Gladstone St.)
Whitchurch Rd. *M20* —2D **124**
Whitchurch St. *Salf*
—2C **94** (1F 5)
Whiteacre Rd. *Ash L* —2A **100**
Whiteacres. *Swint* —4C **93**
Whiteacre Wlk. *M15* —2C **108**
(off Shearsby Clo.)
White Ash Ter. *Bury* —6C **24**
Whitebank Av. *Stoc* —5C **128**
White Bank Rd. *Oldh* —1B **86**
Whitebarn Rd. *Ald E* —6H **167**
Whitebeam Clo. *Miln* —2E **43**
Whitebeam Clo. *Salf* —2G **93**
Whitebeam Clo. *Tim* —6E **135**
Whitebeam Ct. *Salf* —2G **93**
Whitebeam Wlk. *Sale* —4F **121**
Whitebeck Ct. *M9* —5A **70**
White Birk Clo. *G'mnt* —1H **21**
White Bri. *Duk* —1A **114**
White Brook La. *Upperm*
(Greenfield) —3H **61**
White Brook La. *Upperm*
(Uppermill) —1G **61**
Whitebrook Rd. *M14* —6F **109**
White Brow. *Bury* —2D **50**
Whitecar Av. *M40* —2E **85**

Whitecarr La. *Hale & M23*
—2D **146**
Whitechapel Clo. *Bolt* —6G **33**
Whitechapel St. *M20* —6F **125**
White City Retail Pk. *M16*
—2G **107**
White City Way. *M16* —2G **107**
Whitecliff Clo. *M14* —4G **109**
White Clo. *Wilm* —6H **159**
Whitecroft Av. *Shaw* —6H **43**
Whitecroft Dri. *Bury* —2F **35**
Whitecroft Gdns. *M19* —5A **126**
Whitecroft Rd. *Bolt* —4D **30**
Whitecroft Rd. *Strin* —4G **155**
Whitecroft St. *Oldh* —6G **57**
Whitefield. *Salf* —5B **80**
Whitefield. *Stoc* —6F **127**
Whitefield Av. *Roch* —3B **26**
Whitefield Cen. *W'fld* —1F **67**
Whitefield Rd. *Bred* —5E **129**
Whitefield Rd. *Bury* —6B **36**
(in two parts)
Whitefield Rd. *Sale* —4H **121**
WHITEFIELD STATION. *M*
—6D **50**
White Friar Ct. *Salf*
—2C **94** (2E 5)
Whitefriars Wlk. *M22* —5B **148**
Whitegate. *Bolt* —5A **44**
Whitegate. *L'boro* —5C **16**
Whitegate Av. *Chad* —5F **71**
Whitegate Clo. *M40* —2E **85**
Whitegate Dri. *Bolt* —6D **18**
Whitegate Dri. *Clif* —1H **79**
Whitegate Dri. *Salf* —2D **92**
Whitegate La. *Chad* —5F **71**
(in two parts)
Whitegate Pk. *Urm* —5A **104**
Whitegate Rd. *Chad* —6D **70**
Whitegates Clo. *Tim* —6B **134**
Whitegates Rd. *Chea* —6H **137**
Whitegates Rd. *Mid* —3C **54**
Whitehall. *Oldh* —3B **58**
Whitehall Clo. *Wilm* —4D **166**
Whitehall La. *Oldh* —3B **58**
Whitehall Rd. *M20* —6G **125**
Whitehall Rd. *Sale* —1B **134**
Whitehall St. *Oldh* —1D **72**
Whitehall St. *Roch* —2H **27**
(in two parts)
White Hart Meadow. *Mid*
—5A **54**
White Hart St. *Hyde* —3B **114**
Whitehaven Gdns. *M20*
—1E **137**
Whitehaven Pl. *Hyde* —2A **114**
Whitehaven Rd. *Bram* —2E **161**
Whitehead Av. *M21* —1F **123**
Whitehead Rd. *Clif* —1H **79**
Whiteheads Pl. *Spring* —2B **74**
Whitehead St. *Aud* —6E **99**
Whitehead St. *Mid* —6C **54**
Whitehead St. *Miln* —4E **29**
(Milnrow)
Whitehead St. *Miln* —1H **43**
(Newhey)
Whitehead St. *Shaw* —5D **42**
Whitehead St. *Wor* —5F **63**
Whitehill Clo. *Roch* —5D **14**
Whitehill Cotts. *Bolt* —5B **18**
Whitehill Dri. *M40* —4A **84**
Whitehill Ind. Est. *Stoc*
—4G **127**
Whitehill La. *Bolt* —5B **18**
Whitehill St. *Stoc* —5G **127**
Whitehill St. W. *Stoc* —5G **127**
Whiteholme Av. *M21* —5B **124**
White Horse Gdns. *Swint*
—5C **78**

White Horse Meadows. *B'edg*
—3A **42**
White Ho. Av. *M8* —6A **68**
Whitehouse Av. *Oldh* —3G **73**
Whitehouse Clo. *Heyw* —6F **39**
Whitehouse Dri. *M23* —6G **135**
Whitehouse Dri. *Hale* —5B **146**
Whitehouse La. *Dun M*
—4A **132**
White Houses. *Bolt* —4D **30**
Whitehouse Ter. *M9* —2H **83**
Whitehurst Rd. *Stoc* —5B **126**
Whitekirk Clo. *M13*
—1F **109** (5D 10)
White Lady Clo. *Wor* —6B **62**
Whitelake Av. *Urm* —5B **104**
Whitelake View. *Urm* —4B **104**
Whiteland Av. *Bolt* —2G **45**
Whitelands. *Ash L* —3A **100**
Whitelands Ind. Est. *Stal*
—3C **100**
Whitelands Rd. *Ash L* —3A **100**
Whitelands Ter. *Ash L* —3A **100**
Whitelea Dri. *Stoc* —6F **139**
Whitelees Rd. *L'boro* —4E **17**
Whitelegge St. *Bury* —1H **35**
Whiteley Dri. *Mid* —2C **70**
Whiteley Pl. *Alt* —5F **133**
Whiteleys Pl. *Roch* —3G **27**
Whiteley St. *M11* —3D **96**
Whiteley St. *Chad* —5H **71**
White Lion Brow. *Bolt* —6A **32**
Whitelow Rd. *M21* —1G **123**
Whitelow Rd. *Bury* —3G **13**
Whitelow Rd. *Stoc* —6C **126**
White Meadows. *Swint* —4F **79**
White Moss. *Roch* —1D **26**
White Moss Av. *M21* —1A **124**
White Moss Gdns. *M9* —1A **84**
White Moss Rd. *M9* —6G **69**
Whiteoak Clo. *Marp* —4C **142**
Whiteoak Rd. *M14* —1G **125**
Whites Croft. *Swint* —3F **79**
Whiteside Clo. *Salf* —3D **92**
Whiteside Fold. *Roch* —2C **26**
Whitesmead Clo. *Dis* —2H **165**
Whitestone Clo. *Los* —1B **44**
Whitestone Wlk. *M13* —2H **109**
White St. *Bury* —4A **36**
White St. *Salf* —4E **93**
White Swallows Rd. *Swint*
—5G **79**
Whitethorn Av. *Burn* —2B **126**
Whitethorn Av. *Whal R*
—4B **108**
Whitethorn Clo. *Marp* —4C **142**
Whitewater Dri. *Salf* —4D **80**
Whiteway St. *M9* —4G **83**
Whitewell Clo. *Bury* —6B **36**
Whitewell Clo. *Roch* —3C **28**
Whitewillow Clo. *Fail* —5G **85**
Whitfield Bottoms. *Miln* —2F **43**
Whitfield Brow. *L'boro* —2G **17**
Whitfield Cres. *Miln* —2F **43**
Whitfield Dri. *Miln* —6E **29**
Whitfield Rise. *Shaw* —4E **43**
Whitfield St. *M3* —2E **95** (1A 6)
Whitford Wlk. *M40*
—2H **95** (1G 7)
Whiting Gro. *Bolt* —1C **44**
Whitland Av. *Bolt* —5D **30**
Whitland Dri. *Oldh* —1H **85**
Whit La. *Salf* —5D **80**
(in two parts)
Whitley Gdns. *Tim* —3B **134**
Whitley Pl. *Tim* —4B **134**
Whitley Rd. *M40* —1G **95**
Whitley Rd. *Stoc* —6D **126**
Whitley St. *Bolt* —5F **47**
Whitlow Av. *B'hth* —3D **132**
Whitman St. *M9* —3H **83**

Worsley Brow. *Wor* —5H **77**
Worsley Ct. *M14* —5G **109**
Worsley Cres. *Stoc* —4B **140**
Worsley Gro. *M19* —6C **110**
Worsley Gro. *Wor* —1C **76**
Worsley Pl. *Roch* —4B **28**
Worsley Pl. *Shaw* —1E **57**
Worsley Rd. *Bolt* —3E **45**
Worsley Rd. *Ecc* —1C **90**
Worsley Rd. *Farn* —3F **63**
Worsley Rd. *Wor & Swint*
—6H **77**
Worsley Rd. N. *Wor* —4F **63**
Worsley St. *M3* —5C **94** (2F **9**)
(Manchester)
Worsley St. *M3* —3C **94** (4F **5**)
(Salford)
Worsley St. *M15*
—6B **94** (3D **8**)
Worsley St. *Oldh* —4F **73**
Worsley St. *Pen* —4G **79**
(Pendlebury)
Worsley St. *Pen* —1F **79**
(Swinton)
Worsley St. *Roch* —4B **28**
Worsley St. *Tot* —4G **21**
Worston Av. *Bolt* —2D **30**
Worthenbury Wlk. *M13*
—4A **110**
Worthing Clo. *Stoc* —5D **140**
Worthing St. *M14* —5F **109**
Worthington Av. *Heyw* —6G **39**
Worthington Av. *Part* —6D **118**
Worthington Clo. *Ash L* —6E **87**
Worthington Clo. *Hyde*
—5A **116**
Worthington Ct. *Sale* —5E **123**
Worthington Dri. *Salf* —2H **81**
Worthington Rd. *Dent* —5H **113**
Worthington Rd. *Sale* —5E **123**
Worthington St. *Ash L* —6E **87**
Worthington St. *Bolt* —4G **45**
Worthington St. *Old T* —3A **108**
Worthington St. *Stal* —4D **100**
Worth's La. *Dent* —2G **129**
Wortley Av. *Salf* —2C **92**
Wortley Gro. *M40* —1B **84**
Wragby Clo. *Bury* —6D **22**
Wrath Clo. *Bolt* —6F **19**
Wray Pl. *Roch* —5C **28**
Wraysbury Wlk. *M40* —4A **84**
(off Hugo St.)
Wrayton Lodge. *Sale* —1B **134**
Wrekin Av. *M23* —2G **147**
Wren Av. *Clif* —6H **65**
Wrenbury Av. *M20* —2D **124**
Wrenbury Cres. *Stoc* —5E **139**
Wrenbury Dri. *Bolt* —5D **18**
Wrenbury Dri. *Chea* —5A **138**
Wrenbury Wlk. *Sale* —6E **123**
Wren Clo. *Aud* —4C **98**
Wren Clo. *Farn* —1B **62**
Wren Clo. *Stoc* —6F **141**
Wren Dri. *Bury* —1F **37**
Wren Dri. *Irl* —3E **103**
Wren Gdns. *Mid* —6H **53**
Wren Grn. *Roch* —5B **28**
Wrens Nest Av. *Shaw* —5G **43**
Wren St. *Chad* —1H **71**
Wren St. *Oldh* —3G **73**
Wrenswood Dri. *Wor* —3E **77**
Wrexham Clo. *Oldh* —1H **85**
Wrigglesworth Clo. *Bury*
—2F **35**
Wright Robinson Clo. *M11*
—5A **96**
Wrights Bank N. *Stoc* —6E **141**
Wrights Bank S. *Stoc* —6E **141**
Wright St. *M16* —1A **108** (6B **8**)
Wright St. *Ash L* —1B **100**
Wright St. *Aud* —5E **99**

Wright St. *Chad* —4H **71**
Wright St. *Fail* —3F **85**
Wright St. *Ince* —4H **85**
Wright St. *Oldh* —2E **73**
Wright St. *Rad* —4F **49**
Wright Tree Vs. *Cad* —4B **118**
Wrigley Cres. *Fail* —4F **85**
Wrigley Fold. *Mid* —4F **53**
Wrigley Head. *Fail* —3F **85**
Wrigley Head Cres. *Fail* —3F **85**
Wrigley Pl. *L'boro* —6D **16**
Wrigley's Pl. *Oldh* —6C **72**
Wrigley Sq. *Lees* —3B **74**
Wrigley's Sq. *Roch* —3H **27**
Wrigley St. *Ash L* —1H **99**
Wrigley St. *Duk* —5B **100**
Wrigley St. *Lees* —3A **74**
Wrigley St. *Oldh* —2F **73**
Wrigley St. *Scout* —1D **74**
Wroe St. *Pen* —6F **65**
Wroe St. *Salf* —4B **94** (5C **4**)
Wroe St. *Spring* —3B **74**
Wrotham Clo. *Salf* —4G **93**
Wroxeter Wlk. *M12* —1B **110**
(off Wenlock Way)
Wroxham Av. *Dent* —4A **112**
Wroxham Av. *Urm* —4D **104**
Wroxham Clo. *Bury* —6D **22**
Wroxham Rd. *M9* —6D **68**
Wuerdle Clo. *Roch* —5C **16**
Wuerdle Pl. *Roch* —5C **16**
Wuerdle St. *Roch* —5C **16**
Wyatt Av. *Salf* —6A **94** (3A **8**)
Wyatt St. *Duk* —5A **100**
Wyatt St. *Stoc* —1F **139**
Wybersley Rd. *H Lane* —5E **155**
Wychbury St. *Salf* —3E **93**
Wychelm Rd. *Part* —6D **118**
Wycherley Rd. *Roch* —1D **26**
Wych Fold. *Hyde* —2C **130**
(in two parts)
Wych St. *Ash L* —3H **99**
Wychwood. *Bow* —4D **144**
Wychwood Clo. *Mid* —2B **70**
Wycliffe Av. *Wilm* —2D **166**
Wycliffe Ct. *Urm* —5E **105**
Wycliffe Rd. *Urm* —5E **105**
Wycliffe St. *Ecc* —3E **91**
Wycliffe St. *Stoc* —1F **139**
Wycombe Av. *M18* —1G **111**
Wycombe Clo. *Urm* —2E **105**
Wye Av. *Fail* —4F **85**
Wyecroft Clo. *Woodl* —4H **129**
Wye St. *Oldh* —4B **72**
Wykeham Gro. *Roch* —2D **26**
Wykeham M. *Bolt* —6E **31**
Wykeham St. *M14* —4E **109**
Wyke Pk. *Oldh* —3H **73**
Wylam Wlk. *M12* —4D **110**
Wylde, The. *Bury* —3C **36**
Wynchgate Rd. *Haz G* —2G **153**
Wyndale Dri. *Fail* —6F **85**
Wyndale Rd. *Oldh* —6G **57**
Wyndcliffe Dri. *Urm* —6A **104**
(in two parts)
Wyndham Av. *Bolt* —5E **45**
Wyndham Av. *Clif* —6F **65**
Wyndham Clo. *Bram* —6H **151**
Wyndham St. *Bury* —4D **36**
Wyne Clo. *Haz G* —2G **153**
Wynfield Av. *M22* —6D **148**
Wynford Sq. *Salf* —4F **93**
Wyngate Rd. *Chea H* —4B **150**
Wyngate Rd. *Hale* —5H **145**
Wynne Av. *Clif* —6F **65**
Wynne Clo. *M11* —5B **96**
Wynne Clo. *Dent* —6F **113**
Wynne Gro. *Dent* —6E **113**
Wynne St. *Bolt* —3A **32**
Wynne St. *L Hul* —5C **62**
Wynne St. *Salf* —1H **93**

Wynnstay Gro. *M14* —1G **125**
Wynnstay Rd. *Sale* —4B **122**
Wynn St. *M40* —2E **85**
Wynt, The. *Part* —5D **118**
Wynyard Clo. *Sale* —1D **133**
Wynyard Rd. *M22* —2A **148**
Wyre Clo. *W'fld* —6F **51**
Wyre Dri. *Wor* —4D **76**
Wyresdale Rd. *Bolt* —5G **31**
Wyresdale Wlk. *M15*
—1C **108** (6E **9**)
(off Ipstone Clo.)
Wyre St. *M1* —5F **95** (2D **10**)
Wyre St. *Moss* —2D **88**
Wythall Av. *L Hul* —3D **62**
Wythburn Av. *M8* —5B **83**
Wythburn Av. *Bolt* —4E **31**
Wythburn Av. *Urm* —4D **104**
Wythburn Rd. *Mid* —4G **53**
Wythburn Rd. *Stoc* —4B **140**
Wythburn St. *Salf* —3E **93**
Wythenshawe Rd. *M23*
—3E **135**
Wythenshawe Rd. *Sale*
—5E **123**
Wythens Rd. *H Grn* —5F **149**
Wythop Gdns. *Salf* —4G **93**
Wyvern Av. *Stoc* —4G **127**
Wyverne Rd. *M21* —6B **108**
Wyville Clo. *Haz G* —2G **153**
Wyville Dri. *M9* —3D **68**
Wyville Dri. *Salf* —2F **93**
Wyville Dri. *Swint* —5E **79**

Y

Yarburgh St. *M16* —4C **108**
Yardley Av. *Stret* —5A **106**
Yardley Clo. *Stret* —5A **106**
Yarmouth Dri. *M23* —2H **135**
Yarnton Clo. *Rytn* —2E **57**
Yarn Wlk. *M4* —4G **95** (5F **7**)
Yarrow Clo. *Roch* —6H **27**
Yarrow Pl. *Bolt* —4H **31**
Yarrow Wlk. *W'fld* —6G **51**
Yarwell. *Roch* —3G **27**
(off Spotland Rd.)
Yarwood Av. *M23* —4F **135**
Yarwood Clo. *Heyw* —2G **39**
Yarwoodheath La. *Ros*
—5A **144**
Yarwood St. *Bow* —2F **145**
Yarwood St. *Bury* —3E **37**
Yates Dri. *Wor* —6C **62**
Yates St. *Bolt* —4C **32**
Yates St. *Mid* —2E **69**
Yates St. *Oldh* —1E **73**
Yates St. *Stoc* —6B **128**
Yates Ter. *Bury* —6E **23**
Yattendon Av. *M23* —3D **134**
Yeadon Rd. *M18* —4F **111**
Yealand Av. *Stoc* —6F **127**
Yealand Clo. *Roch* —5D **26**
Yealand Dri. *Bram* —2G **151**
Yeargate Ind. Est. *Bury* —3H **37**
Yelverton Wlk. *M13*
—1G **109** (6E **11**)
(off Lowndes Wlk.)
Yeoford Dri. *Alt* —5D **132**
Yeoman Clo. *Haz G* —2D **152**
Yeomanry Ct. *M16* —4B **108**
Yeoman's Clo. *Miln* —4F **29**
Yeovil Wlk. *M11* —4B **96**
Yeovil Wlk. *M16* —4D **108**
Yewbarrow Rd. *Oldh* —1E **73**
Yew Clo. *Bolt* —3F **45**
Yew Ct. *Roch* —1B **28**
Yew Cres. *Oldh* —1H **73**
Yewdale. *Clif* —1H **79**
Yewdale Av. *Bolt* —4H **33**
Yewdale Dri. *Mid* —6G **53**
Yewdale Gdns. *Bolt* —3H **33**

Yewdale Gdns. *Roch* —1B **40**
Yewdale Rd. *Stoc* —4B **140**
Yewlands Av. *M9* —4F **69**
Yew St. *M15* —2C **108**
Yew St. *Aud* —1F **113**
Yew St. *Bury* —2G **37**
Yew St. *Heyw* —3D **38**
Yew St. *Salf* —5G **81**
Yew St. *Stoc* —2E **139**
Yew Tree Av. *Fall* —5E **109**
Yew Tree Av. *Haz G* —4F **153**
Yew Tree Av. *Lev* —6C **110**
Yew Tree Av. *N'den* —2B **136**
Yew Tree Clo. *Ash L* —5E **87**
Yew Tree Clo. *Marp* —6C **142**
Yew Tree Clo. *Wilm* —2G **167**
Yew Tree Cotts. *Comp* —6F **131**
Yew Tree Cotts. *Dig* —1C **60**
Yew Tree Cres. *M14* —6F **109**
Yew Tree Dri. *M22* —2B **136**
Yew Tree Dri. *Bred* —6D **128**
Yew Tree Dri. *Chad* —2D **70**
Yew Tree Dri. *Los* —1A **44**
Yew Tree Dri. *P'wch* —5F **67**
Yew Tree Dri. *Sale* —5E **123**
Yew Tree Dri. *Urm* —3B **104**
Yewtree Gro. *H Grn* —2E **149**
Yew Tree La. *M23 & M22*
—1H **135**
Yew Tree La. *Bolt* —6E **19**
Yewtree La. *Duk* —6C **100**
Yewtree La. *Poy* —5E **163**
Yew Tree Pk. Rd. *Chea H*
—1D **160**
Yew Tree Rd. *M14* —4F **109**
Yew Tree Rd. *A'ton* —6H **163**
Yew Tree Rd. *Dent* —6E **113**
Yew Tree Rd. *Stoc* —2H **151**
Yew Wlk. *Part* —6C **118**
York Arc. *M1* —4E **95** (6B **6**)
(off Piccadilly Plaza)
York Av. *M16* —5A **108**
York Av. *L Lev* —4A **48**
York Av. *Oldh* —5B **72**
York Av. *P'wch* —1H **81**
York Av. *Roch* —5C **26**
York Av. *Sale* —4B **122**
York Av. *Swint* —1D **78**
York Av. *Urm* —4G **105**
York Clo. *Chea* —6C **138**
York Clo. *Dent* —3F **113**
York Cres. *Wilm* —1F **167**
Yorkdale Rd. *Oldh* —2H **73**
York Dri. *Bow* —4F **145**
York Dri. *Haz G* —3F **153**
York Dri. *Ram* —5C **12**
York Dri. *Tim* —6F **147**
York Ho. *Sale* —4B **122**
York Pl. *Ash L* —3G **99**
York Rd. *M21* —1H **123**
York Rd. *Bow* —4E **145**
York Rd. *Cad* —4B **118**
York Rd. *Chad* —1F **71**
York Rd. *Dent* —3E **113**
York Rd. *Droy* —2H **97**
York Rd. *Hyde* —1C **130**
York Rd. *Sale* —4A **122**
York Rd. *Stoc* —4D **126**
York Rd. E. *Mid* —4C **70**
York Rd. W. *Mid* —4C **70**
Yorkshire St. *Ash L* —1H **99**
(in two parts)
Yorkshire St. *Oldh* —2D **72**
Yorkshire St. *Roch* —4H **27**
(in three parts)
Yorkshire St. *Salf* —3C **94** (4F **5**)
York Sq. *Rytn* —3B **56**
York St. *M1 & M13*
(in two parts) —5E **95** (2A **10**)
York St. *M2 & M1*
—4E **95** (6A **6**)

York St. *M9* —3G **83**
(in two parts)
York St. *M15* —6C **94** (4E **9**)
York St. *Alt* —2F **145**
York St. *Aud* —5E **99**
York St. *Bury* —3E **37**
York St. *Farn* —1G **63**
York St. *Heyw* —3F **39**
York St. *Lev* —1C **126**
York St. *Manx* —6F **125**
York St. *Oldh* —3C **72**

York St. *Rad* —2B **50**
York St. *Roch* —5B **28**
York St. *Stoc* —3G **139**
York St. *W'fld* —1D **66**
York Ter. *Bolt* —3A **32**
York Ter. *Sale* —3A **122**
Youlgreave Cres. *Glos* —6F **117**
Young St. *M3* —4C **94** (6E **5**)
Young St. *Farn* —2G **63**
Young St. *Rad* —2F **49**
Young St. *Ram* —3D **12**

Yulan Dri. *Sale* —5E **121**
Yule St. *Stoc* —3F **139**

Zama St. *Ram* —5C **12**
Zealand St. *Oldh* —6G **57**
Zebra St. *Salf* —4B **82**
Zedburgh. *Roch* —3G **27**
   (off Spotland Rd.)
Zero Av. *Traf P* —2D **106**
Zeta St. *M9* —4H **83**

Zetland Av. *Bolt* —5F **45**
Zetland Av. N. *Bolt* —5F **45**
Zetland Pl. *Roch* —3B **28**
Zetland Rd. *M21* —1H **123**
Zetland St. *Duk* —4A **100**
Zinnia Dri. *Irl* —1C **118**
Zion Cres. *M15* —1C **108** (6F **9**)
Zion Ter. *Roch* —2A **26**
Zurich Gdns. *Bram* —2G **151**
Zyburn Ct. *Salf* —2A **92**

HOSPITALS, HEALTH CENTRES and HOSPICES
covered by this atlas

with their map square reference

N.B. Where Hospitals and Health Centres are not named on the map, the reference
given is for the road in which they are situated.

Alastair Ross Health Centre —6H **33**
Breightmet Fold La.,
Bolton, BL2 6NT
Tel: (01204) 521227

ALEXANDRA HOSPITAL, THE —5H **137**
Mill La., Cheadle,
Cheshire, SK8 2PX
Tel: (0161) 4283656

Alexandra Park Health Centre —4C **108**
2 Whitswood Clo., Alexandra Park,
Manchester, M16 7AP
Tel: (0161) 2260101

ALTRINCHAM GENERAL HOSPITAL
—1F **145**
Market St., Altrincham,
Cheshire, WA14 1PE
Tel: (0161) 9286111

Ann Street Health Centre —4E **113**
Ann St., Denton,
Manchester, M34 2AJ
Tel: (0161) 3207000

Astley Bridge Health Centre —1A **32**
10 Moss Bank Way,
Bolton, BL1 8NP
Tel: (01204) 307825

Avondale Health Centre —4G **31**
Avondale St., Bolton, BL1 4JP
Tel: (01204) 492331

Baillie Health Centre —3H **27**
Baillie St., Rochdale, OL16 1XS
Tel: (01706) 377777

BARNES HOSPITAL —5G **137**
Kingsway, Cheadle,
Cheshire, SK8 2NY
Tel: (0161) 4288955

BEALEY HOSPITAL —3B **50**
Dumers La., Radcliffe,
Manchester, M26 2QD
Tel: (0161) 7232371

BEAUMONT HOSPITAL, THE —5A **30**
Old Hall Clough, Chorley New Rd.,
Lostock, Bolton BL6 4LA
Tel: (01204) 494211

Beechwood Cancer Care Centre —5F **139**
Chelford Gro., Stockport, SK3 8LS
Tel: (0161) 4760384

BIRCH HILL HOSPITAL —5C **16**
Union Rd., Rochdale, OL12 9QB
Tel: (01706) 377777

Blackburn Street Health Centre —4G **49**
Blackburn St., Radcliffe,
Manchester, M26 1WS
Tel: (0161) 7246411

Bodmin Road Health Centre —4F **121**
Bodmin Rd., Sale, M33 5JH
Tel: (0161) 9731127

BOLTON GENERAL HOSPITAL—6B **46**
Minerva Rd., Farnworth,
Bolton, BL4 0JR
Tel: (01204) 390390

Bolton Hospice —6H **31**
Queens Park St.,
Bolton, BL1 4QT
Tel: (01204) 364375

BOOTH HALL CHILDRENS HOSPITAL
—6H **69**
Charlestown Rd., Manchester, M9 7AA
Tel: (0161) 795 7000

Bramhall Health Centre —1G **161**
66 Bramhall La., South Bramhall,
Stockport, SK7 2DY
Tel: (0161) 4397963

Brinnington Health Centre —4C **128**
Brinnington Rd.,
Stockport, SK5 8BS
Tel: (0161) 430 3383

Brunswick Health Centre —1G **109**
Hartfield Clo., Brunswick St.,
Manchester, M13 9TP
Tel: (0161) 273 4901

Burnage Community Healthcare Centre
—3B **126**
Burnage La.,
Manchester, M19 1EW
Tel: (0161) 443 0600

BURY GENERAL HOSPITAL —6F **23**
Walmersley Rd., Bury, BL9 6PG
Tel: (0161) 764 6081

Bury Hospice —3B **50**
Dumers La., Radcliffe,
Bury, M26 9QD
Tel: (0161) 725 9800

Cannon Street Health Centre —3C **72**
Cannon St.,
Oldham, OL9 6EP
Tel: (0161) 652 0414

Cannon Street Health Centre —2H **45**
Cannon St.,
Bolton, BL3 5TA
Tel: (01204) 391095

Castleton Health Centre —2B **40**
Elizabeth St., Castleton,
Rochdale, OL11 2HY
Tel: (01706) 58905

Chadderton South Health Centre —4G **71**
Eaves La., Chadderton,
Oldham, OL9 8RT
Tel: (0161) 620 4411

Chadderton Town Health Centre —2H **71**
Middleton Rd., Chadderton,
Oldham, OL9 0LG
Tel: (0161) 652 5432

Charlestown Health Centre —1A **84**
Charlestown Rd., Blackley,
Manchester, M9 7ED
Tel: (0161) 740 7786

Cheadle Hulme Health Centre —6C **150**
Smithy Grn., Hulme Hall Rd.,
Cheadle Hulme, SK8 6LU
Tel: (0161) 485 3832

CHEADLE ROYAL HOSPITAL —4G **149**
100 Wilmslow Rd.,
Cheadle, SK8 3DG
Tel: (0161) 428 9511

CHERRY TREE HOSPITAL —6C **140**
Cherry Tree La.,
Stockport, SK2 7PZ
Tel: (0161) 419 4800

Hospitals, Health Centres, and Hospices

CHEST CLINIC (HOSPITAL) —2F **109**
352 Oxford Rd.,
Manchester, M13 9NL
Tel: (0161) 273 4614

Chorlton Health Centre —6H **107**
1 Nicolas Rd., Chorlton,
Manchester, M21 9NJ
Tel: (0161) 861 8888

CHRISTIE HOSPITAL —3F **125**
Wilmslow Rd., Withington,
Manchester, M20 4BX
Tel: (0161) 446 3000

Clayton Health Centre —3D **96**
89 North Rd., Clayton,
Manchester, M11 4EJ
Tel: (0161) 231 1151

Conway Road Health Centre —6D **122**
Conway Rd.,
Sale, M33 2TB
Tel: (0161) 962 4132

Crompton Health Centre —1F **57**
High St., Shaw, Oldham, OL2 8ST
Tel: (01706) 842511

DENTAL HOSPITAL —1E **109**
Higher Cambridge St.,
Manchester, M15 6FH
Tel: (0161) 275 6666

Diabetes Centre, The —3G **109**
130 Hathersage Rd.,
Manchester, M13 0HZ
Tel: (0161) 276 6700

Dr. Kershaw's Hospice —4D **56**
Turf La., Royton, Oldham, OL2 6EU
Tel: (0161) 624 2727

Eccles Health Centre —4H **91**
Corporation Rd., Eccles,
Salford, M30 0EQ
Tel: (0161) 789 5135

Egerton & Dunscar Health Centre —3D **18**
Darwen Rd., Bromley Cross,
Bolton, BL7 9RG
Tel: (01204) 591531

Failsworth Health Centre —4F **85**
Ashton Rd., West Failsworth,
Oldham, M35 0FQ
Tel: (0161) 682 6297

FAIRFIELD GENERAL HOSPITAL —1A **38**
Rochdale Old Rd., Bury BL9 7TD
Tel: (0161) 764 6081

Farnworth Health Centre —1F **63**
Frederick St., Farnworth,
Bolton, BL4 9AH
Tel: (01204) 572972

Francis House Children's Hospice —1G **137**
390 Parrs Wood Rd., East Didsbury,
Manchester, M20 5NA
Tel: (0161) 434 4118

Gatley Health Centre —5E **137**
Old Hall Rd.,
Gatley, SK8 4DG
Tel: (0161) 428 8484

Glodwick Health Centre —3F **73**
Glodwick Rd.,
Oldham, OL4 1YN
Tel: (0161) 652 5311

Great Lever Health Centre —3A **46**
Rupert St., Bolton, BL3 6RN
Tel: (01204) 399001

Halliwell Health Centre —4A **32**
Aylesford Wlk., Bolton, BL1 3SQ
Tel: (01204) 361818

Handforth Health Centre —4H **159**
Wilmslow Rd., Handforth,
Wilmslow, SK9 3HL
Tel: (01625) 529664

Harpurhey Health Centre —3F **83**
1 Church La., Harpurhey,
Manchester, M9 4BE
Tel: (0161) 205 5063

Harwood Health Centre —6H **19**
Hough Fold Way, Harwood,
Bolton, BL2 3HQ
Tel: (01204) 308729

Haughton Green Health Centre —6G **113**
Tatton Rd., Haughton Green,
Denton, Manchester, M34 7PH
Tel: (0161) 336 5354

Heald Green Health Centre —5F **149**
Finney La., Heald Green, SK8 3JD
Tel: (0161) 498 0855

Heaton Moor Health Centre —4E **127**
32 Heaton Moor Rd., Heaton Moor,
Stockport, SK4 4NX
Tel: (0161) 443 1028

Heaton Norris Health Centre —6F **127**
Cheviot Clo. Stockport, SK4 1JX
Tel: (0161) 477 3095

Higher Broughton Health Centre —5A **82**
Bevendon Sq., Tully St.,
Salford, M7 0UF
Tel: (0161) 792 6969

HIGHFIELD HOSPITAL, THE —6G **27**
Manchester Rd.,
Rochdale, O11 4LZ
Tel: (01706) 55121

HOPE HOSPITAL —2B **92**
Stott La., Salford, M6 8HD
Tel: (0161) 789 7373

HULTON HOSPITAL —4E **45**
Hulton La., Bolton, BL3 4JZ
Tel: (01204) 390390

HYDE HOSPITAL —6D **114**
Grange Rd.,
South Hyde, SK14 5NY
Tel: (0161) 3668833

IBH OAKLANDS HOSPITAL —1B **92**
19 Lancaster Rd., Salford, M6 8AQ
Tel: (0161) 787 7700

IBH VICTORIA PARK HOSPITAL —3H **109**
Daisy Bank Rd., Victoria Park,
Manchester, M14 5QH
Tel: (0161) 257 2233

LADYWELL HOSPITAL —4A **92**
Eccles New Rd., Salford, M5 2AA
Tel: (0161) 789 7373

Lance Burn Health Centre —3G **93**
Churchill Way,
Salford, M6 5QX
Tel: (0161) 745 8855

Levenshulme Health Centre —6D **110**
Dunstable St., Manchester, M19 3BX
Tel: (0161) 225 4343

Lever Chambers Centre for Health —6B **32**
Ashburner St., Bolton, BL1 1SQ
Tel: (01204) 360000

Littleborough Health Centre —4E **17**
Featherstall Rd.,
Littleborough, OL15 8HF
Tel: (01706) 377911

Little Lever Health Centre —4B **48**
Mytham Rd.,
Little Lever, Bolton, BL3 1JF
Tel: (01204) 793135

Longsight Health Centre —3B **110**
526/528 Stockport Rd.,
Manchester, M13 0RR
Tel: (0161) 225 9274

Lower Broughton Health Centre —1B **94**
Great Clowes St., Lower Broughton,
Salford, M7 1RD
Tel: (0161) 832 4915

Macdonald Road Medical Centre —1C **118**
MacDonald Rd., Irlam, M30 5LH
Tel: (0161) 775 2902

MANCHESTER BUPA HOSPITAL —4B **108**
Russell Rd., Whalley Range,
Manchester M16 8AJ
Tel: (0161) 226 0112

MANCHESTER FOOT HOSPITAL —3H **109**
5-7 Anson Rd., Victoria Park,
Manchester, M14 5BR
Tel: (0161) 224 0613

MANCHESTER ROYAL INFIRMARY
—2G **109**
Oxford Rd.,
Manchester, M13 9WL
Tel: (0161) 276 4901

Marjory Lees Health Centre —2D **72**
Egerton St., Oldham, OL1 3SF
Tel: (0161) 652 1221

Meadway Health Centre —1G **133**
Meadway, Sale, M33 4PP
Tel: (0161) 905 2929

Mile Lane Health Centre —4F **35**
Mile La.,
Bury, BL8 2JR
Tel: (0161) 761 4521

Milnrow Health Centre —6F **29**
Stonefield St., Milnrow,
Rochdale, OL16 4JQ
Tel: (01706) 358505

Mossley Health Centre —2E **89**
Market St., Mossley,
Ashton-Under-Lyne, OL5 0HE
Tel: (01457) 834321

Moss Side Health Centre —3E **109**
Monton St., Moss Side,
Manchester, M14 4GP
Tel: (0161) 226 5031

Neil Cliffe Cancer Care Centre —1E **147**
Wythenshaw Hospital,
Southmoor Rd.,
Manchester, M23 9LT
Tel: (0161) 291 2912

Hospitals, Health Centres, and Hospices

Newton Heath Health Centre —5B **84**
2 Old Church St.,
Newton Heath,
Manchester, M40 2JF
Tel: (0161) 684 9696

Northenden Health Centre —3B **136**
489 Palatine Rd., Withington,
Manchester, M22 4DH
Tel: (0161) 945 3624

NORTH MANCHESTER GENERAL HOSPITAL
—2D **82**
Delaunays Rd., Crumpsall,
Manchester, M8 6RB
Tel: (0161) 795 4567

Offerton Health Centre —3B **140**
10 Offerton La., Offerton,
Stockport, SK2 5AR
Tel: (0161) 480 0328

Ordsall Health Centre —5H **93**
Belfort Dri., Ordsall,
Salford, M5 3PP
Tel: (0161) 872 2004

PARK HOUSE DAY HOSPITAL —1D **82**
North Manchester General Hosp.,
Delaunays Rd., Crumpsall,
Manchester, M8 6RB
Tel: (0161) 795 4567

Partington Health Centre —6D **118**
Central Rd., Partington,
Manchester M31 4FL
Tel: (0161) 775 1521

Peel Health Centre —4D **36**
Angouleme Way,
Bury, BL9 0BT
Tel: (0161) 764 0315

Pendlebury Health Centre —1G **79**
659 Bolton Rd., Pendlebury,
Salford, M27 8HP
Tel: (0161) 793 8777

Prestwich Health Centre —4E **67**
Fairfax Rd., Prestwich,
Manchester, M25 1BT
Tel: (0161) 773 9111

PRESTWICH HOSPITAL —4D **66**
Bury New Rd., Prestwich,
Manchester, M25 3BL
Tel: (0161) 773 9121

RAMSBOTTOM COTTAGE HOSPITAL
—4D **12**
Nuttall La., Ramsbottom,
Bury, BL0 9JZ
Tel: (01706) 823123

Ramsbottom Health Centre —3D **12**
Carr St., Ramsbottom,
Bury, BL0 9DD
Tel: (01706) 824294

Red Bank Health Centre —3F **49**
Unsworth St., Radcliffe,
Manchester, M26 3GH
Tel: (0161) 724 6911

ROCHDALE INFIRMARY —2G **27**
Whitehall St.,
Rochdale, OL12 0NB
Tel: (01706) 377777

Romiley Health Centre —1A **142**
Chichester Rd., Romiley,
Stockport, SK6 4QR
Tel: (0161) 430 6615

ROYAL EYE HOSPITAL —2F **109**
Oxford Rd.,
Manchester, M13 9WH
Tel: (0161) 276 5501

ROYAL MANCHESTER CHILDRENS
HOSPITAL —4A **80**
Hospital Rd., Pendlebury,
Manchester, M27 4HA
Tel: (0161) 794 4696

ROYAL OLDHAM HOSPITAL —6B **56**
Rochdale Rd.,
Oldham, OL1 2JH
Tel: (0161) 624 0420

Royton Health Centre —3B **56**
Rochdale Rd., Royton,
Oldham, OL2 5QB
Tel: (0161) 652 8333

Rusholme Health Centre —4G **109**
Walmer St., Manchester, M14 5NP
Tel: (0161) 225 1100

ST ANNES HOSPITAL —2E **145**
Woodville Rd., Altrincham, WA14 2AQ
Tel: (0161) 928 5851

St Ann's Hospice —5C **62**
Peel La., Little Hulton,
Manchester, M38 0EL
Tel: (0161) 283 0186

St Ann's Hospice —3G **149**
St Ann's Rd., North Heald Green,
Cheadle, SK8 3SZ
Tel: (0161) 437 8136

ST MARY'S HOSPITAL FOR WOMEN
& CHILDREN—3G **109**
Whitworth Park, Hathersage Rd.,
Manchester, M13 0JH
Tel: (0161) 276 1234

ST THOMAS' HOSPITAL —4G **139**
Shaw Heath, Stockport, SK3 8BL
Tel: (0161) 419 4306

Seymour Grove Health Centre —3H **107**
70 Seymour Gro., Old Trafford,
Manchester, M16 0LW
Tel: (0161) 872 5672

Shaw Heath Health Centre —4G **139**
Gilmore St., Shaw Heath,
Stockport, SK3 8DN
Tel: (0161) 477 5025

Springhill Hospice —2H **41**
Broad La.,
Rochdale, OL16 4PZ
Tel: (01706) 49920

STEPPING HILL HOSPITAL —1C **152**
Poplar Gro.,
Stockport, SK2 7JE
Tel: (0161) 483 1010

STRETFORD MEMORIAL HOSPITAL
—4H **107**
Seymour Gro., Old Trafford,
Manchester, M16 0DU
Tel: (0161) 881 5353

TAMESIDE GENERAL (HOSPITAL) —1C **100**
Fountain St.,
Ashton-Under-Lyne, OL6 9RW
Tel: (0161) 331 6000

Timperley Health Centre —4B **134**
169 Grove La., Timperley,
Manchester, WA15 6PH
Tel: (0161) 980 8041

Tonge Moor Health Centre —4D **32**
Thicketford Rd., Bolton, BL2 2LW
Tel: (01204) 386395

Tong Fold Health Centre —6E **33**
Hilton St., Bolton, BL2 6DY
Tel: (01204) 393093

Tottington Health Centre —4G **21**
16 Market St., Tottington, Bury, BL8 4AD
Tel: (01204) 885113

TRAFFORD GENERAL HOSPITAL —4C **104**
Moorside Rd., Urmston,
Manchester, M41 5SL
Tel: (0161) 748 4022

Whitefield Health Centre —1C **66**
Bury New Rd., Whitefield,
Manchester, M45 8GH
Tel: (0161) 766 9911

Willows Centre for Health Care, The —3D **92**
Lords Av., Salford, M5 2JR
Tel: (0161) 737 0330

Wilmslow Health Centre —3D **166**
Chapel La., Wilmslow, SK9 5HX
Tel: (01625) 526444

WITHINGTON HOSPITAL —4D **124**
Nell La., West Didsbury,
Manchester, M20 8LR
Tel: (0161) 445 8111

WOODLANDS HOSPITAL —6B **62**
Peel La., Little Hulton, Worsley,
Manchester, M28 6FJ
Tel: (0161) 790 4222

Woodley Health Centre —4G **129**
Hyde Rd., Woodley, Stockport, SK6 1ND
Tel: (0161) 494 0213

Wythenshawe Healthcare Centre —6C **136**
Stancliffe Rd., Sharston,
Manchester, M22 4PJ
Tel: (0161) 946 0065

WYTHENSHAWE HOSPITAL —1F **147**
Southmoor Rd., Manchester, M23 9LT
Tel: (0161) 998 7070